Guy Fouché/Trey Nash
Visual Basic 2008
Profihandbuch und Referenz

FRANZIS
PROFESSIONAL SERIES

Guy
Fouché

Trey
Nash

Visual Basic 2008

Profihandbuch und Referenz

Bibliografische Information der Deutschen Bibliothek

Die Deutsche Bibliothek verzeichnet diese Publikation in der Deutschen Nationalbibliografie; detaillierte Daten sind im Internet über **http://dnb.ddb.de** abrufbar.

Hinweis

Alle Angaben in diesem Buch wurden vom Autor mit größter Sorgfalt erarbeitet bzw. zusammengestellt und unter Einschaltung wirksamer Kontrollmaßnahmen reproduziert. Trotzdem sind Fehler nicht ganz auszuschließen. Der Verlag und der Autor sehen sich deshalb gezwungen, darauf hinzuweisen, dass sie weder eine Garantie noch die juristische Verantwortung oder irgendeine Haftung für Folgen, die auf fehlerhafte Angaben zurückgehen, übernehmen können. Für die Mitteilung etwaiger Fehler sind Verlag und Autor jederzeit dankbar. Internetadressen oder Versionsnummern stellen den bei Redaktionsschluss verfügbaren Informationsstand dar. Verlag und Autor übernehmen keinerlei Verantwortung oder Haftung für Veränderungen, die sich aus nicht von ihnen zu vertretenden Umständen ergeben. Evtl. beigefügte oder zum Download angebotene Dateien und Informationen dienen ausschließlich der nicht gewerblichen Nutzung. Eine gewerbliche Nutzung ist nur mit Zustimmung des Lizenzinhabers möglich.

Übersetzung: Franz Graser
Satz: DTP-Satz A. Kugge, München
art & design: www.ideehoch2.de
Druck: Bercker, 47623 Kevelaer
Printed in Germany

ISBN 978-3-7723-**6409-9**

Über die Autoren

Guy Fouché ist Berater für Business Intelligence und entscheidungsunterstützende Systeme und lebt in der Gegend von Dallas, Texas. Er hat eine Vielzahl von Visual-Basic-Systemen für unterschiedliche Branchen entwickelt, die Unternehmen aller Größen und Formen unterstützen. Seine Erfahrung in der Programmierung mit VB reicht bis zur Version 1 zurück – Sie haben richtig gelesen: bis Version 1. Guy verbringt seine Abende, indem er auf einer seiner acht Trompeten spielt und seine Fähigkeiten als Komponist mit Hilfe der aktuellen Musiktechnologie erweitert. Am Wochenende legt er möglichst viele Kilometer auf seinem knallgelben Sportmotorrad vom Typ Honda F4i zurück. Guy und seine Frau Jodi lieben neun Tage lange Ausflüge mit ihrem allradgetriebenen Jeep und das Schreiben von Reiseberichten. Sie können Ihre Fotografien auf der Seite http://photography.fouche.ws bewundern.

Trey Nash ist Principal Software Engineer und arbeitet für einen marktführenden Hersteller von Sicherheitssoftware an Sicherheitslösungen. Vorher entwickelte er Bluetooth-Lösungen für Windows Vista, und davor war Macromedia sein zweites Zuhause. Bei Macromedia arbeitete er mehrere Jahre in einem produktübergreifenden Engineering-Team und entwarf Lösungen für eine große Bandbreite von Produkten, darunter auch Flash und Fireworks. Er spezialisierte sich auf COM/DCOM und benutzte dabei C/C++ und ATI, bis die .NET-Revolution hereinbrach. Er klebt an Computern, seit er seinen ersten bekam, einen TI 99/4A, als er 13 Jahre alt war. Er verblüffte seine Eltern damit, dass er seine kindliche Besessenheit in eine ganz ordentlich bezahlte Karriere verwandeln konnte – sehr zu ihrem Erschrecken. Trey erhielt seinen Bachelor of Science und seinen Master Of Engineering als Elektroingenieur an der Texas A & M University. Wenn er nicht gerade am Computer sitzt, finden Sie ihn bestimmt bei Arbeiten in seiner Garage, beim Klavierspielen, beim Auffrischen von Fremdsprachenkenntnissen (Russisch und Isländisch sind seine aktuellen Favoriten) oder beim Eishockeyspielen.

Die technischen Gutachter

Tim Patrick arbeitet seit fast 25 Jahren als professioneller Softwarearchitekt und Entwickler. Tagsüber hilft er bei der Entwicklung zertifizierter Geschäftsanwendungen für kleine und mittelgroße Betriebe in Visual Basic. Er ist Microsoft certified Solution Developer (MCSD). Im April 2007 hat Microsoft ihn für seine Arbeit als Unterstützer und Förderer von Visual Basic und seiner Benutzergemeinde mit dem Titel Most Valuable Professional (MVP) ausgezeichnet. Tim hat seinen Abschluss in Informatik an der Seattle Pacific University erworben. Sie können ihn über seine Website, `www.timaki.com`, kontaktieren.

Fabio Claudio Ferracchiati ist Senior-Entwickler bei Brain Force (`www.brainforce.com`). Er ist ein überaus produktiver Autor über Spitzentechnologien und hat zu mehr als einem Duzend Büchern über .NET, C#, Visual Basic und ASP.NET beigetragen. Er ist MCSD für .NET und lebt in Mailand.

Danksagungen

Wir möchten Euch allen bei Apress, die ihr Euch für diese Seiten eingesetzt habt, ganz herzlich danken.

Guy Fouché und Trey Nash

Zusätzlich möchte ich folgenden Personen ein Zeichen meiner Wertschätzung geben:

Kim Benbow und Kelly Gunther – für viele gute Änderungsvorschläge und dafür, dass diese Seiten so gut aussehen.

Tim Patrick und Fabio Ferracchiati – ihr Wissen hat eine Menge zu diesem Buch beigetragen.

Sofia Marchant – dafür, dass sie zahllose Überarbeitungen koordiniert hat und uns alle stets auf dem Laufenden hielt.

Dominic Shakeshaft – für seine sachkundige und erfahrene Führung bei dieser Ausgabe.

Guy Fouché

Für Jim und Kay Liegl – für ihre Freundschaft und all die Späße im Jeep
Für Charlotte Fouché – für ihr Lachen und ihr Einfühlungsvermögen in andere
Für Gaston Fouché Sr – für seine Kochkunst und seine Bereitschaft, sie weiterzugeben
Für Frank Reed – für die Musik und die Duette mit der Trompete, auch dann, wenn meine Stunden längst vorbei waren
Für Jodi Fouché – für ihre Gedichte und dafür, dass sie mein größter Fan und meine einzig wahre Liebe ist
– Guy Fouché

Einführung

Visual Basic 2008 ist relativ einfach für jeden zu erlernen, der mit einer anderen objektorientierten Sprache vertraut ist. Sogar jemand, der Visual Basic 6.0 gut kennt und eine objektorientierte Sprache sucht, wird mit VB 2008 gut klarkommen. Obwohl VB 2008 zusammen mit .NET einen schnellen Weg bietet, einfache Anwendungen zu erstellen, müssen Sie eine ganze Menge an Informationen wissen und verstehen, um sie korrekt einsetzen zu können, wenn Sie ausgefeilte, robuste, fehlertolerante Applikationen bauen. Wir zeigen Ihnen, was Sie wissen müssen, und erklären Ihnen, wie Sie Ihr Wissen am besten nutzen, damit Sie schnell zu einem echten Experten in VB 2008 werden.

Idiome und Entwurfsmuster sind unentbehrlich für die Entwicklung und Anwendung von Fachkenntnissen, und wir zeigen Ihnen, wie man viele davon benutzt, um Applikationen zu kreieren, die effizient, robust, fehlertolerant und ausnahmesicher sind. Obwohl viele davon Programmierern aus dem C++- und Java-Lager bekannt sein dürften, sind einige davon einzigartig für .NET und die Common Language Runtime (CLR). Wir zeigen Ihnen, wie man diese unverzichtbaren Idiome und Entwurfstechniken verwendet, um Ihre VB 2008-Anwendungen mit der Dotnet-Laufzeitumgebung zu verknüpfen, und fokussieren dabei auf die neuen Fähigkeiten von VB 2008.

Entwurfsmuster dokumentieren bewährte Praktiken im Anwendungsdesign, die viele unterschiedliche Programmierer im Lauf der Zeit entdeckt und immer wieder entdeckt haben. In der Tat implementiert .NET selbst viele wohlbekannte Entwurfsmuster. Sie werden diese Praktiken im ganzen Buch in detaillierten Darstellungen finden. Es ist außerdem wichtig zu beachten, dass die wertvolle Werkzeugkiste solcher Techniken sich ständig weiterentwickelt.

.NET 3.5 bietet eine einzigartige und stabile plattformübergreifende Ausführungsumgebung. VB 2008 ist nur eine der vielen Sprachen, die auf diese mächtige Laufzeitumgebung abzielen. Sie werden herausfinden, dass viele der Techniken, die wir in diesem Buch erforschen, auch bei jeder anderen Sprache anwendbar sind, die die .NET-Laufzeitumgebung verwendet.

Wie Sie sehen werden, brauchen Sie keine langen Jahre des Versuchs und des Irrtums, um ein Experte in VB 2008 zu werden. Sie müssen einfach die richtigen Werkzeuge kennenlernen und die richtigen Wege, sie zu nutzen. Daher haben wir dieses Buch für Sie geschrieben.

Über dieses Buch

Wir setzen voraus, dass Sie schon Erfahrung in der Arbeit mit einer anderen objektorientierten Sprache wie C++, Java oder Visual Basic haben. Wenn Sie VB 2005 oder VB 2008 schon etwas näher kennen, dann können Sie die Kapitel 1 und 2 flüchtig lesen.

Das Kapitel 1, »Visual Basic 2008 im Überblick«, gibt Ihnen einen kurzen Einblick darüber, wie eine einfache VB 2008-Anwendung aussieht.

Das Kapitel 2, »Die Syntax von VB 2008«, führt in die Sprachsyntax von VB 2008 ein. Wir machen Sie mit den beiden fundamentalen Typen in der CLR bekannt: den Werttypen und den Referenztypen. Wir beschreiben außerdem Namensräume und wie man sie benutzen kann, um Typen und Funktionalitäten innerhalb Ihrer Applikationen logisch zu partitionieren.

Kapitel 3, »Klassen und Strukturen«, liefert Details über die Definition von Typen in VB 2008. Sie werden mehr über Werttypen und Referenztypen lernen. Wir besprechen auch Ineffizienzen, die das Boxing mit sich bringt, sowie das Erzeugen, die Initialisierung sowie die Zerstörung von Objekten.

Das Kapitel 4, »Methoden, Properties und Felder«, beschreibt, wie man Methoden benutzt, um den Typen Verhaltensweisen hinzuzufügen, wie man Properties benutzt, um die Kapselung durchzusetzen, und wie Felder verwendet werden, um den Zustand Ihres Objekts darzustellen. Sie werden Methodenparameter-Typen, Überladungen, Property-Modifizierer und Feldinitialisierer erforschen.

Das Kapitel 5, »VB 2008 und die Common Language Runtime«, baut auf Kapitel 1 auf und erforscht die verwaltete Ausführungsumgebung, in der die VB 2008-Anwendungen laufen. Wir machen Sie mit Assemblies bekannt, welche die grundlegenden Bausteine für Applikationen darstellen – VB 2008-Codedateien werden in Assemblies kompiliert. Zudem sehen Sie, wie Metadaten die Assemblies selbstbeschreibend machen.

Im Kapitel 6, »Interfaces«, werden Interfaces und die Rolle, die sie in VB 2008 spielen, im Detail vorgestellt. Interfaces liefern einen Funktionskontrakt, den Typen implementieren können. Sie lernen die vielfältigen Wege kennen, mit denen ein Typ ein Interface implementieren kann, und auch, wie die Laufzeitumgebung entscheidet, welche Methoden aufgerufen werden, wenn eine Interfacemethode aufgerufen wird.

Das Kapitel 7, »Überladen von Operatoren«, erläutert, wie Sie benutzerdefinierte Funktionalität für die eingebauten Operatoren in VB 2008 bereitstellen können, wenn sie auf Ihre selbstdefinierten Typen angewandt werden. Sie sehen, wie man Operatoren verantwortungsvoll überlädt, da nicht alle verwalteten Sprachen, die Code für die CLR kompilieren, in der Lage sind, überladene Operatoren zu benutzen.

Das Kapitel 8, »Ausnahmebehandlung«, zeigt Ihnen die Fähigkeiten von VB 2008 und der CLR beim Exception Handling. Ausnahmesicheren und ausnahmeneutralen Code zu erstellen, ist in VB 2008 knifflig. Sie werden aber sehen, dass fehlertoleranter und ausnahmesicherer Code die Verwendung der Konstrukte `Try`, `Catch` und `Finally` überhaupt nicht braucht. Wir beschreiben auch die Fähigkeiten in der .NET-Laufzeitumgebung, die Ihnen helfen, fehlertoleranteren Code zu entwickeln.

Das »Arbeiten mit Strings« steht im Mittelpunkt von Kapitel 9. Es beschreibt, warum Strings ein Mitglied erster Klasse in der CLR sind und wie man sie effektiv in VB 2008 einsetzt. Ein großer Teil des Kapitels behandelt die Fähigkeiten der verschiedenen Typen im .NET-Framework zur Stringformatierung und wie Ihre definierten Typen durch Implementierung des `IFormattable`-Interfaces dazu gebracht werden können, sich ähnlich zu verhalten. Darüber hinaus machen wir Sie mit den Fähigkeiten des Frameworks für die Globalisierung bekannt und zeigen Ihnen, wie Sie selbstdefinierte `CultureInfo`-Instanzen für Kulturen und Regionen festlegen, die das .NET-Framework noch nicht kennt.

Das Kapitel 10, »Arrays und Auflistungen«, deckt die zahlreichen Array- und Collection-Typen ab, die in VB 2008 zur Verfügung stehen. Sie können zwei Arten von mehrdimensionalen Arrays erstellen, darüber hinaus auch eigene Collection-Typen, indem Sie Collection-Utility-Klassen verwenden. Sie werden auch lernen, wie man das Interface `IEnumerable` implementiert, damit Ihre Auflistungstypen gut mit den `For…Each`-Statements zurandekommen.

Im Kapitel 11, »Delegaten und Ereignisse«, zeigen wir Ihnen die Mechanismen, die in VB 2008 verwendet werden, um Rückrufe zu erzeugen. Historisch gesehen haben alle brauchbaren Frameworks einen Mechanismus zur Erstellung von Callbacks zur Verfügung gestellt. VB 2008 geht einen Schritt weiter und kapselt Callbacks in aufrufbare Objekte, die *Delegaten* genannt werden. Sie werden auch sehen, wie das .NET-Framework Delegaten benutzt, um einen Ereignisbenachrichtigungsmechanismus nach dem Publish-Subscribe-Muster zu kreieren. Dies erlaubt Ihrem Anwendungsdesign, die Quelle des Ereignisses von seinem Benutzer zu entkoppeln.

Das Kapitel 12, »Generics«, führt Sie in eines der aufregendsten Features ein, die VB 2008 und der CLR hinzugefügt wurden. Mit Generics können Sie eine Funktionalitätshülle errichten, innerhalb derer Sie spezifischere Typen zur Laufzeit definieren können. Generics sind am nützlichsten mit Collection-Typen und bieten große Effizienz im Vergleich zu den Auflistungen früherer .NET-Versionen.

Das Kapitel 13, »Threading«, behandelt die Aufgaben, die für die Erstellung von Multithreading-Anwendungen in der verwalteten Ausführungsumgebung von VB 2008 notwendig sind. Sie sehen, wie Delegaten durch Verwendung des »I Owe You«-Entwurfsmusters (IOU) einen exzellenten Durchgang in den Prozess-Threadpool zur Verfügung stellen. Synchronisierung ist sicherlich das wichtigste Konzept, wenn es darum geht, mehrere Ausführungsstränge parallel ablaufen zu lassen. Dieses Kapitel behandelt die verschiedenen Synchronisierungswerkzeuge, die Ihren Anwendungen zur Verfügung stehen.

Das Kapitel 14, »Best Practices in VB 2008«, ist eine Abhandlung über bewährte Praktiken für die Definition neuer Typen und wie Sie sie natürlich einsetzen können, damit Benutzer sie nicht unabsichtlich falsch anwenden. Wir tippen einige dieser Themen auch in anderen Kapiteln an, aber besprechen sie hier im Detail. Das Kapitel endet mit einer Checkliste, die Sie beachten sollten, wenn Sie in VB 2008 neue Typen definieren.

Das Kapitel 15, »LINQ in VB 2008«, erforscht eine Gruppe neuer Technologien, die in das .NET-Framework 3.5 eingebaut wurden. LINQ (Language Integrated Query) stellt ein gemeinsames Objektmodell und Syntax zur Verfügung, um Daten in Ihren VB 2008-Applikationen verwenden zu können. Dieses Kapitel behandelt LINQ für Objekte, LINQ für XML und LINQ für SQL und zeigt wie Sie Objekte im Speicher, XML-Dokumente und relationale Datenbanken mit diesen Technologien abfragen. Wir diskutieren auch verschiedene Technologien, die LINQ unterstützen, wie Typinferenz, anonyme Typen, Erweiterungsmethoden und Lambda-Ausdrücke.

Inhaltsverzeichnis

1 Visual Basic 2008 im Überblick

Dieses Buch richtet sich an erfahrene Entwickler, die mit der objektorientierten Programmierung vertraut sind. In diesem Überblick betrachten wir einige der wichtigsten Unterschiede zwischen Visual Basic 2008 (VB 2008), C# 3.0 und Visual Basic 6.0 (VB6). Aus funktionaler Sicht sind VB 2008 und C# 3.0 fast identisch – Sie können beide Sprachen verwenden, um stabile und hochperformante Anwendungen für die .NET-Umgebung zu erstellen. Die größten Unterschiede finden sich bei der Syntax, die bei den beiden Sprachen völlig verschieden gestaltet wurde. Auch VB 2008 und VB6 unterscheiden sich sehr stark voneinander. Wir werden deshalb auch hier einen Blick auf einige der übergreifenden Unterschiede zwischen den beiden Sprachen werfen. Danach sehen wir uns ein einfaches VB 2008-Programm an, um einen Eindruck von der programmatischen Struktur in .NET 3.5 zu bekommen. Das Kapitel schließt mit einer Zusammenfassung der Neuheiten, die VB 2008 als aktuelle und beste Version den aktiven VB-Programmierern bietet.

1.1   Unterschiede zwischen VB 2008, C# 3.0 und VB6

Die neue Version von VB wurde speziell dafür entworfen, das neue Programmiermodell zu nutzen, das .NET 3.5 zur Verfügung stellt. Sowohl C# 3.0 als auch VB 2008 sind für Programme ausgelegt, die mit der .NET-Laufzeitumgebung zusammenarbeiten. Während bei C# 3.0 eher an Programmierer mit Erfahrung in C oder C++ gedacht wurde, soll VB 2008 der großen Zahl der bereits vorhandenen VB-Programmierer entgegen kommen. Die neue Sprache zielt auf das Programmiermodell von .NET 3.5 und leitet sich von vorherigen Versionen von VB ab – dennoch werden Sie feststellen, dass es einige Unterschiede gibt. Die Änderungen in der Sprache sind auf die Tatsache zurückzuführen, dass VB 2008, um das .NET-Framework angemessen zu unterstützen, mehr objektorientierte Merkmale und bessere Typsicherheit mitbringen muss.

1.1.1   Die .NET-Laufzeitumgebung

Um die Entwicklung mit VB in der .NET-Umgebung verstehen zu können, müssen Sie zunächst einige Komponenten von .NET kennenlernen und verstehen, wie sie miteinander interagieren. Dieser Abschnitt fasst zusammen, wie VB-Programme unter .NET kompiliert werden und ablaufen. Die Ausführungsumgebung von .NET wird Common Language Runtime (CLR) genannt. Die CLR ist hauptsächlich dafür verantwortlich, Code zu laden und auszuführen. Daneben ist sie für die Speicherverwaltung, die Sicherheit und die Behandlung der Datentypen zuständig.

Auf oberster Ebene befindet sich die Sprache VB selbst – oder jede andere Sprache, die auf die CLR zugeschnitten ist, um Code zu erzeugen. Der VB-Compiler nimmt den geschriebenen Code und generiert daraus eine Zwischensprache, die Intermediate Language (IL). Zum Beispiel enthält eine DLL (Dynamic Link Library) oder eine EXE, also eine ausführbare Datei, IL, die von der CLR verstanden wird. Code, der geschrieben wurde, um in der CLR zu laufen, nennt sich *managed Code* (verwalteter Code), weil er unter der Kontrolle der CLR abläuft. Verwalteter Code besteht aus IL, weil er ein Zwischending aus Hochsprache (wie VB) und systemnahen Sprachen (wie Assembler oder Maschinencode) darstellt.

Zur Laufzeit kompiliert die CLR die IL in nativen Code, wobei sie den Just-In-Time-Compiler (JIT) benutzt. Der JIT-Compiler erzeugt nativen, CPU-spezifischen Code. Man könnte also auch die IL zum Programmieren verwenden und den Code für Computer mit unterschiedlichen Architekturen kompilieren. Das JIT-Kompilieren hat Vor- und Nachteile: So scheint die Ineffizienz, den Code zur Laufzeit zu kompilieren, ein offensichtlicher Nachteil zu sein. Der JIT-Compiler wandelt jedoch nicht die komplette IL in nativen Code um; stattdessen übersetzt er nur die Teile, die ausgeführt werden sollen. Zur gleichen Zeit legt er Methodenrümpfe für all jene Methoden an, die nicht ausgeführt werden. Wenn diese aufgerufen werden, übersetzt der JIT-Compiler den notwendigen Code und führt ihn aus.

Ein Vorteil des Just-In-Time-Kompilierens liegt darin, dass der Umfang der Applikation reduziert wird, da die Speicheranforderungen des Zwischencodes kleiner ausfallen. Denn, wie gesagt, nur der unmittelbar benötigte Code wird JIT-kompiliert. Nicht verwendeter Code wird auch nicht übersetzt – so etwa der Code für Druckfunktionen, wenn der Anwender nie ein Dokument ausdruckt. Mehr noch, die CLR kann die Ausführung des Programms zur Laufzeit optimieren. Zum Beispiel könnte die CLR auf Windows-Rechnern einen Weg finden, um Seitenfehler im Speichermanager zu minimieren, indem der kompilierte Code im Speicher neu angeordnet wird – und dies alles zur Laufzeit. Trotz allem gibt es natürlich Situationen, in denen sich die Just-In-Time-Übersetzung negativ auf die Systemleistung auswirkt. Für solche Fälle können Sie die native Image-Generierung (Ngen) verwenden, um IL für die Maschine vorab zu kompilieren, auf der der Code laufen soll.

Die CLR ersetzt die traditionelle VB-Laufzeitumgebung und eliminiert auch die Komponentenmodelle COM, DCOM, MTS oder COM+. VB-Anwendungen laufen nun im Umfeld der CLR. Das bedeutet, dass es keine Notwendigkeit mehr für die Heerscharen von Technologien für verteilte Anwendungen gibt, die einmal allgegenwärtig waren. Falls nötig, können Sie aber immer noch über die Interoperabilitätsschicht von .NET auf COM-Komponenten zugreifen.

Tipp: Wenn Sie es wünschen, können Sie tatsächlich ein Programm in reiner IL schreiben, indem Sie den Intermediate Language-Assembler von Microsoft benutzen. Das wäre zwar eine sehr ineffiziente Art, ein Programm zu entwickeln – die Tatsache, dass es geht, zeigt aber die plattformübergreifenden Fähigkeiten von .NET. Sie können jede Sprache, die .NET unterstützt, in IL übersetzen, und die CLR versteht IL, die aus allen möglichen Sprachen erzeugt wurde. Von dort können Sie die IL per JIT-Compiler in nativen Code für die CPU-Architektur umwandeln, auf der sie laufen soll.

1.1.2 VB 2008 und C# 3.0

Im Hinblick darauf, was sich damit erreichen lässt, sind VB 2008 und C# 3.0 nahezu identisch; Sie können beide Sprachen verwenden, um auf alle Klassen und Funktionen zuzugreifen, die das .NET-Framework zur Verfügung stellt. Im Wesentlichen können Sie mit VB 2008 all das tun, was Sie mit C# 3.0 machen können – allerdings könnte eine Sprache jeweils einen etwas geradlinigeren Ansatz für das bieten, was Sie machen wollen.

Wenn man VB 2008 und C# 3.0 betrachtet, ist es leichter, über ihre Unterschiede als über ihre Ähnlichkeiten zu sprechen. Im aktuellen Release erhielten beide sprachliche Erweiterungen, darunter die Language-Integrated Query (LINQ), zusammengefasste Datenabfragen, anonyme Datentypen, Lambda-Ausdrücke und Erweiterungsmethoden. Die späteren Kapitel behandeln diese Themen ausführlich.

Die einzigen echten Unterschiede liegen darin, dass C# 3.0 derzeit die Möglichkeit bietet, unsicheren Code zu schreiben; VB 2008 bietet dagegen verzögerte Datenbindungen (Late Binding). Der unsichere Code in C# 3.0 benutzt Zeiger, um direkt auf den Speicher zuzugreifen und ihn zu verwalten. Sie könnten unsicheren Code aus Performance-Gründen brauchen oder um systemnahe Aufrufe für die Win32-API zu schreiben – etwa für die Funktion ReadFile. Unsicherer Code mag zwar mitunter gerechtfertigt sein, aber er ist nicht zu empfehlen, da er nicht auf seine Sicherheit geprüft werden kann und zudem Objekte im Speicher anlegt, die nicht von der Speicherbereinigung (Garbage Collection) entfernt werden können. Das Late Binding in der Sprache VB wurde beibehalten, um die Kompatibilität mit früheren Versionen zu gewährleisten. Es erlaubt Ihnen, eine Variable zu erstellen, die ein Typ der Klasse `Object` ist und sie dann später einer Variable zuzuordnen – entweder indem sie implizit einer Objektinstanz zugewiesen wird oder durch die Benutzung der Funktion `CreateObject`. Generell wird die frühe Bindung gegenüber dem Late Binding bevorzugt, da letzteres die Systemleistung bremst und der Compiler beim Übersetzungsvorgang keine Fehler melden kann – was bedeutet, dass sie dann zur Laufzeit ausgegeben werden.

1.1.3 VB 2008 und VB6

Beginnend mit VN .NET 2002 wurde die Sprache Visual Basic komplett überholt, um die CLR zu unterstützen. Daher weist sie nur eine oberflächliche Ähnlichkeit zu VB6 auf. Dies führt dazu, dass sich viele Entwickler sehr stark umgewöhnen müssen. Dafür erhalten sie aber ein völlig neues Programmiermodell, das – wenn es richtig verwendet wird – eine bessere Entwicklungsplattform zur Verfügung stellt und zu besserer Software führt. Zusätzlich zu dem neuen Kompilierungsverfahren bietet die CLR besseres Speichermanagement, eine objektorientierte Umgebung und Typsicherheit. Eine der größten Veränderungen in VB ist, dass die Sprache nun wirklich objektorientiert ist. Das bedeutet, dass wirklich jedes Objekt (einschließlich der Datentypen) von der Klasse System.Object abgeleitet ist. Anstatt der VB-Laufzeitumgebung und der Win32-Programmierschnittstelle (API) steht Ihnen nun die komplette Base Class Library (BCL) mit ihren Objekten zur Verfügung, mit denen Sie arbeiten können. Für viele Programmierer, die mit .NET noch nicht vertraut sind, liegt die Herausforderung darin, diese gewaltige Bibliothek zu erkunden und die Klassen zu finden, die sie brauchen. Indem Sie sich mit dem .NET-Framework vertraut machen, werden Sie ein besserer und schnellerer Programmierer. Die BCL ist eine Teilmenge des .NET-Frameworks und stellt Datentypen zur Verfügung, die in jedem Code genutzt werden können, der für die Ausführung in der CLR geschrieben wird. Die BCL schließt die Namensräume System.Collections, System.Diagnostics, System.IO, System. Registry, System.Globalization, System.Reflection, System.Test und System. Drawing ein, um nur ein paar zu nennen.

1.2 Garbage Collection mit der CLR

Eine der wichtigsten Einrichtungen der CLR ist der Garbage Collector (GC). In der verwalteten Laufzeitumgebung ist der GC-Heapspeicher dafür verantwortlich, alle Objekte zu verwalten. Er beobachtet den Lebenszyklus eines Objekts und nimmt es aus dem Speicher, wenn kein Teil des Programms mehr das Objekt referenziert. Der GC entfernt ein Objekt jedoch nicht sofort aus dem Speicher, sobald es keine Referenzen mehr darauf gibt. Vielmehr läuft er periodisch an und entfernt die Objekte, sobald dies nötig ist. Daher wird eine gewisse Verzögerung zwischen dem Zeitpunkt, zu dem alle Referenzen auf ein Objekt freigegeben werden, und dem Zeitpunkt, an dem das Objekt zerstört wird, eintreten. Objekte verfügen über einen Finalize-Destruktor (er wird zur Laufzeit implizit erstellt, falls Sie ihn nicht explizit definieren), der vom GC aufgerufen wird. Allerdings startet der Finalize-Destruktor nicht sofort, wenn ein Objekt seinen Gültigkeitsbereich verliert. Die automatische Natur des GC führt dazu, dass die Lebensspanne von Objekten in der .NET-Umgebung nicht deterministisch ist.

Der GC nimmt Ihnen jedoch nicht alle Pflichten des Ressourcenhandlings ab. Zum Beispiel stellt ein Datei-Handle eine Ressource dar, die freigegeben werden muss, wenn der Benutzer sie nicht mehr benötigt. Der GC behandelt nur Speicherressourcen direkt. Um mit anderen Ressourcen zu hantieren, wie etwa Verbindungen zu Datenbanken und Datei-Handles, können Sie den Finalize-Destruktor benutzen, sobald der GC Sie darüber informiert, dass Ihr Objekt zerstört wird. Sie können auch das Interface IDisposable in Ihren Klassen implementieren, um Ressourcen unverzüglich freigeben zu können. Das Kapitel 4 behandelt diese Themen im Detail.

1.3   Das Common Type System

Um eine Vielzahl von Programmiersprachen unterstützen zu können, implementiert die CLR das Common Type System (CTS), um sicherzustellen, dass Datentypen in jeder Sprache dasselbe bedeuten und auch auf dieselbe Weise behandelt werden. Das CTS bedeutet, dass eine Variable, die in VB als ein 32-Bit-Integerwert mit Vorzeichen (`Int32`) dasselbe ist wie eine `Int32`-Variable in C# oder COBOL.NET. Das CTS bildet ein Rahmenwerk für alle Typdefinitionen, das Konsistenz und Typsicherheit in jeder .NET-Sprache sicherstellt. Ein weiterer Vorteil des CTS ist, dass es ein objektorientiertes Modell für Typdefinitionen bietet, so dass alle Typen als Objekte behandelt werden.

Das CTS beinhaltet zwei Typkategorien: Wertetypen und Referenztypen. Wertetypen werden oft als primitive oder eingebaute Typen bezeichnet und enthalten ihre Daten direkt. Beispiele für Wertetypen sind `Integer`, `Boolean` und `Float`. Ein `Enum` ist ein weiterer Wertetyp, der einen Satz miteinander verwandter Wertetypen beschreibt, und daneben gibt es noch vom Benutzer definierte Wertetypen. Wertetypen sind sehr effizient und beanspruchen wenig Speicher: Ein Wertetyp hat immer einen Wert. Wenn Wertetypen im Speicher übergeben werden, wird stets der aktuelle Wert der Variable weitergereicht. Hier folgt ein Beispiel, das die Natur der Wertetypen illustriert:

```
Public Class EntryPoint
    Shared Sub Main()
        Dim Value1 As Integer = 0
        Dim Value2 As Integer = Value1

        Value2 = 123

        Console.WriteLine("Values: {0}, {1}", Value1.ToString,
Value2.ToString)
    End Sub
End Class
```

Hier die Ausgabe des vorhergehenden Beispiels:

```
Values: 0, 123
```

Dies zeigt, dass Sie einen Wertetyp mit dem Wert eines anderen Wertetyps belegen können, aber zwischen den beiden Typen existiert keine Referenz. Auf der anderen Seite speichern Referenztypen eine Referenz auf die Speicheradresse ihres Werts, welcher eine Instanz des Referenztyps darstellt. Nehmen wir einfach mal an, dass Sie eine Variable des Typs `DataSet` mit dem Befehl `Dim ds As New DataSet` deklarieren. Der Wert von `ds` ist in Wirklichkeit ein Zeiger (oder eine Referenz) auf den Datensatz, der sich irgendwo im Speicher befindet. Referenztyp-Variablen sind nicht an ihren Wert gebunden und können eine Null-Referenz haben. Wenn Sie einen Referenztyp weitergeben – bleiben wir bei dem Beispiel der Variablen `ds` – wird eine Kopie der Referenz auf den Datensatz erstellt; es wird nicht der ganze Datensatz kopiert. Wenn die Variable ds an eine Funktion übergeben wird und eine Änderung daran vorgenommen wird, würde diese Änderung ebenso in dem Datensatz im aufrufenden Code zu sehen sein. Dieser Codeschnipsel verdeutlicht die Natur der Referenztypen:

```
Class Class1
    Public Value As Integer = 0
End Class

Public Class EntryPoint
    Shared Sub Main()
        Dim Reference1 As New Class1()
        Dim Reference2 As Class1 = Reference1

        Reference2.Value = 123

        Console.WriteLine("Values: {0}, {1}", Reference1.Value,
Reference2.Value)
    End Sub
End Class
```

Das Ergebnis des vorherigen Codes lautet:

```
Values: 123, 123
```

Der Wert der Variablen Reference2 ist eine Referenz auf die Variable Reference1, einer Instanz von Class1. Jede Änderung in Reference2 schlägt sich deshalb auch in Reference1 nieder.

1.4   Ein einfaches Programm in VB 2008

Sehen wir uns jetzt einmal ein Programm in VB 2008 aus 10 000 Metern Höhe an und betrachten wir uns das unvermeidliche Hello World!-Programm. Der Code lautet folgendermaßen:

```
Public Class EntryPoint
    Shared Sub Main()
        System.Console.WriteLine("Hello World!")
    End Sub
End Class
```

Und so sieht das Ergebnis aus:

```
Hello World!
```

Beachten Sie die Struktur des Programms. Es deklariert einen Typ, nämlich eine Klasse namens EntryPoint, und ein Mitglied dieses Typs ist eine Methode namens Main. Main ruft `Console.WriteLine` auf, um »Hello World!« in einem Kommandozeilenfenster anzuzeigen. Wenn Sie dieses Programm im Debugging-Modus laufen lassen, erstellt der Compiler die Datei `Helloworld.exe` im Verzeichnis `\obj\Debug` Ihres Projekts.

Jedes Programm benötigt einen Einsprungpunkt, und im Fall von VB ist dies gewöhnlich die Methode `Main`. Sie deklarieren die Methode `Main` innerhalb einer Klasse (in diesem Fall heißt sie `EntryPoint`). Der Rückgabetyp für die `Main`-Methode ist ein optionaler `Integer`-Wert. In diesem Beispiel hat `Main` keine Parameter, aber wenn Sie Zugriff auf die Kommandozeilenparameter benötigen, können Sie diese über die Methode `My.Application.CommandLineArgs.Item` finden. Der Namensraum `My` macht es leichter, Klassen aufzufinden, die Sie häufig für die Aufgaben Ihrer Anwendung benötigen, etwa für das Ein- und Auslesen von Dateien, den Zugriff auf die Hardware des lokalen Computers oder den Zugang zum Netzwerk, um nur ein paar zu nennen. Einige der `My`-Namensräume enthalten `My.Application`, `My.Computer`, `My.Forms`, `My.Settings` und `My.User`. Um zudem noch die Plattformunabhängigkeit von VB zu illustrieren, können Sie – sofern Sie einen Rechner mit dem Betriebssystem Linux und der Laufzeitumgebung Mono haben – die Datei `HelloWorld.exe` direkt in ihrer binären Form dort hinüber kopieren, und sie wird wie erwartet laufen – vorausgesetzt, Ihr Linux-Rechner ist korrekt eingerichtet.

1.5 Neues in VB 2008

Die aktuelle Version von VB weist eine Reihe von Erweiterungen und neuen Features für VB-Programmierer auf. Diese schließen Verbesserungen im .NET-Framework, bei der integrierten Entwicklungsumgebung (Integrated Development Environment, IDE) Visual Studio sowie Änderungen in der Sprache VB selbst ein. Spezifische Erweiterungen in der Sprache VB, die Programmierer sehr interessieren werden, sind unter anderem Zusammenfassungen von Datenabfragen, anonyme Datentypen, Lambda-Ausdrücke und Erweiterungsmethoden.

1.5.1 Zusammenfassungen von Datenabfragen

Zusammengefasste Abfragen ähneln in ihrer Syntax sehr der Datenbanksprache SQL. Sie bestehen aus den vertrauten Ausdrücken `Select`, `From` und `Where`, die auch *Abfrageoperatoren* genannt werden. Sie können Abfrageoperatoren miteinander kombinieren, um *Abfrageausdrücke* zu bilden. Diese Ausdrücke können dann dazu verwendet werden, einen Datensatz von verschiedenen Quellen, etwa XML oder Collections, anzufordern. Ein beispielhaftes Statement würde so aussehen:

```
Dim SmallCapStocks = From Stock In AllStocks _
    Where Stock.Price < 10.0 _
    Select Stock
```

Dieser Codeschnipsel erzeugt `SmallCapStocks` und befüllt es mit Aktien, die weniger als 10 Dollar kosten und von `AllStocks` stammen.

1.5.2 Implizit typisierte lokale Variablen

Implizit typisierte lokale Variablen eröffnen eine Abkürzung bei der Deklaration Ihrer Variablen. In VB 2005 würden Sie Variablen auf eine der folgenden Arten initialisieren:

```
Dim CompanyName As String = "ABC Company"
Dim OutstandingShares As Integer = 10000
Dim Capitalization As Double = 3000000.0
```

In VB 2008 kann dies nun so geschrieben werden:

```
Dim CompanyName = "ABC Company"
Dim OutstandingShares = 10000
Dim Capitalization = 3000000.0
```

Die Deklaration lokaler Variablen auf diese Weise sorgt dafür, dass der Typ jeder Variable von dem Ausdruck auf der rechten Seite des Gleichheitszeichens übernommen wird. In früheren Versionen von VB hätten solche Statements dazu geführt, dass diese Variablen als generischer Datentyp `Object` deklariert worden wären. Jetzt aber erlegt VB 2008 diesen Deklarationen starke Datentypen auf.

1.5.3 Objektinitialisierer

Objektinitialisierer erlauben es, die Erstellung eines Objekts und die Initialisierung seiner Felder in einem Statement zu kombinieren. Betrachten wir den folgenden Code, der in VB 2005 geschrieben wurde:

```
Dim WidgetCo As New Stock

        With WidgetCo
            .Ticker = "WC"
            .Name = "Widget Corp."
            .Price = 25.0
        End With
```

In VB 2008 kann dies nun so geschrieben werden:

```
Dim WidgetCo = New Stock With { _
    .Ticker = "WC", _
    .Name = "Widget Corp.", _
    .Price = 25.0 _
}
```

1.5.4 Array-Initialisierer

Ausdrücke für die Initialisierung von Arrays können einen Array erschaffen und initialisieren sowie seine Elementtypen zum Zeitpunkt der Initialisierung einführen.

Dieses Beispiel erzeugt einen Array US-amerikanischer Aktien und befüllt ihn mit drei neuen Stock-Elementen:

```
Dim USStocks() = { _
    New Stock With { _
        .Ticker = "US1", _
        .Name = "Western Company", _
        .Price = 15.75}, _
    New Stock With { _
        .Ticker = "US2", _
        .Name = "Eastern Company", _
        .Price = 17.0}, _
    New Stock With { _
        .Ticker = "US3", _
        .Name = "Midwest Company", _
        .Price = 8.0} _
}
```

1.5.5 LINQ to XML

LINQ to XML ist eine speicherresidente Programmierschnittstelle (Application Programming Interface, API), die es Ihnen erlaubt, XML zu lesen, zu schreiben und zu erstellen. XML kann in VB 2008 als eingebauter Datentyp behandelt werden. Sie können ebenso XML erzeugen, indem Sie *XML-Literale* benutzen und *XML-Dokumente* mit Hilfe von *XML-Properties* abfragen. Ein einfaches XML-Dokument kann mit dem folgenden Codeschnipsel erstellt werden:

```
Dim Stocks As XElement = _
    <Stocks>
        <Stock StockID="1">
            <Ticker>S1</Ticker>
            <Company>Company 1</Company>
            <PriceQuote>25.00</PriceQuote>
        </Stock>
        <Stock StockID="2">
            <Ticker>S2</Ticker>
            <Company>Company 2</Company>
            <PriceQuote>8.00</PriceQuote>
        </Stock>
    </Stocks>
```

1.5.6 LINQ-to-Objects

LINQ to Objects erlaubt Ihnen, SQL-artige Datenabfragen über Ihre Arrays und Collections laufen zu lassen. Indem Sie diese Abfragen ausführen, sind Sie in der Lage,

Ihre Collection für spezifischere Prozesse zu filtern. Das folgende Beispiel führt eine einfache Abfrage gegen einen Array von Integerzahlen aus:

```
Imports System
Imports System.Linq

Public Class EntryPoint
    Shared Sub Main()
        Dim someNumbers As Integer() = {5, 4, 3, 2, 1, 0}

        Dim query = From x In someNumbers _
                Where x >= 3 _
                Select x

        For Each item In query
            Console.WriteLine("{0} is >= 3", item)
        Next
    End Sub
End Sub
```

Dieser Code filtert den Array `someNumbers`, um die Abfrage `query` zu erzeugen, und `query` enthält die drei Integerwerte, die größer oder gleich der Zahl 3 sind. Das Statement `For Each...Next` durchläuft `query` wiederholt und produziert die folgenden Ergebnisse:

```
5 is >= 3
4 is >= 3
3 is >= 3
```

1.5.7 Lambda-Ausdrücke (Inline-Funktionen)

Lambda-Ausdrücke bieten Ihnen einen Weg, um anonyme Inline-Methoden zu erzeugen. Die Funktionen, die Sie erstellen, müssen nicht typisiert werden, da sie ihren Typ erst zur Laufzeit erhalten. Eine VB-Methode, die gerade Zahlen ermittelt, könnte so aussehen:

```
Shared Function IsEven(ByVal x As Integer) As Boolean
    If x Mod 2 = 0 Then
        Return True
    Else
        Return False
    End If
End Function
```

Mit einer Inline-Funktion können Sie die Codemenge, den Sie brauchen, um denselben Zweck zu erfüllen, deutlich reduzieren, wie das folgende Codestück zeigt:

```
Function(n) n Mod 2 = 0
```

1.5.8   Erweiterungsmethoden

Erweiterungsmethoden erlauben Ihnen, einem bestehenden CLR-Typ Methoden hinzuzufügen. Dies gestattet es Ihnen, die Funktionalität eines Typs zu erweitern, ohne eine Unterklasse erstellen zu müssen. Das folgende Beispiel zeigt die Syntax für eine Erweiterungsmethode:

```
    <Extension()> _
  Public Function IsTickerValid(ByVal aTicker As String) As Boolean
      Dim ValidTicker As Boolean = True

      If aTicker.Length > 4 Then
          ValidTicker = False
      End If

      Return ValidTicker
  End Function
```

Mit Erweiterungsmethoden lässt sich die Notwendigkeit vermeiden, eine separate Klasse mit einer gemeinsamen Methode zu erstellen, um das Tickersymbol zu validieren.

1.5.9   Anonyme Datentypen

Durch Benutzung anonymer Typen sind Sie in der Lage, Typen zu deklarieren, zu definieren und zu benutzen, die der VB-Compiler für Sie im Hintergrund erzeugt. Anonyme Typen können Feldnamen einführen und erzeugen auch Eigenschaften für diese Felder. Dieses Beispiel zeigt einen anonymen Typ, der in VB deklariert wurde:

```
Dim anAnonymous = New With {.FirstName = "Jodi", .LastName = "Fouche"}
```

1.5.10   IntelliSense ist überall

Wenn Sie Erweiterungsmethoden und anonyme Datentypen benutzen, werden Sie feststellen, dass sich die VB-IDE dieser Typen und Methoden bewusst ist. Daher schließt sie Ihre Erweiterungsmethoden in die Methoden des erweiterten Datentyps während des Codierens in alle IntelliSense-Listen ein. Anonyme Datentypen zeigen ihre vom Compiler generierten Eigenschaften ebenfalls beim Codieren in den Intelli-Sense-Listen.

1.5.11   Nullfähige Typen

Die Syntax für nullfähige Typen ist in VB 2008 erweitert worden. Ein neuer Typmodifizierer erlaubt Ihnen, Ihre Typen als nullfähig zu definieren. Das folgende Codestück demonstriert die bisherige Syntax und die neue Abkürzung:

```
Dim x As Nullable(Of Integer)
Dim y As Nullable(Of Integer)

Dim x As Integer?
Dim y As Integer?
```

1.5.12 Relaxed Delegates

Gelockerte Delegaten erweitern und verbessern die impliziten Umwandlungen von VB zu Delegatentypen. Der Gebrauch von Relaxed Delegates erlaubt es Ihnen, Argumente von Event-Handlern auszulassen. Zum Beispiel ist folgendes Code-Statement in VB nun gültig:

```
Sub OnClick(sender As Object, e As Object) Handles aButton.Click
Sub OnClick Handles aButton.Click
```

1.5.13 Option Infer

Die Benutzung von Option Infer lässt Sie spezifizieren, ob VB die Typendeklaration für Ihre Datentypen erzwingen soll. Option Infer auf On zu setzen, kann die Entwicklung beschleunigen, könnte aber später Schwierigkeiten bei der Wartung des Codes nach sich ziehen.

1.6 Zusammenfassung

In diesem Kapitel haben wir die allgemeinen Charakteristika von Programmen angeschnitten, die in VB 2008 geschrieben sind. Der komplette Code wird in die Zwischensprache IL kompiliert, anstatt in native Instruktionen für eine spezifische Plattform. Zudem implementiert die CLR ein Garbage-Collection-System, um die grobe Speicherzuweisung und -freigabe zu verwalten. Das entlastet Sie davon, sich um eines der am weitesten verbreiteten Probleme in der Softwareentwicklung kümmern zu müssen, nämlich den Fehlern beim Speichermanagement.

Danach haben wir uns das CTS mit ein paar einfachen Beispielen zum Vergleich von Werttypen und Referenztypen veranschaulicht. Unser erstes VB-Programm bestand aus einer einfachen Klasse mit einer Main-Prozedur, die einfach »Hello World!« auf der Kommandozeile ausgab.

Zuletzt haben wir uns einige Features angesehen, die nun Teil von VB sind, unter anderem LINQ, Objekt- und Array-Initialisierer, Erweiterungsmethoden, anonyme Datentypen und Option Infer. Im nächsten Kapitel tauchen wir in die VB-Syntax ein, erforschen Namensräume und befassen uns mit dem Kontrollfluss.

2 Die Syntax von VB 2008

Dieses Kapitel bietet eine Einführung in die Syntax von Visual Basic (VB). Die Themen, die hier abgehandelt werden, bilden den Kitt, der Programme zusammenhält. Wir nehmen die Datentypen und Variablen unter die Lupe und betrachten das Common Type System (CTS), das eine Schlüsselkomponente der .NET-Laufzeitumgebung Common Language Runtime (CLR) darstellt.

Wir werfen daneben einen Blick auf *Namensräume* (Namespaces). Dieses .NET-Konzept setzen Sie in die Praxis um, sobald Sie Ihr erstes Programm schreiben. Namensräume zu verstehen hilft Ihnen nicht nur, sich in den Klassen VB-und anderer Typen zurechtzufinden, um die Features zu finden, die Sie brauchen – es hilft Ihnen auch dabei, Ihre eigenen Datentypen in einer logischen Weise zu organisieren. Wir schließen dann mit einem Überblick über die Kontrollstrukturen in VB, die sich syntaktisch zwar von denen in anderen Sprachen unterscheiden, von Konzept her jedoch dasselbe sind.

2.1 Typen und Variablen

Datentypen in VB können entweder Werttypen oder Referenztypen sein. Werttypen, wie etwa Strukturen und eingebaute Typen, existieren in dem Speicher, der von Ihrer Applikation bereitgestellt wird, dem *Stack* (Stapelspeicher). Wenn Ihr Programm eine Methode ausführt, platziert (oder schiebt) es alle deklarierten Variablen auf den Stapel. Diese Variablen werden wieder vom Stapel freigegeben, sobald Ihre Funktion beendet ist, wobei Speicher an Ihre Anwendung zurückgegeben wird. Ein Speicherbereich namens *Heap* (Halde) speichert die Daten Ihrer Referenztypen, beispielsweise von Klassen und Arrays. Eine *Referenz* auf diese Daten wird auf dem Stack gespeichert. Da ein Objekt zu jedem Zeitpunkt zahlreiche Referenzen besitzen kann, die sich auf das Objekt beziehen, wird der davon belegte Speicherplatz auf der Halde erst freigegeben, wenn alle Referenzen darauf erloschen sind.

Wir werden im Lauf des Kapitels noch detaillierter auf Typen und Variablen eingehen. Die Kapitel 3 und 4 setzen die Darstellung in größerer Tiefe fort.

2.1.1 Strenge Typisierung

VB ist eine streng typisierte Sprache. Um genauer zu sein, kann VB eine typenstrenge Sprache sein. *Strenge Typisierung* bedeutet, dass jede Variable und jede Objektinstanz ein wohldefinierter Typ sein muss. Eine typenstrenge Sprache sieht Regeln vor, nach denen Variablen verschiedenen Typs miteinander interagieren können. Typenstrenge Sprachen erlauben dem Compiler die Prüfung, dass die Operationen, die mit Variablen und Objekten ausgeführt werden, auch zulässig sind. Stellen Sie sich zum Beispiel vor,

Sie haben eine Methode, die den Mittelwert von zwei ganzen Zahlen berechnet und das Ergebnis ausgibt. Die Methode wird in VB wie folgt deklariert:

```
Function ComputeAvg(ByVal Param1 As Integer, ByVal Param2 As Integer) As
Double
    Return (Param1 + Param2) / 2
End Function
```

Diese Methode nimmt zwei ganze Zahlen (`Integer`) und gibt als Ergebnis eine Fließkommazahl mit doppelter Genauigkeit (`Double`) aus. Wenn Sie also versuchen, diese Methode aufzurufen und zwei `Customer`-Objekte an sie zu übergeben, erhalten Sie einen Compilerfehler. Schreiben wir die Methode deshalb etwas anders:

```
Function ComputeAvg(ByVal Param1 As Object, ByVal Param2 As Object) As
Object
    Return (Convert.ToInt32(Param1) + Convert.ToInt32(Param2)) / 2
End Function
```

Die zweite Fassung von `ComputeAvg()` ist immer noch zulässig, aber Sie haben ihr die Typinformation weggenommen. Da alle Typinstanzen in .NET letztlich von `System.Object` abgeleitet sind, könnten Sie Daten der Typen `String`, `Boolean` oder `Object` an die Methode übergeben, und Sie würden erst zur Laufzeit eine Fehlermeldung erhalten, wenn die Funktion versucht, die Parameter zu konvertieren. Das Schlüsselwort `Object` ist in VB ein Synonym für die `Klasse System.Object`, und es ist absolut zulässig, Parameter als Typ `Object` zu deklarieren. Allerdings ist `Object` kein numerischer Datentyp. Um die Berechnung vornehmen zu können, müssen Sie erst die Objekte in Integerzahlen umwandeln. Das Ergebnis wird ebenfalls als Instanz des Typs `Object` ausgegeben. Wenn Sie also versuchen, zwei `Customer`-Objekte an die Methode zu übergeben, wird der Compiler keinen Fehler anzeigen, da diese beiden Objekte wie jede andere Klasse von `System.Object` abgeleitet sind. Obwohl diese Version der Methode auf den ersten Blick flexibler zu sein scheint, wird diese Flexibilität mit geringerer Typsicherheit und schlechterer Rechenleistung erkauft.

Es erübrigt sich zu sagen, dass es immer besser ist, Programmfehler zur Kompilierzeit zu finden als zur Laufzeit. Wenn Sie die erste Version von `ComputeAvg()` verwenden und ihr etwas anderes als Integerzahlen übergeben würden, dann wären Sie nicht in der Lage, die Applikation zu kompilieren. Typsicherheit ist einer der Grundsätze der Softwareentwicklung in .NET, und die Sprache wurde dazu entworfen, um dies zu unterstützen.

Der Grund, warum wir sagen, dass VB typenstreng sein *kann*, liegt darin, dass es im Gegensatz zu C# undeklarierte und untypisierte Variablen unterstützt. *Undeklariert* bedeutet, dass Sie eine Variable referenzieren können, ohne sie mit `Dim`, `Private` oder `Public` zu deklarieren. Untypisiert heißt, dass Sie, auch wenn Sie eine Variable mit Statements wie `Dim` deklarieren, den Typ der Variablen nicht identifizieren müssen. Die beiden Einstellungen, die die Typenstrenge und die Variablendeklaration in VB betreffen, sind `Option Explicit` und `Option Strict`.

Option Explicit: Diese Einstellung erzwingt die Deklaration von Variablen. Wenn
Option Explicit innerhalb einer Datei auf On gesetzt wird, muss jede Variable explizit
deklariert werden. Steht Option Explicit auf On und Sie haben eine nicht deklarierte
Variable, dann erhalten Sie einen Compilerfehler in der letzten Zeile, da die Variable
VarUndeclared nirgendwo deklariert wurde. Wenn Opion Explicit auf Off stünde,
dann wären die beiden Variablen VarDeclared und VarUndeclared zulässig. Wenn
dieser Code kompiliert wird, definiert VB VarUndeclared als Typ Object, bis sie zugewiesen wird. An diesem Punkt wird sie dann wegen ihrer Datenzuweisung implizit in
eine Double-Zahl umgewandelt.

```
Option Explicit On
. . .
Dim VarDeclared As Double

VarDeclared = ComputeAvg(108, 7933)
VarUndeclared = ComputeAvg(108, 7933)
```

Option Strict: Die Einstellung Option Strict bezieht sich auf alle impliziten Datentypumwandlungen, die VB mit seinen Variablen vornimmt. Wenn Option Strict auf
On steht, dann erlaubt VB Ihren Variablen nur die Umwandlung von einem Datentyp
in einen anderen, in dem kein Datenverlust entsteht. Dieses Prinzip ist auch als
widening conversion (sich erweiternde Umwandlung) bekannt. Wenn Sie versuchen,
eine Variable in einen anderen Datentyp zu konvertieren, der eine geringere Genauigkeit oder eine kleinere Speicherkapazität hat, generiert VB eine Fehlermeldung. Eine
Umwandlung von Variablen in dieser Richtung gilt als *narrowing conversion* (sich verengende Umwandlung).

Option Strict lässt auch keine späte Bindung (late binding) zu. Wenn Option Strict
nicht näher spezifiziert wird, ist sie im Compiler standardmäßig ausgeschaltet. Wenn
Sie die zweite Version von ComputeAvg() von vorhin verwenden, dann sehen Sie, dass
die Kompilierung des Codes scheitern wird, da Option Strict keine implizite
Umwandlung von Object nach Double zulässt. Wenn Option Strict auf Off stünde,
würde der Code kompiliert und ausgeführt:

```
Option Strict On
. . .
Dim x As Double = 0.0

x = ComputeAvg(108, 7933)

Function ComputeAvg(ByVal Param1 As Object, ByVal Param2 As Object) As
Object
    Return (Convert.ToInt32(Param1) + Convert.ToInt32(Param2)) / 2
End Function
```

Sie können Option Explicit und Option Strict auf dem Karteikartenreiter »Kompilieren« im Bereich der Compileroptionen in den Projekteigenschaften einstellen. Wir

empfehlen, dass Sie sowohl `Option Explicit` als auch `Option Strict` in Ihren Applikationen auf `On` stellen, weil Sie damit tückische Fehler vermeiden können, die erst zur Laufzeit auftauchen. Diese Praxis stellt zudem sicher, dass Ihr Code typenstreng und konsistent mit der Typsicherheit der anderen .NET-Sprachen ist.

2.1.2   Typkategorien

Jede Entität in einem VB-Programm ist ein Objekt, das im Speicher entweder auf dem Stack oder auf dem Heap existiert. Wo eine Entität lokalisiert wird, hängt davon ab, ob es sich um einen Wertetyp oder einen Referenztyp handelt. Jede Methode wird entweder in der Deklaration einer Klasse oder eines Moduls definiert (letzteres ist unter der Haube ebenfalls eine Klasse). Sogar die eingebauten Wertetypen wie `Integer`, `Long` oder `Double` haben Methoden, die ihnen zugeordnet sind. In VB ist es absolut zulässig, ein Statement wie das folgende zu schreiben:

```
Console.WriteLine(108.ToString())
```

Dieses Statement gibt den Wert "108" als Zeichenkette aus. Dieses Syntaxbeispiel unterstreicht, dass alles in VB ein Objekt ist, sogar bis hinunter zu den einfachsten Datentypen. Tatsächlich sind die Schlüsselwörter für die eingebauten Typen in VB Synonyme, die auf die Typen im Namensraum `System` abgebildet werden. Sie können sich dazu entschließen, die eingebauten VB-Datentypen nicht zu benutzen und stattdessen die Typen im Namensraum `System` zu verwenden, aber wir raten aus stilistischen Gründen davon ab. Die Tabelle 2-1 listet die eingebauten Typen zusammen mit den korrespondierenden Typen im Namensraum `System` auf:

VB-Datentyp	*Größe in Bytes*	System-*Datentyp*	*CLS-Kompatibel*
Boolean	N/A	System.Boolean	Ja
Byte	1	System.Byte	Ja
Char	2	System.Char	Ja
Date	8	System.Datetime	Ja
Decimal	16	System.Decimal	Ja
Double	8	System.Double	Ja
Integer	4	System.Int32	Ja
Long	8	System.Int64	Ja
Object	4	System.Object	Ja
SByte	1	System.SByte	Nein
Short	2	System.Int16	Ja
Single	32	System.Single	Ja
String	N/A	System.String	Ja
UInteger	4	System.UInt32	Nein
ULong	8	System.UInt64	Nein
UShort	2	System.UInt16	Nein

Tabelle 2-1: Eingebaute Datentypen in VB

Bei jedem Eintrag in der Tabelle zeigt die letzte Spalte an, ob der Typ mit der Common Language Specification (CLS) übereinstimmt. Die CLS ist als Teil der Common Language Infrastructure (CLI) definiert, um die Interoperabilität von Programmiersprachen zu vereinfachen. Die CLS ist eine Teilmenge des CTS und darauf ausgelegt, die Interoperabilität zwischen den Sprachen zu fördern, indem sie Merkmale definiert, die einen sprachübergreifenden Standard bilden. Das ist nötig, denn die CLR unterstützt zwar eine große Bandbreite an eingebauten Typen, aber nicht alle Sprachen, die verwalteten Code erzeugen, unterstützen alle Typen der anderen Sprachen. Zum Beispiel unterstützte VB in der Vergangenheit keine unsignierten (also vorzeichenlosen) Typen, während dies bei C# der Fall war. Deshalb definierten die Designer der CLI die CLS, um die Datentypen zu standardisieren und die Interoperabilität zwischen den Sprachen zu erleichtern.

Wenn Ihre Anwendung komplett auf VB basiert und keine Komponenten erzeugt, die von einer anderen Sprache benutzt werden, müssen Sie sich nicht an die strengen Richtlinien der CLS halten. Aber wenn Sie in einem Projekt arbeiten, das Komponenten mit Hilfe verschiedener Sprachen herstellt, oder wenn die Möglichkeit besteht, dass Ihre Komponenten in Zukunft von anderen Sprachen aus aufgerufen werden könnten, dann sollten Sie wirklich erwägen, die CLS einzuhalten.

2.1.3 Wertetypen

Wertetypen existieren typischerweise auf dem Stack im Speicher und werden gemeinhin benutzt, um Daten zu repräsentieren, deren Speicherbedarf im Allgemeinen klein ist. Wertetypen sind effizient, und wenn eine Wertetyp-Variable ihren Gültigkeitsbereich verlässt, wird sie sofort vom Stack entfernt. Die gebräuchlichsten Wertetypen sind die eingebauten Datentypen wie `Integer`, `Boolean` und `Double`. Der folgende Codeausschnitt demonstriert die Erstellung eines Wertetyps und seine Übergabe an die Methode `Console.WriteLine`:

```
Dim TheAnswer As Integer = 42
Console.WriteLine(TheAnswer.ToString)
```

In der ersten Codezeile wird `TheAnswer` erstellt und mit dem Wert 42 initialisiert. Die zweite Zeile übergibt eine Kopie von `TheAnswer` an die Methode `Console.WriteLine()`.

Sie können benutzerdefinierte Wertetypen in VB erstellen, indem Sie das Schlüsselwort `Structure` verwenden, wie der nächste Ausschnitt zeigt. Benutzerdefinierte Wertetypen verhalten sich auf dieselbe Weise, wie es bei den eingebauten Wertetypen der Fall ist:

```
Public Structure Coordinate 'Dies ist ein Wertetyp.
    Dim x As Integer
    Dim y As Integer
End Structure
```

Wertetypen können auch auf dem verwalteten Heap existieren, aber nicht von selbst. Dies kann dann passieren, wenn ein Referenztyp einen Wertetyp enthält. Auch wenn ein Wertetyp innerhalb eines Objekts auf dem verwalteten Heap lebt, verhält er sich genauso wie ein Wertetyp, der auf dem Stack exisitiert, wenn er an eine Methode übergeben wird. Jede Änderung, die an der Werteinstanz vorgenommen wird, ist nur eine lokale Änderung an der Kopie, außer wenn der Wert durch eine Referenz übergeben wurde. Der folgende Code veranschaulicht diese Konzepte:

```
Public Structure Coordinate 'Dies ist ein Wertetyp.
    Dim x As Integer
    Dim y As Integer
End Structure


Public Class EntryPoint 'Dies ist ein Referenztyp.
    Public Function AttemptToModifyCoord(ByVal Coord As Coordinate) As
Boolean
        Coord.x = 1
        Coord.y = 3
        Return True
    End Function

    Public Function ModifyCoord(ByRef Coord As Coordinate) As Boolean
        Coord.x = 10
        Coord.y = 10
        Return True
    End Function

    Shared Sub Main()
        Dim Location As New Coordinate
        Dim EP As New EntryPoint

        Location.x = 50
        Location.y = 50

        EP.AttemptToModifyCoord(Location)
        System.Console.WriteLine("( {0}, {1} )", Location.x, Location.y)


        EP.ModifyCoord(Location)
        System.Console.WriteLine("( {0}, {1} )", Location.x, Location.y)
    End Sub
End Class
```

Die Ausgabe des Beispiels lautet:

```
( 50, 50 )
( 10, 10 )
```

In der Methode `Main` verändert der Aufruf von `AttemptToModifyCoord` die Werte von `Location.x` und `Location.y` nicht. Das liegt daran, dass in der Methode `AttemptToModifyCoord` der Parameter `Location` als Wert übergeben wird und die Methode eine lokale Kopie der Struktur ändert, die beim Aufruf der Methode erstellt wurde. Im Gegensatz dazu wird der Parameter `Location` an die Methode `ModifyCoord` als Referenz übergeben. Daher werden alle Änderungen, die in der Methode `ModifyCoord` gemacht werden, tatsächlich am Wert von `Location` im aufrufenden Gültigkeitsbereich vorgenommen.

Enumerationen

Enumerationen (`Enum`) erleichtern das Codieren, indem sie Ihnen erlauben, eine Struktur von Konstanten zu erstellen. Sagen wir, Sie arbeiten mit einer Kundenservice-Anwendung, bei der es die vier Kundentypen `Individual`, `Home Business`, `Corporate` und `Federal` gibt. Jeder dieser Typen wird durch einen Identifikationswert von 1,2,3 oder 4 repräsentiert. Anstatt sich die Werte der Kundentypen über den ganzen Code hinweg merken zu müssen, können Sie eine Enum erstellen und die Identifikationszahl des Kundentyps jeweils auf einen Namen abbilden:

```
Enum CustomerType As Integer
    Individual = 1
    Corporate = 2
    HomeBusiness = 3
    Federal = 4
End Enum
```

Beachten Sie, dass die Werte nicht in einer bestimmten Reihenfolge aufgeführt werden müssen. Jede Konstante, die in der Enumeration definiert wird, muss mit einem Wert definiert werden, der in der Reichweite des grundlegenden Typs liegt. Wenn für eine Enumerationskonstante kein Wert spezifiziert ist, nimmt sie den Standardwert 0 an (wenn sie die erste Konstante in der Enumeration ist) oder den Wert der vorangegangenen Konstante plus 1. Dieses Beispiel zeigt eine Enumeration, die auf einer `Long`-Zahl basiert:

```
Enum Color As Long
    Red
    Green = 50
    Blue
End Enum
```

In diesem Beispiel hätte die Enumeration den Typ `Integer` gehabt, wenn Sie das Schlüsselwort `Long` nach dem Typbezeichner `Color` ausgelassen hätten. In dieser Enum ist der Wert für `Red` 0, der Wert für `Green` 50 und der für `Blue` 51. Der folgende Code macht von dieser Enumeration Gebrauch:

```
Public Class EntryPoint
    Enum Color As Long
```

```
            Red
            Green = 50
            Blue
        End Enum

        Shared Sub Main()
            Dim SystemColor As Color = Color.Red

            System.Console.WriteLine("Color is {0}", SystemColor.ToString)
        End Sub
End Class
```

Wenn Sie diesen Code ausführen lassen, lautet das Ergebnis:

```
Color is Red
```

Dieser Code benutzt den Namen der Enumeration anstatt der Ordinalzahl 1. Dieser Trick funktioniert durch die Implementation der Methode `ToString` des Typs `System.Enum`. Diese gibt den Namen der Farbe aus.

> **Tipp:** Der zugrunde liegende Typ der Enumeration muss einer der folgenden Datentypen sein: `Byte`, `SByte`, `Short`, `UShort`, `Integer`, `UInteger`, `Long` **oder** `ULong`.

Wenn Sie sich auf Mitglieder einer `Enum` beziehen, stellen Sie dem Mitgliedsnamen den Bezeichner `Enum` voran. Als syntaktische Abkürzung können Sie jedoch das Statement `Imports` mit Ihrer `Enum` benutzen. Dann sind Sie in der Lage, sich auf die Mitglieder der `Enum` ohne ihre vollständigen und qualifizierten Namen zu beziehen:

```
Imports ConsoleApplication1.Color
Dim SystemColor As Color = Red
```

2.1.4   Referenztypen

Im Gegensatz zu Wertetypen halten sich Referenztypen auf dem verwalteten Heap auf. Sie werden initialisiert, indem der Konstruktor `New` mit einem Objekt aufgerufen wird, das mit dem Schlüsselwort `Class` definiert wurde. Wenn eine Referenztypvariable ihren Gültigkeitsbereich verlässt, dann wird sie nicht einfach vom Heap entfernt, sondern sie muss durch Aufruf der jeweiligen Klassendestruktoren entfernt werden. Dies ist die Aufgabe des Garbage Collectors (GC). Der GC verwaltet die Platzierung aller Objekte im Speicher. Zu jeder Zeit können Objekte an einen anderen Ort im Speicher transferiert werden, und der GC stellt sicher, dass Variablen, die diese Objekte referenzieren, aktualisiert werden.

Referenztypen können auch initialisiert werden, indem sie einer anderen Variable eines kompatiblen Typs zugeordnet werden. Im folgenden Beispiel werden zwei Referenztypvariablen erzeugt:

```
Public Class Coordinate
        Dim x As Integer
        Dim y As Integer
End Class
...
Dim Point1 As Coordinate = New Coordinate
Dim Point2 As Coordinate = Point1
```

In diesem Beispiel sind die Werte von `Point1` und `Point2` Zeiger auf das Objekt `Coordinate`, das sich auf dem Heap befindet. Wenn Sie `Point1` an eine Funktion übergeben, die `x` und `y` aktualisiert, dann würden Sie diese Änderung auch in `Point2` sehen.

> **Tipp:** Konventionell bezieht sich die Bezeichnung *Objekt* auf eine Instanz eines Referenztyps und der Term *Wert* auf die Instanz eines Wertetyps. Unabhängig von der Bezeichnung leiten sich alle Instanzen aller Typen vom Typ `System.Object` ab.

In der verwalteten Umgebung der CLR übernimmt der GC automatisch alle Aufgaben des Speichermanagements, einschließlich der Erstellung und der Zerstörung von Objekten. Dies entlastet Sie davon, sich um das explizite Löschen von Objekten kümmern zu müssen, und minimiert Speicherlecks. Zu jeder Zeit ermittelt der GC, wie viele Referenzen zu einem Objekt auf dem Heap existieren. Wenn er erkennt, dass es keine gibt, löst er den Prozess aus, der das Objekt auf dem Heap zerstört. Das vorige Codebeispiel enthält zwei Referenzen auf dasselbe Objekt. Das erste, `Point1`, wird durch die Erstellung eines neuen `Coordinate`-Objekts initialisiert. Das zweite, `Point2`, wird von `Point1` initialisiert. Der GC wird das `Coordinate`-Objekt auf dem Heap nicht einsammeln, bevor sich diese beiden Referenzen außerhalb jedes benutzbaren Gültigkeitsbereichs befinden. Die Tabelle 2.2 liefert einen Überblick über die Unterschiede zwischen Wertetypen und Referenztypen.

Werttyp	Referenztyp
Repräsentiert einfache Werte.	Repräsentiert komplexere Datenstrukturen.
Wird durch ein `Dim`-, `Private`- oder `Public`-Statement deklariert.	Wird durch Aufruf eines Klassenkonstruktors deklariert.
Wird standardmäßig mit dem Wert 0 oder als leerer Wert initialisiert.	Wird standardmäßig als `Nothing` initialisiert.
Wird dem Stack zugewiesen.	Wird dem verwalteten Heap zugewiesen.
Muss immer einen Wert haben.	Kann den Wert `Nothing` haben.
Der Wert enthält einen tatsächlichen Wert.	Der Wert ist ein Zeiger auf ein Objekt im Speicher.
Bei Weitergabe als `ByVal`-Parameter...	
Wird eine Kopie des Werts erstellt.	Wird eine Kopie der Referenz auf den Speicherort erstellt.

Werttyp	Referenztyp
Garbage Collection	
Wird durch den Garbage Collector vom Stack entfernt, wenn er den Gültigkeitsbereich verlässt.	Der GC ruft Destruktoren auf, und das Objekt wird vom Heap entfernt, wenn es außerhalb des Gültigkeitsbereichs liegt.

Tabelle 2-2: Vergleich von Werttypen und Referenztypen.

2.1.5   Typenumwandlung

Da wir jetzt ein gutes Verständnis der Typen in der .NET-Welt haben, sollten wir einen Blick auf die Umwandlung von Instanzen eines Typs in einen anderen werfen. In manchen Fällen wird diese Konversion implizit vom Compiler vorgenommen, nämlich dann, wenn der zu konvertierende Wert keine Präzision und keine Größe verliert. Wie Sie schon in der Beschreibung von Option Strict gesehen haben, wird dies als sich erweiternde Umwandlung (widening conversion) bezeichnet. Im folgenden Codeschnipsel erwartet die Methode ComputeAvg zwei Integer-Parameter, aber wenn Sie ihr Parameter vom Typ Short übergeben, gibt es keinen Compilerfehler. Der Compiler wandelt Param1 und Param2 automatisch in Integer um, weil keine Gefahr besteht, dass ein Wert vom Typ Short (der maximal einen Wert von 32.767 annehmen kann) zu groß sein wird, um in einen Integer-Typ zu passen (dessen höchster Wert 2.147.483.647 beträgt).

```
Function ComputeAvg(ByVal Param1 As Integer, ByVal Param2 As Integer) As
Double
        Return (Param1 + Param2) / 2
End Function


Dim Param1 As Short = 108
Dim Param2 As Short = 123
Dim ComputedAverage As Double

ComputedAverage = ComputeAvg(Param1, Param2)
```

In den Fällen, in denen Präzision verlorengehen könnte, ist eine explizite Umwandlung nötig. In VB haben Sie zwei Möglichkeiten, wenn Sie eine explizite Konversion ausführen wollen: Sie können die VB-Umwandlungsfunktionen wie CStr oder die Funktionen der Klasse System.Convert wie etwa Convert.ToString benutzen. Die Tabelle 2-3 listet die Funktionen auf, die für explizite Konvertierungen zur Verfügung stehen:

VB-Funktion	Konvertierungsfunktion	Beschreibung
N/A	ToBase64CharArray	Wandelt einen Array von nicht vorzeichen-behafteten Integerwerten in einen Array von Unicode-Zeichen um
N/A	ToBase64String	Wandelt einen Array von nicht vorzeichen-behafteten Integerwerten in eine Zeichen-kette um
CBool	ToBoolean	Wandelt einen Ausdruck in einen Boolean-Wert um
CByte	ToByte	Wandelt einen Ausdruck in einen Byte-Wert um
CChar	ToChar	Wandelt das erste Zeichen eines Strings in einen Char-Wert um
CDate	ToDateTime	Wandelt einen Ausdruck in einen DateTime-Wert um
CDbl	ToDouble	Wandelt einen numerischen Ausdruck in eine Fließkommazahl mit doppelter Präzi-sion um (double)
CDec	ToDecimal	Wandelt einen numerischen Ausdruck in einen Decimal-Wert um
CInt	ToInt32	Wandelt einen numerischen Ausdruck in eine Integerzahl um
CLng	ToInt64	Wandelt einen numerischen Ausdruck in eine Long-Zahl um
CObj	N/A	Wandelt einen Ausdruck in ein Objekt um
CSByte	ToSByte	Wandelt einen numerischen Ausdruck in einen SByte-Wert um
CShort	ToInt16	Wandelt einen numerischen Ausdruck in einen Short-Wert um
CSng	ToSingle	Wandelt einen numerischen Ausdruck in eine Fließkommazahl mit einfacher Präzision um (Single)
CStr	ToString	Wandelt einen Ausdruck in eine Zeichen-kette um
CUInt	ToUInt32	Wandelt einen numerischen Ausdruck in einen nicht vorzeichenbehafteten Integerwert um
CULng	ToUInt64	Wandelt einen numerischen Ausdruck in eine nicht vorzeichenbehaftete Long-Zahl um (ULong)
CUShort	ToUInt16	Wandelt einen numerischen Ausdruck in einen nicht vorzeichenbehafteten Short-Wert um

Tabelle 2-3: Funktionen für die Datentypkonvertierung

Mit jeder dieser Methoden ist es recht einfach, Variablen mit einem bestimmten Typ zu versehen, wie dieses Codebeispiel zeigt:

```
Dim StringValue As String = "123"
Dim IntegerValue As Integer

IntegerValue = CInt(StringValue)
```

Zu entscheiden, ob man die VB-Konvertierungsfunktionen oder die der Klasse `Convert` benutzen soll, ist schlicht eine Stilfrage. Die Klasse `Convert` macht den Code konsistenter mit den Datentypumwandlungen in der Sprache C#, die keine Funktionen wie `CStr` besitzt. Die Klasse `Convert` befindet sich im Namensraum `System`, und die Methoden werden wie folgt aufgerufen:

```
Dim StringValue As String = "123"
Dim IntegerValue As Integer

IntegerValue = Convert.ToInt32(StringValue)
```

Wenn die Konvertierung einen Verlust der Größenordnung verursacht, kann es sein, dass sie zur Laufzeit eine Exception auswirft. Wenn Sie zum Beispiel versuchen, den String »746475959658567« in einen `Integer`-Wert zu verwandeln, würden Sie einen Overflow-Error erhalten, da dieser Wert das Maximum überschreitet, das ein `Integer`-Wert beinhalten kann.

CType

Auch Referenztypen müssen häufig von einem Typ in einen anderen umgewandelt werden. `CType` wandelt einen Ausdruck in den spezifizierten Datentyp, in ein Objekt, eine Struktur, eine Klasse, oder ein Interface. Die Syntax lautet wie folgt:

```
CType(Ausdruck, Typname)
```

Eine Basisklasse muss explizit in einen abgeleiteten Typ verwandelt werden, da der abgeleitete Typ von der Basisklasse erbt. Eine abgeleitete Klasse kann durch die Benutzung der `CType`-Funktion dagegen implizit in einen Basistyp verwandelt werden.

Betrachten wir die Klasse `Coordinate` und die Klasse `GraphCoordinate`, die von `Coordinate` erbt und sie erweitert. Sie haben auch die Funktion `PrintCoordinates`, die die Werte `x` und `y` an die Konsole ausgibt:

```
Public Class Coordinate
        Public x As Integer
        Public y As Integer
End Class

Public Class GraphCoordinate
        Inherits Coordinate
```

```
        Public PointDesc As String
End Class

Public Function PrintCoordinates(ByVal Coord As Coordinate) As Boolean
        System.Console.WriteLine("( {0}, {1} )", Coord.x, Coord.y)

        Return True
End Function
```

Wie bereits angesprochen, kann ein abgeleiteter Typ immer in einen Basistyp verwandelt werden. Das folgende Codebeispiel wird daher keine Fehler verursachen:

```
Dim Coord As New Coordinate
Coord.x = 10
Coord.y = 50

Dim oCoord As Object = New Coordinate
```

Definieren wir nun die Instanz von GraphCoordinate und versuchen wir, die Funktion PrintCoordinates aufzurufen:

```
Dim GraphCoord As New GraphCoordinate
GraphCoord.x = 50
GraphCoord.y = 50
GraphCoord.PointDesc = "Dies ist der Punkt."

PrintCoordinates(Coord)
PrintCoordinates(GraphCoord)
PrintCoordinates(oCoord)
```

Die ersten beiden Aufrufe der Funktion PrintCoordinates sind erfolgreich, da jedes Objekt, das von der Coordinate-Klasse abgeleitet wird, als Parameter weitergegeben werden kann. Ist jedoch die Option Strict auf On gestellt, dann führt der dritte Aufruf zu einem Compilerfehler, der die implizite Konvertierung von oCoord in die Klasse Coordinate unterbindet. Um oCoord als Parameter weitergeben zu können, müssen Sie ihn explizit in den Typ Coordinate umwandeln (man sagt auch »casten«), wie hier gezeigt:

```
PrintCoordinates(CType(oCoord, Coordinate))
```

Ein anderes Schlüsselwort, das mit der Konvertierung von Referenztypen zu tun hat, ist TypeOf. Benutzen Sie TypeOf, bevor Sie CType verwenden, um zu prüfen, ob Sie das Objekt erfolgreich konvertieren können. Bevor Sie die Methode PrintCoordinates aufrufen, können Sie den Typ der Variable oCoord prüfen und dann die Methode aufrufen:

```
If TypeOf (oCoord) Is Coordinate Then
    PrintCoordinates(CType(oCoord, Coordinate))
End If
```

DirectCast und TryCast

Zwei weitere VB-Schlüsselwörter, die sich auf die Umwandlung von Referenztypen beziehen, sind `DirectCast` und `TryCast`. Die Funktion `DirectCast` wird dazu verwendet, Referenztypen wie `CType` ineinander zu verwandeln und hat die folgende Syntax:

```
DirectCast(Ausdruck, Typname)
```

Allerdings bietet `DirectCast` eine bessere Performance, da es versucht, den spezifizierten Typ direkt zu konvertieren. Geht dies nicht, wirft es eine Exception aus. Der Befehl `var = CType("123", Integer)` versucht, »123« zu konvertieren, obwohl es sich dabei um einen String handelt. Dieses Statement hat Erfolg, da VB »123« implizit in einen `Integer`-Wert umwandelt. Dagegen wird der Befehl `var = DirectCast("123", Integer)` scheitern, da der Compiler keine impliziten Konvertierungen versuchen wird und versucht, den String direkt in ein `Integer` zu verwandeln. Es ist empfehlenswert, `DirectCast` zu verwenden, wenn Sie genau wissen, dass eine Umwandlung eines Referenztyps funktionieren wird und Sie den Performance-Vorteil brauchen. Ein weiterer Unterschied zwischen `CType` und `DirectCast` ist, dass Sie `DirectCast` nur bei Typen verwenden können, die direkt voneinander erben. Sie können `DirectCast` daher nicht bei Wertetypen benutzen. Das schließt Strukturen ein.

Die Funktion `TryCast` hat dieselbe Syntax wie `DirectCast` und führt dieselbe Konvertierung von Referenztypen aus. Wenn jedoch die Umwandlung fehlschlägt, liefert die Funktion dagegen `Nothing` zurück, anstatt einen Fehler auszugeben. Anstatt also Fehler von `CType` oder `DirectCast` behandeln zu müssen, können Sie `TryCast` benutzen und prüfen, ob `Nothing` herauskommt. In diesem Codestück versucht `TryCast`, den Referenztyp `x` in den Typ `EntryPoint` zu verwandeln. Diese Umwandlung würde normalerweise in einer Exception enden, aber mit `TryCast` prüfen Sie einfach das Ergebnis der Konvertierung:

```
Dim y As Object = TryCast(x, EntryPoint)
If y Is Nothing Then
    'Tu hier etwas, die Umwandlung ist fehlgeschlagen
Else
    'Tu hier etwas, die Konvertierung war erfolgreich
End If
```

Boxing

Eine andere verbreitete Art der Konvertierung ist das *Boxing* (wörtlich: in eine Schachtel packen). Es ist dann notwendig, wenn einer Variablen ein Werttyp als Referenztyp zugewiesen werden muss. Um diese Art der Umwandlung zu vollbringen, deklarieren Sie einfach ein Objekt und setzen den Inhalt der Werttyp-Variable als seinen Wert ein. Wenn Sie das tun, wird dynamisch ein Objekt auf dem Heap platziert, das den Wert des Werttyps enthält. Das Kapitel 3 behandelt das Boxing in VB ausführlich. Der folgende Code demonstriert das Konzept:

```
Public Class EntryPoint
    Shared Sub Main()
        Dim EmployeeID As Integer = 303
        Dim BoxedID As Object = EmployeeID
        Dim UnboxedID As Integer = CInt(BoxedID)

        EmployeeID = 404

        System.Console.WriteLine(EmployeeID.ToString())
        System.Console.WriteLine(UnboxedID.ToString())
    End Sub
End Class
```

Wird der Code ausgeführt, erscheint dieses Ergebnis im Konsolenfenster:

```
404
303
```

Das Boxing geschieht, wenn der `Object`-Variablen `BoxedID` die `Integer`-Variable `EmployeeID` zugewiesen wird. Ein Objekt auf dem Heap wird erzeugt und der Wert von `EmployeeID` dort hineinkopiert. Auf diese Weise wird die Kluft zwischen der Welt der Werttypen und derjenigen der Referenztypen in der CLR überbrückt. Das Objekt `BoxedID` enthält eine Kopie des Werts von `EmployeeID`. Dies wird im Beispielcode demonstriert, indem der ursprüngliche Wert von `EmployeeID` ausgegeben wird, nachdem die Boxing-Operation ausgeführt wurde. Bevor die Inhalte ausgegeben werden, packen Sie den Wert aus (unboxing) und kopieren den Wert, den das Objekt auf dem Heap enthält, zurück in einen anderen `Integer`-Wert auf dem Stack. Unboxing ist das Gegenteil des Boxing und umschreibt den Prozess, bei dem die Referenztypenvariable wieder in einen Werttyp auf dem Stack konvertiert wird.

Operatoren für Referenztypen

VB enthält Operatoren, die vor allem dann hilfreich sind, wenn mit Referenztypen gearbeitet wird. Angesichts der Tatsache, dass explizite Konvertierungen scheitern und Ausnahmen auslösen können, kann es Situationen geben, in denen Sie zunächst den Typ einer Variable testen wollen, anstatt eine Umwandlung auszuführen und darauf zu warten, ob sie klappt oder nicht. Der Operator `Is` gibt im Zusammenspiel mit dem Schlüsselwort `TypeOf` ein `Boolean` zurück. Dieses bestimmt, ob Sie einen gegebenen Ausdruck – durch eine Referenzkonvertierung oder Boxing bzw. Unboxing – in einen bestimmten Typ verwandeln können. Betrachten wir den folgenden Code:

```
Public Class EntryPoint
    Public Class BaseType
        Public x As Integer
```

```
        Public y As Integer
End Class

Public Class DerivedType
        Inherits BaseType

        Public DT1 As Long
        Public Description As String
End Class

Shared Sub Main()
        Dim DerivedObj As DerivedType = New DerivedType()
        Dim BaseObj1 As BaseType = New BaseType()
        Dim BaseObj2 = DerivedObj

        If TypeOf BaseObj2 Is DerivedType Then
            Console.WriteLine("BaseObj2 {0} DerivedType", "is")
        Else
            Console.WriteLine("BaseObj2 {0} DerivedType", "isnot")
        End If

        If TypeOf BaseObj1 Is DerivedType Then
            Console.WriteLine("BaseObj1 {0} DerivedType", "is")
        Else
            Console.WriteLine("BaseObj1 {0} DerivedType", "isnot")
        End If

        If TypeOf DerivedObj Is BaseType Then
            Console.WriteLine("DerivedObj {0} BaseType", "is")
        Else
            Console.WriteLine("DerivedObj {0} BaseType", "isnot")
        End If

        Dim j As Integer = 123
        Dim Boxed As Object = j
        Dim Obj As Object = New Object()

        If TypeOf Boxed Is Integer Then
            Console.WriteLine("Boxed {0} Integer", "is")
        Else
            Console.WriteLine("Boxed {0} Integer", "isnot")
        End If

        If TypeOf Obj Is Integer Then
            Console.WriteLine("Obj {0} Integer", "is")
        Else
            Console.WriteLine("Obj {0} Integer", "isnot")
```

```
        End If

        If TypeOf Boxed Is ValueType Then
            Console.WriteLine("Boxed {0} System.ValueType", "is")
        Else
            Console.WriteLine("Boxed {0} System.ValueType", "isnot")
        End If
    End Sub
End Class
```

Der Code gibt folgendes Ergebnis aus:

```
BaseObj2 is DerivedType
BaseObj1 isnot DerivedType
DerivedObj is BaseType
Boxed is Integer
Obj isnot Integer
Boxed is System.ValueType
```

Zwei verwandte Operatoren, die für die Arbeit mit Referenztypen hilfreich sind, sind
Is und IsNot. Die Syntax für diese Operationen lautet:

```
BooleanResult = Object1 Is Object2
```

Diese beiden Operatoren geben einen Boolean-Wert aus, nachdem das erste Objekt
darauf geprüft wurde, ob es sich auf dasselbe Objekt bezieht wie das zweite. Die Operatoren Is und IsNot berücksichtigen nur Referenztypen und VB löst einen Compilerfehler aus, wenn Sie versuchen, Is und IsNot mit Werttypen zu verwenden. Hier ein
Beispiel, das den Is-Operator nutzt:

```
Dim ObjectA As New Object
Dim ObjectB As New Object
Dim ObjectC As New Object
Dim ObjectD As New Object
Dim IsObject As Boolean

ObjectA = ObjectC
ObjectB = ObjectC

IsObject = ObjectA Is ObjectC
IsObject = ObjectB Is ObjectC
IsObject = ObjectB Is ObjectA
IsObject = ObjectC Is ObjectD
```

Die ersten beiden Vergleiche führen zum Ergebnis True, da sich ObjectA und ObjectB
beide auf ObjectC beziehen. Der dritte Vergleich ist der interessanteste, da sich
ObjectA und ObjectB – obwohl sie kein Verhältnis zueinander durch direkte
Zuweisung haben – beide auf ObjectC beziehen und somit dasselbe wie das andere
sind. Der letzte Vergleich ergibt False, da ObjectD nirgendwohin einen Bezug hat.

2.2 Namensräume

Namensräume (Namespaces) werden dazu verwendet, um Ihre Typen innerhalb einer Assembly zu organisieren. Sie helfen Ihnen, Namenskonflikte zwischen Ihren Bezeichnern zu vermeiden. Indem Sie Namensräume benutzen, definieren Sie alle Ihre Typen in der Art, dass ihre Bezeichner durch den Namensraum qualifiziert werden, zu dem sie gehören. Sie haben in bereits in vielen Codestücken Namensräume gesehen – in dem Beispiel »Hello World!« im Kapitel 1 sahen Sie die Verwendung der Klasse `Console`, die im Namensraum `System` der Klassenbibliothek des .NET-Frameworks existiert und deren voller Name `System.Console` lautet. Es ist guter Brauch, Ihre Komponenten durch Namensräume zu organisieren, und die generelle Empfehlung lautet, einen Bezeichner, zum Beispiel den Namen Ihrer Firma oder Ihrer Organisation, als Top-Level-Namensraum zu verwenden und darunter spezifischere Bibliotheksbezeichner als ineinander geschachtelte Namensräume.

Namensräume bieten einen exzellenten Mechanismus, um Ihre Typen besser auffindbar zu machen, vor allem, wenn Sie Bibliotheken entwerfen, die von anderen genutzt werden sollen. Zum Beispiel können Sie einen allgemeinen Namensraum wie `MyCompany.Widgets` anlegen, in den Sie die am häufigsten genutzten Widget-Typen, also Elemente für die Benutzeroberfläche, einstellen. Dann können Sie noch einen weiteren Namensraum `MyCompany.Widgets.Advanced` anlegen, in dem Sie die weniger oft benutzten, komplexeren Typen ablegen. Sicher könnten Sie alle auch in einem Namensraum unterbringen. Es ist jedoch leichter für diejenigen, die Ihre Bibliotheken verwenden, wenn die Typen logisch organisiert und die häufig benutzten von den seltener verwendeten Typen getrennt sind.

> **Tipp:** Innerhalb eines Namensraums können Sie Containerelemente wie Module, Interfaces, Klassen, Delegates, Enumerationen, Strukturen, und verschachtelte Namensräume definieren. Sie können aber keine Properties, Prozeduren, Variablen oder Events als Namensraum haben.

2.2.1 Namensräume definieren

Die Syntax für die Definition eines Namensraums ist einfach. Der folgende Code zeigt, wie Sie einen Namensraum namens `Acme` deklarieren:

```
Namespace Acme
    Public Class Class1

    End Class
End Namespace
```

- Ein Namensraum kann zahlreiche VB-Dateien überspannen, und Sie können viele Namensräume innerhalb einer einzigen VB-Datei haben. Wenn der gesamte Code eines Projekts kompiliert wird, stellt der Satz der Bezeichner, die in dem Namens-

raum enthalten sind, eine Vereinigung aller Bezeichner in jeder Namensraumdekla-
ration dar. Diese Union erstreckt sich also über Assemblies hinaus. Wenn viele
Assemblies Typen enthalten, die in dem selben Namensraum definiert wurden,
besteht der gesamte Namensraum aus allen Bezeichnern über alle Assemblies
hinweg, die die Typen definieren. Es ist möglich, Namensraumdeklarationen ineinander zu verschachteln, und das kann auf zweierlei Weise geschehen. Der eine ist
sehr geradlinig:

```
Namespace Acme
    Namespace Utilities
        Public Class Class1

        End Class
    End Namespace
End Namespace
```

- Standardmäßig enthält jede ausführbare Datei einen Namensraum, die denselben
  Namen wie Ihr Projekt trägt. Legt man dieses Beispiel zugrunde, muss die Class1
  als `HelloWorld.Acme.Utilities.Class1` identifiziert werden, um auf sie mit ihrem
  voll qualifizierten Namen zuzugreifen. Wenn Sie jedoch in dem Projekt
  `HelloWorld` arbeiten, wird der Namensraum `HelloWorld` zugrunde gelegt, und Sie
  können `Acme.Utilities.Class1` als voll qualifizierten Namen verwenden. Das folgende Beispiel zeigt eine Alternative, um verschachtelte Namensräume zu erzeugen:

```
Namespace Acme

End Namespace

Namespace Acme.Utilities
    Public Class Class1

    End Class
End Namespace
```

- Der Code erreicht genau dasselbe Ziel wie der vorangegangene. Tatsächlich dürfen
  Sie die erste leere Deklaration für den Namensraum `Acme` auslassen. Sie steht nur da,
  um zu zeigen, dass der Namensraum `Utilities` nicht physikalisch in die Deklaration
  des Namensraums `Acme` geschachtelt ist. Alle beliebigen Typen, die Sie außerhalb
  eines Namensraumes deklarieren, werden Teil des globalen Namensraums.

2.2.2   Namensräume verwenden

Schauen wir uns nun an, wie Namensräume verwendet werden. Wir werden Code
untersuchen, der im vorherigen Abschnitt definiert worden ist:

```
Dim c As Acme.Utilities.Class1 = New Acme.Utilities.Class1
```

Den voll qualifizierten Namen zu verwenden ist sehr langatmig und könnte eventuell zu einem bösen Fall des Karpaltunnel-Syndroms führen. Das Statement `Imports` verhindert das. Das Statement `Imports` erzeugt ein Synonym, das dem Compiler mitteilt, dass Sie einen gesamten Namensraum benutzen oder eine individuelle Klasse innerhalb eines Namensraums. In diesem Fall erzeugt `Imports` eine implizite Parallelbezeichnung für den voll qualifizierten und ausgeschriebenen Namen. In den meisten Fällen führen Entwickler auf diese Weise den kompletten Namensraum ein, wie in diesem Beispiel zu sehen ist:

```
Imports Acme.Utilities
Dim c As Class1 = New Class1
```

Mit diesem Code kann man nun leichter umgehen und er ist auch leichter zu lesen. Sie können sich aber nur auf einen Namensraum in einer Assembly beziehen, zu der auch Ihr Projekt in Beziehung steht. Wenn Sie also einen Datentyp aus dem Namensraum `System.XML` benutzen wollen, müssen Sie zuerst eine Referenz zu `System.Xml.dll` hinzufügen, denn das ist die Assembly, in der der Namensraum deklariert ist. Ein anderes Problem mit Namensräumen besteht darin, zwei Namensräume zu haben, die jeweils eine Klasse mit demselben Namen enthalten. Das ist absolut zulässig, denn die voll qualifizierten Namen dieser Klassen sind jeweils einmalig. Sagen wir, Sie haben Ihre eigenen Datenzugriffstypen in einem Namensraum namens `Acme.Data` mit der Klasse `DataTable` definiert und Sie benutzen auch den Namensraum `System.Data`, der eine Klasse namens `DataTable` besitzt:

```
Namespace Acme.Data
    Public Class DataTable

    End Class
End Namespace
```

Wenn Sie hier die Klasse `DataTable` benutzen, weiß der Compiler nicht, welchen Namensraum Sie meinen, und er wird eine Ausnahme des Typs »Ambiguous Name« ausgeben. In einem Fall wie diesem haben Sie zwei Möglichkeiten: Die erste ist, den voll qualifizierten Namen des Namensraums zu verwenden. Die zweite ist, einem Namensraum einen expliziten Aliasnamen zuzuweisen, wie hier:

```
Imports System.Data
Imports db = Acme.Data
```

Überall dort, wo Sie die Klasse `DataTable` in Ihrem eigenen Namensraum verwenden wollen, schalten Sie dem Klassennamen lediglich das Präfix `db` voran, wie hier:

```
Dim c As db.DataTable = New db.DataTable
```

Der Objektbrowser

Ein nützliches Werkzeug, um Namensräume in VB zu durchsuchen und aufzufinden, ist der Objektbrowser. Sie greifen auf dieses Dienstprogramm in Visual Basic Express oder der Entwicklungsumgebung Visual Studio zu, indem, Sie »Ansicht« > »Objekt-browser« wählen. Sie werden eine Baumansicht aller referenzierten Komponenten in Ihrem Projekt sehen, wie in Bild 2-1

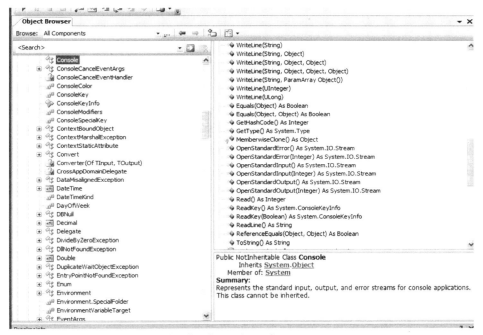

Bild. 2-1: Der Objektbrowser zeigt die Klasse Console an

Im Objektbrowser können Sie jeden Namensraum in Ihrem Projekt, jeden Datentyp, der in dem Namensraum definiert ist, sowie seine Mitglieder sehen.

2.3 Statements

Codezeilen in VB werden mit einem Wagenrücklauf und Zeilenvorschub beendet (Carriage Return/Line Feed – CRLF). Anders als C# hat VB kein logisches Zeichen für das Zeilenende. Ein Statement kann nur mit einem Zeilenfortsetzungszeichen mehrere Zeilen überspannen. Dieses ist ein Unterstrich, dem ein Leerzeichen vorangeht (_). Wenn Sie einen langen Funktionsnamen oder ein langes Statement haben sollten, das Sie lesbarer gestalten wollen, brechen Sie sie einfach in mehrere Zeilen auf, so wie in diesem Beispiel:

```
Function ComputeAvg(ByVal Param1 As Integer, _
    ByVal Param2 As Integer) As Double

    Return (Param1 + Param2) / 2
End Function
```

Umgekehrt können Sie mehrere Statements in eine Zeile schreiben, indem Sie den Doppelpunkt verwenden. Sie haben wahrscheinlich schon die Deklaration von mehreren Variablen in einer Linie gesehen, bei der alle Variablen denselben Typ haben:

```
Dim x, y, z As Integer
```

Sie können mehrere Variablendeklarationen unterschiedlichen Typs in dieselbe Zeile setzen, indem Sie den Doppelpunkt benutzen:

```
Dim x, y, z As Integer : Dim a, b, c As String
```

Sie können mit dem Doppelpunkt auch diverse Statements in dieselbe Zeile setzen:

```
x = 0 : y = 1 : z = 2
```

Obwohl VB die Möglichkeit bietet, mehrere Statements in eine Zeile zu setzen, wird dies selten verwendet, da es den Code schwerer lesbar macht und er dadurch schwieriger zu warten ist.

2.4 Kontrollstrukturen

Vielleicht sind Ihnen Sprachelemente von VB wie If...Then...Else bereits vertraut, die dazu benutzt werden, den Ablauf des Programms zu steuern. Dieser Abschnitt liefert einen Überblick über diese Konstrukte.

2.4.1 If...Then...Else

Das Bedingungskonstrukt If...Then...Else prüft zunächst einen Ausdruck, der durch einen Boolean-Wert aufgelöst werden muss. Aufgrund dieses Werts werden die Statements, die Sie spezifizieren, ausgeführt. Die generelle Syntax dieses Konstrukts lautet:

```
If condition Then
    statements
ElseIf elseifcondition Then
    elseifstatements
Else
    elsestatements
End If
```

Hier ein If-Statement in seiner einfachsten Form mit einer If-Bedingung, Statements und einem EndIf:

```
If x = 0 Then
    y = 1
End If
```

Sie können dies auch in eine einzige Zeile schreiben. Aus stilistischer Sicht ist diese Version jedoch weniger gut lesbar, und sobald Sie noch weitere Statements hinzufügen, brauchen Sie ein entsprechendes EndIf:

```
If x = 0 Then y = 1
```

Wenn die erste If-Bedingung als False ausgewertet wird, wechselt das Programm in die erste ElseIf-Bedingung und wertet sie aus. Wenn Bedingungen als False ausgewertet werden, setzt sich die Ausführung mit jedem nachfolgenden ElseIf und schließlich dem Else-Statement fort:

```
If x = 0 Then
    y = 1
ElseIf x = 1 Then
    y = 10
End If
```

2.4.2 Select...Case

VB bietet noch ein weiteres Bedingungskonstrukt, nämlich Select...Case. Dieses Statement bietet eine flexible Möglichkeit, um viele Auswahlmöglichkeiten auszuwerten, die vorab bekannt sind:

```
Select Case expression
    Case expressionevaluation
        statements
    Case Else
        elsestatements
End Select
```

Sie müssen ein Select...Case-Statement immer mit EndSelect abschließen. Es gibt viele Möglichkeiten, Case-Ausdrücke auszuwerten. Sie können auf einen einzelnen Wert prüfen, auf einen Wertebereich oder auf viele Werte:

```
Select Case x
    Case Is <= 0
        y = 1
    Case 1 - 5
        y = 10
    Case 6, 7, 8
```

```
      y = 100
   Case 10
      y = 20
End Select
```

Sie können auch `Case Is` mit einem Operator (wie <=) verwenden, um den Ausdruck auszuwerten. Das Schlüsselwort `Is` in einem `Select…Case`-Statement ist nicht verwandt mit dem `Is`-Operator, der benutzt wird, um Referenztypen auszuwerten. Sobald ein `Case`-Statement als wahr (`true`) gewertet wird, werden die Statements, die darauf folgen, ausgewertet, und dann wechselt der Kontrollfluss zu dem Statement, das nach `EndSelect` steht.

2.5 Iterations- und Schleifenkonstrukte

VB stellt genauso wie andere Sprachen Konstrukte für Iterationen und Schleifen zur Verfügung, die so lange wiederholt werden, bis eine bestimmte Bedingung erfüllt ist. Sehen wir uns diese Statements einmal an:

2.5.1 For Each…Next

Das Statement `For Each…Next` erlaubt Ihnen, über eine Ansammlung von Objekten zu iterieren und Anweisungen für jedes Element in der Sammlung auszuführen. Die Syntax von `For Each…Next` lautet folgendermaßen:

```
For Each element As datatype In collection
    statements
    Exit For
Next element
```

Wenn Sie einen Array (oder irgendeine andere Ansammlung) zum Beispiel von Strings haben, können Sie mit dem folgenden Code über jeden String iterieren:

```
Dim StringArray(1) As String
StringArray(0) = "Cat"
StringArray(1) = "Dog"

For Each Item As String In StringArray
    Console.WriteLine("{0}", Item)
Next
```

In der ersten Zeile der `For Each…Next`-Schleife deklarieren Sie den Typ Ihrer Iteratorvariablen. In diesem Beispiel ist es eine Zeichenkette, ein String. Nach der Deklaration des Iteratortyps folgt der Bezeichner für die Sammlung, über die iteriert wird. Sie können die Schleife `For Each…Next` mit jedem Objekt verwenden, das das Interface `IEnumerable` implementiert. Dadurch ist sie perfekt dazu geeignet, über Reihen in einer ADO-`DataTable` oder Elemente in einer `ArrayList` zu iterieren.

Die Elemente der Sammlung, die in For Each…Next verwendet wird, müssen in den Iteratortyp konvertiert werden können. Wenn der auszuwertende Wert in den Iteratortyp konvertiert werden kann, führt VB die Umwandlung implizit aus. Wenn die Konvertierung fehlschlägt, gibt das For Each…Next-Statement zur Laufzeit eine InvalidCastException aus. Zum Beispiel erzeugt diese Modifikation an dem vorangegangenen Beispiel beim zweiten Element des Arrays einen Laufzeitfehler vom Typ OverflowException, weil VB implizit versucht, es von Long zu Integer zu konvertieren:

```
Dim anArray(1) As Long
    anArray(0) = 2
    anArray(1) = 3473928374736

For Each Item As Integer In anArray
    Console.WriteLine("{0}", Item.ToString())
Next
```

Tipp: Die Modifikation einer Iteratorvariable oder ihre Weitergabe an eine Methode kann es erschweren, den Code zu lesen und zu debuggen. Sie sollten daher die Iteratorvariable als Read-Only behandeln.

Zuletzt wird das Statement Exit For benutzt, wenn Sie eine Bedingung erreichen, in der Sie die Ausführung der Schleife vorzeitig beenden wollen. Der Ablauf wechselt dann zu der Anweisung, die auf Next folgt.

2.5.2 For…Next

Das Konstrukt For…Next wird verwendet, um eine Schleife über diverse Elemente einer Gruppe zu spannen, und Sie definieren die Zahl der Durchläufe der Schleife, indem Sie einen Ausdruck benutzen. Die grundlegende For…Next-Syntax sieht folgendermaßen aus:

```
For counter As datatype  = start To end
    statements
    Exit For
Next counter
```

Sie können die Zählvariable in der For-Zeile deklarieren, was eine nette Eigenschaft ist, die mit C# vergleichbar ist. Der Zählerausdruck in For wird als Boolean ausgewertet, und jedes Mal, wenn er wahr ist, werden die folgenden Anweisungen ausgeführt. Wenn Sie die Schleife verlassen wollen, bevor die Überprüfung des Ausdrucks ein False ergibt, benutzen Sie das Exit For-Statement:

```
For i As Integer = 0 To 10
    Console.WriteLine("{0}", i.ToString)
Next i
```

2.5.3   Do While und Do Until

Während das Statement For…Next Anweisungen basierend auf einer vorab bekannten Anzahl von Durchläufen wiederholt oder diese Zahl von einer wie auch immer gearteten Zählung ableitet, führen Do While und Do Until die Anweisungen aus, bis eine bestimmte Bedingung entweder wahr oder falsch ist. Hier sehen Sie die grundlegende Do-Syntax:

```
Do While | Until condition
    statements
    Exit Do
Loop
```

Das Do While-Konstrukt führt die Anweisungen aus, *solange* die definierte Bedingung true ist. Auf der anderen Seite führt Do Until die Statements aus, *bis* die definierte Bedingung true ist. Do-Schleifen sind dann nützlich, wenn Sie nicht vorab wissen, wie oft Sie eine Anweisung ausführen müssen. In diesem Beispiel durchläuft der Code solange einen Array von Integer-Werten, wie der Wert des Array-Elements kleiner oder gleich 9 ist:

```
Dim MyArray() As Integer = {1, 2, 3, 4, 5, 6, 7, 8, 9, 10}
Dim rnd As Random = New Random
Dim i As Integer = rnd.Next(0, 9)

Do While MyArray(i) <= 9
    Console.WriteLine("{0}", MyArray(i).ToString)
    i += 1
Loop
```

Als Ergebnis werden die Zahlen zwischen der zufällig erzeugten Zahl und 10 auf der Konsole ausgegeben. Wenn Sie dasselbe mit dem Do Until-Konstrukt erreichen wollen, würde dieses die Anweisungen ausführen, bis der ausgewertete Ausdruck wahr ist. Dies würde so aussehen:

```
Do Until MyArray(i) > 9
    Console.WriteLine("{0}", MyArray(i).ToString)
    i += 1
Loop
```

2.5.4   Continue

Das Statement Continue erlaubt Ihnen, zur jeweils nächsten Wiederholung des Schleifendurchlaufs zu springen, ohne den Rest des Schleifeninhalts auszuführen. Zum Beispiel springt in diesem Code die Ausführung gleich zu der Next-Zeile, wenn Counter den Wert 6 oder 7 hat. Wenn Counter 1,2,3,4,5,8,9 oder 10 ist, dann wird die Zahl an die Konsole ausgegeben und die normale Ausführung setzt sich bei der Next-Zeile fort:

```
For Counter As Integer = 1 To 10
    Select Case Counter
        Case 1 To 5, 8 To 10
            Console.WriteLine("{0}", Counter.ToString)
        Case 6, 7
            Continue For
End Select
```

Sie können den Befehl `Continue` mit den Schleifenkonstrukten `Do While`, `Do Until` und `For` benutzen (`Continue Do`, `Continue While` und `Continue For`).

2.6 Zusammenfassung

In diesem Kapitel haben wir die Unterschiede zwischen Wertetypen und Referenztypen beschrieben sowie einige Probleme, die auftreten, wenn die beiden konvertiert werden. Wir haben auch einige wichtige Punkte der VB-Syntax angesprochen und einige Kontrollstrukturen. Jetzt können wir uns dem Kern der Entwicklung in VB zuwenden – den Klassen und Strukturen.

3 Klassen und Strukturen

In Visual Basic (VB) ist alles ein Objekt. Da VB eine objektorientierte Sprache ist, haben alle Objekte, die Sie durch Klassendefinitionen erschaffen, die gleichen Fähigkeiten wie die anderen vordefinierten Objekte im System. Schlüsselwörter wie `Integer` und `Boolean` sind nämlich lediglich Aliasnamen für vordefinierte Werttypen innerhalb des Namensraumes `System`, nämlich `System.Int32` und `System.Boolean`.

Die Fähigkeit, eigene Typen erfinden zu können, ist ein integraler Teil objektorientierter Systeme. Wirklich cool ist, dass die Objekte, die Sie erschaffen, in derselben Liga spielen wie die eingebauten Typen, da eben diese vordefinierten Typen der Sprache nichts anderes als gewöhnliche CLR-Objekte (Common Language Runtime) sind. In anderen Worten: Die eingebauten Typen haben keine speziellen Eigenschaften, die Ihnen nicht auch zur Verfügung stünden. Der Grundstein, um diese Typen zu erschaffen, ist die *Klassendefinition*. Klassendefinitionen benutzen das Schlüsselwort `Class` und definieren den internen Zustand sowie das Verhalten der Objekte dieses Klassentyps.

Neben den Klassen unterstützt VB auch die Definition neuer *Werttypen* durch das Schlüsselwort `Structure`. Eine `Structure` ist ein leichtgewichtiges Objekt, das nichts von einer anderen Klasse oder Struktur erben kann; allerdings kann auch keine Struktur oder Klasse davon erben.

Zusammen mit der integrierten Entwicklungsumgebung (Integrated Development Environment, IDE) Visual Studio stellt VB ein exzellentes Werkzeug für die rasche Anwendungsentwicklung dar. Während die CLR zunächst einschüchternd wirken kann, lassen sich ansprechende Applikationen zusammenstellen, ohne dass Sie alle Verhaltensweisen der Sprache im Detail kennen müssten. Indem Sie Applikationen bauen und dadurch das Verständnis für die Sprache VB und die CLR zunimmt, werden Sie immer effektiver darin, robuste Anwendungen zu entwerfen und zu entwickeln.

3.1 Klassendefinitionen

Gehen wir an die Sache heran und sehen uns eine einfache Klasse an, damit Sie ein Gefühl dafür bekommen:

```
Public Class Customer
    'Felder/Mitglieder
    Private mName As String
    Private mCustomerID As Integer
```

```
'Konstruktor
Public Sub New()
    MyBase.New()
End Sub


'Eigenschaften
Public Property Name() As String
    Get
        Return mName
    End Get
    Set(ByVal value As String)
        mName = value
    End Set
End Property

Public Property CustomerID() As Integer
    Get
        Return mCustomerID
    End Get
    Set(ByVal value As Integer)
        mCustomerID = value
    End Set
End Property

'Methoden
Public Function SaveCustomerToDB() As Boolean
    'Hier wird Code für diese Funktion eingegeben.
    Return True
End Function
End Class
```

Diese Klassendeklaration definiert eine Klasse namens Customer. Der *Zugriffsmodifika-tor* vor dem Schlüsselwort Class, in diesem Fall Public, steuert die Sichtbarkeit des Typs von innerhalb und außerhalb der Assembly. Die Klasse Customer ist öffentlich zugänglich. Das bedeutet, dass Sie Instanzen dieser Klasse erzeugen können. Die Klasse Customer enthält zwei Felder, einen Konstruktor, zwei Properties und eine Funktion. Die Property-Methoden erlauben den Lese- und Schreibzugriff auf die Felder und die Funktion wird dazu benutzt, den Kunden in einer Datenbank zu speichern.

3.1.1   Konstruktoren

Konstruktoren werden aufgerufen, wenn ein Objekt erzeugt wird. Es gibt zwei Typen von Konstruktoren – *Default-Konstruktoren* und *Instanzen-Konstruktoren*. Eine Klasse kann nur einen Default-Konstruktor besitzen und dieser kann keine Parameter haben. Der Name des Default-Konstruktors lautet New().

Instanzenkonstruktoren werden dagegen aufgerufen, wenn eine Instanz einer Klasse geschaffen wird. Sie legen typischerweise den Status des Objekts fest, indem sie die Felder in einem vorab definierten Zustand initialisieren. Sie können aber auch jede andere Art von Initialisierungsaufgaben vornehmen, etwa sich mit einer Datenbank verbinden und eine Datei öffnen. Eine Klasse kann eine Vielzahl von Instanzenkonstruktoren haben, die *überladen* werden können. Instanzenkonstruktoren können Eltern- und Selbstkonstruktoren über `MyBase.New()` und `Me.New()` ausführen, wie das folgende Beispiel zeigt:

```
Public Sub New()
    MyBase.New()
End Sub

Public Sub New(ByVal aString as String)
    Me.New()
End Sub
```

3.1.2   Zugänglichkeit

Zugriffsmodifikatoren können mit fast jeder definierten Größe in einem VB-Programm benutzt werden. Das schließt auch Klassen und jedes Glied einer Klasse ein. Zugangsmodifikatoren, die auf eine Klasse angewandt werden, beeinflussen ihre Sichtbarkeit innerhalb und außerhalb der Assembly, die sie enthält. Zugriffsmodifikatoren, die auf Glieder einer Klasse einschließlich Methoden, Felder, Properties und Ereignisse angewandt werden, beeinflussen die Sichtbarkeit eines Gliedes von außerhalb der Klasse. Die Tabelle 3-1 beschreibt die verfügbaren Zugriffsmodifikatoren.

Zugriffsmodifikator	*Bedeutung*
`Public`	Das Glied ist sowohl außerhalb als auch innerhalb des definierenden Gültigkeitsbereichs sichtbar. Der Zugriff auf ein öffentliches Glied ist in keiner Weise eingeschränkt.
`Protected`	Das Glied ist nur für die definierende Klasse sowie für alle daraus abgeleiteten Klassen sichtbar.
`Friend`	Das Glied ist überall innerhalb der Assembly, die es enthält, sichtbar. Das schließt die definierende Klasse und den Gültigkeitsbereich innerhalb der Assembly ein, der außerhalb der definierenden Klasse liegt.

Zugriffsmodifikator	Bedeutung
Protected Friend	Das Glied ist innerhalb der definierenden Klasse sowie innerhalb der Assembly sichtbar. Dieser Modifizierer kombiniert Protected und Friend, indem er die Boolesche Operation OR verwendet. Das Glied ist zudem für jede Klasse sichtbar, die von der definierenden Klasse abgeleitet ist, unabhängig davon, ob sie sich in derselben Assembly befindet oder nicht.
Private	Das Glied ist ohne Ausnahme nur innerhalb der definierenden Klasse sichtbar. Dies ist die am meisten eingeschränkte Form des Zugriffs.

Tabelle 3-1: Zugriffsmodifizierer in VB

Feldeigenschaften (Properties) können gemischte Zugriffsmodifizierer haben. Ein Property-Getter kann Public sein, während ein Property-Setter als Friend deklariert werden kann. Dies erlaubt jedem Benutzer den Lesezugriff, aber nur die Assembly, die das Feld enthält, kann es aktualisieren. Beachten Sie im folgenden Beispiel den Modifizierer Friend beim Setter:

```
Public Property CustomerID() As Integer
    Get
        Return mCustomerID
    End Get
    Friend Set(ByVal value As Integer)
        mCustomerID = value
    End Set
End Property
```

Die Mitglieder einer Klasse können alle fünf Varianten der Zugriffsmodifizierer nutzen. Wenn überhaupt keine Modifizierer angegeben sind, lautet der standardmäßige Zugriff Public. Klassen können nur einen von zwei Zugriffsmodifizierern aufweisen – Klassen können entweder Public oder Friend sein. Standardmäßig haben sie die Eigenschaft Friend.

Auf die Definition von Mitgliedern einer Structure lassen sich nur Public, Private und Friend anwenden. Auf die Definition von Strukturen kommen wir später im Abschnitt »Definition von Werttypen« zu sprechen. Beachten Sie, dass Protected und Protected Friend nicht verfügbar sind. Dies ist auf den Umstand zurückzuführen, dass Strukturen implizit versiegelt sind, was bedeutet, dass sie keine Basisklassen sein können. Den Modifizierer NotInheritable besprechen wir in Einzelheiten im Abschnitt »Nicht vererbbare Klassen«.

Interfaces sind implizit Public, da sie einen Satz von Operationen oder einen Vertrag definieren, den eine Klasse implementieren kann. Es ist für ein Interface nicht sinnvoll, Teile mit eingeschränktem Zugriff zu enthalten, da Glieder mit eingeschränktem

Zugriff normalerweise mit der Implementation einer Klasse zu tun haben – und Interfaces enthalten grundsätzlich keine Implementation. Dasselbe gilt für Aufzählungen (Enum), da sie normalerweise als eine mit einem Namen versehene Ansammlung von Konstanten behandelt werden und keine interne Implementierung enthalten. Zuletzt ist ein Namespace (Namensraum) implizit Public. Zugriffsmodifizierer können darauf nicht angewandt werden.

3.1.3 Interfaces

Obwohl sich ein großer Teil des Kapitels 6 mit dem Thema Interfaces befasst, bietet es sich an, Interfaces bereits jetzt kurz einzuführen. Ganz allgemein gesprochen stellt ein *Interface* die Definition eines Vertrages dar. Klassen können verschiedene Interfaces implementieren. Indem sie dies tun, garantieren sie, die Regeln des Vertrages zu befolgen. Wenn eine Klasse von einem Interface erbt, ist es notwendig, die Methoden des Interfaces zu implementieren. Eine Klasse kann beliebig viele Interfaces implementieren; es muss sie dazu in der Interface-Liste der Klassendefinition anführen.

Ganz allgemein ähnelt die Syntax eines Interfaces sehr stark der einer Klasse. Allerdings ist jedes Glied des Interfaces implizit Public. Interfaces können nur Instanzenmethoden enthalten; daher können Sie keine Shared-Methoden in die Definition einbinden. Interfaces enthalten keine Implementierung; sie enthalten überhaupt keinen internen Code und sind daher von Natur aus in semantischer Hinsicht abstrakt.

Die Glieder eines Interfaces können nur aus Mitgliedern bestehen, die letztlich auf Methoden in der CLR zurückzuführen sind. Dies schließt Methoden, Properties und Ereignisse ein. Der folgende Code zeigt ein Beispiel eines Interface und eine Klasse, die das Interface implementiert.

Beachten Sie bitte: Es gehört zu den Standardpraktiken, dass ein Interface mit einem großen I beginnt.

```
Public Interface IMusician
    Sub PlayMusic()
End Interface

Public Class TalentedPerson
    Implements IMusician

    Public Sub PlayMusic() Implements IMusician.PlayMusic

    End Sub

    Public Sub DoALittleDance()

    End Sub
End Class
```

```
Public Class EntryPoint
    Shared Sub Main()
        Dim Dude As New TalentedPerson()
        Dim Musician As IMusician = Dude

        Musician.PlayMusic()
        Dude.PlayMusic()
        Dude.DoALittleDance()
    End Sub
End Class
```

Das Beispiel definiert ein Interface mit dem Namen IMusician. Eine Klasse, TalentedPerson, zeigt an, dass sie das IMusician-Interface durch das Schlüsselwort Implements unterstützen will. Die Klassendeklaration sagt also im Grunde: »Ich möchte einen Vertrag abschließen, das Interface IMusician zu unterstützen. Und ich garantiere, dass ich alle Methoden, die in diesem Interface definiert sind, unterstützen werde.« Das Interface sieht lediglich vor, die Methode PlayMusic zu unterstützen, was die Klasse TalentedPerson auch pflichtschuldigst erledigt. Es ist eine gute Übung, ein Interface mit einem Namen zu versehen, der mit einem großen I beginnt. Wenn man den Code liest, dann stellt dies ein Kennzeichen dar, das anzeigt, dass der fragliche Typ ein Interface ist.

Der Zugang zu der Methode PlayMusic ist nun auf zwei Wegen möglich. Sie kann entweder direkt durch die Objektinstanz aufgerufen werden oder man kann eine Interface-Referenz auf die Objektinstanz einrichten und die Methode dadurch aufrufen. Weil die Klasse TalentedPerson das Interface IMusician unterstützt, lassen sich Referenzen auf Objekte dieser Klasse implizit zu Referenzen auf IMusician konvertieren. Der Code innerhalb der Methode Main() im vorangehenden Beispiel zeigt, wie die Methode auf beide Arten aufgerufen werden kann.

Das Thema Interfaces ist so vielschichtig, um ein ganzes Kapitel dafür zu rechtfertigen – Kapitel 6 ist diesem Thema gewidmet. Die Informationen zu Interfaces, die wir in diesem Abschnitt erhalten haben, reichen aber aus, um die Ausführungen im Rest dieses Kapitels zu vereinfachen.

3.1.4   Die Schlüsselwörter MyBase und MyClass

Wenn Sie etwas von einer Klasse ableiten – ein Prozess, der auch als *Vererbung* bezeichnet wird –, ist es oft nötig, aus einer Methode der abgeleiteten Klasse auf ein Feld, eine Property oder eine Methode der Basisklasse zuzugreifen oder eine Methode der Basisklasse aufzurufen. Zu diesem Zweck existiert das Schlüsselwort MyBase; MyBase verhält sich wie eine Objektvariable, die sich auf die Basisklasse bezieht, von der die aktuelle Instanzenklasse abgeleitet wurde. Sie können das Schlüsselwort MyBase wie jede andere Instanzenvariable benutzen, aber Sie können es nur innerhalb des Blocks eines Instanzenkonstruktors, einer Instanzenmethode oder eines Instance Property Accessor benutzen. Sie können sie nicht in einer Shared-Methode verwenden, da MyBase den Zugriff auf die Implementationen der Basisklasse einer Instanz erlaubt, ganz ähnlich wie Me den Zugriff auf die Instanz erlaubt, zu der die Methode gehört. Schauen wir uns den folgenden Codeblock an:

```
Public Class A
    Private x As Integer

    Public Sub New(ByVal var As Integer)
        Me.x = var
    End Sub

    Public Overridable Sub DoSomething()
        System.Console.WriteLine("A.DoSomething")
    End Sub
End Class


Public Class B
    Inherits A

    Public Sub New()
        MyBase.New(123)

        'Hier findet der Konstruktor-Code Platz
    End Sub

    Public Overloads Overrides Sub DoSomething()
        System.Console.WriteLine("B.DoSomething")
        MyBase.DoSomething()
    End Sub
End Class

Public Class EntryPoint
    Shared Sub Main()
        Dim b As B = New B()

        b.DoSomething()
    End Sub
End Class
```

Das Ergebnis des Codebeispiels lautet:

```
B.DoSomething
A.DoSomething
```

In dem voraufgegangenen Beispiel sehen Sie zwei mögliche Verwendungen des Schlüsselwortes MyBase. Die erste Verwendung kommt im Konstruktor für Class B vor. Da eine abgeleitete Klasse keine Instanzenkonstruktoren erbt, wenn sie das Objekt initialisiert, ist es manchmal notwendig, einen der Konstruktoren der Basisklasse auf-zurufen, wenn die abgeleitete Klasse initialisiert wird. Die Syntax dafür steht in dem Instanzenkonstruktor der `Class B`. Die Initialisierung der Basisklasse findet nach der Deklaration der Parameterliste des Konstruktors der abgeleiteten Klasse statt, aber vor dem Codeblock des Konstruktors. Der Abschnitt »Objekte erzeugen« geht auf die Abfolge der Konstruktoraufrufe und der Objektinitialisierung ein.

Die zweite Verwendung des Schlüsselwortes `MyBase` erfolgt in der Implementierung von `B.DoSomething()`. In unserer Implementierung von `Class B` leihen wir uns die Implementierung von `DoSomething()` der `Class A` aus, während wir `B.DoSomething()` implementieren. Wir tun das, indem wir die Implementierung `A.DoSomething()` direkt aus `B.DoSomething()` aufrufen, wobei wir das Schlüsselwort `MyBase` verwenden.

`MyClass` verhält sich wie eine Objektvariable, die sich immer auf die gegenwärtige Instanz einer Klasse bezieht, so wie sie implementiert wurde. Das Schlüsselwort `MyClass` führt seinen Aufruf so aus, als ob die Methode oder die Property als `NotOverridable` gekennzeichnet worden wäre. Der folgende Code demonstriert dies:

```
Public Class A
    Private x As Integer


    Public Sub New(ByVal var As Integer)
        Me.x = var
    End Sub

    Public Overridable Sub DoSomething()
        System.Console.WriteLine("A.DoSomething")
    End Sub

    Public Sub UseMe()
        Me.DoSomething()
    End Sub

    Public Sub UseMyClass()
        MyClass.DoSomething()
    End Sub
End Class

Public Class B
    Inherits A

    Public Sub New()
        MyBase.New(123)
    End Sub

    Public Overloads Overrides Sub DoSomething()
```

```
        System.Console.WriteLine("B.DoSomething")
        MyBase.DoSomething()
    End Sub
End Class

Public Class EntryPoint
    Shared Sub Main()
        Dim b As B = New B()

        b.UseMe()
        b.UseMyClass()
    End Sub
End Class
```

Das Ergebnis des Codebeispiels lautet:

```
B.DoSomething
A.DoSomething
A.DoSomething
```

Der Methodenaufruf `b.UseMyClass` führt die Methode `A.DoSomething` aus. Obwohl die Methode `UseMyClass` von einer Instanz von `Class B` aufgerufen wird, benutzt die Methode das Schlüsselwort `MyClass`. Dies führt dazu, dass die Methode `DoSomething` in `Class A` aufgerufen wird. Das Schlüsselwort stellt sicher, dass die Methode `Overridable` in Ihrer Basisklasse aufgerufen wird und nicht die übergangene Methode in Ihrer abgeleiteten Klasse.

3.1.5 Nicht vererbbare Klassendefinition

Wenn Sie eine neue Klasse erzeugen, kann es sein, dass Sie dabei die Absicht haben, dass die Klasse als Basisklasse dienen oder Spezialisierungen erlauben soll. VB sieht das Schlüsselwort `NotInheritable` für die Gelegenheiten vor, in denen Sie verhindern wollen, dass es jemals Derivate von einer Klasse gibt. Auf den ersten Blick mag es scheinen, dass Sie dieses Schlüsselwort kaum jemals verwenden werden. Aber das Gegenteil kann durchaus besser sein, denn Vererbung kann sich als tückisch erweisen. Damit eine Klasse eine gute Basisklasse sein kann, müssen Sie dieses Ziel auch im Kopf haben, wenn Sie die Klasse entwerfen. Wenn es nicht so ist, markieren Sie sie als `NotInheritable`. Nun könnten Sie sich die Frage stellen: »Sollte ich sie nicht als vererbbar belassen, damit später jemand davon ein Derivat erstellen kann und ich damit die größtmögliche Flexibilität behalte?« Die Antwort lautet aber normalerweise nein. Eine Klasse, die als Basisklasse dienen soll, sollte von Beginn auch dafür konstruiert sein.

3.1.6 MustInherit-Klassen

Am exakt gegenüberliegenden Ende des Spektrums gibt es `MustInherit`-Klassen. Manchmal muss man Klassen entwerfen, deren einziger Zweck es ist, als Basisklasse zu dienen. Sie markieren Klassen wie diese mit dem Schlüsselwort `MustInherit`. Das Schlüsselwort teilt dem Compiler mit, dass diese Klasse nur dem Ziel dient, als Basisklasse verwendet zu werden. Daher ist es dem Code nicht erlaubt, Instanzen dieser Klasse zu erzeugen. Schauen wir uns ein Beispiel an:

```
Public MustInherit Class GeometricShape
    Public Overridable Sub Draw()
    End Sub
End Class

Public Class Circle
    Inherits GeometricShape

    Public Overrides Sub Draw()
        'Zeichne etwas.
    End Sub
End Class

Public Class EntryPoint
    Shared Sub Main()
        Dim Circle As New Circle

        'Dies wird nicht funktionieren!
        'Dimensioniere shape2 als neues GeometricShape

        Circle.Draw()
    End Sub
End Class
```

Es ergibt keinen Sinn, ein Objekt vom Typ `GeometricShape` zu schaffen, weil es so abstrakt ist. Typischerweise würden Sie eine bestimmte geometrische Form erzeugen, etwa einen Kreis, ein Dreieck oder ein Quadrat. Um dies zu erzwingen, kennzeichnen Sie die Klasse `GeometricShape` als `MustInherit`. Wenn daher der Code in `Main()` versucht, eine Instanz von `GeometricShape` zu erzeugen, wird ein Compiler-Fehler ausgegeben. Die Verwendung des `MustInherit`-Schlüsselwortes sagt dem Compiler, dass die abgeleiteten Klassen die Methoden der Basisklasse außer Kraft setzen müssen. Da die Methode von den abgeleiteten Klassen außer Kraft gesetzt werden muss, ergibt es keinen Sinn, eine Implementation für `GeometricShape.Draw()` zu haben, wenn man ohnehin nie eine Instanz von `GeometricShape` erzeugen kann.

Indem man auf diese Weise eine Basisklasse entwirft, entsteht ein Verhaltensmuster durch die Bereitstellung einer Implementation, die vererbt werden kann. Ihre abgeleiteten Klassen können von diesem Basismuster erben und die Details implementieren.

3.1.7   Verschachtelte Klassen

Verschachtelte Klassen werden im Gültigkeitsbereich einer anderen Klassendefinition definiert. Klassen, die innerhalb eines Namensraums, aber innerhalb des Gültigkeitsbereichs einer anderen Klasse definiert werden, werden als *nicht-verschachtelte* Klassen bezeichnet. Verschachtelte Klassen haben einige besondere Fähigkeiten und eignen sich gut für Situationen, in denen eine Helferklasse benötigt wird, die für die umgebende Klasse genutzt wird.

Eine umschließende Klasse könnte zum Beispiel eine Ansammlung von Objekten enthalten. Stellen Sie sich vor, dass Sie eine Einrichtung brauchen, die wiederholt Operationen mit diesen Objekten vornimmt. Weiter soll sie es externen Benutzern, die die Iteration vornehmen, gestatten, einen Markierer oder eine Art Iterator zu unterhalten, der ihren Ort während der Iteration anzeigt. Verschachtelte Klassen auf diese Weise einzusetzen ist eine verbreitete Entwurfstechnik, die verhindert, dass Benutzer direkte Referenzen zu den eingeschlossenen Objekten unterhalten. Sie gibt Ihnen darüber hinaus mehr Freiheit dabei, das innere Verhalten der umschließenden Klasse zu verändern, ohne dass der Code, der die umschließende Klasse benutzt, in die Brüche geht.

Verschachtelte Klassen haben Zugriff auf alle Glieder, die für die umschließende Klasse sichtbar sind, selbst dann, wenn sie `private` sind. Betrachten Sie den folgenden Code, der eine umschließende Klasse darstellt, die Instanzen von `GeometricShape` enthält:

```
Imports System.Collections

Public MustInherit Class GeometricShape
    Public MustOverride Sub Draw()
End Class

Public Class Rectangle
    Inherits GeometricShape

    Public Overrides Sub Draw()
        System.Console.WriteLine("Rectangle.Draw")
    End Sub
End Class

Public Class Circle
    Inherits GeometricShape


    Public Overrides Sub Draw()
        System.Console.WriteLine("Circle.Draw")
    End Sub
End Class

Public Class Drawing
```

```
Implements IEnumerable

Private Shapes As ArrayList

Public Sub New()
    Shapes = New ArrayList()
End Sub
Public Function GetEnumerator() As IEnumerator _
    Implements Collections.IEnumerable.GetEnumerator

    Return New Iterator(Me)
End Function
Public Sub Add(ByVal Shape As GeometricShape)
    Shapes.Add(Shape)
End Sub

Private Class Iterator
    Implements IEnumerator

    Private Position As Integer
    Private Drawing As Drawing

    Public Sub New(ByVal Drawing As Drawing)
        Me.Drawing = Drawing
        Me.Position = -1
    End Sub

    Public Sub Iterator(ByVal Drawing As Drawing)
        Me.Drawing = Drawing
        Me.Position = -1
    End Sub
    Public Sub Reset() Implements Collections.IEnumerator.Reset
        Position = -1
    End Sub

    Public Function MoveNext() As Boolean _
        Implements Collections.IEnumerator.MoveNext


        Position += 1
        Return (Position < Drawing.Shapes.Count)
    End Function
    Public ReadOnly Property Current() As Object _
        Implements Collections.IEnumerator.Current

        Get
            Return Drawing.Shapes(Position)
```

```
            End Get
        End Property
    End Class
End Class

Public Class EntryPoint
    Shared Sub Main()
        Dim Rectangle As New Rectangle
        Dim Circle As New Circle
        Dim Drawing As New Drawing

        Drawing.Add(Rectangle)
        Drawing.Add(Circle)

        For Each Shape As GeometricShape In Drawing
            Shape.Draw()
        Next
    End Sub
End Class
```

Das Beispiel führt ein paar neue Konzepte ein, so etwa die Interfaces `IEnumerable` und `IEnumerator`, die in Kapitel 10 besprochen werden. Aber bleiben wir bei der Verwendung der verschachtelten Klasse: Wie Sie sehen, unterstützt die Klasse `Drawing` eine Methode namens `GetEnumerator()`, die einen Teil der Implementation von `IEnumerable` darstellt. Sie erzeugt eine Instanz der verschachtelten Klasse `Iterator` und gibt sie zurück. Die Klasse `Iterator` übernimmt eine Referenz zu einer Instanz der umschließenden Klasse `Drawing` als Parameter für ihren Konstruktor. Sie speichert dann diese Instanz für den späteren Gebrauch ab, damit sie an die Objektsammlung `Shapes` im `Drawing`-Objekt herankommt. Die Ansammlung `Shapes` in der `Drawing`-Klasse ist allerdings `Private`. Das macht aber nichts, da verschachtelte Klassen Zugriff auf die privaten Teile ihrer umschließenden Klasse haben.

Beachten Sie auch, dass die Iterator-Klasse ihrerseits `Private` ist. Nicht-verschachtelte Klassen können nur als `Public` oder `Friend` deklariert werden – standardmäßig haben sie den Status `Friend`. Sie können dieselben Zugriffsmodifizierer auf verschachtelte Klassen anwenden wie auf jedes andere Glied der Klase. Im vorliegenden Fall deklarieren Sie die `Iterator`-Klasse als `Private`, so dass die `Main()`-Routine keine direkten Instanzen von `Iterator` erzeugen kann. Nur die umschließende Klasse `Drawing` kann Instanzen von `Iterator` erzeugen. Für eine andere Klasse ergäbe das auch keinen Sinn. Ihre Funktion `GetEnumerator()` ist in der Lage, eine Instanz von `Iterator` zu erzeugen, weil die eingeschlossene Klasse eine Operation an der umschließenden Klasse ausübt.

Verschachtelte Klassen, die als `Public` deklariert sind, können auch von außerhalb der umschließenden Klasse instanziiert werden. Die Notation für die Ansprache der verschachtelten Klasse ähnelt derjenigen der Qualifikation des Namensraums. Im folgenden Beispiel sehen Sie, wie eine Instanz einer verschachtelten Klasse erzeugt wird:

```
Public Class A
    Public Class B

    End Class
End Class

Public Class EntryPoint
    Shared Sub Main()
        Dim B As New A.B()
    End Sub
End Class
```

3.1.8   Property-Indizierer

Indizierer erlauben Ihnen, eine Objektinstanz so zu behandeln, als wäre sie ein Array. Dadurch lassen sich Objekte, die sich wie eine Collection verhalten sollen, natürlicher benutzen – etwa wie die `Drawing`-Klasse aus dem vorherigen Abschnitt. Indizierer werden in VB über ein Default-Property von `Item` implementiert und dürfen nicht `Private` oder `Shared` sein.

Generell ähnelt der Indizierer einer Methode, da er einen Parameter aufnehmen kann, wenn er benutzt wird. Und Sie können viele der gleichen Modifizierer auf einen Indizierer anwenden, wie es bei einer Methode der Fall ist. Er verhält sich jedoch auch wie ein Property, da die zugreifenden Elemente mit einer ähnlichen Syntax definiert werden. Auf die Parameterliste in der Deklaration des Indizierers folgt der Codeblock für den Indizierer, der syntaktisch wie der Codeblock eines Propertys aussieht. Der Hauptunterschied ist, dass die Zugriffselemente für den Indizierer Zugang zum übergebenen Parameter haben, während die Zugriffselemente eines Propertys keine benutzerdefinierten Parameter aufweisen. Fügen wir dem Objekt `Drawing` einen Indizierer hinzu und schauen wir uns an, wie wir ihn gebrauchen können:

```
Imports System.Collections

Public MustInherit Class GeometricShape
    Public MustOverride Sub Draw()
End Class

Public Class Rectangle
    Inherits GeometricShape

    Public Overrides Sub Draw()
        System.Console.WriteLine("Rectangle.Draw")
    End Sub
End Class
```

```
Public Class Circle
    Inherits GeometricShape


    Public Overrides Sub Draw()
        System.Console.WriteLine("Circle.Draw")
    End Sub
End Class

Public Class Drawing
    Private Shapes As ArrayList

    Public Sub New()
        Shapes = New ArrayList
    End Sub

    Public ReadOnly Property Count() As Integer
        Get
            Return Shapes.Count
        End Get
    End Property

    Default Public ReadOnly Property Item(ByVal Index As Integer) As
GeometricShape
        Get
            Return CType(Shapes(Index), GeometricShape)
        End Get
    End Property

    Public Sub Add(ByVal Shape As GeometricShape)
        Shapes.Add(Shape)
    End Sub
End Class

Public Class EntryPoint
    Shared Sub Main()
        Dim Rectangle As Rectangle = New Rectangle()
        Dim Circle As Circle = New Circle()
        Dim Drawing As Drawing = New Drawing()
        Dim i As Integer = 0

        Drawing.Add(Rectangle)
        Drawing.Add(Circle)

        For i = 0 To Drawing.Count - 1 Step 1
            Dim Shape As GeometricShape = Drawing(i)
```

```
        Shape.Draw()
    Next
  End Sub
End Class
```

Wie gesehen, können Sie auf die Elemente des `Drawing`-Objekts zugreifen, als ob sie sich in einem normalen Array befänden. Da der Indizierer auch nur über ein `Get`-Zugriffselement verfügt, hat er lediglich Lesezugriff. Behalten Sie im Gedächtnis, dass, wenn die Collection Referenzen zu Objekten behält, der Client-Code nach wie vor den Zustand des enthaltenen Objekts durch diese Referenz ändern kann. Da aber der Indizierer nur einen Lesezugriff hat, kann der Client-Code die Objektreferenz bei einem spezifischen Index nicht gegen die Referenz zu einem völlig anderen Objekt austauschen.

Einen Unterschied zwischen einem echten Array und dem Indizierer lohnt es auf jeden Fall noch anzusprechen: Sie können die Ergebnisse eines Aufrufs des Indizierers oder eines Objekts nicht als `ByRef`-Parameter an eine Methode weitergeben, wie es bei einem richtigen Array möglich ist. Das ähnelt der Restriktion, die für Properties besteht.

3.1.9 Partielle Klassen

Partielle Klassen wurden in VB 2005 hinzugefügt. Bis jetzt haben Sie gesehen, wie man Klassen in einer einzelnen Datei definiert. Bis VB 2005 war es unmöglich, die Definition einer Klasse über mehrere Dateien zu verteilen. Zunächst mag eine solche Maßnahme auch nicht sinnvoll erscheinen. Denn wenn eine Klasse so groß geworden ist, dass sich die Datei schwierig verwalten lässt, könnte dies auf unzureichendes Design hindeuten. Aber der Hauptgrund, warum partielle Klassen eingeführt wurden, liegt darin, Werkzeuge zur Codegenerierung zu unterstützen.

Wenn Sie normalerweise in den Grenzen Ihrer IDE arbeiten, versucht die IDE Ihnen zu helfen, indem sie etwas Code für Sie generiert. Zum Beispiel erzeugt ein Wizard hilfreiche Klassen, die von `DataSet` abgeleitet sind, wenn Fähigkeiten von ADO.NET genutzt werden. Das klassische Problem lag stets darin, den resultierenden Code, der vom Werkzeug generiert wurde, zu bearbeiten. Es war immer ein gefährliches Unterfangen, den vom Werkzeug ausgegebenen Code zu bearbeiten, da jedes Mal, wenn sich die Parameter für das Tool ändern, das Werkzeug den Code von neuem generiert und damit die Änderungen überschreibt. Das ist definitiv nicht erwünscht. Zuvor war der einzige Workaround, eine Art von Wiederverwendung anzustreben, etwa durch Vererbung, so dass eine Klasse den Code, der vom Tool produziert worden war, erbte. Das war aber sehr oft keine natürliche Lösung für das Problem, da der generierte Code nicht dafür gestrickt war, im Zusammenhang mit Vererbung verwendet zu werden.

Jetzt können Sie das Schlüsselwort `Partial` genau vor dem Schlüsselwort `Class` in die Klassendefinition einbauen, und voilà – Sie können die Klassendefinition über mehrere Dateien verteilen. Eine Voraussetzung ist, dass eine Datei, die einen Teil der partiellen

Klasse enthält, das Schlüsselwort `Partial` benutzen muss, und Sie müssen alle Teile der Klasse im selben Namensraum definieren. Nun, durch die Verwendung des Schlüsselwortes `Partial`, kann der Code, der vom Werkzeug erzeugt wurde, in einer Datei existieren, die von den Ergänzungen der generierten Klasse getrennt ist. Und wenn das Tool den Code neu generiert, gehen Ihre Änderungen nicht verloren.

Sie sollten ein paar Dinge über den Prozess wissen, den der Compiler durchläuft, um partielle Klassen zu einer ganzen zusammenzusetzen. Sie müssen alle Teile der Klasse auf einmal kompilieren, so dass der Compiler auch alle Bestandteile finden kann. In den meisten Fällen werden alle Glieder und Aspekte der Klasse durch die Verwendung einer Union-Operation verbunden. Daher müssen sie zusammen existieren, als ob Sie sie in ein und derselben Datei deklariert und definiert hätten. Die Basisklassen- und Interface-Listen werden miteinander vereinigt. Da eine Klasse jedoch maximal eine Basisklasse haben kann, müssen alle Teile der Klasse dieselbe Basisklasse angeben, falls sie eine angeben. Sieht man von diesen Restriktionen ab, dann sind Sie sicher auch der Meinung, dass partielle Klassen eine willkommene Ergänzung darstellen.

3.2 Definition von Werttypen

Ein *Werttyp* ist ein leichtgewichtiger Typ, der dem Stapelspeicher (Stack) zugeteilt wird und nicht dem Haldenspeicher (Heap). Die einzige Ausnahme von dieser Regel ist ein Werttyp, der ein Feld in einem Objekt ist, das auf dem Heap existiert. Werttypen enthalten die numerischen Datentypen von VB, wie `Integer`, `Enum` und `Structure`. Ein Werttyp ist ein Typ, der die Semantik eines Werts an den Tag legt. Wenn also eine Variable mit einem Werttyp einer anderen Variablen mit einem Werttyp zugeordnet wird, dann wird der Inhalt der Ursprungsvariable in die Zielvariable kopiert und es entsteht eine komplette Kopie der Instanz. Das steht im Gegensatz zu Referenztypen oder Objektinstanzen. Wird hier die Variable eines Referenztyps in eine andere kopiert, dann entsteht als Resultat eine neue Referenz auf das gleiche Objekt. Wenn eine Methode einen Werttyp als Parameter erhält, bekommt der Methodenkörper eine lokale Kopie des Werts, außer der Parameter war als `ByRef` deklariert worden. In VB wird zudem eine Struktur mit dem Schlüsselwort `Structure` anstatt mit dem Schlüsselwort `Class` deklariert.

Insgesamt ist die Syntax der Definition einer Struktur dieselbe wie bei einer Klasse, allerdings mit einigen Ausnahmen. Eine Struktur kann keine Basisklasse deklarieren. Darüber hinaus ist eine Struktur implizit versiegelt. Das bedeutet, dass von einer Struktur nichts abgeleitet werden kann. Intern leitet sich eine Struktur von `System.ValueType` ab, was wiederum eine Erweiterung von `System.Object` darstellt. Das ist so, damit `ValueType` unter anderem eine Implementierung von `Equals()` und `GetHashCode()` zur Verfügung stellen kann, die für Werttypen von Bedeutung sind. Der Abschnitt »System.Object« beschreibt die Einzelheiten, die im Spiel sind, wenn Methoden, die von `System.Object` geerbt sind, für Werttypen implementiert werden. Wie Klassen lassen sich Strukturen auch in verteilten Stücken definieren. Dabei gelten die gleichen Regeln wie bei partiellen Klassen.

3.2.1   Konstruktoren

Typen, die als Strukturen definiert sind, können genau wie Klassen vorgegebene Konstruktoren haben. Strukturen können auch Instanzenkonstruktoren haben, mit einer wichtigen Ausnahme: Sie können keinen vom Benutzer definierten vorgegebenen parameterlosen Konstruktor besitzen und sie können in ihrer Definition auch keine Initialisierer von Instanzenfeldern haben. Statische Initialisierer von Feldern sind jedoch erlaubt. Parameterlose Konstruktoren sind für Werttypen nicht notwendig, da das System einen zur Verfügung stellt, der einfach die vorgegebenen Werte der Felder des Werttyps festlegt. In allen Fällen bedeutet das, dass die Speicherbits eines Feldes auf 0 gesetzt werden. Wenn also eine Struktur einen Integer enthält, wird der vorgegebene Wert 0 sein. Wenn eine Struktur ein Feld mit einem Referenztyp enthält, dann wird der vorgegebene Wert Nothing lauten. Jede Struktur erhält diesen impliziten, parameterlosen Konstruktor, der sich um die Initialisierung kümmert. Das ist alles Teil der Bemühungen der Sprache, überprüfbaren typsicheren Code zu erzeugen. Das folgende Beispiel zeigt die Verwendung des vorgegebenen Konstruktors:

```
Imports System

Public Structure Square
    Private mWidth As Integer
    Private mHeight As Integer

    Public Property Width() As Integer
        Get
            Return mWidth
        End Get
        Set(ByVal Value As Integer)
            mWidth = Value
        End Set
    End Property

    Public Property Height() As Integer
        Get
            Return mHeight
        End Get
        Set(ByVal Value As Integer)
            mHeight = Value
        End Set
    End Property
End Structure

Public Class EntryPoint
    Shared Sub Main()
        Dim sq As New Square()

        Console.WriteLine("{0} x {1}", sq.Width, sq.Height)
```

```
            sq.Width = 1
            sq.Height = 2


            Console.WriteLine("{0} x {1}", sq.Width, sq.Height)
        End Sub
End Class
```

Lässt man dieses Beispiel laufen, dann erhält man die folgenden Ergebnisse:

```
0 x 0
1 x 2
```

Das erste Beispiel demonstriert, dass der vom System zur Verfügung gestellte Konstruktor die Felder mit dem vorgegebenen Wert 0 initialisiert hat. Das zweite Ergebnis gibt die Zuordnung dieser Felder im Code wieder.

3.2.2 Die Bedeutung von Me

Das Schlüsselwort Me verhält sich in Methoden einer Klasse als konstanter, nur lesbarer Wert, der eine Referenz zu der aktuellen Objektinstanz enthält. Obwohl Konstruktoren von Instanzen in Strukturen das Schlüsselwort MyBase nicht benutzen können, um die Konstruktoren der Basisklasse aufzurufen, können sie einen Initialisierer haben. Es ist zulässig, dass ein Initialisierer das Schlüsselwort Me verwendet, um während der Initialisierung andere Konstruktoren derselben Struktur aufzurufen, wie das folgende Beispiel zeigt:

```
Public Structure ComplexNumber
    Private Real As Double
    Private Imaginary As Double

    Public Sub New(ByVal Real As Double, ByVal Imaginary As Double)
        Me.Real = Real
        Me.Imaginary = Imaginary
    End Sub

    Public Sub New(ByVal Real As Double)
        Me.New(Real, 0)
    End Sub
End Structure

Public Class EntryPoint
    Shared Sub Main()
        Dim valA As ComplexNumber = New ComplexNumber(1)
    End Sub
End Class
```

Der vorstehende Code führt einen Initialisierer ein, der den ersten Konstruktor vom zweiten aus aufruft, der ihm nur den Wert `Real` zuordnet. Wenn der Konstruktor einer Instanz einen Initialisierer enthält, verhält sich das Schlüsselwort `Me` wie ein `ByRef`-Parameter im Körper dieses Konstruktors. Und da es ein `ByRef`-Parameter ist, darf der Compiler annehmen, dass der Wert korrekt initialisiert wurde, bevor er in den Codeblock der Methode eingetragen wird. Im Wesentlichen ist also die Last der Initialisierung auf den ersten Konstruktor abgeladen worden. Seine Aufgabe ist es sicherzustellen, dass alle Felder des Werttyps initialisiert werden.

Ein letzter Punkt, der Beachtung finden sollte: Wenngleich das System einen vorgegebenen parameterlosen Initialisierer generiert, können Sie ihn nicht mit dem `Me`-Schlüsselwort aufrufen.

3.2.3 Finalisierer

Werttypen dürfen keinen Finalisierer haben und werden vom Stapelspeicher entfernt, sobald sie den Gültigkeitsbereich verlassen. Das Konzept der Finalisierung oder nicht-deterministischen Zerstörung ist für Klasseninstanzen oder Objekte reserviert, weil das Management des Haldenspeichers auf diese Weise arbeitet. Wenn Strukturen Finalisierer hätten, dann würde die Laufzeitumgebung den Aufruf des Finalisierers jedes Mal vornehmen müssen, wenn der Wert den Gültigkeitsbereich verlässt.

Seien Sie also vorsichtig, wenn Ressourcen innerhalb von Konstruktoren einer Struktur initialisiert werden. Betrachten Sie einen Werttyp, der ein Feld hat, das mit einer Lowlevel-Systemressource umgehen soll. Nehmen wir mal an, diese Lowlevel-Ressource wird in einem speziellen Konstruktor bereitgestellt, der Parameter akzeptiert. Sie haben es nun mit zwei Problemen zu tun. Das eine: Wie kann man die Ressource belegen, wenn der Benutzer eine Instanz des Werts erzeugt, ohne einen der extra angefertigten Konstruktoren zu verwenden? Sie können ja keinen vorgegebenen parameterlosen Konstruktor verwenden. Die Antwort lautet: Es geht nicht.

Das zweite Problem ist, dass Sie keinen automatischen Auslöser haben, um aufzuräumen und die Ressource wieder freizugeben, da Sie keinen Destruktor haben.

3.2.4 Interfaces

Obwohl es nicht zulässig für eine Struktur ist, von einer anderen Klasse abgeleitet zu werden, kann sie Interfaces implementieren. Unterstützte Interfaces werden auf dieselbe Weise aufgelistet wie es bei Klassen der Fall ist, in einer Liste der Basis-Interfaces nach dem Identifizierer der Struktur. Im Allgemeinen gilt bei der Unterstützung von Interfaces bei Strukturen dasselbe wie bei Klassen. Kapitel 6 deckt Interfaces im Detail ab. Die Implementierung von Interfaces bei Strukturen hat aber Auswirkungen auf die Performance: Sie führt nämlich eine Boxing-Opration herbei, um Methoden durch eine Interface-Referenz bei den Werteinstanzen der Struktur aufzurufen.

3.3 Boxing und Unboxing

Alle Typen in der CLR fallen in eine von zwei Kategorien: Referenztypen (Objekte) oder Werttypen (Werte). Sie definieren Objekte, indem Sie Klassen benutzen und Sie definieren Werte, indem Sie Strukturen benutzen. Zwischen diesen beiden gibt es eine klare Grenze. Objekte leben auf dem Heap und werden vom Garbage Collector verwaltet. Werte leben normalerweise in temporären Speicherzellen, wie auf dem Stapelspeicher. Die einzige nennenswerte Ausnahme ist, dass ein Werttyp auf dem Heap leben kann, solange er in ein Feld innerhalb eines Objekts eingeschlossen ist. Betrachten wir uns den folgenden Code:

```
Public Class EntryPoint
    Shared Sub Print(ByVal obj As Object)
        System.Console.WriteLine("{0}", obj.ToString())
    End Sub

    Shared Sub Main()
        Dim x As Integer = 42

        Print(x)
    End Sub
End Class
```

Das sieht eigentlich sehr einfach aus. In `Main()` gibt es einen `Integer`-Wert, der wiederum ein anderer Name für `System.Int32` und ein Werttyp ist. Sie könnten `x` genauso gut als `System.Int32` deklarieren. Für `x` wird auf dem lokalen Stapelspeicher Platz reserviert. Dann wird er als Parameter an die Methode `Print()` weitergegeben. Die `Print()`-Methode nimmt eine Objektreferenz und sendet das Ergebnis einfach an die Konsole, indem sie die Methode `ToString()` dafür aufruft. Analysieren wir das mal: `Print()` übernimmt eine Objektreferenz, die sich wiederum auf ein Objekt bezieht, das auf dem Haldenspeicher (Heap) lebt. Aber Sie übergeben einen Werttyp an die Methode. Wie ist das möglich?

Der Schlüssel liegt in einem Konzept, das *Boxing* (Verpacken) heißt. An dem Punkt, an dem ein Werttyp definiert wird, erzeugt die CLR zur Laufzeit eine Umhüllungsklasse (Wrapper), die den Werttyp enthält. Instanzen des Wrappers leben auf dem Heap und werden gewöhnlich *Boxing-Objekte* genannt. Auf diese Weise überbrückt die CLR die Kluft zwischen Werttypen und Referenztypen.

Das Boxing-Objekt verhält sich wie jeder andere Referenztyp in der CLR. Beachten Sie auch, dass der Boxing-Typ die Interfaces des enthaltenen Werttyps implementiert. Der Boxing-Typ ist ein Klassentyp, der intern von der virtuellen Maschine der CLR erzeugt wird, und zwar an dem Punkt, an dem der enthaltene Werttyp definiert wird. Die CLR benutzt dann diese interne Klasse, wenn sie nötige Boxing-Operationen vornimmt.

Das Wichtigste, was es beim Boxing zu beachten gilt, ist, dass der umschlossene Wert eine Kopie des Originals ist. Daher werden alle Änderungen des Werts innerhalb dieser Verpackung nicht an den originalen Wert zurückgemeldet. Sehen wir uns als Beispiel den vorherigen Code an, der leicht verändert wurde:

```
Public Class EntryPoint
    Shared Sub PrintAndModify(ByVal obj As Object)
        System.Console.WriteLine("{0}", obj.ToString())

        Dim x As Integer = CType(obj, Integer)
        x = 21
    End Sub
    Shared Sub Main()
        Dim x As Integer = 42

        PrintAndModify(x)
        PrintAndModify(x)
    End Sub
End Class
```

Das Ergebnis des Codes könnte Sie überraschen:

```
42
42
```

Sie könnten erwarten, dass der zweite Wert, der an die Konsole gesendet wird, 21 ist. Aber in der Tat wird der Ausgangswert x, der in `Main()` deklariert und initialisiert wird, nie geändert. Wenn Sie ihn an die Methode `PrintAndModify()` übergeben, wird er verpackt, da die Methode `PrintAndModify()` ein Objekt als Parameter annimmt. Und obwohl `PrintAndModify()` eine Referenz zu einem Objekt übernimmt, das Sie verändern können, erhält es ein Boxing-Objekt, das eine Kopie des Ausgangswerts enthält. Der vorherige Code führt in der Methode `PrintAndModify()` eine weitere Operation ein, die *Unboxing* (Entpacken) genannt wird. Da der Wert innerhalb der Instanz eines Objekts auf dem Heap verpackt ist, können Sie den Wert nicht verändern. Denn die einzigen Methoden, die von diesem Objekt unterstützt werden, sind die Methoden, die `System.Object` implementiert. Technisch gesehen unterstützt das auch dieselben Interfaces, die `System.Int32` unterstützt. Daher muss man einen Weg finden, den Wert aus der Verpackung herauszulösen. Dies wird syntaktisch durch Casting mit der Funktion `CType` erreicht. Beachten Sie, dass Sie die Objektinstanz wieder zurück in ein `Integer` verwandeln, aber der Compiler ist schlau genug zu wissen, dass Sie in Wirklichkeit den Werttyp wieder entpacken.

Die Operation des Unboxing ist genau das Gegenteil des Boxing. Der Wert in der Schachtel wird in eine Instanz des Werts auf dem lokalen Stapelspeicher (Stack) kopiert. Wiederum werden alle Veränderungen dieser entpackten Kopie nicht an den Ausgangswert zurückgegeben, der sich in der Box gefindet. Daher kann das Boxing und Unboxing manchmal verwirrend werden. Wie gezeigt, ist das Verhalten des Codes für den oberflächlichen Betrachter nicht offensichtlich, wenn er nicht damit vertraut ist, dass Boxing- und Unboxing-Vorgänge am Werk sind. Schlimmer ist zudem, dass zwei Kopien des `Integer`-Werts in der Zeit zwischen dem Aufruf von `PrintAndModify()` und der Manipulation des `Integers` in der Methode erzeugt werden. Die erste Kopie wird quasi in die Verpackung gelegt. Die zweite Kopie wird erzeugt, wenn der verpackte Wert aus der Box herauskopiert wird.

Technisch ist es zwar möglich, den Wert, der sich in der Box befindet, zu modifizieren. Allerdings muss das über ein Interface geschehen. Die von der Laufzeit erzeugte Box, die den Wert enthält, implementiert auch die Interfaces, die der Werttyp implementiert, und leitet die Aufrufe an den enthaltenen Wert weiter. Sie könnten also Folgendes tun:

```vbnet
Public Interface IModifyMyValue
    Property X() As Integer
End Interface


Public Structure MyValue
        Implements IModifyMyValue
        Public _x As Integer

        Public Property X() As Integer Implements IModifyMyValue.X
            Get
                Return _x
            End Get
            Set(ByVal Value As Integer)
                _x = Value
            End Set
        End Property

        Public Overloads Overrides Function ToString() As String
            Dim output As System.Text.StringBuilder = New
System.Text.StringBuilder

            output.AppendFormat("{0}", _x)
            Return output.ToString
        End Function
    End Structure

    Public Class EntryPoint
        Shared Sub Main()
            Dim MyVal As MyValue = New MyValue
            MyVal.X = 123

            Dim obj As Object = MyVal
```

```
        System.Console.WriteLine("{0}", obj.ToString)

        Dim IFace As IModifyMyValue = CType(obj, IModifyMyValue)
        IFace.X = 456
        System.Console.WriteLine("{0}", obj.ToString)

        Dim NewVal As MyValue = CType(obj, MyValue)
        System.Console.WriteLine("{0}", NewVal.ToString)
    End Sub
End Class
```

Sie können sehen, dass die Ausgabe des Codes folgendermaßen aussieht:

```
123
456
456
```

Wie erwartet, sind Sie in der Lage, den Wert innerhalb der Box zu modifizieren, indem Sie das Interface `IModifyMyValue` benutzen. Das ist allerdings nicht der geradlinigste Prozess, denn bevor Sie eine Interface-Referenz zu einem Werttyp bekommen können, müssen Sie ihn verpacken. Das ergibt aber Sinn, wenn Sie sich vergegenwärtigen, dass Referenzen auf Interfaces Referenztypen auf Objekte sind.

3.3.1   Wann Boxing auftritt

Da das Boxing implizit für Sie vorgenommen wird, ist es wichtig zu wissen, wann VB einen Wert in die Box steckt. Grundsätzlich wird ein Wert dann verpackt, wenn eine der folgenden Umformungen eintritt:

- Umformung von einem Werttyp in eine Objektreferenz

- Umformung von einem Werttyp zu einer `System.ValueType`-Referenz

- Umformung von einem Werttyp zu einer Referenz auf ein Interface, das vom Werttyp implementiert wird

- Umformung von einem `Enum`-Typ in eine `System.Enum`-Referenz

In jedem Fall nimmt die Umformung normalerweise die Gestalt eines Zuweisungsausdrucks an. Die ersten beiden Fälle sind ziemlich offensichtlich, da die CLR die Kluft überbrückt, indem ein Werttyp in einen Referenztyp umgewandelt wird. Der dritte Fall kann etwas überraschend sein – jedes Mal, wenn Sie implizit Ihren Wert in ein Interface stecken, das ihn unterstützt, beschwören Sie das Boxing herauf. Betrachten Sie dieses Codebeispiel:

```
Public Interface IPrint
    Sub Print()
End Interface
```

```
Public Structure MyValue
    Implements IPrint
    Public x As Integer

    Public Sub Print() Implements IPrint.Print
        System.Console.WriteLine("{0}", x)
    End Sub
End Structure

Public Class EntryPoint
    Shared Sub Main()
        Dim MyVal As MyValue = New MyValue

        MyVal.x = 123

        'Das Boxing bleibt aus
        MyVal.Print()

        'Das Boxing geschieht
        Dim Printer As IPrint = MyVal
        Printer.Print()
    End Sub
End Class
```

Der erste Aufruf von `Print()` geschieht durch die Wertreferenz. Dies ruft kein Boxing hervor. Der zweite Aufruf von `Print()` kommt jedoch durch ein Interface zustande. Das Boxing findet an dem Punkt statt, an dem Sie das Interface einbeziehen. Zunächst sieht es zwar so aus, als ließe sich die Boxing-Operation leicht umgehen, da keine explizite Referenz auf den Interface-Typ angewandt wird. Das trifft auch in diesem Fall zu, da `Print()`Teil des öffentlichen Kontrakts von `MyValue` ist. Die `Print()`-Methode ist hier aber als explizites Interface implementiert. Und dann besteht der einzige Weg, die Methode aufzurufen, in einem Referenztyp auf das Interface. Daher ist es wichtig zu beachten, dass jedes Mal, wenn ein Interface bei einem Werttyp implementiert wird, die Benutzer des Werttyps gezwungen sind, ihn zu verpacken, bevor er über das Interface aufgerufen wird. Das folgende Beispiel illustriert dies:

```
Public Interface IPrint
    Sub Print()
End Interface

Public Structure MyValue
    Implements IPrint
    Public x As Integer

    Sub Print() Implements IPrint.Print
        System.Console.WriteLine("{0}", x)
    End Sub
```

```
End Structure

Public Class EntryPoint
    Shared Sub Main()
        Dim MyVal As MyValue = New MyValue

        MyVal.x = 123

        'Der Wert muss verpackt werden
        Dim Printer As IPrint = MyVal

        Printer.Print()
    End Sub
End Class
```

3.3.2   Effizienz und Verwirrung

Wie Sie sich denken können, sind Boxing und Unboxing nicht die effizientesten Operationen der Welt. Schlimmer noch ist, dass der Compiler das Boxing heimlich, still und leise für Sie übernimmt. Sie müssen wirklich wissen, wann Boxing stattfindet. Unboxing ist normalerweise etwas offensichtlicher, da man typischerweise eine Casting-Operation benutzt, um den Wert aus der Box zu ziehen. Aber es gibt auch einen impliziten Fall, den wir uns bald ansehen werden. In jedem Fall müssen Sie aber auf den Aspekt der Effizienz achten. Denken Sie zum Beispiel an einen Container-Typ wie etwa `System.Collections.ArrayList`: Alle seine Werte stellen Referenzen zum Typ `Object` dar. Wenn Sie eine Reihe von Werttypen dort einsetzen möchten, werden sie alle verpackt. Glücklicherweise helfen Generics, die im Kapitel 12 abgehandelt werden, diese Ineffizienz in den Griff zu bekommen. Boxing ist ineffizient, und Sie sollten es vermeiden, so oft Sie können: Da Boxing eine implizite Operation ist, muss man ein scharfes Auge dafür entwickeln, um alle Fälle des Boxing aufzuspüren. Das beste Werkzeug, um zu ermitteln, ob Boxing stattfindet, ist der IL Disassembler (IL DASM). Durch dieses Tool lässt sich der Code in der Zwischensprache Intermediate Language (IL) prüfen, der für Ihre Methoden generiert wurde. Die Boxing-Operationen sind auf diese Weise klar erkennbar. Sie können den Disassembler starten, indem Sie folgenden Pfad navigieren: *Programme > Microsoft Windows SDK für Visual Studio > Tools > IL Disassembler.*

Wie vorher bereits erwähnt, ist das Unboxing normalerweise eine explizite Operation, bei der eine Umwandlung von der Referenz des Boxing-Objekts auf den Wert des verpackten Typs stattfindet. Das Unboxing ist jedoch in einem erwähnenswerten Fall ebenfalls implizit. Erinnern Sie sich bei der `Me`-Referenz an die Unterscheidung zwischen den Methoden von Klassen und denen von Strukturen? Der Hauptunterschied ist, dass die `Me`-Referenz bei Werttypen als `ByRef`-Parameter agiert. Wenn Sie also bei einem Werttyp eine Methode aufrufen, muss der versteckte `Me`-Parameter innerhalb der Methode ein verwalteter Zeiger (managed Pointer) anstatt einer Referenz sein. Der Compiler kommt sehr leicht damit klar, wenn Sie den Aufruf direkt durch die Instanz eines Werttyps vornehmen. Wenn jedoch eine virtuelle Methode oder eine Interface-Methode durch eine verpackte Instanz aufgerufen wird – also durch ein Objekt –, dann muss die CLR die Werteinstanz auspacken, damit sie an den Zeiger auf den Werttyp herankommt, der in der Box steckt. Nachdem der Zeiger an die Methode des eingeschlossenen Werttyps als `Me`-Zeiger weitergereicht wurde, kann die Methode die Felder durch den `Me`-Zeiger verändern, und sie wird die Änderungen auch auf den Wert in der Box anwenden. Seien Sie also vor versteckten Unboxing-Operationen auf der Hut, wenn Sie Methoden durch einen Wert in einem Box-Objekt aufrufen. Zwar sind Unboxing-Operationen in der CLR an und für sich nicht ineffizient. Die Ineffizienz kommt aber durch die Tatsache zustande, dass VB Unboxing-Operationen typischerweise mit einer Kopie des Werts kombiniert.

3.4 System.Object

Jedes Objekt in der CLR leitet sich `von System.Object` ab. `Object` ist die Basis für jeden Typ und das Schlüsselwort `Object` in VB ist ein Aliasname für `System.Object`. Es ist durchaus angenehm, dass jeder Typ in der CLR und in VB sich von `Object` herleitet. Zum Beispiel kann man eine Ansammlung von Instanzen multipler Typen einheitlich behandeln, indem man sie einfach in Referenzen auf `Object` umwandelt.

Sogar `System.ValueType` leitet sich `Object` ab. Allerdings gelten einige besondere Regeln, wenn sich eine Referenz auf `Object` bezieht. Bei Referenztypen kann man einfach eine Referenz auf `Class A` in eine Referenz auf die Klasse `Object` verwandeln, dazu ist nur eine implizite Umwandlung notwendig. Die umgekehrte Richtung, bei der ein Objekt des Typs `System.Object` in ein Objekt des Typs `A` verwandelt wird, erfordert dagegen eine Typprüfung zur Laufzeit und eine explizite Typumwandlung, bei der die Syntax `CType(A, Object)` benutzt wird.

Eine `Object`-Referenz direkt auf einen Werttyp anzuwenden ist technisch unmöglich. Semantisch ergibt dies auch Sinn, da Werttypen auf dem Stack leben. Es kann gefährlich sein, eine Referenz auf eine flüchtige Wertinstanz zu nehmen und sie für den späteren Gebrauch zu speichern. Denn möglicherweise kann die Wertinstanz schon verschwunden sein, wenn die gespeicherte Referenz letztlich benutzt wird. Deshalb erfordert es eine Boxing-Operation, wenn eine `Object`-Referenz auf einen Werttyp in Kraft gesetzt wird, wie im vorherigen Absatz beschrieben.

`Object` stellt einige nützliche und allgemeine Methoden zur Verfügung, unter anderem eine `GetType`-Methode, die den Typ von jedem Objekt, das in der CLR läuft, entgegennimmt. Diese Fähigkeit ist extrem hilfreich, wenn sie mit Reflexion gekoppelt wird – der Fähigkeit, Typen im System zur Laufzeit zu prüfen. `GetType()` gibt ein Objekt des Typs `Type` zurück, das den echten oder konkreten Typ des Objekts darstellt. Durch den Gebrauch dieses Objekts lässt sich alles in Bezug auf den Typ des Objekts ermitteln, bei dem `GetType()` aufgerufen wird. Stellen wir uns vor, dass zwei Referenzen des Typs `Object` vorliegen, dann kann man die Ergebnisse der `GetType()`-Aufrufe verwenden, um herauszufinden, ob es sich um Instanzen desselben konkreten Typs handelt.

`System.Object` enthält eine Methode namens `MemberwiseClone()`, die eine Kopie des Objekts zurückgibt. Im Kapitel 14 steht mehr über diese Methode. Wenn die Kopie erzeugt wird, werden alle Werttypen-Felder bitweise kopiert, während alle Felder, die Referenzen sind, einfach kopiert werden. Die neue Kopie und das Original enthalten also Referenzen auf dasselbe Objekt. Wenn Sie eine Kopie eines Objekts machen wollen, dann ist dieses Verhalten für Sie manchmal wünschenswert und manchmal nicht. Wenn also Objekte das Kopieren unterstützen, sollten Sie erwägen, das Interface `ICloneable` zu unterstützen, und das Interface richtig implementieren. Diese Methode ist als `Protected` deklariert, so dass nur die Klasse für das zu kopierende Objekt sie aufrufen kann, da `MemberwiseClone()` ein Objekt erzeugen kann, ohne seinen Instanzenkonstruktor aufzurufen. Dieses Verhalten könnte eventuell destabilisierend wirken, wenn es öffentlich wäre.

Die Methoden `Equals()`, `GetHashCode()` und `ToString()` von `System.Object` sind `Overridable`. Wenn die vorgegebenen Implementationen der Methoden innerhalb von `System.Object` nicht zweckdienlich sind, sollten Sie diese außer Kraft setzen. `ToString()` ist nützlich, wenn es darum geht, textuelle oder für den Menschen lesbare Ausgaben zu generieren und ein String nötig ist, der das Objekt repräsentiert. Zum Beispiel könnten Sie während der Entwicklung die Fähigkeit brauchen, ein Objekt zur Laufzeit zu verfolgen, und dafür eine Ausgabe zu Debug-Zwecken benötigen. In solchen Fällen ist es sinnvoll, `ToString()` außer Kraft zu setzen, um detaillierte Informationen über die Objekte und ihren internen Zustand zur Verfügung zu stellen. Die vorgegebene Version von `ToString()` ruft einfach die `ToString()`-Implementierung auf das `Type`-Objekt auf, das wiederum von einem Aufruf von `GetType()` zurückgegeben wurde, was seinerseits den Namen des Objekttyps zur Verfügung stellt[1].

Die Methode `Finalize()` verdient gesonderte Erwähnung. VB 2008 erlaubt Ihnen nicht, diese Methode bei Strukturtypen außer Kraft zu setzen. Wenn Sie diese Methode für eine Klasse anwenden, wird der Garbage Collector die Finalisierer-Methode ausführen, bevor er das Objekt zerstört.

3.5 Objekte erzeugen

Die Objektgenerierung sieht an der Oberfläche zwar einfach aus, aber in Wirklichkeit ist sie unter der Haube recht kompliziert. Sie müssen mit den Vorgängen vertraut werden, die bei der Erzeugung einer neuen Objekt- oder Werteinstanz ablaufen, um Konstruktorcode und Feldinitialisierer effektiv zu schreiben. In der CLR haben zudem nicht nur die Objektinstanzen Konstruktoren, sondern auch die Typen, auf denen sie basieren. Diese Konstruktoren fußen auf einer gemeinsamen Konstruktordefinition. Konstruktoren erlauben Ihnen, Aufgaben an dem Punkt zu erledigen, an dem der Typ geladen und in der Anwendungsdomäne initialisiert ist.

---

[1]   Bitte lesen Sie dazu Kapitel 9. Es legt unter anderem Gründe dafür dar, warum `Object.ToString()` nicht in Betracht gezogen werden sollte, wenn Software geschrieben wird, die für die Lokalisierung in verschiedene Sprachen und Kulturen vorgesehen ist.

3.5.1 Das Schlüsselwort New

Das Schlüsselwort New lässt Sie neue Instanzen von Objekten oder Werten erzeugen. Allerdings verhält es sich etwas anders, wenn es mit Werttypen anstelle von Objekttypen verwendet wird. Zum Beispiel weist New nicht immer Platz auf dem Heap zu. Sehen wir uns an, was es zunächst mit Werttypen anstellt.

New mit Werttypen benutzen

Das Schlüsselwort New ist bei Werttypen nur notwendig, wenn es nötig ist, einen der Konstruktoren für diesen Typ aufzurufen. Andernfalls wird für Werttypen einfach Platz auf dem Stapelspeicher reserviert und der benutzende Code muss die Werte voll initialisieren, bevor er sie verwenden kann. Der Abschnitt über Konstruktoren in »Definition von Werttypen« hat dies bereits behandelt.

New mit Referenztypen benutzen

Sie benutzen den Operator New, um Referenztyp-Objekte zu erstellen. In diesem Fall weist der Operator New auf dem Heap-Speicher Platz für das erzeugte Objekt zu. Wenn das nicht klappt (etwa wenn der Speicher voll ist), wird er eine Ausnahme des Typs System.OutOfMemoryException erzeugen und alle weiteren Vorgänge der Objekterzeugung abbrechen. Nachdem er den Speicherplatz zugewiesen hat, werden alle Felder des Objekts mit ihren vorgegebenen Werten initialisiert. Das ähnelt dem, was der vom Compiler erzeugte vorgegebene Konstruktor bei Werttypen tut. Felder von Referenztypen werden auf Null gesetzt, bei Feldern von Werttypen werden die Speicherzellen mit Nullen gefüllt. Der Effekt ist dabei, dass alle Felder im neuen Objekt entweder mit dem Wert Null oder 0 initialisiert werden. Ist das erledigt, dann ruft die CLR basierend auf den übergebenen Parametern den entsprechenden Konstruktor für die Objektinstanz. Der Operator New erstellt auch den versteckten Parameter Me für den Konstruktor, der eine nur zum Lesen bestimmte Referenz zu dem auf dem Heap erzeugten Objekt darstellt, und der Typ dieser Referenz ist derselbe wie der der Klasse. Bedenken Sie das folgende Beispiel:

```
Public Class A
    Public x As Integer
    Public y As Integer

    Sub New(ByVal x As Integer, ByVal y As Integer)
        Me.x = x
        Me.y = y
    End Sub
End Class

Public Class EntryPoint
    Shared Sub Main()
        'Wir können das nicht tun!
        'Dim objA As New A()
```

```
        Dim objA As New A(1, 2)
        System.Console.WriteLine("objA.x = {0}; objA.y = {1}", objA.x,
objA.y)
    End Sub
End Class
```

Das Beispiel gibt auf der Konsole die folgenden Ergebnisse aus:

```
objA.x = 1; objA.y = 2
```

In der Methode `Main()` können Sie keine neue Instanz von `A` schaffen, indem Sie den vorgegebenen Konstruktor aufrufen, da der Klassenkonstruktor zwei Parameter erwartet. Der Compiler erzeugt keinen vorgegebenen Konstruktor für eine Klasse, außer wenn keine anderen Konstruktoren definiert sind. Sie könnten jedoch Ihren eigenen `New`-Konstruktor ohne Parameter schaffen. Der Rest des Codes erzeugt eine neue Instanz von `A` und gibt deren Werte an die Konsole aus.

3.5.2   Shared-Konstruktor

Eine Klasse kann maximal einen `Shared`-Konstruktor (gemeinsam genutzter Konstruktor) haben und dieser Konstruktor kann keine Parameter annehmen. Sie können `Shared`-Konstruktoren nie direkt aufrufen. Stattdessen ruft die CLR sie auf, wenn sie den Typ für eine bestimmte Applikationsdomäne initialisieren muss. Der `Shared`-Konstruktor wird aufgerufen, bevor zum ersten Mal eine Instanz der betreffenden Klasse erzeugt wird oder bevor andere `Shared`-Felder der Klasse referenziert werden.

```
Imports System

Public Class A
    Private y As Integer = InitY()
    Private x As Integer = InitX()
    Private Shared a As Integer = InitA()
    Private Shared b As Integer = InitB()

    Shared Sub New()
        Console.WriteLine("Shared A::A()")
    End Sub

    Private Shared Function InitX() As Integer
        Console.WriteLine("A.InitX()")
        Return 1
    End Function

    Private Shared Function InitY() As Integer
        Console.WriteLine("A.InitY()")
```

```
        Return 2
    End Function

    Private Shared Function InitA() As Integer
        Console.WriteLine("A.InitA()")
        Return 3
    End Function

    Private Shared Function InitB() As Integer
        Console.WriteLine("A.InitB()")
        Return 4
    End Function
End Class

Public Class EntryPoint
    Shared Sub Main()
        Dim objA As A = New A
    End Sub
End Class
```

Der Code gibt Folgendes aus:

```
A.InitA()
A.InitB()
Shared A::A()
A.InitY()
A.InitX()
```

Der `Shared`-Konstruktor wurde aufgerufen, bevor eine Instanz der Klasse erzeugt wurde. Beachten Sie aber die Reihenfolge, in der sich die Dinge abspielen. Die gemeinsamen Feldinitialisierer werden ausgeführt, bevor der Funktionskörper des `Shared`-Konstruktors abgearbeitet wird. Das stellt sicher, dass die Instanzenfelder korrekt initialisiert werden, bevor sie möglicherweise im Körper des gemeinsamen Konstruktors referenziert werden.

Die CLR ruft standardmäßig immer den Typeninitialisierer auf, bevor irgendein Mitglied dieses Typs angesprochen wird. Das bedeutet, dass der Typeninitialisierer ausgeführt wird, bevor irgendwelcher Code ein Feld oder eine Methode der Klasse anspricht oder ein Objekt der Klasse erzeugt wird.

3.5.3   Instanzenkonstruktoren

Instanzenkonstruktoren folgen zumeist denselben Regeln wie `Shared`-Konstruktoren. Da sie jedoch flexibler und mächtiger sind, haben sie noch einige zusätzliche Regeln. Schauen wir sie uns an.

Instanzenkonstruktoren können einen sogenannten *Initialisierungsausdruck* haben. Ein Initialisierungsausdruck erlaubt es Instanzenkonstruktoren, einen Teil ihrer Arbeit auf andere Instanzenkonstruktoren in der Klasse zu verlegen – oder, noch wichtiger, auf die Basisklassenkonstruktoren während der Initialisierung eines Objekts. Das ist wichtig, wenn man sich auf die Basisklassenkonstruktoren verlässt, um die geerbten Mitglieder zu initialisieren. Konstruktoren werden nie vererbt. Daher müssen Sie zu expliziten Mitteln wie diesem greifen, um die Basisklassenkonstruktoren während der Initialisierung aufzurufen, wenn dieses nötig sein sollte.

Wenn Ihre Klasse keinen Instanzenkonstruktor implementiert, erzeugt der Compiler einen standardmäßigen parameterlosen Instanzenkonstruktor für Sie. Dieser erledigt aber nur eine Sache: Er ruft über das Schlüsselwort MyBase den standardmäßigen Konstruktor der Basisklasse auf. Verfügt die Basisklasse nicht über einen zugänglichen Standardkonstruktor, dann gibt der Compiler einen Fehler aus. Der folgende Code wird zum Beispiel nicht kompiliert:

```
Public Class A
    Private x As Integer

    Public Sub New(ByVal x As Integer)
        Me.x = x
    End Sub
End Class


Public Class B
    Inherits A
End Class


Public Class EntryPoint
    Shared Sub Main()
        Dim objB As B = New B()
    End Sub
End Class
```

Das Problem liegt darin, dass eine Klasse ohne expliziten Konstruktor einen standardmäßigen parameterlosen Konstruktor erhält, der lediglich den parameterlosen Konstruktor der Basisklasse aufruft – das ist genau das, was der Compiler in Class B zu tun versucht. Da jedoch die Klasse A einen expliziten Instanzenkonstruktor definiert hat, erzeugt der Compiler keinen Standardkonstruktor für Class A. Es existiert in der Klasse A also kein zugänglicher Standardkonstruktor, den der vom Compiler zur Verfügung gestellte Standardkonstruktor der Class B aufrufen könnte. Um also das vorherige Beispiel kompilieren zu können, muss entweder ein Standardkonstruktor für Class A explizit zur Verfügung gestellt werden – oder die Class B braucht einen expliziten Konstruktor.

3.6   Objekte zerstören

Die Laufzeitumgebung CLR enthält einen Garbage Collector, der den Speicher für Sie verwaltet. Sie können so lange Objekte erzeugen, wie Sie dazu Lust haben, aber Sie müssen sich nie Gedanken darüber machen, deren Speicher wieder explizit freizugeben. Die Garbage Collection eliminiert Fehler und Abstürze einer Anwendung, die durch Fehler bei der Zuweisung und der Freigabe von Speicher entstehen – diese Fehler sind auch als Speicherlecks (Memory Leaks) bekannt. Die Garbage Collection zielt darauf ab, diese Bugs zu vermeiden, da die Ausführungsumgebung die Objektreferenzen nachverfolgt und die Objektinstanzen löscht, wenn sie nicht mehr verwendet werden.

Die CLR verfolgt jede Objektreferenz im System. Sobald die CLR bemerkt, dass ein Objekt nicht mehr länger über eine Referenz erreichbar ist, markiert sie das Objekt für die Zerstörung. Bei der nächsten Komprimierung des Heaps durch den Garbage Collector wird der Speicher, den diese Objekte belegen, entweder freigegeben oder die Objekte werden in eine Warteschlange für die Zerstörung eingereiht, wenn sie einen Finalisierer haben. Ein anderer Prozessstrang, der Finalisierer-Thread, ist dafür verantwortlich, immer wieder diese Reihe von Objekten durchzugehen und ihre Finalisierer aufzurufen, bevor er ihren Speicher freigibt. Sobald die Finalisierer beendet worden sind, wird der Speicher für das Objekt beim nächsten Durchgang freigegeben und das Objekt wird zerstört.

3.6.1   Finalisierer

Wie der Konstruktor `New()` wird der Zerstörer `Finalize()` implizit erzeugt, wenn Sie ein Objekt erstellen – standardmäßig tut er nichts. Wenn sie leichtfertig eingesetzt werden, können Finalisierer die Performance der CLR deutlich verschlechtern, da finalisierbare Objekte länger leben als ihre nicht-finalisierbaren Gegenstücke. Sogar finalisierbare Objekte bereitzustellen ist aufwendiger. Finalisierer sind schwierig zu schreiben, da Sie ja keine Annahmen über den Zustand anderer Objekte im System treffen können. Wenn der Finalisierungsprozess durch die Objekte in der Reihe geht, ruft er für jedes Objekt die Methode `Finalize()` auf. Diese Methode hat keinen Rückgabewert und akzeptiert keine Parameter.

Obwohl der Garbage Collector ja eigentlich die Aufgabe übernimmt, den Speicher aufzuräumen, damit Sie sich damit nicht abgeben müssen, bekommen Sie es mit einer ganzen Reihe neuer Probleme zu tun, wenn es um die Zerstörung von Objekten geht. Wir haben ja kurz vorher erwähnt, dass Finalisierer in einem eigenen Prozessstrang der CLR laufen. Daher müssen die Objekte innerhalb Ihres Destruktors Thread-sicher sein. Sie sollten keine anderen Objekte in Ihrem Finalisierer benutzen, da diese vielleicht schon finalisiert oder zerstört sein können. Das schließt die Objekte ein, die Felder der Klasse sind, die den Finalisierer enthält. Sie können nie sicher wissen, wann genau der Garbage Collector Ihren Finalisierer aufrufen wird oder in welcher Reihenfolge der Finalisierer zwischen zwei unabhängigen Objekten aufgerufen wird. Das ist ein Grund mehr, warum Sie keine Abhängigkeiten zwischen Objekten in den Codeblock des

Destruktors einführen sollten. Nachdem sich all das gesetzt hat, wird es sicher klar, dass Sie nicht viel in einem Finalisierer tun sollten als nur das normale Reinemachen – wenn überhaupt.

Natürlich gibt es Umstände, in denen Sie einen Finalisierer explizit anlegen sollten. Zum Beispiel sollten Sie einen Finalisierer anlegen, wenn Ihr Objekt eine anderweitig nicht gemanagte Systemressource verwaltet. Zuletzt sollte jedes Object, das einen Finalisierer enthält, das Disposable-Muster implementieren, das wir im kommenden Abschnitt beschreiben.

3.6.2   Ausnahmebehandlung

In VB fasst die Laufzeitumgebung eine Ausnahme, die bei einem Finalisierer geworfen wird, der den Block nicht abfängt, als unbehandelte Ausnahme auf. Standardmäßig wird der Prozess beendet, nachdem Sie von der Ausnahme unterrichtet wurden.

3.7   Löschbare Objekte

Jedes Objekt, das einen Finalisierer hat, muss das Interface IDisposable implementieren. IDisposable ist kein perfekter Ersatz für eine deterministische Finalisierung, aber es erledigt die Aufgabe – allerdings wird dies um den Preis zusätzlicher Komplexität für den Klienten Ihres Objekts erkauft.

3.7.1   Das Interface IDisposable

Die Definition von IDisposable sieht folgendermaßen aus:

```
Public Interface IDisposable
    Sub Dispose()
End Interface
```

Beachten Sie, dass das Interface nur eine Methode hat, Dispose(), und durch die Implementation dieser Methode wird die Arbeit erledigt. Daher sollten Sie innerhalb von Dispose() Ihr Objekt komplett aufräumen und alle Ressourcen freigeben. Auch wenn es eher der Client-Code als das System ist, der Dispose() automatisch aufruft, ist es die Art des Client-Codes zu sagen: »Ich bin mit diesem Objekt jetzt fertig und habe nicht die Absicht, es wieder zu benutzen.«

Auch wenn das Interface IDisposable eine Art deterministischer Objektzerstörung bietet, ist es keine perfekte Lösung. Wenn IDisposable verwendet wird, liegt die Last auf dem Client-Code, sicherzustellen, dass die Methode Dispose() aufgerufen wird. Der Client kann sich in keiner Weise auf das System oder gar den Compiler verlassen, sie automatisch aufzurufen.

Wenn Sie Dispose() implementieren, implementieren Sie die Klasse normalerweise in einer Weise, dass der Finalisierer-Code Dispose() wiederverwendet. Wenn der Client-

Code `Dispose()` niemals aufruft, dann wird der Finalisierer-Code auf diese Weise dafür Sorge tragen, wenn es soweit ist. Ein anderer Faktor, der die Implementierung von `IDisposable` für Objekte zu einer Herausforderung macht, ist, dass Sie Aufrufe von `IDisposable` aneinander ketten müssen, wenn Ihr Objekt Referenzen zu anderen Objekten enthält, die `IDisposable` unterstützen. Das macht das Klassendesign etwas schwieriger, da Sie wissen müssen, ob eine Klasse, die Sie für einen Feldtyp verwenden, `IDisposable` implementiert; wenn das so ist, müssen Sie `IDisposable` implementieren, und Sie müssen sicher gehen, dessen `Dispose()`-Methode innerhalb Ihrer Methode aufzurufen.

Angesichts dieser Darlegung von `IDisposable` sehen Sie mit Bestimmtheit, wie der Garbage Collector die Komplexität des Designs steigert, obwohl er die Chancen für Speicherfehler verringert. Sehen wir uns einmal eine Implementation von `IDisposable` an:

```
Imports System

Public Class A
    Implements IDisposable

    Private Disposed As Boolean = False

    Public Sub Dispose(ByVal Disposing As Boolean)
        If Not Disposed Then
            If Disposing Then
                'Es ist sicher, hier andere Objekte anzusprechen.
            End If

            Console.WriteLine("Cleaning up object")
            Disposed = True
        End If
    End Sub

    Public Sub Dispose() Implements System.IDisposable.Dispose
        Dispose(True)
        GC.SuppressFinalize(Me)
    End Sub

    Public Sub DoSomething()
        Console.WriteLine("A.DoSomething()")
    End Sub

    Protected Overrides Sub Finalize()
        Console.WriteLine("Finalizing")
        Dispose(False)
    End Sub
End Class
```

```
Public Class EntryPoint
    Shared Sub Main()
        Dim objA As A = New A

        Try
            objA.DoSomething()
        Finally
            objA.Dispose()
        End Try
    End Sub
End Class
```

Das Beispiel zeigt die folgenden Ergebnisse auf der Konsole an:

```
A.DoSomething()
Cleaning up object
```

Das erste, was in der Klasse zu bemerken ist, ist ein internes Boolesches Feld, das registriert, ob das Objekt beseitigt wurde oder nicht. Es ist vorhanden, weil es für den Client-Code absolut legal ist, Dispose() mehrfach aufzurufen. Daher muss es einen Weg geben, damit Sie herausfinden können, ob die Arbeit bereits erledigt wurde.

Sie sehen auch, dass der Code den Finalisierer mittels der Implentation von Dispose() implementiert. Er enthält zwei überladene Dispose()-Methoden. Das lässt Sie innerhalb der Methode Dispose(Boolean) wissen, ob Sie durch die Methode IDisposable. Dispose() oder durch den Destruktor hierher gelangt sind. Es sagt Ihnen, ob Sie sicher auf Objekte zugreifen können, die sich innerhalb der Methode befinden.

Die Dispose()-Methode ruft GC.SuppressFinalize() auf. Diese Methode des Garbage Collectors erlaubt Ihnen, den Garbage Collector zurückzuhalten, ein Objekt zu finalisieren. Wenn der Client-Code Dispose() aufruft und die Dispose()-Methode alle Ressourcen komplett aufräumt, einschließlich all der Arbeit, die ein Finalisierer erledigen würde, dann gibt es keine Notwendigkeit, dieses Objekt jemals zu finalisieren. Sie können SuppressFinalize() aufrufen, um dieses Objekt vor der Finalisierung zu bewahren. Diese bequeme Optimierung hilft dem Garbage Collector dabei, sich Ihres Objekts zeitnah zu entledigen, wenn alle Referenzen darauf nicht mehr existieren.

Sehen wir uns dieses entbehrliche Objekt nun einmal genauer an. Beachten Sie den Try/Finally-Block innerhalb der Main()-Methode. Das Try/Finally-Konstrukt liefert einen Weg sicherzustellen, dass bestimmter Code ausgeführt wird, egal, wie ein Codeblock beendet wird[2]. Ungeachtet dessen, wie der Fluss der Ausführung den Try-Block verlässt – entweder auf normaler Art, durch ein Rückgabe-Statement oder sogar durch eine Ausnahme –, der Code im Finally-Block wird auf jeden Fall ausgeführt.

---

[2]   Das Kapitel 8 diskutiert das Try/Finally-Konstrukt im Detail.

Betrachten Sie den `Finally`-Block also als eine Art Sicherheitsnetz. Innerhalb dieses `Finally`-Blocks rufen Sie die `Dispose()`-Methode auf das Objekt auf. Egal, was kommt – `Dispose()` wird aufgerufen.

Das ist ein perfektes Beispiel, wie nichtdeterministische Finalisierung die Last, das Objekt zu beseitigen, an den Client-Code oder den Benutzer abgibt. Deterministische Finalisierung setzt dagegen nicht die Verwendung von `Try`/`Finally`-Blocks oder den Aufruf von `Dispose()` voraus. Die Designer von VB haben versucht, diese Last zu verringern, indem sie das Schlüsselwort `Using` überladen haben. Obwohl die Last verringert wird, wird die Verantwortung, die auf dem Client-Code ruht, dennoch nicht ganz beseitigt.

3.7.2   Das Schlüsselwort Using

Das Schlüsselwort `Using` wurde hinzugefügt, um das `IDisposable`-Muster zu ergänzen. Die generelle Idee dahinter ist, dass das `Using`-Statement die Ressourcen beschafft, die auf das Schlüsselwort folgen, während der Gültigkeitsbereich dieser lokalen Variablen auf den `Using`-Block beschränkt bleibt. Indem das `Using`-Schlüsselwort implementiert wird, ist sichergestellt, dass die `Dispose()`-Methode erst aufgerufen wird, nachdem die Statements im `Using`-Block ausgeführt wurden, selbst dann, wenn ein unbehandelter Fehler auftritt. Sehen wir uns eine modifizierte Form des vorigen Beispiels an:

```
Imports System

Public Class A
    Implements IDisposable

    Private Disposed As Boolean = False

    Public Sub Dispose(ByVal Disposing As Boolean)
        If Not Disposed Then
            If Disposing Then
                'Es ist sicher, hier andere Objekte anzusprechen.
            End If

            Console.WriteLine("Cleaning up object")
            Disposed = True
        End If
    End Sub

    Public Sub Dispose() Implements System.IDisposable.Dispose
        Dispose(True)
        GC.SuppressFinalize(Me)
    End Sub

    Public Sub DoSomething()
        Console.WriteLine("A.DoSomething()")
```

```
    End Sub

    Protected Overrides Sub Finalize()
        Console.WriteLine("Finalizing")
        Dispose(False)
    End Sub
End Class

Public Class EntryPoint
    Shared Sub Main()
        Using objA As A = New A()
            objA.DoSomething()
        End Using

        Using objA As A = New A(), b As A = New A()
            objA.DoSomething()
            b.DoSomething()
        End Using
    End Sub
End Class
```

Bei Ausführung des Codes wird Folgendes an die Konsole ausgegeben:

```
A.DoSomething()
Cleaning up object
A.DoSomething()
A.DoSomething()
Cleaning up object
Cleaning up object
```

Der Löwenanteil der Änderungen liegt in der `Main()`-Methode. Beachten Sie, dass Sie das `Try/Finally`-Konstrukt durch das elegantere `Using`-Statement ersetzt haben. Hinter den Kulissen erweitert sich das `Using`-Statement zu dem `Try/Finally`-Konstukt, das wir bereits angesprochen hatten. Während dieser Code zwar leichter zu lesen und zu verstehen ist, so entlastet er den Client-Code nicht von der Aufgabe, sich daran erinnern zu müssen, das `Using`-Statement zu verwenden.

Das `Using`-Statement setzt voraus, dass alle Ressourcen, die im Akquisitionsprozess einbezogen wurden, `IDisposable` implementieren. Ist das nicht der Fall, sehen Sie eine Compilerwarnung.

3.8   Zusammenfassung

Dieses Kapitel behandelt die wichtigen Punkte, die mit dem Typsystem von VB in Zusammenhang stehen. Dieses erlaubt Ihnen, neue Typen zu erzeugen, die all die Fähigkeiten der impliziten Typen haben, die von der Laufzeitumgebung definiert wurden. Wir haben begonnen, indem wir Klassendefinitionen dazu benutzt haben, neue Referenztypen zu definieren. Dann haben wir Strukturdefinitionen verwendet, um neue Werttypen in der CLR zu erzeugen, und wir beschrieben die Hauptunterschiede zwischen den beiden. Verwandt mit dem Thema der Werttypen ist das Boxing und Unboxing, wodurch unbeabsichtige Ineffizienzen eingeführt werden können, wenn Sie nicht verstehen, an welchen Stellen der Compiler zum Boxing greifen kann.

Wir haben uns dann den komplexen Themen der Objekterzeugung und Initialisierung zugewandt, ebenso der Zerstörung von Objekten. Zerstörung ist ein recht kitzliges Thema in der CLR, da Ihre Referenztypen entweder eine deterministische oder nicht-deterministische Zerstörung unterstützen können. Das Kapitel 4 beginnt mit der Erforschung, wie Methoden in VB implementiert werden. Nach den Methoden werden wir Eigenschaften und Felder behandeln, die Ihnen erlauben, den Zustand Ihrer Objekte zu steuern.

4 Methoden, Properties und Felder

Eine *Methode* stellt eine Funktion oder Prozedur dar, die ein Objekt oder eine Klasse ausführen kann. Methoden werden dazu verwendet, das Verhalten und die Verantwortlichkeiten eines Objekts zu definieren. Methoden können also benutzt werden, um Geschäftsregeln oder operative Logik zu vollstrecken.

Properties (Eigenschaften) erlauben Ihnen, Verkapselung zu erzwingen, indem sie den Zugang zum inneren Status Ihrer Objekte steuern. Durch den Gebrauch von Properties können Sie spezifische Implementierungen für jedes Datenglied Ihrer Klasse erstellen. Sie können auch festlegen, ob Ihre Properties aktualisierbar sind oder nur gelesen werden können sollen.

Felder repräsentieren die eigentlichen Datenglieder Ihrer Klasse. Felder können private Daten sein, die nur intern von Ihrem Objekt benutzt werden sollen, oder von außen zugängliche Daten. Felder, die zugänglich sein sollen, sollten innerhalb eines Properties platziert werden, damit der Zugriff auf die enthaltenen Werte gesteuert werden kann.

4.1 Methoden

Es gibt zwei Varianten von Methoden: *Shared* und *Instance*. Wenn eine Methode eine Instanzenmethode ist, können Sie sie für ein Objekt aufrufen. Wenn eine Methode eine Shared-Methode ist, können sie diese nur für die Klasse aufrufen. Der Unterschied liegt darin, dass Instanzenmethoden Zugriff auf die Instanzenfelder der Objektinstanz haben, während Shared-Methoden keinen Zugang zu Instanzenfeldern oder -methoden haben. Shared-Methoden können nur auf gemeinsame Klassenmitglieder zugreifen.

Methoden können beigefügte Metadaten-Attribute haben, und sie können auch über optionale Modifizierer verfügen. Wir legen dies über das ganze Kapitel hinweg dar. Diese Modifizierer steuern die Zugänglichkeit der Methoden sowie die Facetten der Methoden, die für die Vererbung relevant sind. Jede Methode darf einen Rückgabetyp oder Parameter haben.

4.1.1 Shared-Methoden

Sie können Shared-Methoden eher über die Klasse als über die Instanzen der Klasse aufrufen. Shared-Methoden haben nur Zugriff auf die gemeinsamen Mitglieder der

Klasse. Sie erklären eine Methode als `Shared`, indem Sie den `Shared`-Modifizierer verwenden, wie im folgenden Beispiel:

```
Public Class A
    Public Shared Sub SomeFunction()
        System.Console.WriteLine("SomeFunction() called")
    End Sub


    Shared Sub Main()
        A.SomeFunction()
        SomeFunction()
    End Sub
End Class
```

Wenn Sie das Beispiel ausführen lassen, erhalten Sie das folgende Ergebnis:

```
SomeFunction() called
SomeFunction() called
```

Beachten Sie, dass beide Methoden in diesem Beispiel vom Typ `Shared` sind. In der Methode `Main` greifen Sie zuerst auf die Methode `SomeFunction` zu, indem Sie den Klassennamen benutzen. Sie rufen die Shared-Methode dann auf, ohne sie zu qualifizieren. Das geht, weil die beiden Methoden `Main` und `SomeFunction` in derselben Klasse definiert wurden und beide Shared-Methoden sind. Hätte `SomeFunction` in einer anderen Klasse gestanden, zum Beispiel in der Klasse `B`, dann hätten Sie keine andere Wahl gehabt, als die Methode als `B.SomeFunction` zu referenzieren.

4.1.2 Instanzenmethoden

Instanzenmethoden funktionieren über Objekte. Um eine Instanzenmethode aufzurufen, brauchen Sie eine Referenz auf eine Klasse, die die Methode definiert. Das folgende Beispiel demonstriert den Gebrauch einer Instanzenmethode:

```
Public Class A
    Public x As Integer
    Public y As Integer
    Public Shared z As Integer

    Public Sub SomeOperation()
        x = 1
        Me.y = 2
        A.z = 3
    End Sub
End Class

Public Class EntryPoint
```

```
    Shared Sub Main()
        Dim obj As A = New A()


        obj.SomeOperation()
        System.Console.WriteLine("x = {0}, y = {1}, z = {2}", obj.x, obj.y,
A.z)
    End Sub
End Class
```

Die Ausführung des Codes bringt folgendes Ergebnis:

```
x = 1, y = 2, z = 3
```

In der Methode Main erstellen Sie eine neue Instanz von Class A und rufen dann die Methode SomeOperation durch die Instanz der Klasse auf. Innerhalb des Methodenrumpfs von SomeOperation() haben Sie Zugang zu den Instanzenfeldern (x,y) und den Shared-Feldern (z) der Klasse, und Sie können ihnen einfach durch Verwendung ihrer Bezeichner Werte zuweisen. Obwohl die Methode SomeOperation das Shared-Feld z zuweisen kann, ohne es zu qualifizieren, erhalten wir viel lesbareren Code, wenn die Zuweisung von Shared-Feldern durch den Klassennamen qualifiziert wird, selbst wenn es sich um die Methoden derselben Klasse handelt. Dies ist sehr hilfreich für alle, die nach Ihnen kommen und den Code warten müssen. Und das könnten ohne Weiteres auch Sie selbst sein.

Beachten Sie: Wenn Sie y einen Wert zuweisen, dann tun Sie das durch den Bezeichner Me. Sie sollten ein paar wichtige Dinge bei Me bemerken, wenn er innerhalb des Rumpfes einer Instanzenmethode verwendet wird. Er wird wie eine nur lesbare Referenz behandelt, deren Typ derjenige der Klasse ist. Indem Sie Me benutzen, können Sie auf die Felder der Instanz zugreifen, wie das vorherige Beispiel bei der Zuweisung des Werts von y gezeigt hat. Da Me ein nur lesbarer Wert ist, können Sie ihn nicht zuweisen. Wenn Sie es trotzdem zu tun versuchen, wird VB den Fehler »Me kann nicht Ziel einer Zuweisung sein« ausgeben.

4.1.3 Typen von Methodenparametern

Methodenparameter deklarieren einen Variablenbezeichner, der gültig für die Dauer und den Gültigkeitsbereich der Methode selbst ist. Außer wenn der Parameter als ByRef-Parameter deklariert wird, bleibt diese Neuzuordnung örtlich auf die Methode selbst beschränkt. Argumente werden standardmäßig über den Wert weitergegeben.

ByVal-Argumente

Paarmeter, die an Methoden weitergegeben werden, sind Wertargumente, außer Sie fügen ihnen die Schlüsselwörter ByRef oder ParamArray hinzu. Ein ByVal-Parameter ist gültig für den Methodenblock, der der Parameterliste folgt, und die Methode erhält zum Zeitpunkt ihres Aufrufs eine Kopie der übergebenen Variable. Bedenken Sie aber, was dies bedeutet. Wenn die übergebene Variable eine Struktur oder ein Werttyp ist, dann erhält die Methode eine Kopie des Werts. Der Aufrufer sieht die Änderungen nicht, die an dem Wert lokal vorgenommen werden.

ByRef-Argumente

Wenn die übergebene Variable eine Referenz auf ein Objekt auf dem Heap darstellt, was bei jeder Variable für eine Klasseninstanz der Fall ist, dann erhält die Methode eine Kopie der *Referenz*. Der Aufrufer der Methode sieht dadurch alle Änderungen, die an dem Objekt durch die Referenz vorgenommen werden. Die Platzierung des `ByRef`-Modifizierers vor dem Parametertyp in der Parameterliste für die Methode zeigt an, dass die Parameter per Referenz übergeben werden. Wenn eine Variable als Referenz weitergegeben wird, wird keine neue Kopie der Variablen erstellt, und die Variable des Aufrufers ist direkt von allen Vorgängen in der Methode betroffen. Wie es üblicherweise in der Common Language Runtime (CLR) der Fall ist, bedeutet dies zwei leicht unterschiedliche Dinge in Abhängigkeit davon, ob die Variable eine Instanz eines Werttyps (Struktur) oder eines Objekts (Klasse) ist.

Wenn ein Wert oder eine Objektinstanz über eine Referenz weitergegeben wird, wird keine Kopie der Variablen gemacht. Das bedeutet, dass keine neue Referenz zu dem Objekt auf dem Heap erstellt wird. Darüber hinaus stellt der Prüfer sicher, dass die Variable, auf die der `ByRef`-Parameter Bezug nimmt, vor dem Methodenaufruf definitiv zugewiesen wurde. Schauen wir uns einige Beispiele an, um das Konzept der `ByRef`-Parameter ins rechte Licht zu rücken:

```
Imports System

Public Structure MyStruct
    Public val As Integer
End Structure

Public Class EntryPoint
    Shared Sub Main()
        Dim myValue As MyStruct = New MyStruct()

        myValue.val = 10
        PassByValue(myValue)
        Console.WriteLine("Result of PassByValue: myValue.val = {0}",
myValue.val)

        PassByRef(myValue)
        Console.WriteLine("Result of PassByRef: myValue.val = {0}",
myValue.val)
    End Sub

    Shared Sub PassByValue(ByVal myValue As MyStruct)
        myValue.val = 50
    End Sub
```

```
    Shared Sub PassByRef(ByRef myValue As MyStruct)
        myValue.val = 42
    End Sub
End Class
```

Das Beispiel enthält zwei Methoden: `PassByValue()` und `PassByRef()`. Beide modifizieren ein Feld der Wertetyp-Instanz, die an sie weitergegeben wurde. Wie die folgende Ausgabe aber zeigt, modifiziert `PassByValue` eine lokale Kopie, während die Methode `PassByRef` die Instanz des Aufrufers verändert, wie zu erwarten war:

```
Result of PassByValue: myValue.val = 10
Result of PassByRef: myValue.val = 42
```

Das Schlüsselwort `ByRef` ist an dem Punkt notwendig, an dem die Methode `PassByRef` aufgerufen wird. Das Schlüsselwort `ByRef` an diesem Punkt macht den Code auch leichter lesbar. Wenn andere den Code an dem Punkt des Aufrufs lesen, wissen sie, dass die Methode einige Änderungen an dem Objekt vornehmen könnte, das durch `ByRef` übergeben wird. Sehen wir uns nun aber ein Beispiel an, das ein Objekt anstelle eines Werttyps verwendet:

```
Imports System

Public Class EntryPoint
    Shared Sub Main()
        Dim myObject As Object = New Object()


        Console.WriteLine("myObject.GetHashCode() == {0}",
myObject.GetHashCode())
        PassByRef(myObject)
        Console.WriteLine("myObject.GetHashCode() == {0}",
myObject.GetHashCode())
    End Sub

    Shared Sub PassByRef(ByRef myObject As Object)
        'Weise der Variable eine neue Instanz zu.
        myObject = New Object()
    End Sub
End Class
```

In diesem Fall ist die Variable, die per Referenz übergeben wird, ein Referenztyp. Anstatt dass die Methode eine Kopie der Referenz bekommt und dadurch eine neue Referenz auf dasselbe Objekt erzeugt, wird auf die ursprüngliche Referenz Bezug genommen. Das kann mitunter verwirrend sein. In der Methode `PassByRef` wird der Referenz, die an sie übergeben wurde, eine neue Objektinstanz zugewiesen. Das ursprüngliche Objekt bleibt ohne Referenzen übrig; damit ist es nun reif für die Garbage Collection. Um zu illustrieren, dass die Variable `myObject` zwischen dem Punkt, an dem sie aufgerufen wird, und dem Punkt nach dem Aufruf zwei unterschiedliche Instanzen referenziert, haben wir die Ergebnisse von `myObject.GetHashCode()`, die für jede Instanz den Hashcode ausgibt, zur Demonstration auf die Konsole geschickt.

ParamArray

VB macht es sehr einfach, eine variable Liste von Parametern zu übergeben. Deklarieren Sie einfach den letzten Parameter in Ihrer Liste als Arraytyp und stellen Sie dem Arraytyp das Schlüsselwort `ParamArray` voran. Wenn nun die Methode mit einer variablen Zahl an Parametern aufgerufen wird, werden diese Parameter an die Methode in der Form eines Arrays übergeben, durch den Sie sehr leicht iterieren können. Der Arraytyp, den Sie verwenden, kann auf jedem möglichen gültigen Typ basieren. Hier ein kurzes Beispiel:

```
Imports System

Public Class EntryPoint
    Shared Sub Main()
        VarArgs(42)
        VarArgs(42, 43, 44)
        VarArgs(44, 56, 23, 234, 45, 123)
    End Sub

    Shared Sub VarArgs(ByVal val1 As Integer, ByVal ParamArray vals As
Integer())
        Console.WriteLine("val1: {0}", val1)

        For Each i As Integer In vals
            Console.WriteLine("vals[]: {0}", i)
        Next

        Console.WriteLine()
    End Sub
End Class
```

Die Resultate des Beispiels lauten:

```
val1: 42

val1: 42
vals[]: 43
vals[]: 44

val1: 44
vals[]: 56
vals[]: 23
```

```
vals[]: 234
vals[]: 45
vals[]: 123
```

In jedem Fall wird `VarArgs()` erfolgreich aufgerufen, aber in jedem Fall ist auch der Array, der von dem `vals`-Parameter referenziert wird, unterschiedlich groß. Wie Sie aber sehen können, ist es ziemlich leicht, eine variable Anzahl von Parametern zu referenzieren. Sie können eine effiziente `Add`-Methode für einen Container-Typ schreiben, indem Sie Parameter-Arrays verwenden, bei denen Sie nur einen Aufruf tätigen müssen, um eine variable Liste von Elementen hinzuzufügen.

4.1.4 Überladen von Methoden

Das Überladen von Methoden in VB ist eine Technik, bei der der Compiler eine Methode aus einem Satz gleichnamiger Methoden auswählt. Der Compiler benutzt die Argumentliste, um die Methode zu wählen, die am besten passt. Methoden, die keine Parameter-Arrays mit variabler Länge besitzen, werden dabei gegenüber denen mit solchen Arrays bevorzugt. Der Rückgabetyp der Methode ist auch Teil ihrer Signatur, aber er kann nicht den einzigen Unterschied ausmachen. Wenn der Compiler an einen Punkt kommt, an dem mehrere Methoden im Hinblick auf ihre Überladung nicht eindeutig sind, bricht er mit einer Fehlermeldung ab.

Das Überladen von Methoden kann keine Ausnahmen zur Laufzeit auslösen, da der gesamte Algorithmus zum Zeitpunkt des Kompilierens angewandt wird. Schafft es der Compiler nicht, auf der Grundlage der gegebenen Parameterliste eine exakt passende Methode zu finden, dann sucht er nach dem besten Gegenstück auf der Basis der impliziten Konvertierbarkeit der Instanzen in der Parameterliste. Wenn also eine Methode mit einem Parameter ein Objekt des Typs A akzeptiert, Sie ihr einen Parameter vom Typ B übergeben haben, der von A abgeleitet ist, und es keine weitere Methode gibt, die den Typ B akzeptiert, dann wird der Compiler Ihre Instanz implizit in eine Referenz vom Typ A umwandeln, um dem Methodenaufruf Genüge zu tun. Abhängig von der Situation und der Größe der überladenen Methode kann der Auswahlprozess trotzdem knifflig sein. Es ist meist am besten, verwirrende Überladungen zu minimieren, bei denen implizite Konvertierungen notwendig sind, um eine befriedigende Lösung zu erhalten. Zu viele implizite Konvertierungen können es auch erschweren, dem Code zu folgen, so dass es für Sie notwendig wird, ihn in einem Debugger ausführen zu lassen, um zu sehen, was passiert. Das soll nicht heißen, dass implizite Konvertierungen für die Auflösung von Überladungen an sich schlecht wären; man sollte sie jedoch umsichtig und sparsam einsetzen.

4.1.5 Überschreibbare und MustOverride-Methoden

VB implementiert das Konzept von `Overridable` (überschreibbaren oder virtuellen) und `MustOverride` (also abstrakten) Methoden, wie es alle anderen objektorientierten Sprachen auch tun. Das ist absolut keine Überraschung, da VB eben auch eine objektorientierte Sprache ist, und überschreibbare Methoden den wichtigsten Mechanismus darstellen, um dynamischen Polymorphismus zu implementieren.

Sie deklarieren eine überschreibbare Methode, indem Sie ihr bei der Deklaration die Modifizierer Overridable oder MustOverride voranstellen. Beide führen sie als eine Methode ein, die von einer abgeleiteten Klasse überschrieben werden kann. Der Unterschied liegt darin, dass MustOverride-Methoden überschrieben werden müssen, während dies bei Overridable nicht der Fall ist. Overridable-Methoden müssen anders als ihr MustOverride-Gegenstück eine angeschlossene Implementierung aufweisen. Zusammen mit Interfaces bilden Overridable-Merhoden die einzige Möglichkeit, Polymorphismus in VB umzusetzen.

Overrides und Shadows

Um eine Methode in einer abgeleiteten Klasse zu überschreiben, müssen Sie die Methode mit dem Etikett Overrides versehen. Tun Sie das nicht, dann erhalten Sie eine Compilerwarnung, die Ihnen sagt, dass Sie die Modifizierer Shadows oder Overrides in der Deklaration der abgeleiteten Methode benötigen. Diese Voraussetzung verbessert die Klarheit des Codes. Das folgende Beispiel illustriert dies:

```
Imports System

Public Class A
    Public Overridable Sub SomeMethod()
        Console.WriteLine("A.SomeMethod")
    End Sub
End Class

Public Class B
    Inherits A

    Public Sub SomeMethod()
        Console.WriteLine("B.SomeMethod")
    End Sub
End Class

Public Class EntryPoint
    Shared Sub Main()
        Dim objB As B = New B()
        Dim objA As A = objB

        objA.SomeMethod()
    End Sub
End Class
```

Dieser Code wird zwar ausgeführt werden, aber nicht ohne diese Warnung:

```
sub 'SomeMethod' shadows an overridable method in the base class 'A'.
To override the base method, this method must be declared 'Overrides'.
```

Bei der Ausführung des Codes wird A.SomeMethod() aufgerufen. Was aber tut das Schlüsselwort Shadows? Es zerbricht die virtuelle Kette an diesem Punkt der Hierarchie. Wenn eine überschreibbare Methode durch eine Objektreferenz aufgerufen wird, dann wird die aufzurufende Methode zur Laufzeit über eine Methodentabelle bestimmt. Ist eine Methode überschreibbar, dann sucht die Laufzeitumgebung in der Hierarchie nach der am weitesten abgeleiteten Version dieser Methode und ruft diese auf. Wenn sie aber während dieser Suche auf eine Methode trifft, die mit dem Modifizierer Shadows markiert ist, kommt sie auf die Methode der vorigen Klasse in der Hierarchie zurück und verwendet diese stattdessen. Das ist der Grund, warum A.SomeMethod() aufgerufen wird. Wäre B.SomeMethod mit Overrides markiert gewesen, dann hätte der Code B.SomeMethod() aufgerufen.

Da VB standardmäßig den Modifizierer Shadows benutzt, wenn keine Modifizierer vorhanden sind, gibt es eine Warnung aus, um Sie darauf aufmerksam zu machen. Letztlich steht die Bedeutung des Modifizierers Shadows im Konflikt mit dem Modifizierer Overridable in dem Sinne, dass eine als Shadows markierte Methode durchaus überschreibbar sein kann oder auch nicht. Im vorigen Beispiel haben Sie bei der Methode B.SomeMethod() den Modifizierer Overridable nicht angebracht. Eine Klasse C, die von B abgeleitet ist, kann also B.SomeMethod() nicht überschreiben, da die Methode nicht überschreibbar ist. Das Schlüsselwort Shadows zerreißt also nicht nur die virtuelle Kette, sondern sie definiert neu, ob die Klasse B und die davon abgeleiteten Klassen eine überschreibbare SomeMethod() erhalten.

Ein weiteres Problem im Hinblick auf das Überschreiben von Methoden ist, ob und wann die Basisklassen-Version der Methode aufgerufen werden soll. In VB rufen Sie die Basisklassen-Version mit dem Modifizierer MyBase auf, wie wir hier zeigen:

```
Imports System

Public Class A
    Public Overridable Sub SomeMethod()
        Console.WriteLine("A.SomeMethod")
    End Sub
End Class

Public Class B
    Inherits A

    Public Overrides Sub SomeMethod()
        Console.WriteLine("B.SomeMethod")

        MyBase.SomeMethod()
```

```
      End Sub
End Class

Public Class EntryPoint
    Shared Sub Main()
        Dim objB As B = New B
        Dim objA As A = objB

        objA.SomeMethod()
    End Sub
End Class
```

Der Code gibt folgendes Ergebnis aus:

```
B.SomeMethod
A.SomeMethod
```

Die Vererbung mit überschriebenen Methoden kann den Bedarf an Dokumentation erhöhen, die Sie den Benutzern Ihrer Klasse zur Verfügung stellen sollten. Diese Dokumentation sollte die öffentlichen und geschützten sowie die überschreibbaren Methoden einschließen und sie sollte offenlegen, ob und wann die Basisklasse diese aufrufen sollte.

Wenn Sie das Entwurfsmuster Non-Virtual-Interface (NVI) befolgen, das in Kapitel 14 beschrieben wird, wird die fragliche überschreibbare Methode geschützt sein.

Nicht vererbbare Methoden

Im letzten Kapitel haben wir die Gründe genannt, warum Sie Ihre Klassen standard-mäßig versiegeln sollten und Klassen nur unter gut durchdachten Umständen vererbbar machen sollten. Vererbung, gerade wenn sie mit überschreibbaren Klassen gekoppelt wird, kann die Komplexität Ihrer Klassen stark erhöhen. Daher empfehlen wir Ihnen, wenn Sie Klassen entwerfen, `NonInheritable`-Klassen zu erstellen und das öffentliche Interface gut zu dokumentieren. Benutzer, die die Funktionalität ausbauen wollen, können dies nach wie vor tun, aber eher durch Eingrenzung als durch Ver-erbung. Erweiterung durch Eingrenzung, gekoppelt mit Interface-Definitionen, ist in der Regel mächtiger als die Vererbung von Klassen.

In seltenen Fällen, wenn Sie etwas von einer Klasse mit überschreibbaren Methoden ableiten, könnten Sie erzwingen wollen, dass die virtuelle Kette für eine bestimmte Methode bei Ihrer Ersetzung dieser Methode endet. In anderen Worten: Sie wollen nicht, dass weitere abgeleitete Klassen in der Lage sind, die Methode zu überschreiben. Um dies zu erreichen, markieren Sie die Methode mit dem Modifizierer `NotOverridable`. Wie der Name schon sagt, bedeutet das, dass keine weiteren abgelei-teten Klassen die Methode überschreiben können. Sie können jedoch eine Methode mit derselben Signatur bereitstellen, solange die Methode mit dem Modifizierer `Shadows` gekennzeichnet ist, wie wir im vorherigen Abschnitt beschrieben haben. In der Tat können Sie die mit `Shadows` markierte Methode als überschreibbar kennzeichnen und damit eine neue virtuelle Kette in der Hierarchie beginnen. Das ist nicht dasselbe wie die gesamte Klasse zu versiegeln, denn dies erlaubt nicht einmal, dass eine Klasse von der versiegelten abgeleitet wird. Daher ist es überflüssig, Methoden in einer Klasse als `NotOverridable` zu markieren, wenn die Klasse selbst schon als `NotInheritable` gekennzeichnet ist.

4.1.6 Schlussbemerkungen zu überschreibbaren Methoden

Ganz klar bietet VB eine Menge flexibler Schlüsselwörter, mit denen bei Vererbung und überschreibbaren Methoden eine Menge interessanter Dinge passieren können. Allerdings ist es nicht immer klug, diese Dinge zu nutzen, auch wenn die Sprache die Möglichkeiten dafür bietet.

Der Modifizierer `Shadows` stellt einen schnellen Weg dar, um Überraschungen in eine Klassenhierarchie einzubauen. Wenn Sie jemals diesen Modifizierer bei einer Methode verwenden, dann ist es sehr wahrscheinlich, dass Sie eine Klasse auf eine Weise benutzen, die nicht vorgesehen war. Es könnte zum Beispiel sein, dass Sie etwas von einer Klasse ableiten wollen, die von vornherein als `NotInheritable` hätte markiert werden sollen.

4.2 Properties

Properties sind einer der nettesten Mechanismen in VB, die es Ihnen ermöglichen, Verkapselungen durchzusetzen. Kurz gesagt benutzen Sie Properties, um den Zugriff auf den internen Status eines Objekts streng zu kontrollieren.

Aus der Perspektive des Benutzers eines Objekts sieht ein Property genau wie ein öffentlich zugängliches Feld aus und verhält sich auch so. Die Notation, um Zugriff auf ein Property zu erhalten, ist dieselbe, wie wenn man ein öffentlich zugängliches Feld der Instanz ansteuern möchte. Jedoch ist mit einem Property in einem Objekt kein Speicherplatz verbunden, wie es in einem Feld der Fall ist. Stattdessen stellt ein Property eher eine Notation in Kurzschrift dar, um Zugriffsmethoden (*Accessors*) zu definieren, die zum Lesen und Schreiben eines Feldes genutzt werden. Der typische Weg, um in einer Klasse den Zugang zu einem privaten Feld zu eröffnen, führt über ein öffentliches Property.

Properties erweitern ihre Flexibilität als Klassendesigner signifikant. Wenn zum Beispiel ein Property die Anzahl der Spalten in einem Datenbank-Tabellenobjekt repräsentiert, kann das Tabellenobjekt die Berechnung des Werts bis zu dem Zeitpunkt aufschieben, an dem er durch ein Property abgefragt wird. Es weiß, wann der Wert zu berechnen ist, denn der Benutzercode wird eine Zugriffsmethode aufrufen, wenn er das Property anspricht.

4.2.1 Zugriffsmethoden

Zugriffsmethoden (Accessors) erlauben es Ihnen, den Zugang zum Status einer Klasse zu kontrollieren. Get-Zugriffsmethoden erlauben den Lesezugriff, während Set-Accessors den Schreibzugriff auf Ihre Properties gestatten. Zugriffsmethoden können Lese- und Schreibzugriffe sowie Read-Only- oder Write-Only-Zugriffe auf Ihre Properties bereitstellen. Seit Visual Basic 2005 können die Get- und Set- Accessors verschiedene Zugriffslevel haben, unter der Maßgabe, dass der Set-Accessor restriktiver ist.

Get-Blöcke werden aufgerufen, wenn der Benutzercode des Objekts das Property liest. Diese Zugriffsmethode muss einen Wert oder eine Objektreferenz zurückgeben, die zum Typ der Property-Deklaration passt. Er kann auch ein Objekt zurückliefern, das implizit in den Typ der Property-Deklaration konvertierbar ist. Wenn also zum Beispiel der Property-Typ eine Longzahl ist und der Getter einen Integer-Wert liefert, wird der Integer implizit in ein Long konvertiert, ohne an Genauigkeit zu verlieren. Ansonsten ist der Code in diesem Block mit einer parameterlosen Methode zu vergleichen, die einen Wert oder einen Objekt vom selben Typ wie dem des Property zurückgibt.

Set-Accessors werden dann aufgerufen, wenn der Benutzercode versucht, in das Property zu schreiben. Setters geben keinen Wert zurück. Wenn Sie ein Property in VB erstellen, dann erzeugt es eine Variable namens value in Ihrem Setter, das denselben Typ wie Ihre Property-Deklaration hat. Wenn Sie in das Property schreiben, ist die value-Variable auf denselben Wert oder dieselbe Objektreferenz festgelegt, die der Benutzercode dem Property zuzuweisen versucht hat. Der Set-Accessor verhält sich wie eine Methode, die einen Parameter vom selben Typ wie dem Property annimmt.

4.2.2 Properties deklarieren

Wie bei den meisten Gliedern einer Klasse können Sie Metadaten-Attribute an ein Property anhängen. Die verschiedenen Modifizierer, die für Properties gelten, ähneln denen für Methoden. Andere Modifizierer schließen die Fähigkeit ein, ein Property als Shared, NotInheritable, Overrides, MustOverride und so weiter zu deklarieren. Der folgende Code definiert das Property Temperature in Class A:

```
Public Class A
    Private mTemperature As Integer

    Public Property Temperature() As Integer
        Get
            System.Console.WriteLine("Getting value for temperature")
            Return mTemperature
        End Get

        Set(ByVal value As Integer)
            System.Console.WriteLine("Setting value for temperature")
            mTemperature = value
```

```
        End Set
    End Property
End Class

Public Class EntryPoint
    Shared Sub Main()
        Dim obj As A = New A()

        obj.Temperature = 1
        System.Console.WriteLine("obj.Temperature = {0}", obj.Temperature)
    End Sub
End Class
```

Führt man den Code aus, dann wird folgendes Ergebnis auf der Konsole angezeigt:

```
Setting value for temperature
Getting value for temperature
obj.Temperature = 1
```

Als erstes haben wir in `Class A` ein Property mit dem Namen `Temperature` definiert, das den Typ `Integer` hat. Jede Deklaration eines Property muss den Typ definieren, den das Property repräsentiert. Dieser Typ sollte für den Compiler an dem Punkt sichtbar sein, an dem er in der Klasse definiert wird, und er sollte wenigstens denselben Grad an Zugänglichkeit haben wie das Property, das es zu definieren gilt. Wenn das Property zum Beispiel `public` ist, dann muss der Typ des Werts, den das Property repräsentiert, mindestens ebenfalls `public` sein.

`Temperature` ist der Name, auf den sich Client-Code bezieht, wenn er das Property benutzt, als ob es ein Feld wäre. Das Beispiel liefert lediglich das private Feld `mTemperature` vom internen Status der Objektinstanz zurück.

Read-Only-, Write-Only- und Read-Write-Properties

Wenn Sie ein Property mit nur einer `Get`-Zugriffsmethode definieren, wird dieses Property nur lesbar sein. Gleichfalls wird ein Property ausschließlich beschreibbar sein, wenn es nur mit einer `Set`-Zugriffsmethode definiert wurde. Und zuletzt ist ein Property mit beiden Zugriffsmethoden ein Read-Write-Property.

Sie mögen sich fragen, warum ein nur lesbares Property besser oder schlechter als ein nur lesbares öffentliches Feld sein soll. Auf den ersten Blick mag es scheinen, dass ein Read-Only-Property weniger effizient sei als ein nur lesbares öffentliches Feld. Der Just-In-Time-Compiler optimiert jedoch den Code, der auf das Property zugreift. In dem Fall, in dem das Property lediglich ein privates Feld zurückgibt, zieht das Argument der Ineffizienz nicht. Während es ineffizient erscheint, den Code auf diese Weise zu schreiben, kann VB automatisch den Property-Code für jedes ausgewählte Feld erzeugen.

In den meisten Fällen ist ein nur lesbares Property flexibler als ein nur lesbares öffentliches Feld. Ein Grund dafür ist, dass Sie die Berechnung eines Read-Only-Property so lange hinauszögern können, bis Sie ihn brauchen. Tatsächlich kann es für effizienteren Code sorgen, wenn das Property etwas repräsentieren soll, das eine gewisse Zeit für die Berechnung braucht. Würde man hierfür ein nur lesbares öffentliches Feld verwenden, dann müsste die Berechnung in dem Block des Konstruktors ablaufen. An diesem Punkt kann es aber sein, dass die Daten, die für die Berechnung notwendig sind, noch gar nicht zur Verfügung stehen. Oder Sie könnten damit Zeit vergeuden, weil im Konstruktor zwar der Wert berechnet wird, der Benutzer des Objekts diesen Wert vielleicht aber gar nicht abfragen will.

Nur lesbare Properties helfen dabei, Kapselungen zu erzwingen. Wenn Sie die Wahl zwischen einem Read-Only-Property und einem nur lesbaren öffentlichen Feld hatten und das Read-OnlyProperty wählten, haben Sie damit größere Flexibilität in künftigen Versionen der Klasse erhalten. So wird nämlich zusätzliche Arbeit zu dem Zeitpunkt erledigt, an dem auf das Property zugegriffen wird, ohne den Client-Code zu beeinflussen. Stellen Sie sich vor, Sie wollten in Debug-Builds über jedes Mal, an dem auf das Property zugegriffen wird, Buch führen. Der Client-Code würde implizit eine Methode aufrufen – allerdings eine spezielle Property-Methode –, um auf die Daten zuzugreifen. Die Flexibilität, die Sie in dieser Methode erhalten, ist fast grenzenlos. Hätten Sie auf den Wert als öffentliches Read-Only-Feld zugegriffen, würden Sie keine Methode aufrufen oder irgend etwas anderes tun können, ohne dies an ein Property übergeben und den Benutzercode neu kompilieren zu müssen.

4.3   Felder

Felder sind das Wesentliche, das den Zustand eines Objekts ausmacht. Typischerweise deklarieren Sie eine neue Klasse nur dann, wenn Sie ein neues Objekt mit seinem eigenen internen Zustand modellieren müssen, der durch seine Felder repräsentiert wird.

Sie deklarieren Felder mit einem Typ, genau wie bei allen anderen Variablen. Die möglichen Feldmodifizierer lauten:

```
Public
Protected
Friend
Protected Friend
Private
Shared
Const
ReadOnly
```

Viele dieser Modifizierer schließen sich gegenseitig aus. Dies trifft auf `Public`, `Protected`, `Friend` und `Private` zu, da sie die Zugänglichkeit des Feldes kontrollieren.

Der Modifizierer `Shared` steuert, ob ein Feld statisch oder nichtstatisch ist. Ist `Shared` nicht vorhanden, gilt ein Feld als *Instanzenfeld*; daher hat jedes Objekt, das aus dieser Klasse heraus erzeugt wird, seine eigene Kopie des Feldes. Das ist standardmäßig so. Wenn das Feld mit dem Modifizierer `Shared` gekennzeichnet ist, teilen sich alle Objekte einer Klasse das Feld auf einer Per-Application-Domain-Basis.

Gemeinsame Felder sind kein Teil des Speicherbereichs der Objektinstanzen. In anderen Worten: Objekte kapseln die gemeinsamen Felder nicht ein; stattdessen kapseln die Klassen die geteilten Felder ein. Es wäre ineffizient, wenn alle Instanzen des Objekts eine Kopie derselben geteilten Variable in dem von ihnen belegten Speicherbereich halten würden. Und schlimmer noch: Der Compiler müsste irgendeine Art Code erzeugen, um sicherzustellen, dass das Feld in allen Instanzen geändert wird, wenn es in einer Instanz geändert würde. Aus diesem Grund gehören die gemeinsamen Felder zu der Klasse und nicht zu den Objektinstanzen. Denn wenn ein gemeinsames Feld außerhalb der Klasse öffentlich zugänglich ist, benutzen Sie den Klassennamen und nicht die Variable der Objektinstanz, um das Feld anzusprechen.

> **Tipp:** Gemeinsame Felder haben eine weitere wichtige Eigenschaft: Sie sind global im Hinblick auf die Applikationsdomäne, in die die Typen geladen werden, die die Felder enthalten. Applikationsdomänen sind eine Abstraktion, die der Prozessabstraktion in einem Betriebssystem ähnelt, aber es ist ein leichtgewichtigerer Mechanismus. Sie können mehrere Applikationsdomänen in einem Betriebssystemprozess halten. Wenn Ihr CLR-Prozess mehrere Applikationsdomänen enthält, beinhaltet jede Applikationsdomäne eine Kopie der gemeinsamen Felder einer Klasse. Der Wert eines gemeinsamen Feldes in einer Applikationsdomäne kann sich von demselben Feld in einer anderen Domäne unterscheiden. Außer wenn Sie eigene Applikationsdomänen erstellen, wird Ihre Applikation nur über eine Applikationsdomäne verfügen: die standardmäßige Domäne. Diese Unterscheidung ist allerdings wichtig, wenn Sie in Umgebungen wie ASP.NET arbeiten, wo das Konzept der Applikationsdomäne als Isolationsmechanismus zwischen zwei ASP.NET-Anwendungen benutzt wird.

Ein anderer Feldmodifizierer, der sich gelegentlich als nützlich erweist, ist der Modifizierer `ReadOnly`. Wie Sie sich denken können, definiert er das Feld dergestalt, dass Sie nur daraus lesen können. Sie können nur während der Objekterzeugung etwas hineinschreiben. Sie können dieses Verhalten mit größerer Flexibilität emulieren, wenn Sie ein nur lesbares Property verwenden. Gemeinsame `ReadOnly`-Felder werden mit einem gemeinsamen Konstruktor initialisiert, während `ReadOnly`-Instanzenfelder durch einen Instanzenkonstruktor initialisiert werden. Alternativ dazu können Sie `ReadOnly`-Felder initialisieren, indem Sie Initialisierer zum Zeitpunkt ihrer Deklaration in der Klassendefinition verwenden, so wie Sie es auch bei anderen Feldern tun können. Nur innerhalb des Konstruktors lasen sich `ReadOnly`-Felder als `ByRef`-Parameter an eine andere Funktion übergeben. Betrachten Sie das folgende Beispiel:

```
Public Class A
    Private ReadOnly x As Integer = 123
    Private ReadOnly y As Integer
    Public Const z As Integer = 555

    Public Sub New()
        Me.y = 456
        'We can set y again.
        Me.y = 654

        'Hier verwenden wir y als ByRef-Parameter.
        SetField(Me.y)
    End Sub

    Private Sub SetField(ByRef val As Integer)
        val = 888
    End Sub

    Shared Sub Main()
        Dim obj As A = New A()

        System.Console.WriteLine("x = {0}, y = {1}, z = {2}", obj.x, obj.y,
A.z)
    End Sub
End Class
```

Dieses Beispiel gibt das folgende Ergebnis an die Konsole aus:

```
x = 123, y = 888, z = 555
```

Sie sollten eine wichtige Nuance im vorigen Beispiel beachten: Das Feld z wird mit dem Schlüsselwort Const deklariert. Zunächst scheint dies denselben Effekt zu haben, als würde man ein ReadOnly-Feld verwenden, aber dem ist nicht so. Zunächst ist ein Const-Feld wie dieses bereits beim Kompilieren bekannt und wird auch als Konstante benutzt. Das bedeutet, dass der Code, der vom Compiler in der Main-Routine generiert wird, so optimiert werden kann, dass die Variable überall dort, wo sie gebraucht wird, sofort durch den Const-Wert ersetzt wird. Dem Compiler steht es absolut zu, diesen Trick anzuwenden, einfach deshalb, weil der Wert schon zur Kompilierzeit bekannt ist. Sie greifen auf das Const-Feld zu, indem Sie den Klassennamen anstelle des Instanzen-namens benutzen. Das ist so, weil Const-Werte implizit miteinander geteilt werden und die Speicherauslastung beziehungsweise die Gestalt der Objektinstanzen nicht beeinträchtigen. Das ist durchaus sinnvoll, da der Compiler den Zugriff auf diese Speicherzelle ohnehin optimieren würde, da sie für alle Instanzen dieses Objekts dieselbe ist.

ReadOnly-Felder haben die Gewähr, dass sie zur Laufzeit berechnet werden. Nehmen wir an, Sie haben eine Klasse, die ein ReadOnly-Feld und ein Const-Feld in der

Assembly A besitzt. Code in der Assembly B erzeugt und benutzt eine Instanz der Klasse aus der Assembly A. jetzt stellen wir uns vor, dass Sie die Assembly A zu einem späteren Zeitpunkt neu erstellen und dabei die Feldinitialisierer für das `ReadOnly`- und das `Const`-Feld modifizieren. Der Benutzercode in der Assembly B würde nur die Änderung im `Const`-Feld sehen, außer Sie rekompilieren den Code der Assembly B zuerst. Dieses Verhalten ist zu erwarten, da, als die Assembly B erstellt und dabei die ursprüngliche Fassung der Assembly A referenziert wurde, der Compiler den Gebrauch der `Const`-Werte optimierte, indem er das Literal des Werts in den Code der generierten Zwischensprache IL einfügte. Deswegen müssen Sie vorsichtig sein, wenn Sie entscheiden, ob Sie ein `ReadOnly`-Feld oder einen `Const`-Wert verwenden. Und wenn Sie sich für das `ReadOnly`-Feld entscheiden, müssen Sie wiederum sorgfältig zwischen einem `ReadOnly`-Feld oder einer `ReadOnly`-Property abwägen, die wir vorher im Abschnitt »Properties« eingeführt haben. Properties bieten im Vergleich zu `ReadOnly`-Feldern größere Flexibilität beim Entwurf und der Wartung.

4.3.1 Feldinitialisierung

Die Initialisierung von Feldern kann auf verschiedene Weise während der Objekterzeugung vonstatten gehen. Ein sehr geradliniger Weg, Felder zu initialisieren, führt über Initialisierer. Sie benutzen diese an dem Punkt, an dem Sie das Feld definieren, und können sie sowohl für gemeinsame als auch für Instanzenfelder benutzen. Ein Beispiel:

```
Private x As Integer = 789
Private y As Integer
Private z As Integer = A.InitZ()
```

Das Feld x wird über einen Initialisierer initialisiert. Die Notation ist recht komfortabel. Beachten Sie, dass diese Initialisierung zur Laufzeit und nicht zur Kompilierzeit erfolgt. Daher könnte diese Initialisierungsanweisung etwas anderes als eine Konstante gebrauchen. Zum Beispiel wird die Variable z initialisiert, indem eine Methode aufgerufen wird, AInitZ(). Auf den ersten Blick scheint diese Feldinitialisierung wie eine großartige Abkürzung auszusehen, die Sie davor bewahrt, alle Felder innerhalb des Rumpfs des Konstruktors initialisieren zu müssen. Allerdings sollten Sie keine Instanzenfelder innerhalb des Konstruktors der Instanz initialisieren, wenn dies nicht absolut notwendig ist. Der Abschnitt »Objekte erstellen« in Kapitel 3 befasste sich mit der gemeinsamen Initialisierung und der von Instanzen im Detail und zeigte, warum die Initialisierung von Feldern im Konstruktor leichter zu Code führt, der einfacher zu warten und debuggen ist. Wenn eine Klasse definiert wird, ist es manchmal einfacher, einem Feld an dem Punkt einen Wert zuzuordnen, zu dem das Feld deklariert wird. Fakt ist, dass Sie einem Feld jeden unmittelbaren Wert oder jede aufrufbare Methode zuweisen können, solange die Methode nicht auf die Instanz des Objekts aufgerufen wird, das gerade erzeugt wird. Sie können zum Beispiel Felder auf der Basis des Rückgabewerts einer gemeinsamen Methode derselben Klasse initialisieren. Sehen wir uns mal ein Beispiel an:

```
Imports System

Public Class A
    Private y As Integer = InitY()
    Private x As Integer = InitX()
    Private Shared a As Integer = InitA()
    Private Shared b As Integer = InitB()

    Private Shared Function InitX() As Integer
        Console.WriteLine("A.InitX()")
        Return 1
    End Function

    Private Shared Function InitY() As Integer
        Console.WriteLine("A.InitY()")
        Return 2
    End Function

    Private Shared Function InitA() As Integer
        Console.WriteLine("A.InitA()")
        Return 3
    End Function

    Private Shared Function InitB() As Integer
        Console.WriteLine("A.InitB()")
        Return 4
    End Function
End Class

Public Class EntryPoint
    Shared Sub Main()
        Dim objA As A = New A
    End Sub
End Class
```

Die Ausgabe des Codes lautet:

```
A.InitA()
A.InitB()
A.InitY()
A.InitX()
```

Beachten Sie, dass Sie alle Felder zuordnen, indem Sie Feldinitialisierer verwenden und die Felder auf den Rückgabewert der aufgerufenen Methoden setzen. Bei all den Methoden während der Feldinitialisierung handelt es sich um gemeinsame Methoden. Das hilft uns, ein paar wichtige Punkte in Bezug auf die Feldinitialisierung zu betonen. Zwei der Felder, a und b, sind gemeinsame Felder, während die Felder x und y Instanzenfelder sind. Die Laufzeitumgebung initialisiert die gemeinsamen Felder, bevor der Klassentyp zum ersten Mal in dieser Anwendungsdomäne genutzt wird.

Während der Erstellung der Instanz werden die Initialisierer der Instanzenfelder aufgerufen. Wie zu erwarten war, erscheint der Beweis für den Aufruf dafür in der Konsolenausgabe, nachdem die gemeinsamen Feldinitialisierer gelaufen sind. Beachten Sie die Reihenfolge der Ausgabe im Hinblick auf die Instanzeninitialisierer, und vergleichen Sie das mit der Anordnung der Felder, die in der Klasse selbst deklariert wurden. Sie sehen, dass die Feldinitialisierung, egal ob es sich um gemeinsame oder Instanzenfelder handelte, in der Anordnung abläuft, in der die Felder in der Klassendefinition gelistet sind. Manchmal kann diese Reihenfolge wichtig sein, wenn Ihre gemeinsamen Felder auf Ausdrücken oder Methoden basieren, die erwarten, dass andere Felder in derselben Klasse zuerst initialisiert werden. Wenn die Reihenfolge der Initialisierung eine Rolle spielt, sollten Sie erwägen, alle Felder im Rumpf des gemeinsamen Konstruktors zu initialisieren.

VB hat Regeln für die standardmäßige Feldinitialisierung, die angewandt werden, bevor Initialisierungscode im Codeblock der Konstruktormethode ausgeführt wird. VB generiert standardmäßig überprüfbaren typsicheren Code, der garantiert nur initialisierte Variablen und Felder verwendet. Der Compiler unternimmt große Anstrengungen, um sicherzustellen, dass diese Anforderung erfüllt wird. Zum Beispiel initialisiert er alle Felder, egal ob es sich um gemeinsame oder Instanzenfelder handelt, mit einem Standardwert, bevor einer Ihrer Variableninitialisierer ausgeführt wird. Der Standardwert für fast alles kann einfach durch den Wert 0 oder Nothing ausgedrückt werden. Zum Beispiel können Sie eine Integerzahl oder jeden ähnlichen Wertetyp initialisieren, indem Sie alle Bits in deren Speichraum auf 0 setzen. Bei Referenztypen setzen Sie den anfänglichen Standardwert auf Nothing. Auch dies wird für gewöhnlich durch eine Implementierung erreicht, bei der alle Bits der Referenz auf 0 gesetzt werden. Diese standardmäßigen Initialisierungen ereignen sich, bevor irgendein Code in Bezug auf die Instanz oder Klasse ausgeführt wird. Daher ist es unmöglich, die nicht initialisierten Werte eines Objekts oder einer Klasse während der ursprünglichen Generierung einzusehen.

4.4   Zusammenfassung

Dieses Kapitel hat gemeinsame und Instanzenmethoden eingeführt, Properties als ein Mittel, die Kapselung zu fördern, und Felder, die den Zustand eines Objekts repräsentieren. Bei den Methoden haben wir Parametertypen und Überladung untersucht. Als wir unsere Aufmerksamkeit den Properties zuwandten, haben wir Properties mit ihren jeweiligen Modifizierern deklariert und mit nur lesbaren, nur beschreibbaren sowie Read-Write-Properties experimentiert. Zuletzt haben wir Felder erzeugt, ihre Zugänglichkeit kontrolliert und Feldinitialisierer benutzt, um ihre Werte festzulegen.

In Kapitel 5 tauchen wir in die Details der CLR ein, zeigen, wie die Kompilierung funktioniert und wie man Assemblies in VB programmiert.

5 VB 2008 und die Common Language Runtime(CLR)

In diesem Kapitel werfen wir einen Blick auf die .NET-Laufzeitumgebung, die Common Language Runtime (CLR) heißt, und darauf, wie sie Ihren Code kompiliert und ausführt. Um die Softwareentwicklung in VB wirklich zu beherrschen, ist es wichtig, die Komponenten zu verstehen, aus denen die CLR besteht, und wie diese arbeiten. Dies hilft Ihnen, optimierten Code zu schreiben, der eine bessere Performance zeigt. Zusätzlich ist es wichtig zu verstehen, wie die CLR Objekte im Speicher verwaltet. Dies hilft Ihnen, die Performance-Probleme zu lösen, die entstehen können. Wir sehen uns an, wie VB kompiliert wird und wie die Kompilierung in nativen Maschinencode funktioniert. Zuletzt werfen wir einen Blick auf Assemblies und Metadaten – also Informationen über diese Assemblies –, die der Compiler erzeugt.

VB-Anwendungen werden verwaltete Applikationen (managed applications) genannt, da sie von der .NET-Laufzeitumgebung, der CLR, verwaltet werden. Die CLR ist eine Implementierung des Standards Common Language Infrastructure (CLI). Bei der CLI handelt es sich um eine Spezifikation, die von der ECMA International, der European Computer Manufacturers Association, veröffentlicht wurde. Sie definiert die Regeln, die eine Entwicklungsinfrastruktur erfüllen muss, um sprachübergreifende Kompatibilität und Plattformunabhängigkeit zu gewährleisten. Laut dieser Spezifikation wird die CLI als Umgebung definiert, »in der Anwendungen, die in zahlreichen Hochsprachen geschrieben sind, auf unterschiedlichen Systemumgebungen ausgeführt werden können, ohne dass die Applikationen umgeschrieben werden müssen, um die Charakteristika der einzelnen Systeme zu berücksichtigen.«

Die CLR ist mehr als ein virtuelles Ausführungssystem: Sie übernimmt zugleich Dienste wie das Speichermanagement, die Prüfung der Sicherheit des Codes sowie ein strenges Datentypsystem, das Common Type System (CTS). Der Just-In-Time-Compiler (JIT), der die Intermediate Language (IL) in CPU-spezifische Assemblies übersetzt, ist auch Teil der CLR.

5.1 Von VB zu IL

Das erste, was geschieht, nachdem Sie VB-Code geschrieben haben, ist, dass der VB-Compiler, `vbc.exe`, diesen Code nimmt und daraus IL generiert. Diese generierten Dateien enden mit den vertrauten Dateinamenerweiterungen EXE oder DLL, können auf einer Vielzahl von Plattformen ausgeführt werden und enthalten ihre eigenen Metadaten. Der VB-Compiler und überhaupt jeglicher .NET-Sprachcompiler generiert IL, die bestimmten Regeln folgt. Hier beginnt echte Sprachunabhängigkeit: Da die IL bestimmten Regeln folgt, kann die CLR IL verstehen, die aus jeder beliebigen Hochsprache erzeugt wurde. Daher kann die CLR Code verstehen, der in Visual Basic.NET (VB.NET), C#.NET und sogar COBOL.NET geschrieben wurde, sobald er in IL kompiliert wurde.

Das .NET Framework SDK (Software Development Kit) wird mit einem Disassembler ausgeliefert, der IL-Disassembler (IL DASM) heißt. Dieses Dienstprogramm erlaubt Ihnen, in Ihre .NET-Binärdateien hineinzuschauen und die IL zu betrachten, die sie enthalten. Sie können diesen Disassembler ausführen, indem Sie im Windows-Start-menü folgenden Pfad navigieren: *Programme > Microsoft Windows SDK für Visual Studio > Tools > IL Disassembler*. Das Bild 5-1 zeigt einen Screenshot des Dienstpro-gramms, das das Programm `HelloWorld.exe` anzeigt.

Abbildung 5-1: Der IL-Disassembler zeigt »HelloWorld« an.

Wenn Sie das Programm starten, zeigt es eine Baumansicht der Datentypen der Assembly an. Sie können die IL auch ausgeben, indem Sie den Inhalt des Disassemblers unter *Datei/Speichern* sichern. Wie der folgende Code für `HelloWorld.exe` zeigt, sieht IL gewöhnlichem Assemblercode ähnlich; grundsätzlich ist es ja auch die Assemblersprache der CLR:

```
.method /*06000012*/ public static void
        Main() cil managed
{
    .entrypoint
    .custom /*0C000045:0A00001F*/ instance void . . . ( 01 00 00 00 )
    // Code size       14 (0xe)
    .maxstack  8

// Source File 'C:\ AVB 9.0\HelloWorld\HelloWorld.vb'
//000002:       Shared Sub Main()
    IL_0000:  nop
//000003:           System.Console.WriteLine("Hello World!")
    IL_0001:  ldstr      "Hello World!" /* 70000001 */
    IL_0006:  call       void . . . System.Console::WriteLine(string)
/*0A00001E*/
    IL_000b:  nop
//000004:       End Sub
    IL_000c:  nop
    IL_000d:  ret
} // end of method EntryPoint::Main
```

Wenn Sie die IL-Datei durchgehen, sehen Sie, dass sie das Programm auf einer sehr maschinennahen Ebene beschreibt. Die IL für eine in VB geschriebene Anwendung sieht der IL sehr ähnlich, die aus anderen .NET-Sprachen generiert wird.

5.2   Von der IL zur Plattform

Wenn Ihr Programm ausgeführt wird, muss die CLR noch einen zusätzlichen Schritt machen und die IL in plattformspezifische Anweisungen übersetzen, die von der jeweiligen CPU-Architektur verstanden wird, auf der die Applikation laufen soll. Der Prozess, IL in plattformspezifische Instruktionen zu übersetzen, wird JIT-Kompilierung genannt. Die CLR besitzt einen JIT-Compiler für alle CPU-Architekturen, die sie unterstützt. Deshalb kompiliert der JIT-Compiler jedesmal, wenn Sie HelloWorld.exe auf einem gewöhnlichen Windows-Rechner ausführen lassen, die IL in Instruktionen für die verwendete Architektur. Es ist jedoch selbstverständlich, dass Ihr Code lediglich auf einer speziellen Architektur läuft, falls er plattformspezifische Bibliotheken benötigt oder plattformspezifische Programmschnittstellen aufruft.

Die JIT-Kompilierung bedeutet, dass jedesmal, wenn Sie die Anwendung starten, die Performance nachlässt. Wenn JIT arbeitet, wird nur der Code kompiliert, der ausgeführt werden muss, und der Lader erzeugt einen Methodenrumpf für alle nicht verwendeten Methoden. Wenn eine bisher nicht benutzte Methode aufgerufen wird, löst der Rumpf den JIT-Compiler aus, der diesen Methodenrumpf in nativen Code überträgt. Sobald Code JIP-kompiliert ist, behält ihn die CLR und führt das nächste Mal, wenn er gebraucht wird, einfach den nativen Code aus. Obwohl die JIT-Kompilierung natürlich eine gewisse Komplexität beinhaltet und anfänglich auch die Leistung beim Programmablauf beeinträchtigt, können die Vorteile eines JIT-Compilers in Kombination mit der CLR gegenüber dem Zeitverlust der JIT-Kompilierung überwiegen. Denn:

- Verwaltete Anwendungen können viel weniger Speicher beanspruchen, da IL-Code im Allgemeinen eine geringere Speicherauslastung hat als nativer Code.

- Nur Code, der tatsächlich aufgerufen wird, wird JIT-kompiliert.

- Die CLR führt Buch über die Häufigkeit der Aufrufe. Wenn sie erkennt, dass ein JIT-kompiliertes Codestück bereits seit langer Zeit nicht mehr aufgerufen wurde, kann sie den Platz freigeben, der davon belegt wird. Der Code wird neu kompiliert, wenn er wieder gebraucht wird.

Die CLR kann zudem Optimierungen zur Laufzeit ausführen – anders als bei nativen Applikationen, bei denen diese Optimierungen schon bei der Kompilierung definiert werden. Da diese Optimierungen zur Laufzeit in der CLR erfolgen, können sie jederzeit angewendet werden. Wenn die CLR Code schneller mit weniger Optimierungen kompilieren kann, wird sie das standardmäßig tun. Code, der häufig aufgerufen wird, kann die CLR mit zusätzlichen Optimierungen neu kompilieren und erlaubt dem optimierten Code damit, schneller ablaufen zu können. Zum Beispiel kann das Effizienzmodell der CLR sich stark unterscheiden, je nachdem, wie viele CPUs auf der Zielplattform vorhanden sind. Bei nativen Applikationen müssen Sie mehr manuelle Arbeit verrichten, entweder zur Laufzeit oder bei der Kompilierung, um sich an eine solche Situation anpassen zu können. Aber Leistungsverbesserungen für Multi-CPU-Plattformen sind mit der CLR praktisch gratis erhältlich. Stellt die CLR darüber hinaus fest, dass unterschiedliche Teile des Codes, die über den Speicher verstreut sind, relativ oft aufgerufen werden, dann schichtet sie die Codeteile im Speicher so um, dass sie in der selben Gruppe der Speicherseiten zu liegen kommen. Dies minimiert die Zahl der Seitenfehler und vergrößert den Zugriff auf den Cache, wenn die Applikation läuft.

5.3 Assemblies verstehen

Eine Assembly ist eine sich selbst beschreibende separate Einheit von wiederverwendbarem Code in der CLR. Typischerweise ist eine Assembly eine EXE oder DLL und ähnelt auch einer EXE oder DLL in der Welt des nicht verwalteten Codes. Allerdings enden die Ähnlichkeiten hier auch schon.

Jede Assembly in der .NET-Welt besteht aus den folgenden Elementen:

- Header-Informationen

- Metadaten

- IL

- Manifest

Wie Sie schon gesehen haben, ist IL die zentrale Komponente der Assembly, die vom JIT-Compiler kompiliert wird. Jede Assembly hat eine zugeordnete Versionsnummer, so dass mehrere Assemblies mit dem selben Namen identifizierbar bleiben. Jede Assembly muss außerdem Header-Informationen enthalten, die der CLR Daten über die Assembly übermittelt. Der Header enthält Details über Versionen, Einstiegspunkte, Metadaten und andere technische Informationen. Sie können den Assembly-Header einsehen, wenn Sie den IL-Disassembler starten und *Ansicht/Header* wählen. Der folgende Ausschnitt zeigt Ihnen die etwas abgekürzte Header-Information für `HelloWorld.exe`:

```
 ----- DOS Header:
Magic:                   0x5a4d
Bytes on last page:      0x0090
Pages in file:           0x0003
. . .
----- PE Optional Header (32 bit):
Magic:                      0x010b
Major linker version:       0x08
Minor linker version:       0x00
Size of code:               0x00002000
. . .
Image sections:
              .text
           0x00001804 Virtual Size
           0x00002000 Virtual Address
. . .
Base Relocation Table
           0x00003000 Page RVA
           0x0000000c Block Size
           0x00000002 Number of Entries
. . .
Import Address Table
     DLL : mscoree.dll
              0x00002000 Import Address Table
              0x000037ee Import Name Table
              0          Time Date Stamp
. . .
Delay Load Import Address Table
```

```
// No data.
 Entry point code:
FF 25 00 20 40 00
   ----- CLR Header:
 Header size:                           0x00000048
 Major runtime version:                 0x0002
 Minor runtime version:                 0x0005
 0x0000239c [0x0000140c] address [size] of Metadata Directory:
 Flags:                                 0x00000001
 Entry point token:                     0x06000012
 0x000022e3 [0x000000b8] address [size] of Resources Directory:
. . .
 Metadata Header
    Storage Signature:
             0x424a5342 Signature
              0x0001 Major Version

  . . .

    0x00000f0909a21557 MaskValid
    0x000016003301fa00 Sorted
Export Address Table Jumps:
// No data.
```

Die Manifest-Zeile listet alle Module auf, die mit der Assembly verbunden sind, sowie die externen Module, die die Assembly referenziert. Sie können das Assembly-Manifest einsehen, indem Sie im IL-DASM auf die Manifest-Zeile doppelklicken. Das erste, was Sie sehen, sind Referenzen zu allen externen Assemblies, die das Programm benötigt. Die Microsoft Core Library-Assembly (mscorlib) enthält verwaltete Kerndatentypen, die in jedem Projekt vorhanden sein müssen. Microsoft.VisualBasic liefert VB-Programmierern viele Konstanten und Methoden, die einzigartig für VB sind, so die Methode UCase, und Konstanten wie vbCrLf. Zuletzt enthält System viele Basisklassen für Datentypen, Eventhandler, Interfaces und Exceptions. Der folgende Code zeigt einen Ausschnitt davon:

```
// Metadata version: v2.0.50727
.assembly extern mscorlib
{
  .publickeytoken = (B7 7A 5C 56 19 34 E0 89 )                   //
.z\V.4..
  .ver 2:0:0:0
}
.assembly extern Microsoft.VisualBasic

{
  .publickeytoken = (B0 3F 5F 7F 11 D5 0A 3A )                   //
.?_....:
  .ver 8:0:0:0
}
```

```
.assembly extern System
{
  .publickeytoken = (B7 7A 5C 56 19 34 E0 89 )                              //
.z\V.4..
  .ver 2:0:0:0
}
```

Assemblies enthalten auch Metadaten. Diese beschreiben die enthaltenen Typen, etwa Klassen, Strukturen und Interfaces. Sie enthalten auch Informationen über Methoden und Properties. Das Folgende ist ein verkürztes Listing der Metadaten für das Hello-World!-Programm Sie können die Metadaten im IL-Disassembler durch die Menü-auswahl von *Ansicht/MetaInformationen/Anzeigen* betrachten.

```
===========================================================================
ScopeName : Hello World.exe
MVID       : {FD6E34EB-79C8-4645-A04C-2A6AC2B363DA}
===========================================================================
Global functions
-------------------------------------------------------------------


Global fields
-------------------------------------------------------------------


Global MemberRefs
-------------------------------------------------------------------


TypeDef #1 (02000002)
-------------------------------------------------------------------
TypDefName: HelloWorld.My.MyApplication  (02000002)
Flags : [NotPublic] [AutoLayout] [Class] [AnsiClass]  (00000000)
Extends: 01000001 [TypeRef] . . .
ApplicationServices.ConsoleApplicationBase
Method #1 (06000001)
-------------------------------------------------------------------
MethodName: .ctor (06000001)
Flags: [Public] [ReuseSlot] [SpecialName] [RTSpecialName] [.ctor]
(00001806)
RVA: 0x00002108
ImplFlags: [IL] [Managed]  (00000000)
CallCnvntn: [DEFAULT]
hasThis
ReturnType: Void
No arguments.
CustomAttribute #1 (0c000001)
-------------------------------------------------------------------
CustomAttribute Type: 0a000004
CustomAttributeName: . . . instance void .ctor()
```

```
Length: 4
Value : 01 00 00 00                                              >           <
ctor args: ()



CustomAttribute #1 (0c000011)
---------------------------------------------------------------
   CustomAttribute Type: 0a000002
   CustomAttributeName: System.ComponentModel.EditorBrowsableAttribute . .

   . . .

CustomAttribute #2 (0c000012)
---------------------------------------------------------------
   CustomAttribute Type: 0a000003
   CustomAttributeName: System.CodeDom.Compiler.GeneratedCodeAttribute . .

   .

   Length: 23
   Value : 01 00 0a 4d 79 54 65 6d  70 6c 61 74 65 07 38 2e >    MyTemplate
8.<
               : 30 2e 30 2e 30 00 00 >  0.0.0  <
   ctor args: ("MyTemplate_8.0.0.0", "8.0.0.0")
```

Wie bereits in Kapitel 1 angesprochen, kommt eine EXE heraus, wenn Sie das Programm HelloWorld! kompilieren. Diese ist tatsächlich eine Assembly. Managed Assemblies werden durch Benutzung jeder verwalteten Sprache erzeugt, und in den meisten Fällen können verwaltete Assemblies auch von jeder anderen verwalteten Sprache verwendet werden. Daher können Sie sehr einfach komplexe Systeme erstellen, die in einer Vielzahl von Sprachen entwickelt wurden. Wenn Sie zum Beispiel einige maschinennahe Typen erstellen wollen, dürfte C++/CLI die natürlichste Sprache für diese Aufgabe sein. Aber es dürfte sinnvoller sein, das Benutzer-Interface der obersten Ebene mit VB zu gestalten.

5.3.1 Assembly-Management

In dem HelloWorld-Beispiel besteht die resultierende Assembly nur aus einer Datei. Assemblies können jedoch aus zahlreichen Dateien bestehen. Diese Dateien können kompilierte Module, Ressourcen und alle anderen Komponenten einschließen, die im Manifest der Assembly gelistet sind. Das Assembly-Manifest befindet sich typischerweise im Hauptmodul der Assembly. Es definiert, welche Teile zur Assembly gehören, und enthält wesentliche Informationen zur Identifikation, wie zum Beispiel die digitale Signatur des Produzenten. Durch die Benutzung dieser Information kann der Assembly-Lader unter anderem bestimmen, ob eine Assembly unvollständig ist oder manipuliert wurde.

Assemblies können intern auf zweierlei Weise bezeichnet werden, entweder stark oder teilweise. Eine Assembly mit starker Bezeichnung besitzt in ihrem Manifest einen eingebauten Hashcode, den der Lader dazu benutzen kann, die Integrität der Assembly zu prüfen. Assembly-Namen folgen dieser Konvention:

- *Stark (oder voll) bezeichnet*: Eine Assembly, die einen vierteiligen Namen hat, der aus dem Kurznamen der Assembly, einer Versionsnummer, einem Kulturidentifizierer im ISO-Format und einem Hash-Token besteht. Wenn eine Assembly einen Namen mit all diesen vier Teilen trägt, hat sie eine starke Bezeichnung.

- *Teilweise bezeichnet*: Eine Assembly, die nur den kurzen Assemblynamen und eine Versionsnummer besitzt.

Wenn ein VB-Programm gestartet wird, lädt die CLR die Assembly und beginnt damit, die Eintrittspunkt-Methode auszuführen. Bevor sie das tun kann, muss sie die Eintrittspunkt-Methode natürlich just-in-time kompilieren. In diesem Stadium kann es sein, dass die CLR einige externe Referenzen auflösen muss, um den Code just-in-time kompilieren zu können. Wenn Ihre Eintrittspunkt-Methode zum Beispiel eine Instanz einer Klasse in einer externen Assembly erzeugt, muss die CLR diese Assembly finden und laden, bevor der JIT-Compiler weitermachen kann. Die CLR lädt jedoch Assemblies bei Bedarf. Wenn Sie zum Beispiel einen Typ haben, der eine Methode für den Druck eines Dokuments liefert und sich diese in einer Assembly befindet, die von der Haupt-Assembly der Anwendung getrennt ist, wird diese separate Assembly nie geladen, wenn die Methode nie aufgerufen wird. Dies verhindert, dass der Arbeitsteil der Applikation größer als notwendig wird. Wenn eine Applikation entworfen wird, ist es sinnvoll, die weniger häufig benutzten Features in separate Assemblies auszulagern, so dass sie nur geladen werden, wenn sie gebraucht werden. Jedesmal, wenn Sie den arbeitenden Bestand der Applikation verschlanken, beschleunigen Sie die Startzeit und verringern Sie den Speicherbedarf der laufenden Anwendung.

5.3.2 Private Assemblies

Im Fall von `HelloWorld.exe` wird die Assembly als private Assembly aufgestellt. Private Assemblies müssen in ihrem Anwendungsverzeichnis platziert werden oder in einem Unterverzeichnis davon. Im Manifest sind für eine private Assembly nur der Name und die Versionsnummer notwendig. Das folgende Stück zeigt das abgekürzte Manifest für die HelloWorld-Assembly:

```
.assembly /*20000001*/ HelloWorld
{
. . .
  .hash algorithm 0x00008004
  .ver 1:0:0:0
}
```

Beachten Sie, dass im Vergleich zu externen Assemblies keine `publickeytoken`-Designation existiert und die Versionsnummer 1.0.0.0 ist. Diese Einträge werden nicht benötigt, weil die Assembly privat ist und die CLR die Version nicht braucht, um den Aufenthaltsort der Assembly zu ermitteln; sie nimmt einfach an, dass sie sich im aktuellen Anwendungsverzeichnis befindet. Um eine private Assembly aufzubauen, müssen Sie nur alle Dateien in ein Verzeichnis kopieren. Dies wird als XCopy-Deployment bezeichnet und wir empfehlen dieses Vorgehen für die meisten Ihrer Anwendungen.

5.3.3 Gemeinsam genutzte Assemblies und der globale Assembly-Cache

Eine gemeinsam genutzte Assembly enthält dieselben Elemente wie eine private Assembly mit dem Unterschied, dass eine einzige gemeinsam genutzte Assembly von anderen Applikationen auf demselben Rechner genutzt werden kann. Die Anwendung `HelloWorld` braucht zum Beispiel eine externe Assembly namens System, die in `System.dll` enthalten ist. Es wäre wenig sinnvoll, diese Datei in jedem Applikationsverzeichnis vorzuhalten, das sie benutzt, weswegen gemeinsam genutzte Assemblies an einem einheitlichen Ort positioniert sind. Gemeinsam genutzte Assemblies werden im Global Assembly Cache (GAC) gelagert.

Der GAC, typischerweise im Unterverzeichnnis `\windows\assembly` angesiedelt, ist ein gemeinsamer Bereich, wo .NET-Assemblies, die von vielen Anwendungen genutzt werden, gespeichert sind. Assemblies, die im GAC installiert sind, müssen eine starke Bezeichnung haben, und die gemeinsame Nutzung von Assemblies erlaubt es, mehrere Versionen derselben Assembly zu verwenden. Das Plug-in GAC Explorer zeigt die GAC-Verzeichnisstruktur im Browser an. Wenn Sie über die Kommandozeileneingabe in dasselbe Verzeichnis navigieren, sehen Sie die verschlüsselten Verzeichnisnamen, die der GAC benutzt, um die Assemblies zu speichern. Unterlassen Sie es, mit dieser Verzeichnisstruktur herumzuspielen. Bei Installation einer Assembly in den GAC ist das XCopy-Deployment nicht nutzbar, da Sie die Assembly in den GAC schieben müssen, wenn Sie Ihre Appliaktion installieren. Beachten Sie, dass jede Assembly einen Namen, eine Version, eine Kultur und ein Public-Key-Token besitzt.

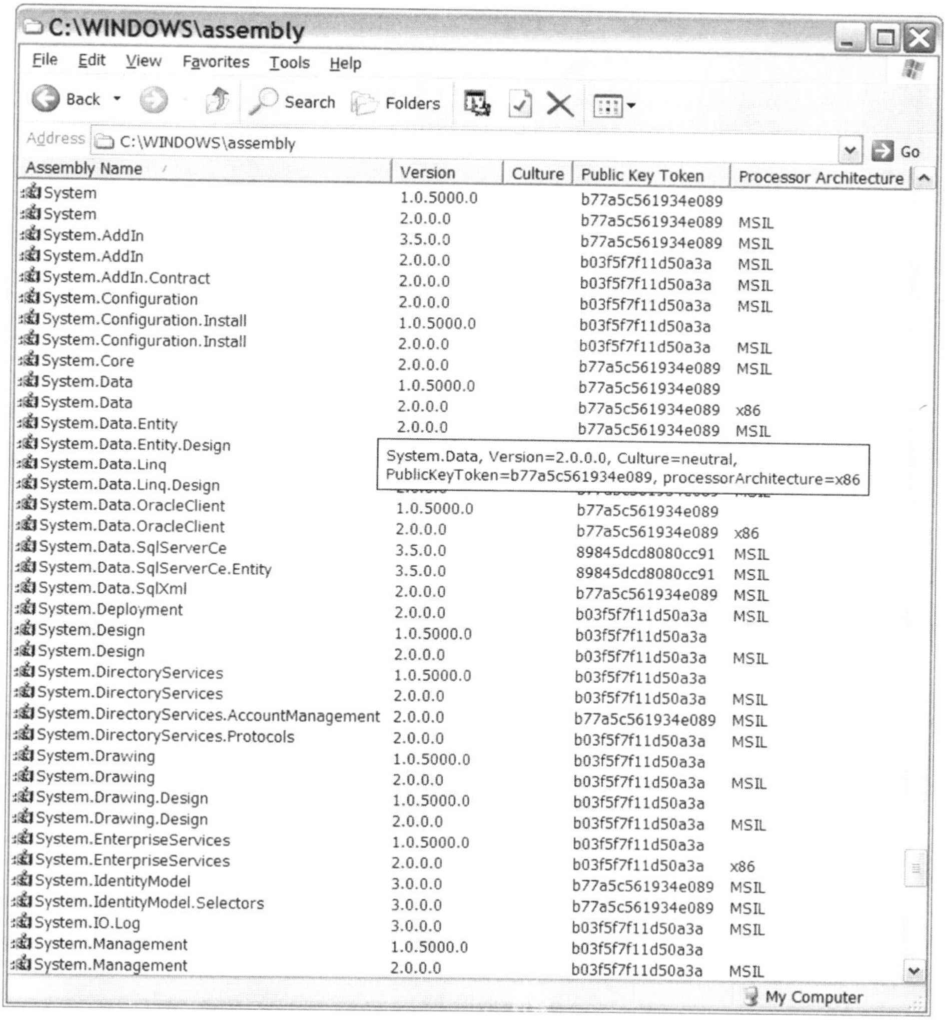

Assembly Name	Version	Culture	Public Key Token	Processor Architecture
System	1.0.5000.0		b77a5c561934e089	
System	2.0.0.0		b77a5c561934e089	MSIL
System.AddIn	3.5.0.0		b77a5c561934e089	MSIL
System.AddIn	2.0.0.0		b03f5f7f11d50a3a	MSIL
System.AddIn.Contract	2.0.0.0		b03f5f7f11d50a3a	MSIL
System.Configuration	2.0.0.0		b03f5f7f11d50a3a	MSIL
System.Configuration.Install	1.0.5000.0		b03f5f7f11d50a3a	
System.Configuration.Install	2.0.0.0		b03f5f7f11d50a3a	MSIL
System.Core	2.0.0.0		b77a5c561934e089	MSIL
System.Data	1.0.5000.0		b77a5c561934e089	
System.Data	2.0.0.0		b77a5c561934e089	x86
System.Data.Entity	2.0.0.0		b77a5c561934e089	MSIL
System.Data.Entity.Design				
System.Data.Linq				
System.Data.Linq.Design				
System.Data.OracleClient	1.0.5000.0		b77a5c561934e089	
System.Data.OracleClient	2.0.0.0		b77a5c561934e089	x86
System.Data.SqlServerCe	3.5.0.0		89845dcd8080cc91	MSIL
System.Data.SqlServerCe.Entity	3.5.0.0		89845dcd8080cc91	MSIL
System.Data.SqlXml	2.0.0.0		b77a5c561934e089	MSIL
System.Deployment	2.0.0.0		b03f5f7f11d50a3a	MSIL
System.Design	1.0.5000.0		b03f5f7f11d50a3a	
System.Design	2.0.0.0		b03f5f7f11d50a3a	MSIL
System.DirectoryServices	1.0.5000.0		b03f5f7f11d50a3a	
System.DirectoryServices	2.0.0.0		b03f5f7f11d50a3a	MSIL
System.DirectoryServices.AccountManagement	2.0.0.0		b77a5c561934e089	MSIL
System.DirectoryServices.Protocols	2.0.0.0		b03f5f7f11d50a3a	MSIL
System.Drawing	1.0.5000.0		b03f5f7f11d50a3a	
System.Drawing	2.0.0.0		b03f5f7f11d50a3a	MSIL
System.Drawing.Design	1.0.5000.0		b03f5f7f11d50a3a	
System.Drawing.Design	2.0.0.0		b03f5f7f11d50a3a	MSIL
System.EnterpriseServices	1.0.5000.0		b03f5f7f11d50a3a	
System.EnterpriseServices	2.0.0.0		b03f5f7f11d50a3a	x86
System.IdentityModel	3.0.0.0		b77a5c561934e089	MSIL
System.IdentityModel.Selectors	3.0.0.0		b77a5c561934e089	MSIL
System.IO.Log	3.0.0.0		b03f5f7f11d50a3a	MSIL
System.Management	1.0.5000.0		b03f5f7f11d50a3a	
System.Management	2.0.0.0		b03f5f7f11d50a3a	MSIL

Abbildung 5-2: Gemeinsam genutzte Assemblies lagern im GAC.

Wenn die Culture-Spalte einer Assembly leer bleibt, bedeutet dies, dass sie kulturneutral ist. Dies ist der Normalfall bei Assemblies, die nur Code enthalten. Wenn Sie Anwendungen entwickeln, die eine Lokalisierung erfordern, empfehlen wir, dass Sie alle Ressourcen isolieren, die leicht gegen eine andere Kultur ausgetauscht werden können, ohne den grundlegenden Code zu beeinflussen.

Um eine gemeinsam genutzte Assembly zu platzieren, benutzen Sie das Kommandozeilenwerkzeug `gacutil.exe`. Dieses Dienstprogramm wird verwendet, um Assemblies im GAC zu betrachten, zu installieren und zu deinstallieren. Die Tabelle 5-1 verwendet einige der Kommandozeileneinstellungen, die Sie mit gacutil.exe verwenden können:

Einstellung	Bedeutung
/i	Installiert die Assembly in den GAC.
/u	Entfernt die Assembly aus dem GAC, wenn keine anderen Referenzen darauf existieren.
/il	Benutzt eine Textdatei, die Assembly-Namen enthält, die installiert werden sollen.
/ul	Benutzt eine Texdatei, die Assembly-Namen enthält, die entfernt werden sollen.
/l	Zeigt eine Auflistung der installierten Assemblies an.

Tabelle 5-1: Befehlszeilen-Einstellungen für gacutil.exe

Tipp: Die Benutzung von Assemblies mit teilweisen Bezeichnern mit der Einstellung /u oder /ul kann dazu führen, dass eine Vielzahl von Assemblies entfernt wird.

5.3.4 Das Laden von Assemblies

Der Assembly-Lader durchläuft einen sehr detaillierten Prozess, das *Probing*, um eine Assembly zu laden. Der Lader versucht, eine Assembly anhand der exakten Versionsnummer im Manifest aufzuspüren und zu laden. Sie können den Lader jedoch anweisen, eine andere Version der Assembly zu laden, indem Sie dies in einer Konfigurationsdatei spezifizieren, wie der Application-Config-Datei, der Machine-Config-Datei, oder einer Policy-Datei des Publishers (eine Datei, die eine Applikation dazu anleitet, eine neuere Version einer Assembly zu verwenden). Der Lader sucht im Unterverzeichnis, das die gerade laufende Anwendung belegt, nach Assemblies mit Teilbezeichnern. Trägt eine Assembly einen starken Bezeichner, dann wird der Lader zunächst den GAC durchforsten, bevor er lokale Verzeichnisse sondiert.

Der Assembly-Lader folgt einem bestimmten Verfahren während seiner Sondierung, um die korrekte Assembly aufzufinden. Die Abfolge dieser Schritte ist sehr detailliert, und Sie können mehr darüber, wie die Laufzeitumgebung Assembies lädt, auf Microsofts Entwickler-Website finden (siehe Anhang A), aber hier skizzieren wir den Vorgang:

1. Die Laufzeitumgebung prüft zunächst alle Konfigurationsdateien auf die korrekte Version der Assembly, die geladen werden soll.

2. Wenn die Assembly bereits geladen wurde, wird die Laufzeitumgebung die geladene Assembly verwenden.

3. Der Lader prüft den GAC und lädt die Assembly, wenn er sie findet.

4. Die Laufzeitumgebung folgt nun gewissen Sondierungsregeln und sucht erst an dem Ort, der von einem `<codebase>`-Element in einer Konfigurationsdatei oder einer Publisher-Policy-Datei spezifiziert wurde. Der Lader versucht, die Datei

anhand des Ortes, des Assemblynamens, der Kulturinformation und der Versionsnummer zu finden

5. Wenn der Lader nach der Sondierung die Assembly nicht lokalisieren kann, gibt er
   eine Fehlermeldung aus.

Wenn Sie Ihre Applikation entwerfen, sollten Sie im Kopf behalten, dass ein Overhead
entsteht, wenn Assemblies lokalisiert und geladen werden. Das sollte gründlich bedacht
werden, wenn entschieden werden soll, wie viele Assemblies Sie erzeugen wollen. Wie
Sie sehen, spielt die Versionierung eine wichtige Rolle für die Ladezeit einer Assembly,
und alle Assemblies sind versioniert. Die Versionierung wurde von Beginn an in den
CLR-Lader eingebaut und beseitigt die Problematik, liebevoll DLL Hell genannt, die
auftritt, wenn eine gemeinsam genutzte DLL von einer neueren ersetzt wird, die aber
Anwendungen durcheinanderbringt, die die ältere Fassung benutzen. In der CLR
können viele Versionen derselben Assembly zugleich auf derselben Maschine existieren, ohne miteinander in Konflikt zu geraten. Mehr noch – Applikationen können
wählen, standardmäßig die aktuellste Version einer Assembly auf der Maschine zu
benutzen. Oder Sie können die exakte Version spezifizieren, indem Sie eine Versions-
Policy in den relevanten Konfigurationsdateien festlegen.

5.3.5 Sprachübergreifende Kompatibilität

Da Assemblies selbstbeschreibend sind und portablen IL-Code enthalten, lassen sie
sich sehr leicht über verschiedene Sprachen hinweg gemeinsam nutzen. Endlich gibt es
eine gangbare Lösung, um komplexe Systeme zu erstellen, bei denen Komponenten in
verschiedenen Sprachen geschrieben sind. In einem komplexen System, das für
Analysen im Ingenieurwesen eingesetzt wird, kann zum Beispiel eine Gruppe von VB-
Entwicklern die Systeminfrastruktur codieren und eine Gruppe von Ingenieuren die
mathematischen Komponenten entwickeln. Viele Ingenieure arbeiten immer noch in
Sprachen wie FORTRAN, und das ist möglich, weil es FORTRAN-Compiler gibt, die
IL ausgeben und verwaltete Assemblies erstellen. Daher kann jede Entwicklergruppe in
einer Sprache arbeiten, mit der sie natürlich umgehen kann und zu ihrem Problem-
bereich passt. Metadaten sind der Schlüssel zu sprachübergreifender Kompatibilität.
Das Metadaten-Format ist komplett in der Dokumentation des Ecma-Standards der
CLI beschrieben.

5.4 Metadaten

Alle verwalteten Module beschreiben sich selbst aufgrund der Verwendung von *Meta-*
daten. Metadaten sind ein erweiterbares Format für die Beschreibung des Inhalts von
Assemblies. In der verwalteten Welt kann beinahe jede Einheit in einem Programm mit
einem Typ Metadaten beigefügt haben, einschließlich Klassen, Interfaces, Methoden,
Parameter, Rückgabewerte, Assemblies und so weiter.

Sie definieren maßgeschneiderte Attribute durch Ableitung von der Klasse `System.`
`Attribute`. Dann können Sie sehr leicht fast jeder Entität Ihrer Assembly eine Instanz

Ihres Attributs zuordnen. Ihre Metadaten sind zur Laufzeit zugänglich. Zum Beispiel können Sie über alle Felder eines beliebigen Klassentyps iterieren, ohne seine Deklaration vorab oder zur Kompilierzeit kennen zu müssen.

In .NET folgen alle Assemblies demselben Metadaten-Format; Sie müssen sich nie Gedanken über Benutzerdateien machen, die auf Ihre Objekte zugreifen. Darüber hinaus bedeuten die Assembly-Struktur und die Manifeste, dass es keine Probleme mehr im Zusammenhang mit Registry-Einträgen und der Versionierung gibt, die vor .NET allgegenwärtig waren.

5.4.1 Reflexion

Mit Hilfe von Metadaten können Sie programmiertechnisch auf Typendefinitionen und die damit verknüpften Attribute zugreifen. Metadaten können Ihnen verraten, ob die Klasse eines bestimmten Objekts eine bestimmte Methode unterstützt, bevor versucht wird, sie aufzurufen, oder wenn eine bestimmte Klasse von einer anderen abgeleitet wird. Der Prozess, Metadaten einzusehen, wird *Reflexion* genannt. Klassen im Namensraum `System.Reflection` werden dazu benutzt, Informationen zur Laufzeit zu gewinnen. Typischerweise beginnen Sie mit einem Objekt vom Typ `System.Type`, wenn Sie über Typen in der Assembly reflektieren. Sobald Sie ein Typenobjekt haben, können Sie herausfinden, ob es sich dabei um eine Klasse, ein Interface, eine Struktur oder sonst etwas handelt, welche Methoden es besitzt sowie die Zahl und die Typern der Felder, die es besitzt.

5.5 Zusammenfassung

In diesem Kapitel haben wir die wesentlichen Aspekte behandelt, wie ein Programm in VB kompiliert, verpackt und ausgeführt wird. Wir haben uns angesehen, wie Ihr VB-Code in IL umgewandelt und dann bei Bedarf von JIP-Compiler kompiliert wird. Eine der Anforderungen an JIT-Kompilierung ist ein ausdrucksstarker und erweiterbarer Mechanismus, den der Compiler verstehen kann – daher haben wir Assemblies.

Indem IL in Assemblies gepackt wird, die sich selbst dokumentieren, verfügen die CLR und der JIT-Compiler über alle Informationen, die sie brauchen, um die Codeausführung verwalten zu können. Private Assemblies machen es möglich, mehrere Versionen des Codes laufen zu lassen, ohne sich Gedanken über Registrierungseinträge machen zu müssen, und gemeinsam genutzte Assemblies stellen die Fähigkeit zur Verfügung, auf die Funktionalität einer einzigen Assembly von zahlreichen Anwendungen aus zugreifen zu können.

Im nächsten Kapitel tauchen wir in das wichtige Thema der Interface-basierten oder auch kontraktbasierten Programmierung ein.

6 Interfaces

Ein Interface stellt einen *Kontrakt* zwischen verschiedenen Komponenten dar. Ein Kontrakt, der auf einen Datentyp angewandt wird, erlegt diesem Typ eine Reihe von Anforderungen auf. Typischerweise bedeutet dies einen Satz von Methoden und Properties, den jeder Typ, der dieses Interface implementiert, zur Verfügung stellen muss. Über Interfaces können Sie die Definition Ihrer Objekte von deren Implementation trennen. Interfaces machen es darüber hinaus leichter, Ihren Typen Funktionalität hinzuzufügen, während gleichzeitig Kompatibilitätsprobleme mit existierendem Client-Code verringert werden.

Interfaces stellen jedoch nicht nur Kontrakte zur Verfügung. Da Visual Basic die Vererbung von vielfachen Typen nicht unterstützt, den Typen aber erlaubt, mehrere Interfaces zu implementieren, werden Interfaces zu einer Grundlage für die Verwendung von Polymorphie in der Programmierung.

6.1 Interfaces sind Referenztypen

Ein Interface definiert einen Referenztyp. Allerdings können Interfaces anders als Klassen nicht instanziert werden. Klassen und Strukturen *implementieren* Interfaces – das heißt, sie definieren die Methoden und anderen Glieder, die dem Kontrakt Form geben, der durch das Interface definiert wurde. Variablen, die als Interface-Typ definiert werden, können eine Referenz zu jedem Objekt unterhalten, welches das Interface implementiert.

Sehen wir uns ein etwas künstliches, aber trotzdem typisches Muster an:

```
Public Interface IUIControl
    Sub Paint()
End Interface

Public Class Button
    Implements IUIControl

    Public Sub Paint() Implements IUIControl.Paint
        'Male den Button
    End Sub
End Class

Public Class ListBox
    Implements IUIControl
```

```
    Public Sub Paint() Implements IUIControl.Paint
        'Male die Listbox
    End Sub
End Class
```

Dieses Beispiel deklariert ein Interface mit dem Namen IUIControl, das einfach eine Methode darlegt, nämlich Paint. Dieses Interface definiert einen Kontrakt, der festschreibt, dass jeder Typ, der dieses Interface implementiert, die Methode Paint implementieren muss.

Da die Klassen ListBox und Button das Interface implementieren, können Sie beide als den Typ IUIControl behandeln. Sie können jede Instanz von Button oder ListBox in einer Variablen speichern, die als IUIControl deklariert wird. Die Referenzen zu Objekten dieser Klassentypen sind implizit in den Typ IUIControl konvertierbar. Um jedoch eine Referenz auf IUIControl zurück in eine Referenz auf ListBox oder Button umzuwandeln, ist eine explizite Konvertierung nötig. Und dieser Zwang wird scheitern, wenn das Objekt, auf das die IUIControl-Referenz zeigt, nicht der Typ ist, der von der Konvertierung spezifiziert wurde.

Überlegen Sie sich zuletzt, die Methoden gemäß der Tätigkeit, die sie ausführen, und dem Ziel, auf das die Tätigkeit gerichtet ist, zu benennen. Stellen wir uns vor, die Methode IUIControl.Paint übernimmt ein Objekt von Typ Graphics als Parameter und sagt ihm, wo es sich abbilden soll. Der Code ist besser lesbar, wenn die Methode IUIControl.PaintSelfTo() genannt wird. Auf diese Weise liest sich der Methodenaufruf eher wie eine Aufforderung in gesprochener Sprache – ein Methodenaufruf namens control.PaintSelfTo(myGraphicsObject) sagt gewissermaßen nichts anderes als: »control, bitte male dich selbst auf myGraphicsObject.«

6.2   Interfaces definieren

Die Deklarationen von Interfaces ähneln denen von Klassen, aber Interfaces können keine Felder deklarieren. Außerdem können sie zwar andere Glieder deklarieren, aber nicht implementieren. Nehmen wir den folgenden Code:

```
Interface IUIControl
    Sub Paint()
End Interface
```

IUIControl hat hier nur ein Glied, nämlich die Methode Paint, und es benutzt nur eine Sub-Anweisung, um sie zu deklarieren – ohne einen Methodenblock oder eine End Sub-Anweisung zu liefern.

Interfaces weisen wie Klassen standardmäßig den Zugangsmodifikator Friend auf, aber Sie können sie auch als Public deklarieren. Innerhalb von Klassen, Modulen, Interfaces und Strukturen sind sie standardmäßig Public, aber sie können auch Friend, Protected oder Private sein. Die Glieder eines Interfaces sind implizit Public und dürfen keine Zugangsmodifizierer haben.

Tipp: Die Namen von Interfaces beginnen für gewöhnlich immer mit einem großen I.

Schreiben wir einmal ein triviales Interface, um ein wenig damit vertraut zu werden, wie Interfaces deklariert und gebraucht werden:

```
Interface ITrivial
End Interface

Class A
    Implements ITrivial
End Class


Class B
    Implements ITrivial
End Class

Public Class EntryPoint
    Shared Sub Main()
        Dim ca As ITrivial = New A
        Dim cb As ITrivial = New B
    End Sub
End Class
```

ITrivial ist so trivial, wie ein Interface überhaupt nur sein kann. Sowohl Class A als auch Class B implementieren es, aber auf ganz simple Weise, denn das Interface hat keine Glieder, die die Klassen implementieren könnten. Durch die Implementierung von ITrivial können Sie jedoch Instanzen von Class A und Class B in ITrivial-Variablen speichern. Das ist ein Beispiel dafür, wie Interfaces Polymorphie unterstützen. Schreiben wir nun ein weniger triviales Interface und sehen uns an, wie Interfaces Klassenmitglieder implementieren:

```
Interface INonTrivial
    Sub SomeMethod()
End Interface

Class A
    Implements INonTrivial

    Public Sub SomeMethod() Implements INonTrivial.SomeMethod
        Console.WriteLine("Class A doing something.")
    End Sub
End Class

Class B
    Implements INonTrivial
```

```
    Public Sub SomeMethod() Implements INonTrivial.SomeMethod
        Console.WriteLine("Class B doing something.")
    End Sub
End Class

Public Class EntryPoint
    Shared Sub Main()
        Dim ca As INonTrivial = New A
        ca.SomeMethod()
        Dim cb As INonTrivial = New B
        cb.SomeMethod()
    End Sub
End Class
```

Im Folgenden sehen wir das Ergebnis dieses Programms:

```
Class A doing something.
Class B doing something.
```

In diesem Beispiel implementiert jede Klasse die Methode `SomeMethod()` von `INonTrivial`, um einen anderen String auszugeben. Jede Klasse benutzt die `Implements`-Anweisung

```
Implements INonTrivial
```

um zu spezifizieren, dass sie das Interface `INonTrivial` implementiert. Und jede Klasse benutzt den `Implements`-Gliedsatz

```
Public Sub SomeMethod() Implements INonTrivial.SomeMethod
```

um das Glied des Interfaces zu spezifizieren, das implementiert wird. VBs Zuordnung der Deklarationen prüft diesen Interface-Kontrakt über `Implements INonTrivial.SomeMethod`, und da die Signaturen zusammenpassen, können Sie einen Methodennamen Ihrer Wahl verwenden.

Während Sie Interfaces ohne Glieder verwenden können, ist es dennoch empfehlenswert, Attribute zu benutzen, die darauf hinweisen, dass die Typen ein bestimmtes Feature unterstützen, das allerdings nicht unbedingt implementiert werden muss. Auf der anderen Seite sind Interfaces sehr gebräuchlich, die nur eine Methode besitzen. Und auch viele wichtige Interfaces der .NET Base Class Library (BCL) wie `ICloneable`, `IComparable`, `IDisposable` und `IFormattable`, besitzen nur eine einzige Methode als Glied.

6.2.1 Was kann in einem Interface stehen?

Interfaces können Methoden, Properties, Events und verschachtelte Typen (Interfaces, Klassen und Strukturen) als Glieder besitzen. Interfaces können von einem oder von mehreren Interfaces erben. Hier ein kleines Beispiel der Dinge, die Sie in einem Interface deklarieren können:

```
Public Interface IMyDatabase
    'Erbt von zwei anderen Interfaces
    Inherits IDisposable, ICloneable

    'Methode ohne Rückgabetyp
    Sub Insert(ByVal element As Object)

    'Methode mit Rückgabetyp
    Function Retrieve(ByVal element As Object) As Object

    'Property
    Property Count() As Integer

    'Event
    Event DBEvent()
End Interface
```

In diesem Beispiel deklariert `IMyDatabase` zwei Methoden, eine Property und einen Event. Alle davon müssen von jedem Typ implementiert werden, der das Interface implementiert. Daher muss jeder Typ, der `IMyDatabase` implementiert, auch die Methode `Dispose` von `IDisposable` und die Methode `Clone` von `ICloneable` implementieren.

6.2.2 Vererbung mit Interfaces

Wie schon erwähnt, unterstützen Interfaces die Vererbung von mehreren Interfaces im syntaktischen Sinn, so wie im folgenden Code:

```
Public Interface IEditBox
    Sub Edit()
End Interface

Public Interface IDropList
    Sub DropDown()
End Interface

Public Interface IUIControl
    Inherits IEditBox, IDropList

    Sub Paint()
```

```
End Interface

Public Class ComboBox
   Implements IUIControl

   Sub Edit() Implements IUIControl.Edit
      'Edit
   End Sub

   Sub DropDown() Implements IUIControl.DropDown
      'Drop down
   End Sub

   Sub Paint() Implements IUIControl.Paint
      'Paint
   End Sub
End Class
```

In diesem Beispiel erbt IUIControl von zwei Interfaces, nämlich IEditBox und IDropList. Die Klasse ComboBox deklariert zwar, dass sie nur IUIControl implementiert. Sie muss aber trotzdem alle Methoden der Interfaces implementieren, von denen IUIControl erbt.

6.2.3 Implementierung mehrfacher Interfaces

Klassen können auch mehrfache Interfaces implementieren, wie das folgende Beispiel zeigt:

```
Public Interface IUIControl
   Sub Paint()
End Interface

Public Interface IEditBox
   Inherits IUIControl

   Sub Edit()
End Interface

Public Interface IDropList
   Inherits IUIControl

   Sub DropDown()
End Interface

Public Class ComboBox
   Implements IEditBox, IDropList
```

```
    Sub Edit() Implements IEditBox.Edit
        'Implementierung von Edit
    End Sub

    Sub DropDown() Implements IDropList.DropDown
        'Implementierung von Drop down
    End Sub

    Public Sub Paint() Implements IDropList.Paint
        'Implementierung von Paint
    End Sub
End Class
```

In diesem Beispiel implementiert die Klasse `ComboBox` die Interfaces `IEditBox` und `IDropList`, und alle erben `Paint()` von `IUIControl`. Da die Klasse `ComboBox` beide Interfaces implementiert, muss sie alle enthaltenen Methoden implementieren und zusätzlich noch die Methode `Paint`, die sie erbt. Beachten Sie, dass, obwohl `IEditBox` und `IDropList` die Methode `Paint()` von `IUIControl` erben, `ComboBox` sie nur einmal implementieren muss. Sie hätte dazu entweder

```
Sub Paint() Implements IEditBox.Paint
```

oder

```
Sub Paint() Implements IUIControl.Paint
```

benutzen können. Da `ComboBox` nur eine Implementierung der Methode `Paint` aufweist, würde Folgendes passieren, wenn Sie eine Instanz von `ComboBox` in eine Variable von `IEditBox` oder `IDropList` umwandeln müssten: Der Aufruf von `Paint()` mit einer der beiden Variablen würde dieselbe Implementierung aufrufen.

6.2.4 Verbergen von Gliedern von Interfaces

Manchmal – obwohl selten – müssen Sie in einem Interface eine Methode deklarieren, die eine Methode in einem geerbten Interface verbirgt. Um dies zu tun, benutzen Sie den Modifizierer `Overloads`. Wenn zum Beispiel `IDropList` eine eigene Version von `Paint()` benötigt, werden Sie `IDropList` und `ComboBox` wie folgt ändern müssen:

```
Public Interface IUIControl
    Sub Paint()
End Interface

Public Interface IEditBox
    Inherits IUIControl

    Sub Edit()
End Interface
```

```
Public Interface IDropList
    Inherits IUIControl

    Overloads Sub Paint()

    Sub DropDown()
End Interface

Public Class ComboBox
    Implements IEditBox, IDropList

    Sub Edit() Implements IEditBox.Edit
        'Edit implementation
    End Sub

    Sub DropDown() Implements IDropList.DropDown
        'Drop down implementation
    End Sub

    Public Sub Paint() Implements IEditBox.Paint
        'Paint implementation
    End Sub

    Public Sub DropPaint() Implements IDropList.Paint
        'Paint DropList
    End Sub
End Class
```

In diesem Beispiel ist `Overloads Sub Paint()` zu `IDropList` hinzugefügt worden. Dies erlaubt es, die `Paint`-Methode, die von `IUIControl` geerbt wurde, zu verbergen. Als Nächstes wird die neue Methode `Paint()` über die Methode `DropPaint` in `ComboBox` implementiert. `IUIControl.Paint` muss nach wie vor implementiert werden, da die Methode ein Teil von `IEditBox` ist; hier hätten entweder `IUIControl` oder `IEditBox` als Kennzeichner verwendet werden können.

6.3   Interfaces in Strukturen implementieren

Interfaces werden typischerweise in einer Klasse implementiert. Es ist aber gleichwohl möglich, sie in Strukturen zu implementieren. Definieren wir zwei Strukturen, die Integer- und Double-Zahlen repräsentieren und geben wir ihnen ein Interface, das garantiert, dass Sie sie mit einem ganzzahligen Exponenten potenzieren können:

```
Public Interface IPowerable
  Function RaiseToN(ByVal n As Integer)
End Interface
```

```vbnet
Public Structure AnInteger
    Implements IPowerable

    Public i As Integer

    Public Sub New(ByVal value As Integer)
        Me.i = value
    End Sub

    Public Function RaiseToN(ByVal n As Integer) As Object _
        Implements IPowerable.RaiseToN

        Return i ^ n
    End Function
End Structure

Public Structure ADouble
    Implements IPowerable

    Public d As Double

    Public Sub New(ByVal value As Double)
        Me.d = value
    End Sub

    Public Function RaiseToN(ByVal n As Integer) As Object _
        Implements IPowerable.RaiseToN

        Return d ^ n
    End Function
End Structure

Public Class EntryPoint
    Shared Sub main()
        Dim i As AnInteger = New AnInteger(2)
        Dim d As ADouble = New ADouble(2.1)

        Console.WriteLine(i.i & " cubed is " & i.RaiseToN(3))
        Console.WriteLine(d.d & " squared is " & d.RaiseToN(2))
    End Sub
End Class
```

Der Code zeigt die folgenden Ergebnisse an:

```
2 cubed is 8
2.1 squared is 4.41
```

In dem Beispiel implementieren sowohl `AnInteger` und `ADouble` das Interface `IPowerable`. Da `IPowerable` eine Implementation der Methode `RaiseToN()` voraussetzt, weisen beide Klassen diese auf. Zuletzt enthält `main()` zwei Aufrufe von `RaiseToN()`, und zwar je einen für jede erzeugte Objektinstanz.

6.3.1 Nebeneffekte bei der Implementierung von Interfaces durch Werttypen

Wie Sie gesehen haben, können Strukturen Interfaces ebenfalls implementieren. Strukturen sind jedoch Werttypen, keine Referenztypen. Das bedeutet, dass Boxing auftritt, wenn Sie einen Werttyp in einen Interfacetyp oder umgekehrt verwandeln. Wenn Sie zudem den Wert über die Referenz des Interfaces verändern, modifizieren Sie die verpackte Kopie und nicht das Original.

Um das Beispiel etwas zu vertiefen, betrachten Sie den primitiven Typ `Integer`, der in Wirklichkeit den Werttyp `System.Int32` darstellt. Das ist einer der grundlegendsten Typen der Common Language Runtime (CLR). Sie haben vielleicht bereits festgestellt, dass dieser Typ verschiedene Interfaces implementiert: `IComparable`, `IFormattable`, `IConvertible`, `IComparable(of Integer)`, und `IEquatable(Of Integer)`. `IConvertible` hat 17 Methoden; allerdings ist keine davon Teil des öffentlichen Kontrakts von `System.Int32`. Wenn Sie eine der Methoden von `IConvertible` aufrufen wollen, müssen Sie zuerst den Werttyp `Int32` in einen `IConvertible`-Typ wandeln. Da aber diese Interface-Variablen sämtlich Referenztypen sind, bedeutet dies, dass der Werttyp `Int32` geboxt wird.

6.4 Generics mit Interfaces benutzen

Wir werden das Thema Generics erst im Kapitel 12 behandeln, weil es sehr viel einfacher ist, darüber zu reden, wenn Sie schon etwas mehr über VB wissen. Hier zeigen wir aber ein paar einfache Beispiele, um die Möglichkeiten anzudeuten.

6.4.1 Ein generisches Interface benutzen

Interfaces können generisch sein – das heißt, sie können einen oder mehrere *Typparameter* zur Verfügung stellen, die mit *Typargumenten* verwendet werden, wenn das Interface benutzt wird. Sehen Sie sich dieses Beispiel an:

```
Option Strict Off

Interface IGeneric(Of T)
    Sub SomeMethod(ByVal x As T)
End Interface

Class A
    Implements IGeneric(Of Integer)
```

```
    Public Sub SomeMethod(ByVal x As Integer) _
        Implements IGeneric(Of Integer).SomeMethod

            Console.WriteLine("A.SomeMethod received " + x.ToString())
        End Sub
End Class


Class B
    Implements IGeneric(Of Double)

    Public Sub SomeMethod(ByVal x As Double) _
        Implements IGeneric(Of Double).SomeMethod

            Console.WriteLine("B.SomeMethod received " + x.ToString())
        End Sub
End Class

Public Class EntryPoint
    Shared Sub Main()
        Dim ca As IGeneric(Of Integer) = New A()
        Dim cb As IGeneric(Of Double) = New B()

        ca.SomeMethod(123.456)
        cb.SomeMethod(123.456)
    End Sub
End Class
```

Der Code gibt die folgenden Werte aus:

```
A.SomeMethod received 123
B.SomeMethod received 123.456
```

In diesem Beispiel benutzt das Interface `IGeneric(Of T)` einen Typparameter, T, im Interface selbst und in seiner Methode. `Class A` implementiert schließlich `IGeneric` als `Integer`, und der Parametertyp `SomeMethod` wird zu einem `Integer`. In `Class B` werden diese als `Double` implementiert. Da `Option Strict` auf `Off` steht, wird beim Aufruf von `A.SomeMethod` die Zahl `123.456` implizit konvertiert, so dass ein `Double`-Wert an eine `Integer`-Methode übergeben werden kann.

6.4.2 Eine generische Methode in einem Interface benutzen

Interfaces müssen nicht generisch sein, um generische Glieder haben zu können. Sehen wir uns dieses Beispiel an:

```
Option Strict On

Interface INonGeneric
    Sub SomeMethod(Of T)(ByVal x As T)
End Interface

Class A
    Implements INonGeneric

    Public Sub SomeMethod(Of T)(ByVal x As T) _
        Implements INonGeneric.SomeMethod


        Console.WriteLine("A.SomeMethod received " + x.ToString())
    End Sub
End Class

Public Class EntryPoint
    Shared Sub Main()
        Dim ca As INonGeneric = New A()

        ca.SomeMethod(123.456)
        ca.SomeMethod("123 point 456")
    End Sub
End Class
```

Dieses Beispiel gibt die folgenden Ergebnisse aus:

```
A.SomeMethod received 123.456
A.SomeMethod received 123 point 456
```

In dem voranstehenden Beispiel ist das Interface `INonGeneric` nicht generisch, wohl aber die Methode `SomeMethod(Of T)`, und anders als die frühere Methode `IGeneric.SomeMethod` ist sie nicht auf einen bestimmten Typen für eine spezifische Implementationsklasse beschränkt. Dieses Beispiel nutzt `Option Strict On`, um die möglichen impliziten Konvertierungen zu begrenzen und zu beweisen, dass ganz verschiedene Typen als Argumente akzeptiert werden können.

6.5 Kontrakte

Sie definieren einen Kontrakt normalerweise, um die Kommunikation zwischen zwei Typen in Ihrem Entwurf zu erleichtern. Nehmen wir an, Sie haben einen virtuellen Zoo, und in diesem Zoo haben Sie Tiere. Nun muss eine Instanz von ZooKeeper einen Weg finden, um mit der Ansammlung der ZooDweller-Objekte zu kommunizieren, dass sie zu einem bestimmten Ort fliegen sollen. Jedoch können nicht alle Tiere fliegen, also können nicht alle Typen im Zoo diesen Kontrakt erfüllen.

6.5.1 Kontrakte mit Klassen implementieren

Betrachten wir einen Weg, die Komplexität in den Griff zu bekommen, sodass diese Kreaturen von einem Ort zum nächsten fliegen können. Betrachten wir zunächst die Annahmen, die Sie machen können. Sagen wir, dass dieser Zoo nur einen ZooKeeper hat. Lassen Sie uns zweitens annehmen, dass Sie die Örtlichkeiten innerhalb des Zoos mit einer einfachen zweidimensionalen Point-Struktur modellieren können. Demnach sieht es aus, als ob Sie dieses System mit dem folgenden Code modellieren könnten:

```
Imports System.Collections.ObjectModel

Namespace CityOfShanoo.MyZoo
    Public Structure Point
        Public x As Double
        Public y As Double
    End Structure

    Public MustInherit Class ZooDweller
        Sub EatSomeFood()
            EatTheFood()
        End Sub

        Protected MustOverride Sub EatTheFood()
    End Class

    Public NotInheritable Class ZooKeeper
        Public Sub SendFlyCommand(ByVal dest As Point)
            'Get creatures to fly
        End Sub
    End Class

    Public NotInheritable Class Zoo
        Private Shared instance As Zoo = New Zoo()
        Private keeper As ZooKeeper
        Private creatures As Collection(Of ZooDweller)

        Private Sub New()
```

```
            creatures = New Collection(Of ZooDweller)()
            keeper = New ZooKeeper()
        End Sub

        Public Shared ReadOnly Property TheZoo() As Zoo
            Get
                Return instance
            End Get
        End Property

        Public ReadOnly Property TheKeeper() As ZooKeeper
            Get
                Return keeper
            End Get
        End Property
    End Class
End Namespace
```

Da es nur einen Zoo in der `CityofShanoo` geben kann, wird der Zoo als ein Singleton-Objekt modelliert. Der einzige Weg, die Instanz des einzigen `Zoo` zu bekommen, führt über das Property `Zoo.TheZoo`. Sie können eine Referenz auf `ZooKeeper` über das Property `Zoo.TheKeeper` erhalten.

Tipp: Das Singleton-Entwurfsmuster ist eines der bekanntesten und am häufigsten gebrauchten Entwurfsmuster. Generell erlaubt dieses Muster, dass zu einer gegebenen Zeit nur eine Instanz eines Typs existiert. Viele streiten sich darüber, wie man das Muster am besten implementiert, aber generell wird eine `Private Shared`-Variable innerhalb des Typs selbst träge als einzige Instanz an dem Punkt des ersten Zugangs initialisiert. Die Klasse `Zoo` erledigt das, da ihr Konstruktor `Private` ist, und die einzige Instanz, die je erzeugt wird, in der Variablen `Instance` gespeichert und initialisiert wird, wenn die Klasse zum ersten Mal geladen wird.

Das anfängliche Design definiert `ZooDweller` als eine `MustInherit`-Klasse, die eine Methode implementiert, `EatSomeFood`. Diese ruft wiederum eine `MustOverride`-Methode namens `EatTheFood` auf (Dies ist ein Beispiel für das Non-Virtual Interface (NVI), das wir in Kapitel 14 beschreiben).

Die Klasse ZooDweller definiert in der Tat einen Kontrakt, obwohl sie kein Interface ist. Der Kontrakt besagt, dass jede Klasse, die von `ZooDweller` erbt, `EatSomeFood()` implementieren muss. Jeder Code, der eine Instanz von `ZooDweller` benutzt, garantiert damit, dass diese Methode unterstützt wird.

Tipp: Ein Interface ist keine Voraussetzung, um einen Kontrakt zu definieren.

Bis jetzt fehlt diesem Entwurf eine wichtige Operation, und zwar jene, die den Kreaturen befiehlt, zu einem Ziel innerhalb des Zoos zu fliegen. Natürlich können Sie der

Klasse `ZooDweller` nicht einfach eine `Fly`-Methode hinzufügen, weil nicht alle Tiere fliegen können. Sie müssen diesen Kontrakt auf andere Weise ausdrücken. Ein bewährter Weg, dies in einer Klasse zu modellieren, ist es, ein `Boolean`-Property zu erstellen, etwa `CanFly`, um dies als Zeichen zu benutzen, das anzeigt, ob der `ZooDweller` fliegen kann.

6.5.2 Kontrakte mit Interfaces implementieren

Interfaces bieten einen exzellenten Mechanismus, um unseren Kontrakt zu definieren. Das folgende Beispiel implementiert ein `IFly`-Interface:

```
Public Interface IFly
    Sub FlyTo(ByVal dest As Point)
End Interface

Public Class Bird
    Inherits ZooDweller
    Implements IFly

    Protected Overrides Sub EatTheFood()
        Console.WriteLine( "Eating some food." )
    End Sub


    Public Sub Fly(ByVal dest As Point) Implements IFly.FlyTo
        Console.WriteLine( _
            "Flying to ({0}. {1}).", dest)
    End Sub
End Class
```

Indem sie das Interface `IFly` benutzt, wird die Klasse `Bird` so definiert, dass sie sich von `ZooDweller` ableitet und `IFly` implementiert.

6.6 Zwischen Klassen und Interfaces wählen

Sie können einen Kontrakt über Klassen oder Interfaces implementieren und im Zoo-Beispiel wird ziemlich klar, wann Sie ein Interface anstelle einer Klasse nehmen sollten, um den Kontrakt zu definieren. Die Wahl ist allerdings nicht immer so klar, weswegen wir einige relevante Punkte betrachten sollten.

Wenn Sie einen Kontrakt über ein Interface implementieren, definieren Sie einen versionierten Kontrakt. Das bedeutet, dass das Interface, sobald es freigegeben ist, sich nie ändern darf, ganz so, als wäre es in Stein gehauen. Natürlich könnten Sie es später ändern, aber es wäre sicher nicht sehr populär, wenn der Code all Ihrer Kunden mit dem modifizierten Interface nicht mehr kompilieren würde. Betrachten Sie das folgende Beispiel:

```
Public Interface IMyOperations
    Sub Operation1()
    Sub Operation2()
End Interface

Public Class ClientClass
    Implements IMyOperations

    Public Sub Operation1() Implements IMyOperations.Operation1
        'Führe op 1 aus
    End Sub

    Public Sub Operation2() Implements IMyOperations.Operation2
        'Führe op 2 aus
    End Sub
End Class
```

Nun haben Sie das Interface IMyOperations in die Welt entlassen, und Tausende von Kunden haben es implementiert. Dann erhalten Sie Anfragen von Ihren Kunden, die die Unterstützung von Operation3() in ihrer Bibliothek erbitten. Es sieht auf den ersten Blick ja ganz einfach aus, eine Methode Operation3 in das Interface IMyOperations einzufügen, aber plötzlich kompiliert der Code Ihrer Kunden nicht mehr, bis sie auch die neue Operation implementieren. Darüber hinaus könnte Code in einer anderen Assembly, der die neue Klasse IMyOperations kennt, versuchen, eine Instanz von ClientClass in eine Referenz auf IMyOperations zu verwandeln und dann Operation3() aufzurufen, was in einem Laufzeitfehler enden würde.

Vorsicht: Wir empfehlen Ihnen nachdrücklich, ein einmal veröffentlichtes Interface nicht mehr zu ändern.

Sie könnten dieses Problem angehen, indem Sie ein völlig neues Interface, zum Beispiel IMyOperations2, definieren. ClientClass würde jedoch beide Interfaces implementieren müssen, um das neue Verhalten übernehmen zu können, wie wir hier zeigen:

```
Public Interface IMyOperations
    Sub Operation1()
    Sub Operation2()
End Interface

Public Interface IMyOperations2
    Sub Operation1()
    Sub Operation2()
    Sub Operation3()
End Interface
```

```
Public Class ClientClass
    Implements IMyOperations, IMyOperations2

    Public Sub Operation1() Implements IMyOperations.Operation1
        ' Führe op 1 aus
    End Sub

    Public Sub Operation2() Implements IMyOperations.Operation2
        ' Führe op 2 aus
    End Sub

    Public Sub Operation21() Implements IMyOperations2.Operation1
        ' Führe op 2.1 aus
    End Sub

    Public Sub Operation22() Implements IMyOperations2.Operation2
        ' Führe op 2.2 aus
    End Sub

    Public Sub Operation3() Implements IMyOperations2.Operation3
        ' Führe op 2.3 aus
    End Sub
End Class

Public Class AnotherClass
    Public Sub DoWork(ByVal ops As IMyOperations)
        ' Führe Operationen aus
    End Sub
End Class
```

ClientClass so zu modifizieren, dass sie die neue Operation aus IMyOperations2 unterstützt, ist nicht furchtbar schwierig, aber was machen wir mit dem Code, der bereits existiert, wie etwa der Methode DoWork in AnotherClass? Das Problem liegt darin, dass DoWork() ein Argument vom Typ IMyoperations akzeptiert. Um die neue Operation3() verfügbar zu machen, muss der DoWork()-Parameter geändert werden, oder der Code darin muss das Argument in IMyOperations2 umwandeln, was zur Laufzeit fehlschlagen könnte. Da Sie ja möchten, dass der Compiler so viele Fehler wie möglich abfängt, wäre es besser, wenn Sie DoWork() dahingehend ändern, dass es einen Typ von IMyOperations2 akzeptiert.

> **Tipp:** Wenn Sie das ursprüngliche Interface `IMyOperations` innerhalb einer voll versionierten und mit einem starken Bezeichner ausgestatteten Assembly definieren, dann kommen Sie damit durch, ein neues Interface mit demselben Namen in einer neuen Assembly zu erstellen, solange die Version der neuen Assembly sich von der alten unterscheidet. Obwohl .NET dies explizit unterstützt, bedeutet dies nicht, dass Sie dies ohne sorgfältige Überlegung tun sollten, denn zwei Interfaces mit dem Namen IMyOperations, die sich nur in der Versionsnummer unterscheiden, könnten Ihre Kunden irritieren.

Das war ziemlich viel Arbeit, nur um Ihren Kunden eine neue Operation zugänglich zu machen. Prüfen wir dieselbe Situation, allerdings benutzen wir dieses Mal eine `MustInherit`-Klasse:

```
Public MustInherit Class MyOperations
   Public MustOverride Sub Operation1()
   Public MustOverride Sub Operation2()
End Class

Public Class ClientClass
   Inherits MyOperations

   Public Overrides Sub Operation1()
      ' Führe op 1 durch
   End Sub

   Public Overrides Sub Operation2()
      ' Führe op 2 durch
   End Sub
End Class

Public Class AnotherClass
   Public Sub DoWork(ByVal ops As MyOperations)
      ' Führe Operationen durch
   End Sub
End Class
```

`MyOperations` ist die Basisklasse von `ClientClass`. Ein Vorteil ist hier, dass `MyOperations` Standardimplementationen enthalten kann, obwohl das hier nicht der Fall ist. Stellen Sie sich vor, Sie wollen eine neue `Operation3`-Methode zu `MyOperations` hinzufügen, und Sie wollen existierenden Client-Code nicht auseinanderreißen. Sie können das tun, solange die hinzugefügte Operation nicht vom Typ `MustOverride` ist und damit Änderungen bei den abgeleiteten Typen erzwingt:

```
Public MustInherit Class MyOperations
  Public MustOverride Sub Operation1()
  Public MustOverride Sub Operation2()
```

```
    Public Sub Operation3()
        'Do op 3
    End Sub
End Class

Public Class ClientClass
    Inherits MyOperations

    Public Overrides Sub Operation1()
        ' Führe op 1 aus
    End Sub

    Public Overrides Sub Operation2()
        ' Führe op 2 aus
    End Sub
End Class

Public Class AnotherClass
    Public Sub DoWork(ByVal ops As MyOperations)
        ops.Operation3()
    End Sub
End Class
```

Beachten Sie, dass die Hinzufügung von Operation3() keine Änderungen in ClientClass erzwingt, und AnotherClass.DoWork() die Methode Operation3() benutzen kann, ohne die Parameterdeklaration zu verändern. Diese Technik hat jedoch auch ihre Nachteile. Da eine Klasse nur eine direkte Basisklasse haben kann, muss ClientClass sich von MyOperations ableiten, um die gewünschte Funktionalität zu bekommen, und damit verbraucht sie ihren einzigen Vererbungsgutschein. Dies kann zu komplizierten Restriktionen für Ihren Client-Code führen. Was passiert zum Beispiel, wenn einer Ihrer Kunden ein Objekt erstellen muss, um es zusammen mit .NET-Remoting zu verwenden? Um das zu können, muss die Klasse von MarshalByRefObject abgeleitet werden, so dass sie nicht von MyOperations erben kann.

Manchmal ist es knifflig, den goldenen Mittelweg zu finden, wenn man sich zwischen Interfaces und Klassen entscheiden muss. Folgen Sie diesen Faustregeln:

- Wenn Sie eine *Ist-eine*-Beziehung modellieren, benutzen Sie eine Klasse. Wenn es Sinn ergibt, Ihren Kontrakt mit einem Substantiv zu benennen, sollten Sie ihn wahrscheinlich mit einer Klasse modellieren.

- Benutzen Sie ein Interface, wenn Sie eine Implements-Beziehung modellieren. Wenn es Sinn ergibt, den Kontrakt mit einem Adjektiv zu belegen, als wäre er eine Eigenschaft, dann sollten Sie ihn vermutlich als Interface modellieren.

- Überlegen Sie sich, Ihr Interface und Deklarationen von `MustInherit`-Klassen in einer separaten Assembly zu verpacken: Implementationen in anderen Assemblies können dann diese separate Assembly referenzieren.

- Wenn möglich, bevorzugen Sie Klassen gegenüber Interfaces: Das kann aus Gründen der Erweiterbarkeit hilfreich sein.

6.7 Polymorphie mit Interfaces

Während des ganzen Kapitels haben Sie gesehen, dass unterschiedliche Typen, die dasselbe Interface implementieren, als derselbe Typ behandelt werden können. Sehen wir uns näher an, wie Interfaces die Polymorphie unterstützen können:

```
Public Interface IGeometricShape
    Sub Draw()
End Interface

Public Class Rectangle
    Implements IGeometricShape

    Public Sub Draw() Implements IGeometricShape.Draw
        'Zeichne ein Rechteck.
        Console.WriteLine("Rectangle drawn.")
    End Sub
End Class

Public Class Circle
    Implements IGeometricShape

    Public Sub Draw() Implements IGeometricShape.Draw
        'Zeichne einen Kreis.
        Console.WriteLine("Circle drawn.")
    End Sub
End Class

Public Class EntryPoint
    Private Shared Sub DrawShape(ByVal shape As IGeometricShape)
        shape.Draw()
    End Sub

    Shared Sub Main()
        Dim aCircle As Circle = New Circle()
        Dim aRectangle As Rectangle = New Rectangle()
```

```
        DrawShape(aCircle)
        DrawShape(aRectangle)
    End Sub
End Class
```

Das Beispiel gibt folgende Resultate aus:

```
Circle drawn.
Rectangle drawn.
```

In diesem Beispiel implementieren sowohl die Klassen `Rectangle` und `Circle` das Interface `IGeometricShape`. Jede dieser Klassen enthält eine `Draw`-Methode, die notwendig ist, um ihren Kontrakt mit `IGeometricShape` zu erfüllen. Nachdem Sie in `Main()` `aCircle` und `aRectangle` erstellt haben, rufen Sie `DrawShape(aCircle)` und `DrawShape(aRectangle)` auf. Beachten Sie, dass die Methode `DrawShape` als ihren Parameter `ByVal shape As IGeometricShape` erhält. Durch die Magie der Polymorphie ruft `DrawShape` die richtige `Draw()`-Methode auf, sei es `Circle` oder `Rectangle`.

6.8 Zusammenfassung

Dieses Kapitel führte Interfaces ein und wie Sie Kontrakte definieren können, indem Sie Interfaces oder Klassen verwenden. Dann behandelten wir Interfaces und wie sie in Klassen implementiert werden. Zuletzt verglichen wir den Gebrauch von Interfaces und Klassen, wenn es um die Definition von Kontrakten geht.

Im nächsten Kapitel erklären wir, wie Operatoren überladen werden und warum Sie es vielleicht vermeiden wollen, sie zu überladen, wenn Sie Code schreiben, der von anderen .NET-Sprachen verwendet werden soll.

7   Überladen von Operatoren

Überladene Operatoren wurden der Gemeinde der VB-Programmierer mit VB 2005 vorgestellt. VB erlaubt es Ihnen, Operatoren wie +, − und * zu überladen. Zusätzlich zum Überladen arithmetischer Operatoren können Sie außerdem eigene Umwandlungsoperatoren erstellen, die einen Typ in den anderen umwandeln und in Booleschen Testausdrücken verwendet werden können.

7.1   Nur weil es geht, sollten Sie es nicht unbedingt tun

Das Überladen von Operatoren sorgt dafür, dass bestimmte Klassen und Strukturen natürlicher verwendet werden können. Sie sollten die Semantik des Operators eines bestimmten Typs sorgfältig bedenken und nichts einführen, was schwierig zu entziffern oder zu warten ist. Streben Sie nach dem am besten lesbaren Code, nicht nur für den nächsten Kollegen, der seinen Blick auf Ihren Code wirft, sondern auch für sich selbst.

Ein anderer Grund, vorsichtig zu sein, wenn es um das Überladen von Operatoren geht, ist, dass nicht alle .NET-Sprachen überladene Operatoren unterstützen, denn das Überladen von Operatoren ist nicht Teil der Common Language Specification (CLS). Zum Beispiel war VB 2005 die erste Version von VB, die dies unterstützte. Es ist wichtig zu wissen, dass Ihre überladenen Operatoren syntaktische Abkürzungen zu bestimmten Funktionalitäten bilden können; diese werden aber auch von sekundären Methoden bereitgestellt, die dieselbe Operation ausführen und von CLS-kompatiblen Sprachen aufgerufen werden können.

7.2   Operatoren, die überladen werden können

Unäre, binäre und Umwandlungsoperatoren bilden die drei generellen Typen von Operatoren, die Sie in VB überladen können. Unäre Operatoren haben nur einen Operanden, wie etwa das unäre Minus in der Zahl -108, und der Umwandlungsoperator CType. Binäre Operatoren haben zwei Operanden, wie etwa die Addition in 2+2. Die Tabelle 7-1 listet die Operatoren, die Sie überladen können.

Operator	Typ	Beschreibung
+	Binär	Addition
-	Binär	Subtraktion
*	Binär	Multiplikation
^	Binär	Potenzierung
/	Binär	Division
\	Binär	Integerdivision
Mod	Binär	Modulo-Division
<>	Binär	Ungleich
>	Binär	Größer als
<	Binär	Kleiner als
>=	Binär	Größer als oder gleich wie
<=	Binär	Kleiner als oder gleich wie
And	Binär	Logisches und bitweises Und
Or	Binär	Logisches und bitweises Oder
XOr	Binär	Bitweises exklusives Oder
+	Unär	Positiv
-	Unär	Negativ
Not	Unär	Logisches Nicht
IsTrue	Unär	Testet Is True
IsFalse	Unär	Testet Is False
Like	Binär	Stringvergleich
<<	Binär	Verschiebung nach links
>>	Binär	Verschiebung nach rechts
&	Binär	Verkettung
CType	Unär	Typkonvertierung

Tabelle 7-1: Operatoren, die überladen werden können

7.3 Typen und Formate überladener Operatoren

Sie definieren alle überladenen Operatoren als `Public Shared Operator`-Methoden in den Klassen, die sie erweitern sollen. Abhängig vom Typ des Operators, der überladen werden soll, kann die Methode entweder einen oder zwei Parameter annehmen und sie gibt immer einen Wert zurück. Bei allen Operatoren außer dem Umwandlungsoperator `CType` muss einer der Parametertypen vom selben Typ sein wie der einschließende Typ für die Methode. Ein typischer +-Operator für eine Klasse `Complex` könnte wie der folgende Ausdruck aussehen:

```
Public Shared Operator +(ByVal lhs As Complex, ByVal rhs As Complex) As
Complex
```

Hier repräsentiert das Argument `lhs` (left-hand side) den links stehenden Parameter, und `rhs` (right-hand side) den rechts stehenden Parameter.

Obwohl diese Methode zwei Instanzen des Typs `Complex` addiert, um eine dritte Instanz von `Complex` zu erhalten, ist nicht gesagt, dass nicht einer der Parameter vom Typ `Double` sein könnte, wodurch ein `Double` zu einer Instanz von `Complex` addiert wird. Wie Sie einen Wert vom Typ `Double` zu einer Instanz von `Complex` addieren, so dass wieder eine Instanz von `Complex` herauskommt, ist Ihre Entscheidung. Generell folgt aber die Syntax überladener Operatoren dem vorgestellten Muster, so dass das + durch den überladenen Operator ersetzt wird.

Der Konvertierungsoperator `CType` definiert eine vom Entwickler festgelegte Konvertierung und akzeptiert nur einen Parameter. Bei der Überladung muss entweder der Operand oder der Typ des zurückgegebenen Werts vom selben Typ sein wie der umschließende Klassen- oder Strukturtyp.

Überladungen von Operatoren sind mit `Shared` und `Public` gekennzeichnet und müssen wenigstens einen Parameter in ihrer Deklaration enthalten, der zum umschließenden Typ passt. Da diese Methoden von abgeleiteten Klassen geerbt werden, ist es für den Operator der abgeleiteten Klasse unmöglich, exakt zur Signatur des Operators der Basisklasse zu passen. Zum Beispiel ist die `GreenApple`-Klasse im folgenden Beispiel nicht gültig:

```
Public Class Apple
    Public Shared Operator +(ByVal rhs As Apple, ByVal lhs As Apple) As
Apple
        'Die Methode dient nur als Beispiel.
        Return rhs
    End Operator
End Class

Public Class GreenApple
    Inherits Apple

    'UNGÜLTIG - Dies kann nicht kompiliert werden!
    Public Overloads Shared Operator +(ByVal rhs As Apple, ByVal lhs As
Apple) _
        As Apple

    'Die Methode dient nur als Beispiel.
        Return rhs
    End Operator
End Class
```

Wenn Sie versuchen, den Code zu kompilieren, erhalten Sie die folgende Fehlermeldung:

```
At least one parameter of this binary operator
must be of the containing type 'GreenApple'
```

7.4   Operatoren sollten ihre Operanden nicht ändern

Sie wissen bereits, dass die Operatormethoden vom Typ Shared sind. Daher ist es nachdrücklich empfehlenswert, dass Sie die Operanden, die den Operatormethoden übergeben werden, nicht verändern oder direkt modifizieren. Stattdessen sollten Sie eine neue Instanz des Typs des Rückgabewerts erstellen und das Ergebnis der Operation zurückgeben. Strukturen und Klassen, die unveränderlich sind, wie System. String, sind perfekte Kandidaten für die Implementierung solcher maßgeschneiderter Operatoren. Dieses Verhalten ist etwa für Operatoren vom Typ Boolean ganz natürlich, da sie gewöhnlich einen ganz anderen Typ zurückgeben, als den, der dem Operator als Parameter übergeben wird.

7.5   Die Reihenfolge der Parameter

Erstellen wir eine Struktur, die komplexe Zahlen repräsentiert. Die erste Fassung sieht so aus:

```
Public Structure Complex
    Private Real As Double
    Private Imaginary As Double

    Public Sub New(ByVal real As Double, ByVal imaginary As Double)
        Me.Real = real
        Me.Imaginary = imaginary
    End Sub

    Public Shared Function Add(ByVal lhs As Complex, ByVal rhs As Complex) _
        As Complex

        Return New Complex(lhs.Real + rhs.Real, lhs.Imaginary +
rhs.Imaginary)
    End Function

    Public Shared Operator +(ByVal lhs As Complex, ByVal rhs As Complex) As
Complex
        Return Add(lhs, rhs)
    End Operator
End Structure
```

Stellen wir uns vor, Sie müssten Instanzen von Complex addieren, möchten aber in der Lage sein, eine Variable vom guten alten Typ Double mit der Instanz von Complex addieren zu können. Diese Funktionalität kann problemlos hinzugefügt werden, da Sie die Operator +-Methode so überladen können, dass der eine Parameter ein Complex und der andere ein Double ist. Diese Deklaration könnte folgendermaßen aussehen:

```
Public Shared Operator +(ByVal lhs As Complex, ByVal rhs As Double) As
Complex
```

Ist dieser Operator in der Struktur Complex definiert und deklariert, können Sie nun folgenden Code schreiben:

```
Dim cpx1 As New Complex(1.0, 2.0)
Dim cpx2 = cpx1 + 20.0
```

Das erspart Ihnen die Zeit und den Aufwand, eine eigene Instanz von Complex zu erstellen, bei der nur die Variable des Real-Glieds auf den Wert 20.0 festgelegt ist. Hier sind der erste Operand vom Typ Complex und der zweite Operand vom Typ Double. Stellen wir uns aber vor, Sie möchten die Operanden vertauschen und so etwas wie im Folgenden versuchen:

```
Dim cpx2 = 20.0 + cpx1
```

In diesem Fall ist der erste Operand vom Typ Double und der zweite vom Typ Complex. Wenn Sie unterschiedliche Reihenfolgen von Operanden unterschiedlicher Typen unterstützen möchten, dann müssen Sie unterschiedliche Überladungen für den Operator bereitstellen. Wenn Sie einen binären Operator überladen, der unterschiedliche Parametertypen akzeptiert, können Sie eine gespiegelte Überladung erstellen – das heißt, einen weiteren Operator, der die Parameter vertauscht.

7.6 Den Additionsoperator überladen

Fügen wir einige Operatoren zu der Struktur Complex hinzu und bauen wir sie über das weitere Kapitel aus:

```
Imports System

Public Structure Complex
    Private Real As Double
    Private Imaginary As Double

    Public Sub New(ByVal real As Double, ByVal imaginary As Double)
        Me.Real = real
        Me.Imaginary = imaginary
    End Sub
```

```
    Public Shared Function Add _
        (ByVal lhs As Complex, ByVal rhs As Complex) As Complex

        Return New Complex(lhs.Real + rhs.Real, lhs.Imaginary +
rhs.Imaginary)
    End Function

    Public Shared Function Add _
        (ByVal lhs As Complex, ByVal rhs As Double) As Complex

        Return New Complex(rhs + lhs.Real, lhs.Imaginary)
    End Function

    Public Overrides Function ToString() As String
        Return System.String.Format("({0}, {1})", Real, Imaginary)
    End Function

    Public Shared Operator +(ByVal lhs As Complex, ByVal rhs As Complex) As
Complex
        Return Add(lhs, rhs)
    End Operator

    Public Shared Operator +(ByVal lhs As Double, ByVal rhs As Complex) As
Complex
        Return Add(rhs, lhs)
    End Operator

    Public Shared Operator +(ByVal lhs As Complex, ByVal rhs As Double) As
Complex
        Return Add(lhs, rhs)
    End Operator
End Structure


Public Class EntryPoint
    Shared Sub Main()
        Dim cpx1 As Complex = New Complex(1.0, 3.0)
        Dim cpx2 As Complex = New Complex(1.0, 2.0)

        Dim cpx3 As Complex = cpx1 + cpx2
        Dim cpx4 As Complex = 20.0 + cpx1
        Dim cpx5 As Complex = cpx1 + 25.0

        Console.WriteLine("cpx1 == {0}", cpx1)
        Console.WriteLine("cpx2 == {0}", cpx2)
        Console.WriteLine("cpx3 == {0}", cpx3)
```

```
        Console.WriteLine("cpx4 == {0}", cpx4)
        Console.WriteLine("cpx5 == {0}", cpx5)
    End Sub
End Class
```

Hier sind die Ergebnisse dieses Codebeispiels:

```
cpx1 == (1, 3)
cpx2 == (1, 2)
cpx3 == (2, 5)
cpx4 == (21, 3)
cpx5 == (26, 3)
```

Beachten Sie, dass die überladenen Operatormethoden `Add`-Methoden aufrufen, die dieselbe Operation ausführen. Die `Add`-Methoden auf diese Weise aufzurufen macht die Unterstützung beider Reihenfolgen von `Operator +`, die ein `Double` zu einem `Complex` addieren, zum Kinderspiel.

Wenn Sie aber sicher sind, dass Ihr Datentyp nur in einer VB 2005/VB 2008/C#-Umgebung genutzt wird oder zusammen mit einer anderen Sprache, die überladene Operatoren unterstützt, können Sie auf die `Add`-Methoden verzichten und einfach bei Ihren überladenen Operatoren bleiben.

7.7   Vergleichsoperatoren

Die binären Vergleichsoperatoren = und <>, < und > sowie >= und <= müssen in Paaren implementiert werden. Das ist absolut sinnvoll, da es wahrscheinlich nie einen Fall geben wird, in dem Sie Benutzern zwar erlauben wollen, den `Operator IsTrue` zu nutzen, aber nicht den `Operator IsFalse`. Mehr noch: Wenn Ihr Typ das Ordnen per Implementierung des Interfaces `IComparable` oder seines generischen Pendants `IComparable(Of T)` erlaubt, dann ist es sinnvoll, alle Vergleichsoperatoren zu implementieren. Diese Operatoren zu implementieren ist trivial, wenn Sie `Equals()` und `GetHashCode()` überschreiben und dann `IComparable` (und optional `IComparable(Of T)` und `IEquatable(Of T)`) entsprechend implementieren. Ist dies erledigt, dann müssen Sie nur noch diese Implementierungen aufrufen, um die Operatoren zu überladen. Schauen wir uns eine modifizierte Version der `Complex`-Zahl an, die nach diesem Muster alle Vergleichsoperatoren implementiert hat:

```
Imports System

Public Structure Complex
    Implements IComparable
    Implements IEquatable(Of Complex)
    Implements IComparable(Of Complex)

    Private Real As Double
```

```vb
    Private Img As Double

    Public Sub New(ByVal real As Double, ByVal img As Double)
        Me.Real = real
        Me.Img = img
    End Sub

    'System.Object überschreiben
    Public Overrides Function Equals(ByVal other As Object) As Boolean
        Dim result As Boolean = False

        If TypeOf other Is Complex Then
            result = Equals(DirectCast(other, Complex))
        End If

        Return result
    End Function

    'Typsichere Version
    Public Overloads Function Equals(ByVal that As Complex) As Boolean _
        Implements IEquatable(Of Complex).Equals

        Return (Me.Real = that.Real AndAlso Me.Img = that.Img)
    End Function

    'Zu überschreiben, wenn Object.Equals überschrieben wird
    Public Overrides Function GetHashCode() As Integer
        Return CType(Me.Magnitude, Integer)
    End Function

    'Typsichere Version
    Public Function CompareTo(ByVal that As Complex) As Integer _
        Implements IComparable(Of Complex).CompareTo

        Dim result As Integer

        If Equals(that) Then
            result = 0
        ElseIf Me.Magnitude > that.Magnitude Then
            result = 1
        Else
            result = -1
        End If

        Return result
    End Function
```

```vb
'Implementation von IComparable
Function CompareTo(ByVal other As Object) As Integer _
    Implements IComparable.CompareTo

    If Not (TypeOf other Is Complex) Then
        Throw New ArgumentException("Bad Comparison")
    End If

    Return CompareTo(DirectCast(other, Complex))
End Function

'Überschreiben von System.Object
Public Overrides Function ToString() As String
    Return System.String.Format("({0}, {1})", Real, Img)
End Function

Public ReadOnly Property Magnitude() As Double
    Get
        Return Math.Sqrt(Math.Pow(Me.Real, 2) + Math.Pow(Me.Img, 2))
    End Get
End Property

'Überladene Operatoren
Public Shared Operator =(ByVal lhs As Complex, ByVal rhs As Complex) As
Boolean
    Return lhs.Equals(rhs)
End Operator

Public Shared Operator <>(ByVal lhs As Complex, ByVal rhs As Complex) _
    As Boolean

    Return Not lhs.Equals(rhs)
End Operator

Public Shared Operator <(ByVal lhs As Complex, ByVal rhs As Complex) As
Boolean
    Return lhs.CompareTo(rhs) < 0
End Operator

Public Shared Operator >(ByVal lhs As Complex, ByVal rhs As Complex) As
Boolean
    Return lhs.CompareTo(rhs) > 0
End Operator

Public Shared Operator <=(ByVal lhs As Complex, ByVal rhs As Complex) _
    As Boolean
```

```
            Return lhs.CompareTo(rhs) <= 0
    End Operator

    Public Shared Operator >=(ByVal lhs As Complex, ByVal rhs As Complex) _
        As Boolean

            Return lhs.CompareTo(rhs) >= 0
    End Operator

    'Andere Methoden werden ausgelassen.
End Structure

Public Class EntryPoint
    Shared Sub Main()
        Dim cpx1 As Complex = New Complex(1, 3)
        Dim cpx2 As Complex = New Complex(1, 2)

        Console.WriteLine("cpx1 = {0}, cpx1.Magnitude = {1}", cpx1,
cpx1.Magnitude)
        Console.WriteLine("cpx2 = {0}, cpx2.Magnitude = {1}" _
            & Chr(10) & "", cpx2, cpx2.Magnitude)

        Console.WriteLine("cpx1 == cpx2 ? {0}", cpx1 = cpx2)
        Console.WriteLine("cpx1 != cpx2 ? {0}", cpx1 <> cpx2)
        Console.WriteLine("cpx1 <  cpx2 ? {0}", cpx1 < cpx2)
        Console.WriteLine("cpx1 >  cpx2 ? {0}", cpx1 > cpx2)
        Console.WriteLine("cpx1 <= cpx2 ? {0}", cpx1 <= cpx2)
        Console.WriteLine("cpx1 >= cpx2 ? {0}", cpx1 >= cpx2)
    End Sub
End Class
```

Hier die Ergebnisse des Codebeispiels:

```
cpx1 = (1, 3), cpx1.Magnitude = 3.16227766016838
cpx2 = (1, 2), cpx2.Magnitude = 2.23606797749979

cpx1 == cpx2 ? False
cpx1 != cpx2 ? True
cpx1 <  cpx2 ? False
cpx1 >  cpx2 ? True
cpx1 <= cpx2 ? False
cpx1 >= cpx2 ? True
```

Beachten Sie, dass die Operatormethoden lediglich die Methoden aufrufen, die
`Equals()` und `CompareTo()` implementieren. Wir empfehlen, dass Sie typsichere Versionen der beiden Methoden bereitstellen, indem Sie `IComparable(Of Complex)` und
`IEquatable(Of Complex)` implementieren. Da der Typ `Complex` ein Wertetyp ist, wird

auf diese Weise das Boxing vermieden. Zudem implementieren Sie die Methode `IComparable.CompareTo` explizit, um dem Compiler ein besseres Werkzeug für die Typsicherheit in die Hand zu geben und es den Benutzern damit zu erschweren, unabsichtlich die falsche Methode aufzurufen. Benutzen Sie das Typsystem des Compilers so oft Sie können, um Fehler schon beim Kompilieren aufzuspüren, anstatt dies zur Laufzeit tun zu müssen. Hätten Sie `IComparable.CompareTo` nicht explizit implementiert, dann hätte der Compiler fröhlich eine Anweisung kompiliert, die versucht hätte, eine `Apple`-Instanz mit einer `Complex`-Instanz zu vergleichen. Natürlich hätten Sie zur Laufzeit eine `InvalidCastException` erwartet, wenn Sie dies versucht hätten, aber Kompilierfehler sind Laufzeitfehlern definitiv vorzuziehen.

7.7.1 Boolesche Vergleiche

Für manche Typen ist es sinnvoll, in Booleschen Vergleichen verwendet zu werden, etwa innerhalb eines `If…Then`-Blocks. Um dies zu bewerkstelligen, gibt es zwei Alternativen. Sehen wir uns die erste an: Sie können zwei Operatoren implementieren, nämlich `Operator IsTrue` und `Operator IsFalse`. Sie müssen diese Operatoren paarweise implementieren und der `Complex`-Zahl gestatten, in Booleschen Testausdrücken eingesetzt zu werden. Betrachten Sie die folgende Modifikation am `Complex`-Typ, den Sie jetzt in Ausdrücken verwenden können, in denen der Wert `(0, 0) IsFalse` bedeutet und alles andere für `IsTrue` steht:

```
Option Strict Off

Imports System

Public Structure Complex
    Private Real As Double
    Private Imaginary As Double

    Public Sub New(ByVal real As Double, ByVal imaginary As Double)
        Me.Real = real
        Me.Imaginary = imaginary
    End Sub

    'System.Object überschreiben
    Public Overrides Function ToString() As String
        Return System.String.Format("({0}, {1})", Real, Imaginary)
    End Function

    Public ReadOnly Property Magnitude() As Double
        Get
            Return Math.Sqrt(Math.Pow(Me.Real, 2) + Math.Pow(Me.Imaginary,
2))
        End Get
    End Property
```

```
    Public Shared Operator IsTrue(ByVal c As Complex) As Boolean
        Return (c.Real <> 0) OrElse (c.Imaginary <> 0)
    End Operator

    Public Shared Operator IsFalse(ByVal c As Complex) As Boolean
        Return (c.Real = 0) AndAlso (c.Imaginary = 0)
    End Operator

    Public Shared Widening Operator CType(ByVal d As Double) As Complex
        Return New Complex(d, 0)
    End Operator

    Public Shared Narrowing Operator CType(ByVal c As Complex) As Double
        Return c.Magnitude
    End Operator

    'Andere Methoden werden ausgelassen.
End Structure

Public Class EntryPoint
    Shared Sub Main()
        Dim cpx1 As Complex = New Complex(1.0, 3.0)

        If cpx1 Then
            Console.WriteLine("cpx1 is True")
        Else
            Console.WriteLine("cpx1 is False")
        End If

        Dim cpx2 As Complex = New Complex(0.0, 0.0)

        Console.WriteLine("cpx2 is {0}", IIf(cpx2, "True", "False"))
    End Sub
End Class
```

Dieser Code zeigt die folgenden Ergebnisse an:

```
cpx1 is True
cpx2 is False
```

Sie können die beiden Operatoren sehen, die die IsTrue- und IsFalse-Prüfungen auf den Typ Complex anwenden. Beachten Sie, dass die Deklarationssyntax fast genau so aussieht wie bei den Konvertierungsoperatoren, außer dass sie den Rückgabewert Boolean einschließt. Wenn Sie diese beiden Operatoren definieren, können Sie Instan-

zen von `Complex` in Booleschen Testausdrücken verwenden, wie in der `Main`-Methode
gezeigt wird.

Hinweis: Indem Sie `Option Strict` im vorigen Beispiel auf `Off` stellen, zwingen Sie
den Compiler, die verengende Konvertierung zu `Boolean` zu akzeptieren. Sie sollten
dies nur tun, wenn Sie sicher sind, dass ein Laufzeitfehler nicht möglich ist.

Alternativ können Sie sich dafür entscheiden, eine Konvertierung zum Typ `Boolean` zu
implementieren, um dasselbe Ergebnis zu erhalten. Typischerweise wünschen Sie,
diesen Operator implizit zu implementieren, damit er leichter benutzbar ist. Betrachten Sie die modifizierte Form des vorherigen Beispiels, in der wir den erweiternden
Umwandlungsoperator `Boolean` anstelle von `Operator IsTrue` und `Operator IsFalse`
verwenden:

```
Imports System

Public Structure Complex
    Private Real As Double
    Private Imaginary As Double

    Public Sub New(ByVal real As Double, ByVal imaginary As Double)
        Me.Real = real
        Me.Imaginary = imaginary
    End Sub

    'System.Object überschreiben
    Public Overrides Function ToString() As String
        Return System.String.Format("({0}, {1})", Real, Imaginary)
    End Function

    Public ReadOnly Property Magnitude() As Double
        Get
            Return Math.Sqrt(Math.Pow(Me.Real, 2) + Math.Pow(Me.Imaginary,
2))
        End Get
    End Property

    Public Shared Widening Operator CType(ByVal c As Complex) As Boolean
        Return (c.Real <> 0) OrElse (c.Imaginary <> 0)
    End Operator

    Public Shared Widening Operator CType(ByVal d As Double) As Complex
        Return New Complex(d, 0)
    End Operator

    Public Shared Narrowing Operator CType(ByVal c As Complex) As Double
```

```
        Return c.Magnitude
    End Operator

    'Andere Methoden werden ausgelassen.
End Structure

Public Class EntryPoint
    Shared Sub Main()
        Dim cpx1 As Complex = New Complex(1.0, 3.0)

        If cpx1 Then
            Console.WriteLine("cpx1 is True")
        Else
            Console.WriteLine("cpx1 is False")
        End If

        Dim cpx2 As Complex = New Complex(0.0, 0.0)

        Console.WriteLine("cpx2 is {0}", IIf(cpx2, "True", "False"))
    End Sub
End Class
```

Das Endergebnis ist in diesem Beispiel dasselbe. Jetzt könnten Sie sich die Frage stellen, warum Sie überhaupt jemals `Operator IsTrue` und `Operator IsFalse` anstelle eines erweiternden Konvertierungsoperators `Boolean` implementieren wollten. Die Antwort liegt in der Frage, ob es für Ihren Typ zulässig ist, in Boolean umgewandelt zu werden oder nicht. Mit der zweiten Variante, in der Sie den erweiternden Umwandlungsoperator implementieren, wäre die folgende Anweisung gültig:

```
cpx1 = f
```

Diese Anweisung würde funktionieren, da der Compiler den erweiternden Umwandlungsoperator zur Kompilierzeit finden und verwenden würde. Die Faustregel lautet, immer nur das zu tun, was nötig ist, um den jeweiligen Job zu erledigen. Wenn Sie nur wollen, dass Ihr Typ – in diesem Fall `Complex` – in Booleschen Testausdrücken eingesetzt werden kann, dann implementieren Sie nur `Operator IsTrue` und `Operator IsFalse`. Wenn es nötig ist, den erweiternden Konvertierungsoperator `Boolean` zu benutzen, dann müssen Sie `Operator IsTrue` und `Operator IsFalse` nicht implementieren, weil sie überflüssig wären. Wenn Sie alle drei einsetzen, wird der Compiler eher den erweiternden Konvertierungsoperator anstelle von `Operator IsTrue` und `Operator IsFalse` wählen, denn den einen aufzurufen, ist nicht effizienter, als es mit dem anderen zu tun, vorausgesetzt, Sie codieren beide auf die gleiche Weise.

7.8 Konvertierungsoperatoren

Konvertierungsoperatoren sind, wie der Name schon sagt, Operatoren, die Objekte eines Typs in Objekte eines anderen Typs umwandeln. Konvertierungsoperatoren erlauben sowohl die erweiternde als auch die verengende Konvertierung. Die erweiternde Konvertierung wird mit einer ganz einfachen Zuweisung erreicht, während die verengende Konvertierung es nötig macht, `CType()` oder eine der eingebauten Umwandlungsmethoden wie `CDbl()` oder `CStr()` zu verwenden.

Eine wichtige Einschränkung gilt für erweiternde Konvertierungsoperatoren: Standards verlangen, dass erweiternde Operatoren keine Ausnahmen auslösen und dass sie immer ohne Informationsverlust gelingen. Wenn Sie diese Voraussetzung nicht erfüllen, muss Ihre Konvertierung eine verengende sein. Zum Beispiel gibt es immer die Möglichkeit des Informationsverlustes, wenn der Zieltyp nicht so ausdrucksstark wie der ursprüngliche ist. Betrachten Sie die Umwandlung von `Long` zu `Short`. Natürlich besteht die Möglichkeit, dass Informationen verloren gehen können, wenn der Wert in `Long` größer ist als der höchste Wert, der von `Short` gehalten werden kann. Obwohl in diesem Fall keine Ausnahme ausgelöst wird, wenn eine Rundung stattfindet, kann es mitunter sinnvoll sein, hier eine Ausnahme auszulösen. Eine solche Konvertierung muss eine verengende sein und setzt die Verwendung der genannten Umwandlungsmethoden voraus. Jetzt stellen wir uns das Umgekehrte vor und konvertieren einen `Short`-Wert in eine `Long`-Zahl. Eine solche Umwandlung wird immer klappen, deshalb kann sie eine erweiternde sein.

7.8.1 Den CType-Operator überladen

Ein Konvertierungsoperator, den Sie für `Complex` bereitstellen sollten, ist der von `Double` zu `Complex`. Eine solche Umwandlung sollte definitiv eine erweiternde sein, da die beiden Glieder der `Complex`-Struktur vom Typ `Double` sind. Der Fall liegt anders bei der Umwandlung von `Complex` zu `Double`. Dieser Fall erfordert eine verengende Konvertierung. Und wir haben uns dafür entschieden, die Größenordnung anstelle des Real-Teils der komplexen Zahl zurückzugeben, wenn wir sie in ein `Double` verwandeln. Schauen wir uns ein Beispiel für die Implementierung dieser Konvertierung an, bei der wir den `CType`-Operator überladen:

```
Imports System

Public Structure Complex
    Private Real As Double
    Private Imaginary As Double

    Public Sub New(ByVal real As Double, ByVal imaginary As Double)
        Me.Real = real
        Me.Imaginary = imaginary
    End Sub

    'System.Object überschreiben
```

```
    Public Overrides Function ToString() As String
        Return System.String.Format("({0}, {1})", Real, Imaginary)
    End Function

    Public ReadOnly Property Magnitude() As Double
        Get
            Return Math.Sqrt(Math.Pow(Me.Real, 2) + Math.Pow(Me.Imaginary, 2))
        End Get
    End Property

    Public Shared Widening Operator CType(ByVal d As Double) As Complex
        Return New Complex(d, 0)
    End Operator

    Public Shared Narrowing Operator CType(ByVal c As Complex) As Double
        Return c.Magnitude
    End Operator

    'Andere Methoden werden ausgelassen.
End Structure

Public Class EntryPoint
    Shared Sub Main()
        Dim cpx1 As Complex = New Complex(1.0, 3.0)

        'Erweiternden Operator benutzen.
        Dim cpx2 As Complex = 2.0

        'Verengenden Operator benutzen.
        Dim d As Double = cpx1

        Console.WriteLine("cpx1 = {0}", cpx1)
        Console.WriteLine("cpx2 = {0}", cpx2)
        Console.WriteLine("d = {0}", d)
    End Sub
End Class
```

Dieses Beispiel erzeugt die folgende Ausgabe:

```
cpx1 = (1, 3)
cpx2 = (2, 0)
d = 3.16227766016838
```

Die Syntax der `Main`-Methode ist ganz natürlich, wenn man einen überladenen `CType`-Operator verwendet. Geben Sie aber Acht, wenn Sie Konvertierungsoperatoren implementieren, damit Ihre Benutzer keine unliebsamen Überraschungen erleben. Denn die unachtsame Benutzung von Konvertierungen kann eine Quelle von Verwirrungen sein. Zum Beispiel kann der Compiler eine erweiternde Konvertierung ausführen, wenn er versucht, ein Argument in einen Methodenaufruf zu drücken. Sogar dann, wenn die Konvertierung aus semantischer Sicht sinnvoll ist, kann daraus noch eine Menge Überraschungen entstehen, da der Compiler die Freiheit hat, ganz still und leise Instanzen eines Typs in einen anderen zu verwandeln, wenn er es für notwendig hält.

Schauen wir uns den Fall an, in dem `Complex` einen weiteren verengenden Konvertierungsoperator zur Verfügung stellt, um auch eine Instanz von `Fraction` in eine Instanz von `Double` zu wandeln. Dies würde `Complex` zwei Methoden mit den folgenden Signaturen verleihen:

```
Public Shared Narrowing Operator CType(ByVal d As Complex) As Double
Public Shared Narrowing Operator CType(ByVal f As Complex) As Fraction
```

Diese beiden Methoden nehmen denselben Typ – `Complex` – und geben einen anderen Typ zurück. Die Regeln für das Überladen legen aber eindeutig fest, dass der zurückgegebene Typ kein Teil der Methodensignatur sein darf. Nach diesen Regeln sollten die beiden Methoden missverständlich sein und zu einem Compilerfehler führen. Sie sind in Wirklichkeit aber gerade nicht widersprüchlich, weil es eine spezielle Regel erlaubt, dass der Rückgabetyp von Konvertierungsoperatoren in der Signatur berücksichtigt wird. Zufällig sind nämlich die Schlüsselworte `Widening` und `Narrowing` kein Teil der Signatur der Methoden von Konvertierungsoperatoren. Daher ist es unmöglich, dass sowohl erweiternde als auch verengende Operatoren mit der gleichen Signatur zu haben. Natürlich muss aber wenigstens einer der Typen in der Signatur eines Konvertierungsoperators vom einschließenden Typ sein. Es ist für einen `Complex`-Typ unzulässig, einen Konvertierungsoperator vom Typ `Apples` zum Typ `Oranges` zu implementieren.

7.9 Zusammenfassung

Dieses Kapitel behandelte einige Richtlinien für das Überladen von Operatoren, einschließlich unärer, binärer und Konvertierungsoperatoren. Das Überladen von Operatoren ist eines der Merkmale, das VB 2008 zu einer so mächtigen und ausdrucksstarken .NET-Sprache macht.

Nur weil Sie etwas tun können, bedeutet dies jedoch nicht, dass Sie es auch tun sollten. Der fälschliche Gebrauch von erweiternden Konvertierungsoperatoren und unzureichend definierte Semantik in anderen Operator-Überladungen kann zu großer Verwirrung beim Anwender führen und auch zu unbeabsichtigtem Verhalten. Wenn es um das Überladen von Operatoren geht, sollten Sie nur das zur Verfügung stellen, was notwendig ist, und nicht konträr zur allgemeinen Semantik der verschiedenen Operatoren agieren. Wenn Sie sich nicht sicher sind, dass Ihr Code von .NET-Sprachen benutzt wird, die das Überladen von Operatoren vorsehen, sollten Sie explizit bezeichnete Methoden bereitstellen, die dieselbe Funktionalität liefern.

Im nächsten Kapitel behandeln wir die Einzelheiten und Kniffe, um ausnahmesicheren und ausnahmeneutralen Code im .NET-Framework erzeugen zu können.

8   Ausnahmebehandlung

Die Common Language Runtime (CLR) enthält eine weitreichende Unterstützung für Ausnahmen (Exceptions). Sie können Ausnahmen erzeugen und an einem Punkt auslösen, an dem die Ausführung des Codes aufgrund einer ungewöhnlichen Bedingung (in der Regel eine fehlgeschlagene Methode oder ein ungültiger Zustand) nicht weiterlaufen kann. Sobald Ausnahmen ausgelöst werden, startet die CLR damit, den Aufrufsstapel (Call Stack) Schicht für Schicht abzutragen[3]. Während sie dies tut, räumt sie jedes Objekt weg, das sich lokal auf jeder Schicht (oder Frame) des Stapels befindet. An irgendeinem Punkt könnte eine Schicht einen Ausnahmebehandler (Exception Handler) registriert haben, der auf die ausgelöste Ausnahme zutrifft. Erreicht die CLR diese Schicht, dann ruft sie den Ausnahmebehandler auf, um die Situation zu bereinigen. Beendet sie das Abtragen des Stapels und ist kein Handler für die ausgelöste Ausnahme zu finden, dann könnte der unbehandelte Ausnahme-Event für die aktuelle Applikationsdomäne abgefeuert werden, und die Applikation könnte abgebrochen werden.

Ausnahmesicheren Code zu schreiben ist eine schwierige Kunst. Es wäre grundfalsch anzunehmen, es sei dafür lediglich nötig Ausnahmen auszulösen, wenn ein Fehler passiert, und diese abzufangen. Stattdessen sind ausnahmesichere Codetechniken gerade solche, bei denen Sie die Integrität des Systems im Hinblick auf Ausnahmen garantieren können. Wird eine Ausnahme ausgelöst, dann wird die Laufzeitumgebung den Stapel Schritt für Schritt abtragen, während sie aufräumt. Ihre Aufgabe als ausnahmesicherer Programmierer ist es, den Code so zu strukturieren, dass die Integrität des Zustands Ihrer Objekte nicht kompromittiert wird, während der Stapel abgebaut wird. Das ist das Wesen ausnahmesicherer Codetechniken.

8.1   Wie Sie Ausnahmen behandeln

Wo sollten Sie Ausnahmen behandeln? Sie können die Antwort finden, indem Sie eine Variante des Expertenmusters anwenden, das festlegt, dass Arbeit von der Entität erledigt werden sollte, die im Hinblick auf diese Aufgabe als Experte anzusehen ist. Das ist eine etwas umständliche Art, zu sagen, dass Sie die Ausnahme an dem Punkt abfangen sollten, wo Sie sie tatsächlich mit einem gewissen verfügbaren Wissen behandeln können, um die Situation zu retten. Manchmal könnte die abfangende Einheit nahe

---

[3]   Während der Ausführung eines Programms wird bei jedem Methodenaufruf eine Schicht auf dem Stapel aufgebaut, welche die übergebenen Parameter und alle lokalen Parameter der Methode enthält. Diese Schicht wird gelöscht, sobald die Methode wieder verlassen wird. Wenn die Methode andere Methoden aufruft, werden neue Schichten auf die aktuelle Schicht getürmt, und auf diese Weise wird eine verschachtelte Call-Stack-Struktur gebildet.

dem Punkt sitzen, an dem die Ausnahme im Stack ausgelöst wird. Der Code könnte die Ausnahme abfangen, dann korrigierend tätig werden und dem Programm erlauben, normal fortzufahren. In anderen Situationen ist der einzig vernünftige Punkt, die Ausnahme abzufangen, am Eintrittspunkt bei der Main-Methode, an der Sie entweder den Prozess abbrechen können, nachdem Sie helfende Daten zur Verfügung gestellt haben, oder Sie könnten den Prozess zurücksetzen, als ob die Applikation gerade neu gestartet worden wäre. Die Quintessenz lautet, dass Sie den besten Weg herausfinden sollten, wie Sie mit Ausnahmen zurechtkommen können und wo es am sinnvollsten ist, dies zu tun.

8.2 Steuern Sie mit Ausnahmen nicht den Programmablauf

Es kann verführerisch sein, Ausnahmen dazu zu benutzen, um den Ablauf der Programmverarbeitung in komplexen Methoden zu steuern. Das ist aber nicht empfehlenswert. Ausnahmen sind nämlich aufwendig zu generieren und zu behandeln. Deshalb wird die Leistung mit hoher Wahrscheinlichkeit nachlassen, wenn Sie Ausnahmen dazu nutzen, den Programmablauf in einer Methode im Herzen Ihrer Anwendung zu steuern. Es geht vielmehr darum, eine außergewöhnliche Bedingung auf eine Weise anzuzeigen, die es erlaubt, sie sauber zu behandeln.

Programmierer können ziemlich faul sein, wenn es um die Behandlung von Fehlerbedingungen geht. Sie haben vielleicht schon Code gesehen, bei dem der Entwickler nicht darauf geachtet hat, den Rückgabewert einer API-Funktion oder eines Methodenaufrufs zu prüfen. Ausnahmen erlauben es, Fehlerbedingungen auf syntaktisch konsistente Weise zu melden und damit klarzukommen, anstatt den Code mit einer Fülle von If...Then-Blöcken und anderen traditionellen Fehlerbehandlungskonstrukten zu überschütten, die nicht auf Ausnahmen basieren.

Gleichzeitig unterstützt die Laufzeitumgebung Ausnahmen und erledigt eine ganze Menge Arbeit für Sie, wenn Ausnahmen ausgegeben werden. Den Stapel abzutragen ist schon an sich keine triviale Aufgabe. Zuletzt können der Punkt, an dem eine Ausnahme ausgegeben wird, und jener, an dem sie behandelt wird, auseinanderliegen und keine Verbindung miteinander haben. Daher kann es schwierig sein, wenn man Code liest, zu bestimmen, wo eine Ausnahme abgefangen und bearbeitet wird. Schon allein das ist Grund genug, damit Sie bei traditionellen Techniken bleiben, wenn es um die Steuerung des normalen Programmablaufs geht.

8.3 Mechanik der Ausnahmebehandlung in VB 2008

Wenn Sie bisher schon Ausnahmen in anderen C-Sprachen wie C++, Java oder auch C/C++ mit den von Microsoft strukturierten Erweiterungen für die Ausnahmebehandlung (_try/_catch/_finally) benutzt haben, dann sind Sie schon mit der grundlegenden Syntax der Ausnahmen in Visual Basic (VB) vertraut. In diesem Fall können Sie die nächsten Abschnitte überspringen oder das Material zur Auffrischung benutzen.

8.3.1 Syntax-Übersicht der Try-Anweisung

Der Code in einem Try-Block ist gegen eine Ausnahme dergestalt abgeschirmt, dass die Laufzeit in dem Moment, in dem eine Exception ausgegeben wird, nach einem passenden Catch-Block sucht, um den Fehler zu bearbeiten. Egal ob ein passender Catch-Block existiert – falls ein Finally-Block zur Verfügung steht, wird dieser immer ausgeführt, wobei es keine Rolle spielt, wie der Programmablauf den Try-Block verlässt. Schauen wir uns ein Beispiel einer Try-Anweisung an:

```
Imports System
Imports System.Collections
Imports System.Runtime.CompilerServices

Public Class EntryPoint
    Shared Sub Main()
        Try
            Dim list As ArrayList = New ArrayList()

            list.Add(1)
            Console.WriteLine("Item 10 = {0}", list(10))
        Catch x As ArgumentOutOfRangeException
            Console.WriteLine("=== ArgumentOutOfRangeException Handler
===")
            Console.WriteLine(x)
            Console.WriteLine("=== ArgumentOutOfRangeException Handler
===")
        Catch x As Exception
            Console.WriteLine("=== Exception Handler ===")
            Console.WriteLine(x)
            Console.WriteLine("=== Exception Handler ===")
        Finally
            Console.WriteLine(vbCrLf & "Cleaning up . . .")
        End Try
    End Sub
End Class
```

Der Code führt zu folgendem Ergebnis:

```
=== ArgumentOutOfRangeException Handler ===
System.ArgumentOutOfRangeException: Index was out of range. Must be non-
negative
 and less than the size of the collection.
Parameter name: index
   at System.Collections.ArrayList.get_Item(Int32 index)
```

```
   at Exception_Handling1.EntryPoint.Main() in C:\Apress\AVB
2008\EH\EH.vb:line 11
=== ArgumentOutOfRangeException Handler ===

Cleaning up . . .
```

Sobald Sie den Code im Try-Block sehen, wissen Sie, dass er dazu bestimmt ist, eine ArgumentOutOfRange-Ausnahme auszugeben, da wir versuchen, das zehnte Element einer ArrayList auszugeben, die nur ein Element besitzt. Sobald die Exception ausgegeben wurde, startet die Laufzeitumgebung mit der Suche nach einem passenden Catch-Ausdruck, der Teil der Try-Anweisung ist und so gut wie möglich zum Typ der Ausnahme passt. Da der erste Catch-Ausdruck am besten passt, beginnt die Laufzeitumgebung unmittelbar damit, die Anweisungen in diesem Catch-Block auszuführen. Wir hätten die Deklaration der Ausnahmevariablen x in dem Catch-Ausdruck auch auslassen und nur den Typen deklarieren können, aber wir wollten hier zeigen, dass Ausnahmeobjekte eine hübsche Spur hinterlassen, die während des Debuggens hilfreich sein kann.

Der zweite Catch-Ausdruck fängt Exceptions des allgemeinen Typs Exception ab. Sollte der Code im Try-Block eine Ausnahme auslösen, die sich von System.Exception ableitet anstatt von der ArgumentOutOfRangeException, dann würde dieser Catch-Block damit umgehen. Mehrere Catch-Ausdrücke, die einem einzelnen Try-Block beigesellt sind, müssen so angeordnet werden, dass die spezielleren Exceptions zuerst aufgelistet sind. Der Compiler wird Code nicht übersetzen, in dem allgemeinere Catch-Ausdrücke vor den spezifischeren angeordnet sind. Sie können das leicht nachprüfen, wenn Sie die ersten beiden Catch-Ausdrücke im vorigen Beispiel vertauschen.

Und zum guten Schluss (kein Scherz) gibt es den Finally-Block. Wie auch immer der Try-Block verlassen wird, der Finally-Block wird immer ausgeführt. Wenn es einen passenden Catch-Block in derselben Schicht des Stapels gibt, in dem sich der Finally-Block befindet, wird ersterer vor dem Finally-Block abgearbeitet.

8.3.2 Ausnahmen ausgeben

Der Vorgang, eine Ausnahme auszulösen, ist eigentlich ganz einfach. Sie führen einfach eine Throw-Anweisung aus. Der Parameter des Statements ist die Anweisung, die Sie ausgeben möchten. Stellen Sie sich zum Beispiel vor, dass Sie eine Klasse mit einer Collection geschrieben haben, in der die Benutzer die enthaltenen Objekte über einen Index ansprechen. Sie möchten nun die Anwender informieren, wenn ein ungültiger Index als Parameter übergeben wird. Sie könnten eine ArgumentOutOfRange-Exception ausgeben, wie es hier der Fall ist:

```
Public Class MyCollection
    Private Count As Integer

    Public Function GetItem(ByVal index As Integer) As Object
        If index < 0 OrElse index >= Count Then
```

```
            Throw New ArgumentOutOfRangeException()
        End If
    End Function
End Class
```

Die Laufzeitumgebung kann auch Ausnahmen als Seiteneffekte der Codeausführung ausgeben. Ein Beispiel für eine vom System generierte Ausnahme ist die `NullReferenceException`. Sie tritt dann auf, wenn Sie versuchen, auf ein Feld zuzugreifen oder eine Methode aufzurufen, wenn die Referenz auf das Objekt nicht existiert.

8.3.3 Unbehandelte Ausnahmen in .NET 3.5

Wenn eine Ausnahme ausgegeben wird, beginnt die Laufzeitumgebung den Stack nach einem `Catch`-Block abzusuchen, der zu der Ausnahme passt. Wenn sie den Stapel durchgeht, dröselt sie ihn auf und räumt auf diesem Wege jede Schicht auf.

Wenn die Suche in der letzten Schicht des Ausführungsstrangs (Thread) endet und immer noch kein Handler für die Ausnahme entdeckt wird, wird die Exception als unbehandelt eingestuft. In .NET 3.5 sorgt jede unbehandelte Ausnahme außer `AppDomainUnloadException` und `ThreadAbortException` dafür, dass der Strang beendet wird. Das klingt zwar recht grob, aber das ist genau das, was Sie bei einer unbehandelten Ausnahme erwarten sollten – es ist schließlich eine *unbehandelte* Ausnahme. Da nun der Ausführungsstrang wie erwartet endet, erscheint quasi eine große rote Flagge am Punkt der Ausnahme und erlaubt Ihnen, das Problem sofort zu finden und auszubessern. Das ist eine gute Sache, denn Sie wollen, dass sich Fehler so bald wie möglich zeigen, und sollten das System nie laufen lassen, als ob alles in Ordnung wäre.

Tipp: Sie können einen Filter für unbehandelte Ausnahmen installieren, indem Sie einen Delegaten mit `AppDomain.UnhandledException` registrieren. Wenn eine unbehandelte Exception auftaucht, wird dieser Delegate aufgerufen und erhält sofort eine Instanz von `UnhandledExceptionEventArgs`. Wenn Sie Windows-Applikationen erstellen, können Sie unbehandelte Ausnahmen über den Event `My.Application.UnhandledException` verwalten.

8.3.4 Ausnahmen erneut auslösen und übersetzen

Innerhalb einer bestimmten Schicht des Stacks könnten Sie es für notwendig halten, alle Ausnahmen – oder zumindest eine spezifische Untermenge der Exceptions – zumindest so lange abzufangen, bis Sie gewisse Aufräumarbeiten erledigt haben, und dann die Ausnahmen von Neuem auszugeben, damit sie sich den Stapel hindurch fortpflanzen können. Um das zu tun, verwenden Sie die Anweisung `Throw` ohne Argumente, wie hier zu sehen:

```
Imports System
Imports System.Collections

Public Class EntryPoint
    Shared Sub Main()
        Try
            Try
                Dim list As ArrayList = New ArrayList()
                list.Add(1)

                Console.WriteLine("Item 10 = {0}", list(10))
            Catch ex As ArgumentOutOfRangeException
                Console.WriteLine("Do some useful work and then re-
throw")

                'Abgefangene Ausnahme erneut auslösen.
                Throw
            Finally
                Console.WriteLine("Cleaning up . . .")
            End Try

        Catch
            Console.WriteLine("Done")
        End Try
    End Sub
End Class
```

Beachten Sie, dass jeder `Finally`-Block, der in der selben Ausnahmeschicht wie der `Catch`-Clock steht, abgearbeitet wird, bevor irgendein Ausnahmehandler der höheren Ebene ausgeführt wird. Sie können dies in der Ausgabe des vorangegangenen Codes sehen:

```
Do some useful work and then re-throw
Cleaning up . . .
Done
```

Der Abschnitt »Ausnahmeneutralität erreichen« später in diesem Kapitel führt einige Techniken ein, die Ihnen helfen können, es zu vermeiden, eine Exception abzufangen, Aufräumarbeiten zu leisten und die Ausnahme wieder ausgeben zu müssen. Dieser Ablauf ist mühsam, da Sie sehr vorsichtig damit sein müssen, die Exception richtig auszulösen. Falls Sie es zufällig vergessen sollten, die Ausnahme nochmals auszulösen, könnte es hässlich werden, da Sie die Ausnahmesitiation mit hoher Wahrscheinlichkeit nicht ausbessern können. Die eingeführten Techniken werden Ihnen dabei helfen, nur dort einen `Catch`-Block zu setzen, wo wirklich eine Ausbesserung stattfinden kann.

Manchmal könnten Sie es nötig finden, eine Ausnahme innerhalb eines Exception Handlers zu übersetzen. In diesem Fall fangen Sie die Ausnahme eines Typs an, aber Sie geben im `Catch`-Block eine Exception eines anderen, womöglich exakteren Typs aus, den dann die nächste Ebene der Ausnahmebehandler bearbeiten muss. Betrachten Sie das folgende Beispiel:

```
Imports System
Imports System.Collections

Public Class MyException
    Inherits Exception

    Public Sub New(ByVal reason As String, ByVal inner As Exception)
        MyBase.New(reason, inner)
    End Sub
End Class

Public Class EntryPoint
    Shared Sub Main()
        Try
            Try
                Dim list As ArrayList = New ArrayList()
                list.Add(1)
                Console.WriteLine("Item 10 = {0}", list(10))

            Catch x As ArgumentOutOfRangeException
                Console.WriteLine("Do some useful work and then re-throw")
                Throw New MyException("I'd rather throw this", x)

            Finally
                Console.WriteLine("Cleaning up . . .")
            End Try

        Catch x As Exception
            Console.WriteLine(x)
            Console.WriteLine("Done")
        End Try
    End Sub
End Class
```

Eine besondere Eigenschaft des Typs System.Exception ist seine Fähigkeit, eine innere Ausnahmereferenz über das Property Exception.InnerException zu enthalten. Auf diese Weise können Sie die Kette der Ausnahmen für die Handler, die sie bearbeiten, aufrechterhalten, wenn die neue Exception ausgelöst wird. Wir empfehlen Ihnen, diese nützliche Eigenheit des Standard-Ausnahmetyps in VB zu benutzen, wenn Sie Exceptions übersetzen. Die Ausgabe des vorangegangenen Codes lautet wie folgt:

```
Do some useful work and then re-throw
Cleaning up . . .
Exceptions.MyException: I'd rather throw this --->
```

```
System.ArgumentOutOfRangeException: Index was out of range. Must be non-
negative
and less than the size of the collection.
Parameter name: index
   at System.Collections.ArrayList.get_Item(Int32 index)
   at Exceptions.Entrypoint.Main() in
C:\AVB9\Exceptions\Exception4.vb:line 18
   --- End of inner exception stack trace ---
   at Exceptions.Entrypoint.Main() in
C:\AVB9\Exceptions\Exception4.vb:line 22
Done
```

Behalten Sie aber im Hinterkopf, dass Sie es vermeiden sollten, Ausnahmen zu übersetzen, sofern dies möglich ist. Je mehr Ausnahmen Sie abfangen und dann wieder im
Stack auswerfen, desto mehr isolieren Sie den Code, der die Ausnahme behandelt, von
dem Code, der sie ausgibt. Es wird nämlich schwieriger, den Punkt des Abfangens mit
dem ursprünglichen Punkt der Ausgabe in Beziehung zu setzen. Ja, das Property
`Exception.InnerException` hilft dabei, diese Entkopplung ein wenig zu lindern, aber
es kann immer noch knifflig sein, die Wurzel eines Problems zu finden, wenn es auf
dem Weg dorthin Übersetzungen der Ausnahmen gibt.

8.3.5 Ausnahmen in Finally-Blocks

Es ist möglich, aber nicht anzuraten, Ausnahmen in einem `Finally`-Block auszugeben.
Der folgende Code zeigt ein Beispiel:

```
Imports System
Imports System.Collections

Public Class EntryPoint
    Shared Sub Main()
        Try
            Try
                Dim list As ArrayList = New ArrayList()
                list.Add(1)
                Console.WriteLine("Item 10 = {0}", list(10))

            Finally
                Console.WriteLine("Cleaning up . . .")
                Throw New Exception("I like to throw")
            End Try

        Catch generatedExceptionName As ArgumentOutOfRangeException
            Console.WriteLine("Oops!  Argument out of range!")

        Catch
            Console.WriteLine("Done")
```

```
        End Try
    End Sub
End Class
```

Die Ausgabe bei der Ausführung des Codes sieht so aus:

```
Cleaning up . . .
Done
```

Die erste Ausnahme geht einfach verloren, und die neue pflanzt sich den Stack entlang fort. Dies ist nicht erstrebenswert. Sie werden Ausnahmen nicht aus den Augen verlieren wollen, da es sonst praktisch unmöglich wird zu bestimmen, wodurch die Exception eigentlich ausgelöst wurde.

8.3.6   Ausnahmen in Finalisierern

Destruktoren in VB sind eigentlich keine echten Destruktoren, sondern eher CLR-Finalisierer. Finalisierer laufen im Kontext des Finalisierer-Threads, der im Wesentlichen ein beliebiger Ausführungsstrang ist. Wenn der Finalisierer eine Ausnahme ausgäbe, könnte die CLR eventuell nicht wissen, wie sie mit der Situation umgehen soll, und den Thread (und damit den Prozess) einfach beenden. Schauen Sie den folgenden Code an:

```
Imports System

Public Class Person
    Protected Overrides Sub Finalize()
        Try
            Console.WriteLine("Cleaning up Person . . .")
            Console.WriteLine("Done Cleaning up Person . . .")
        Finally
            MyBase.Finalize()
        End Try
    End Sub
End Class

Public Class Employee
    Inherits Person

    Protected Overrides Sub Finalize()
        Try
            Console.WriteLine("Cleaning up Employee . . .")

            Dim obj As Object = Nothing

            Console.WriteLine(obj.ToString())
            Console.WriteLine("Done cleaning up Employee . . .")
```

```
        Finally
            MyBase.Finalize()
        End Try
    End Sub
End Class

Public Class EntryPoint
    Shared Sub Main()
        Dim e As Employee = New Employee
    End Sub
End Class
```

Die Ausgabe des Codes sieht folgendermaßen aus:

```
Cleaning up Employee . . .
```

Wenn Sie Schritt für Schritt durch das vorangestellte Beispiel gehen, wobei Ihnen der jeweilige Output angezeigt wird, wird Ihnen der Ausnahmeassistent mitteilen: »`NullReferenceException` wurde nicht behandelt – Der Objektverweis wurde nicht auf eine Objektinstanz festgelegt.« Der Dialog enthält dann noch Tipps zur Fehlerbeseitigung. Zuletzt sollten Sie es vermeiden, bewusst Exceptions in Finalisierern auszugeben, weil Sie damit den ganzen Prozess abbrechen könnten.

8.3.7 Ausnahmen in gemeinsam genutzten Konstruktoren

Wenn eine Ausnahme ausgegeben wird, es keinen Handler im Stack gibt und die Suche nach dem Handler in dem gemeinsam genutzten Konstruktor (dem `Shared`-Konstruktor) endet, dann geht die Laufzeitumgebung mit diesem Fall auf besondere Weise um. Sie übersetzt die Ausnahme in eine `System.TypeInitializationException` und gibt diese stattdessen aus. Bevor die neue Ausnahme ausgeworfen wird, legt sie das `InnerException`-Property der neuen Ausnahme auf die ursprüngliche Exception fest. Auf diese Weise kann jeder Handler für Typeninitialisierungs-Ausnahmen ganz leicht herausfinden, warum die Sache schiefgelaufen ist.

Eine solche Ausnahme zu übersetzen ist sinnvoll, weil Konstruktoren aufgrund ihrer Bauart keinen Rückgabewert haben können, um Erfolg oder Fehlschlag anzuzeigen. Ausnahmen sind die einzige Möglichkeit anzuzeigen, dass ein Konstruktor gescheitert ist. Noch wichtiger: Da das System gemeinsam genutzte Konstruktoren zu vom System bestimmten Zeitpunkten aufruft[4], ist es sinnvoll für sie, den Typ `TypeInitializationException` zu benutzen, um genauer angeben zu können, wann etwas schiefgegangen ist. Stellen Sie sich zum Beispiel vor, Sie hätten einen gemeinsam genutzten Konstruktor, der potenziell eine `ArgumentOutOfRange`-Exception ausgeben könnte. Stellen Sie sich nun die Frustration der Benutzer vor, wenn sich die Ausnahme

---

[4] Das System könnte gemeinsam genutzte Konstruktoren zur Ladezeit eines Typs oder gerade vor dem Zugriff auf ein gemeinsam genutztes Glied aufrufen, je nachdem, wie die CLR für den jeweiligen Prozess konfiguriert ist.

zu einer scheinbar beliebigen Zeit in den umschließenden Thread fortpflanzte, weil der exakte Zeitpunkt, zu dem ein gemeinsam genutzter Konstruktor aufgerufen wird, vom System definiert wird. Es könnte so scheinen, als würde die `ArgumentOutOfRange`-Ausnahme quasi vom Himmel fallen. Indem Sie Ihre Exception in die `TypeInitialization`-Ausnahme packen, lüften Sie einen Teil des Geheimnisses und informieren die Anwender und den Entwickler, dass das Problem während der Initialisierung des Typs entstand.

```
Der folgende Code zeigt, wie ein Beispiel für eine
TypeInitializationException mit einer inneren Ausnahme aussieht:
Imports System
Imports System.IO

Class EventLogger
    Private Shared EventLog As StreamWriter
    Private Shared StrLogName As String

    Shared Sub New()
        EventLog = File.CreateText("logfile.txt")
        StrLogName = DirectCast(StrLogName.Clone(), String)
    End Sub

    Public Shared Sub WriteLog(ByVal someText As String)
        EventLog.Write(someText)
    End Sub
End Class

Public Class EntryPoint
    Shared Sub Main()
        EventLogger.WriteLog("Log this!")
    End Sub
End Class
```

Wenn Sie das Beispiel Schritt für Schritt durchgehen, präsentiert Ihnen der Ausnahmeassistent den Dialog »`TypeInitializationException` wurde nicht behandelt – Der Typeninitialisierer für `Exceptions.EventLogger` hat eine Ausnahme verursacht.«, der Tipps zur Fehlerkorrektur enthält. Klicken Sie den Link »Details anzeigen« unter »Aktionen« an, um den Dialog zu sehen, der eine Momentaufnahme der Ausnahmen anzeigt und `System.TypeInitializationException` als äußere Ausnahme listet sowie »Der Objektverweis wurde nicht auf eine Objektinstanz festgelegt« als die innere Ausnahme, mit der alles begann. Die Abbildung 8-1 zeigt das Dialogfenster des Ausnahmeassistenten.

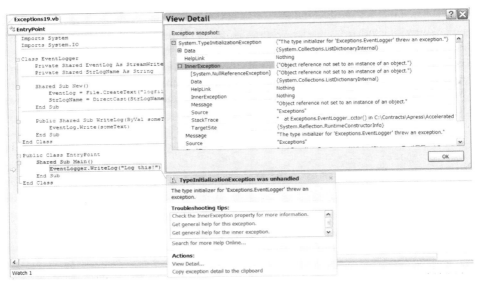

Abbildung 8-1: Der Ausnahmeassistent in Aktion.

8.4 Ausnahmeneutralität erreichen

Als Ausnahmen erstmals in C++ hinzugefügt wurden, waren viele Entwickler begeistert, endlich Exceptions auslösen, abfangen und behandeln zu können. Ein häufiges Missverständnis war zu dieser Zeit, dass die Ausnahmebehandlung einfach darin bestand, Try-Anweisungen strategisch geschickt zu platzieren und gelegentlich ein Throw einzuwerfen, wenn es nötig schien. Mit der Zeit bemerkte die Entwicklergemeinde, dass das großzügige Verteilen von Try-Statements ihren Code schwer lesbar machte; dabei wollten sie ja eigentlich nur elegant aufräumen, wenn eine Ausnahme ausgelöst wurde und der Ausnahme erlauben, sich über den Stack fortzupflanzen. Noch schlimmer, der Code wurde dadurch schwierig zu schreiben und zu warten. Code, der keine Exceptions behandelt, von dem aber erwartet wird, sich im Hinblick auf Ausnahmen gesittet zu verhalten, wird *ausnahmeneutraler* Code genannt.

Es musste ganz offensichtlich einen besseren Weg geben, um ausnahmeneutralen Code zu erhalten, als sich auf Try-Statements zu verlassen und diese überall zu verstreuen. In der Tat benötigen Sie eine Try-Anweisung nur an einem Ort, an dem Sie etwas in der Art einer Systemwiederherstellung oder eines Logging-Eintrags als Antwort auf eine Exception vornehmen. Mit der Zeit realisierten die Entwickler, dass das Aufstellen von Try-Statements den am wenigsten bedeutsamen Aspekt des Schreibens von ausnahmesicherem und ausnahmeneutralem Code darstellte. Generell sollte nur Code, der ganz spezifisch weiß, wie eine bestimmte Situation zu bereinigen ist, eine Exception auffangen. Dieser Code könnte sogar in dem Eintrittspunkt eines Programms sitzen und das System ganz einfach in einen bekannten Ursprungszustand zurückversetzen, im Wesentlichen also die Anwendung neu starten.

Ausnahmeneutraler Code ist Code, der zwar nicht die Fähigkeit besitzt, eine Exception spezifisch zu behandeln, der aber mit Ausnahmen elegant umgehen kann. Üblicherweise sitzt dieser Code irgendwo im Stack zwischen dem Code, der die Ausnahme auslöst und dem, der sie abfängt, und er darf nicht negativ durch die Exception beeinflusst werden, die sich durch den Stack bewegt. An diesem Punkt denken einige wahrscheinlich über das Throw-Statement ohne Parameter nach, das Ihnen erlaubt, eine Ausnahme abzufangen, eine Aufgabe zu erledigen und dann die Exception wieder auszuwerfen. Sauberer ist jedoch die Methode, ausnahmeneutralen Code zu schreiben, ohne ein einziges Try-Statement zu verwenden. Sie erzeugt zudem besser lesbaren und robusteren Code.

8.4.1 Die Grundstruktur von ausnahmeneutralem Code

Die generelle Idee hinter ausnahmeneutralem Code ähnelt der Idee, Commit-Rollback-Code zu erstellen. Sie schreiben derartigen Code mit der Garantie, dass die gesamte Operation revidiert wird, wenn sie nicht zur Vollendung gebracht wird, und sich der Systemzustand dabei nicht ändert. Die Änderungen des Systemzustands werden nur festgeschrieben, wenn der Code das Ende seines Ablaufweges erreicht. Sie sollten Ihre Methoden auf diese Weise codieren, damit sie ausnahmeneutral sind. Wird vor dem Ende der Methode eine Exception ausgegeben, dann sollte der Systemzustand unverändert bleiben. Das folgende Beispiel zeigt Ihnen, wie Sie Ihre Methoden strukturieren sollten, um dieses Ziel zu erreichen:

```
Sub ExceptionNeutralMethod()
    ' Code, der möglicherweise Ausnahmen auslösen könnte,
    ' steht in diesem ersten Abschnitt. In diesem Abschnitt
    ' werden keine Zustandsänderungen an irgendeinem
    ' Objekt im System vorgenommen, dieses eingeschlossen.
    ' Alle Änderungen, die an diesem Punkt ausgeführt
    , werden, benutzen Operationen, die garantiert keine
    , Exceptions auslösen.
End Sub
```

Wie Sie sehen, funktioniert diese Operation nur dann, wenn Sie ein Set von Operationen haben, das garantiert niemals Ausnahmen auswirft. Andernfalls wäre es unmöglich, das Commit-Rollback-Verhalten wie beschrieben zu implementieren. Glücklicherweise bietet die .NET-Laufzeitumgebung ein paar Operationen an, die laut Spezifikation garantiert nie Exceptions auswerfen.

Bauen wir ein Beispiel, um zu erläutern, was wir meinen. Nehmen wir an, Sie haben ein System oder eine Anwendung, mit der Sie Angestellte verwalten. Sagen wir weiter, dass, sobald ein Angestellter erzeugt und durch ein Employee-Objekt repräsentiert wird, dieses Objekt in einer einzigen Auflistung (Collection) im System existieren muss. Derzeit gibt es zwei Collections im System: eine, die aktive Angestellte repräsentiert und eine, die ausgeschiedene Angestellte umfasst. Zudem existieren die Auflistungen innerhalb eines EmployeeDatabase-Objekts, wie das folgende Beispiel zeigt:

```
Imports System.Collections

Class EmployeeDatabase
    Private ActiveEmployees As ArrayList
    Private TerminatedEmployees As ArrayList
End Class
```

Das Beispiel verwendet Collections vom Typ `ArrayList`, der sich im Namensraum `System.Collections` befindet. Ein echtes Produktivsystem hierfür würde wahrscheinlich etwas Nützlicheres, etwa eine Datenbank, benutzen.

Sehen wir uns einmal an, was passiert, wenn ein Angestellter ausscheidet. Natürlich müssen Sie diesen Angestellten aus der Collection `ActiveEmployees` in die vom Typ `TerminatedEmployees` bewegen. Ein erster Versuch, dies zu erreichen, könnte so aussehen:

```
Imports System.Collections

Class Employee
End Class

Class EmployeeDatabase
    Private ActiveEmployees As ArrayList
    Private TerminatedEmployees As ArrayList

    Public Sub TerminateEmployee(ByVal index As Integer)
        Dim employee As Object = ActiveEmployees(index)

        ActiveEmployees.RemoveAt(index)
        TerminatedEmployees.Add(employee)
    End Sub
End Class
```

Dieser Code sieht schon ganz vernünftig aus. Die Methode, die die Verschiebung ausführt, knobelte irgendwie den Index des aktiven Angestellten in der Liste `ActiveEmployees` aus, bevor die Methode `TerminateEmployee()` aufgerufen wurde. Sie kopiert eine Referenz auf den ausgewählten Angestellten, entfernt diese Referenz aus `ActiveEmployees` und fügt ihn der Auflistung `TerminatedEmployees` hinzu. Was soll schlimm an dieser Methode sein?

Sehen Sie sich die Methode `TerminateEmployee()` genau an und betrachten Sie, wo Ausnahmen entstehen könnten. In der Tat könnte bei der Ausführung jeder Methode, die von ihr aufgerufen wird, eine Exception ausgelöst werden. Wenn der Index außerhalb der möglichen Werte steht, würden Sie schon in den ersten beiden Zeilen erwarten, dass eine `ArgumentOutOfRange`-Ausnahme ausgeworfen wird. Wenn diese Exception bereits in der ersten Zeile ausgegeben wird, kommt die Ausführung des Codes nie in der zweiten Zeile an. Und auch wenn der Speicher knapp ist, könnte der Aufruf von `Add()` mit einer Ausnahme fehlschlagen.

Die Gefahr besteht in der Möglichkeit, dass die Ausnahme ausgeworfen wird, nachdem der Systemzustand modifiziert wurde. Stellen Sie sich vor, dass der übergebene Indexwert gültig ist. Die ersten beiden Zeilen werden dann wahrscheinlich funktionieren. Wenn aber die Exception ausgegeben wird, während versucht wird, den Angestellten an `TerminatedEmployees` zu übergeben, dann wird der Betroffene im System verlorengehen. Was können Sie nun tun, um das Problem zu beheben?

Ein erster Versuch könnte `Try`-Anweisungen verwenden, um Schaden vom Systemzustand abzuwenden. Betrachten Sie dieses Beispiel:

```
Imports System.Collections

Class Employee
End Class

Class EmployeeDatabase
    Private ActiveEmployees As ArrayList
    Private TerminatedEmployees As ArrayList

    Public Sub TerminateEmployee(ByVal index As Integer)
        Dim employee As Object = Nothing

        Try
            employee = ActiveEmployees(index)
        Catch
        'Sch…! Wir sind außerhalb der Grenze.
        End Try

        If employee <> Nothing Then
            ActiveEmployees.RemoveAt(index)
            Try
                TerminatedEmployees.Add(employee)
            Catch
                'Die Zuordnung kann fehlgeschlagen sein.
                ActiveEmployees.Add(employee)
            End Try
        End If
    End Sub
End Class
```

Sie sehen, wie schnell der Code aufgrund der `Try`-Anweisungen schwerer zu lesen und zu verstehen wird. Sie müssen die Referenz `Employee` aus dem `Try`-Statement herausziehen und ihn als `Nothing` initialisieren. Sobald Sie versuchen, die Referenz auf den Angestellten zu bekommen, müssen Sie die Referenz auf `Nothing` prüfen, um sicherzugehen, dass Sie sie wirklich bekommen haben. Sobald das geklappt hat, können Sie weitermachen und den `Employee` auf die Liste der `TerminatedEmployees` setzen. Wenn das aber fehlschlägt, müssen Sie den `Employee` wieder der `ActiveEmployees`-Liste hinzufügen.

Wahrscheinlich haben Sie schon eine Menge von Problemen bei diesem Ansatz beobachtet. Zunächst, was passiert, wenn die erneute Zuordnung von `Employee` zur Auflistung `ActiveEmployees` fehlschlägt? Beschränkt sich das nur auf diesen einen Punkt? Das ist nicht akzeptabel, denn der Systemzustand ist bereits verändert worden. Zweitens müssen Sie vermutlich von dieser Methode einen Fehlercode ausgeben, um anzugeben, warum sie nicht komplett ausgeführt werden konnte. Drittens kann der Code sehr schnell schwer zu lesen und nachzuverfolgen sein.

Wie sieht also die Lösung aus? Denken Sie daran, was Sie mit den `Try`-Anweisungen zu erreichen versucht hatten. Sie möchten die Abläufe erledigen, die möglicherweise Exceptions auswerfen; wenn diese fehlschlagen, möchten Sie zum vorigen Systemzustand zurückkehren. Sie können sogar eine Variation über dieses Thema ohne `Try`-Statements ausprobieren, die so aussieht: Versuchen Sie zuerst alle Aktionen in der Methode auszuführen, die potenziell Exceptions ausgeben könnten. Haben Sie diesen Punkt passiert, dann erledigen Sie die Vorgänge, die keine Ausnahmen zeitigen können. Sehen wir uns an, wie diese Funktion aussehen könnte:

```
    Imports System.Collections

Class Employee
End Class

Class EmployeeDatabase
    Private activeEmployees As ArrayList
    Private terminatedEmployees As ArrayList

    Public Sub TerminateEmployee(ByVal index As Integer)
        'Klon-empfingliche Objekte.
        Dim tempActiveEmployees As ArrayList = _
        DirectCast(activeEmployees.Clone(), ArrayList)

        Dim tempTerminatedEmployees As ArrayList = _
        DirectCast(terminatedEmployees.Clone(), ArrayList)

        'Führen Sie Aktionen mit temporären Objekten aus.
        Dim employee As Object = tempActiveEmployees(index)

        tempActiveEmployees.RemoveAt(index)
        tempTerminatedEmployees.Add(employee)

        'Legen Sie jetzt die Änderungen fest..
        Dim tempSpace As ArrayList = Nothing

        ListSwap(activeEmployees, tempActiveEmployees, tempSpace)
        ListSwap(terminatedEmployees, tempTerminatedEmployees, tempSpace)
```

```
      End Sub

      Sub ListSwap(ByRef first As ArrayList, ByRef second As ArrayList, _
          ByRef temp As ArrayList)
          temp = first
          first = second
          second = temp
          temp = Nothing
      End Sub
End Class
```

Beachten Sie zunächst, dass überhaupt keine Try-Ausdrücke vorhanden sind. Das Schöne an ihrer Abwesenheit ist, dass die Methode keinen Ergebniscode zurückgeben muss. Der Aufrufer kann also erwarten, dass die Methode entweder wie vorgesehen funktioniert oder eine Ausnahme auswirft. Die einzigen beiden Zeilen in der Methode, die den Systemzustand beeinflussen, sind die letzten beiden Aufrufe an ListSwap(). ListSwap() wurde eingeführt, um Ihnen zu erlauben, die Referenzen der Objekte der ArrayList in EmployeeDatabase mit den Referenzen auf die vorübergehend modifizierten Kopien zu vertauschen, die Sie gemacht haben.

Wie kann diese Technik so viel besser sein, wenn sie so viel weniger effizient erscheint? Hier sind zwei Tricks im Spiel: Der offensichtliche ist, dass, egal wo in dieser Methode eine Ausnahme entsteht, der Zustand der EmployeeDatabase nicht davon betroffen wird. Aber was passiert, wenn eine Ausnahme in ListSwap() ausgeworfen wird? Moment! Hier kommt der zweite Trick: ListSwap() wird nie eine Exception ausgeben. Eine der wichtigsten Voraussetzungen, um ausnahmeneutralen Code zu erzeugen, ist, ein kleines Set von Operationen zur Verfügung zu haben, die unter normalen Umständen nicht fehlschlagen. Wir gehen jetzt allerdings nicht von einem katastrophalen Erdbeben oder einem Tornado aus! Schauen wir uns an, warum ListSwap() keine Ausnahmen ausgibt.

Um ausnahmeneutralen Code zu erstellen ist es unumgänglich, eine Handvoll Operationen zu haben, die garantiert keine Exceptions ausgeben – so etwa Zuweisungsoperationen. Glücklicherweise stellt die CLR solche Operationen zur Verfügung. Die Zuweisung von Referenzen, bei denen keine Typkonvertierung anfällt, ist ein Beispiel dafür. Jede Referenz zu einem Objekt wird an einem Ort gespeichert, und dieser Ort hat einen Typ, der mit ihm verbunden ist. Sobald jedoch diese Orte existieren, ist das Kopieren einer Referenz von einem Platz zum anderen eine einfache Speicherkopie zu bereits festgelegten Orten, und das kann nicht fehlschlagen. Das ist prima, wenn Sie Referenzen eines Typs auf Referenzen desselben Typs kopieren.

Aber was passiert, wenn eine Konvertierung notwendig ist? Kann dies eine Ausnahme auslösen? Wenn Ihre Zuweisung eine implizite Umwandlung aufruft, sind Sie abgesichert, in der Annahme, dass alle Operatoren für implizite Konvertierungen keine Ausnahmen auslösen. Sie müssen sehr darauf achten, dass Ihre impliziten Konvertierungsoperatoren keine Ausnahmen auslösen. Explizite Konvertierungen in der Form von Typecasts können dagegen Exceptions auswerfen. Die Quintessenz lautet, dass eine einfache Zuweisung einer Referenz an eine andere keine Ausnahme auslöst, egal, ob sie eine implizite Konvertierung voraussetzt oder nicht.

`ListSwap()` macht nichts anderes als einfache Zuweisungen von einem Referenzort an einen anderen. Nachdem Sie die temporäre `ArrayList` mit dem gewünschten Status aufgesetzt haben und Sie zu dem Punkt gekommen sind, an dem die `ListSwap()`-Aufrufe ausgeführt werden, wissen Sie, dass keine weiteren Ausnahmen in der Methode `TerminateEmployee()` möglich sind. Jetzt können Sie den Wechsel sicher vornehmen. Die `ArrayList`-Objekte im Objekt `EmployeeDatabase` können mit den temporären vertauscht werden. Sobald die Methode an ihr Ende gekommen ist, werden die ursprünglichen `ArrayList`-Objekte freigegeben, um vom Garbage Collector aufgesammelt werden zu können.

Eine weitere Sache, die Sie im Hinblick auf `ListSwap()` bemerkt haben könnten, ist, dass der temporäre Platz, an dem eine Instanz der `ArrayList` während des Austauschs angesiedelt wird, außerhalb der Methode `ListSwap()` angesiedelt ist und als `ByRef`-Parameter weitergegeben wird. Dadurch wird eine `StackOverflowException` innerhalb von `ListSwap()` vermieden. Es gibt die entfernte Möglichkeit, dass der Stack beim Aufruf von `ListSwap()` nur noch mit letzten Kräften arbeitet und die einfache Zuordnung weiteren Platzes auf dem Stack fehlschlagen und eine Ausnahme erzeugen könnte. Daher sollten Sie diesen Schritt außerhalb der Grenzen der Methode `ListSwap` ausführen. Sobald sich die Ausführung innerhalb von `ListSwap()` befindet, sind alle Positionen zugeordnet und bereit, genutzt zu werden.

Diese Technik wird bei großzügiger Anwendung in einem System, das felsenfeste Stabilität verlangt, Methoden ausfindig machen, die zu komplex sein können und in kleinere funktionale Einheiten aufgebrochen werden müssen. Im Wesentlichen vergrößert diese Vorgehensweise die Komplexität einer Methode, auf die sie angewendet wird. Wenn Sie es daher als ungeschickt und schwierig empfinden, die Methode kugelsicher zu machen, sollten Sie sie analysieren und sicherstellen, dass Sie nicht zu viel Arbeit erledigt, die Sie auch in kleinere Einheiten aufbrechen könnten.

Zufälligerweise kann es notwendig sein, Tauschoperationen, die `ListSwap()` ähneln, in einer Multithreading-Umgebung zu atomisieren. Sie könnten `ListSwap()` so modifizieren, dass es eine Art exklusives Lock-Objekt (engl. Lock: Sperre), etwa ein `Mutex` oder ein `System.Threading.Monitor`-Objekt, benutzt. Das kann jedoch unbeabsichtigterweise dazu führen, dass `ListSwap()` die Fähigkeit erlangt, Ausnahmen auszuwerfen, und das verletzt die Voraussetzungen für `ListSwap()`. Glücklicherweise ermöglicht es der Namensraum `System.Threading` der Klasse `Interlocked`, diese Austauschoperationen in atomisierter Form vorzunehmen, und – am allerbesten – die Methoden werfen garantiert nie Ausnahmen aus. Die Klasse `Interlocked` stellt einen generischen Überbau für alle nützlichen Methoden zur Verfügung und macht sie dadurch sehr effizient. Die generischen Methoden von `Interlocked` weisen allerdings die Einschränkung auf, dass sie nur mit Referenztypen funktionieren.

Zusammengefasst sollten Sie alles erledigt haben, was potenziell eine Exception auswerfen kann, bevor Sie den Status des Objekts, an dem Operationen ausgeführt werden, modifizieren. Sobald Sie wissen, dass Sie den Punkt überschritten haben, an dem möglicherweise Ausnahmen ausgegeben werden können, schreiben Sie die Änderungen fest und benutzen dafür Operationen, die ganz sicher keine Exceptions auslösen. Wenn Sie ein robustes System programmieren sollen, auf dessen Integrität sich viele Leute verlassen, kann die Wichtigkeit dieses Gedankens nicht genug betont werden.

8.4.2 Eingeschränkte Ausführungsregionen

Das Beispiel im vorigen Abschnitt verschafft einen Eindruck von der Paranoia, die Sie aushalten müssen, um idiotensicheren ausnahmeneutralen Code schreiben zu können. Wir befürchteten so sehr, dass ein Stack-Overflow eintreten würde, dass wir den zusätzlichen Platz eingerichtet hatten, den `ListSwap()` brauchte, bevor wir die Methode aufriefen. Sie könnten denken, dass alle Probleme damit bereits erledigt wären. Leider lägen Sie damit falsch. In der CLR können andere asynchrone Exceptions auftreten, so etwa `ThreadAbortException,` `OutOfMemoryException` und `StackOverflowException.`

Was kann man denn tun, wenn etwa während der Ausführungsphase der Methode `TerminateEmployee` die Applikationsdomäne beendet wird und eine `ThreadAbortException` erzwingt? Oder was geschieht, wenn beim ersten Aufruf von `ListSwap()` der Just-in-Time-Compiler nicht genug Speicher bereitstellt, um die Methode kompilieren zu können? Der Umgang mit diesen schlimmen Situationen ist schwierig. In .NET 3.5 können Sie hier eine Constrained Execution Region (CER, beschränkte Ausführungsregion) oder einen kritischen Finalisierer (critical Finalizer) benutzen.

Eine CER ist eine Region von Code, die die CLR vor der Ausführung anlegt. Wenn der Code gebraucht wird, ist alles an seinem Platz und die Möglichkeiten eines Fehlschlags sind abgeschwächt. Darüber hinaus verschiebt die CLR die Übergabe jeder beliebigen asynchronen Ausnahme, etwa vom Typ `ThreadAbortException,` wenn der Code in der CER ausgeführt wird. Sie können die Tricks der CER selbst ausführen, indem Sie die Klasse `RuntimeHelpers` im Namensraum `System.Runtime.CompilerServices` benutzen. Rufen Sie einfach `RuntimeHelpers.PrepareConstrainedRegions()` vor einem `Try`-Statement in Ihrem Code auf. Die CLR überprüft dann die Blöcke `Catch` und `Finally` und präpariert sie. Sie stellt schließlich auch sicher, dass alle Methoden im Ausführungspfad JIT-kompiliert sind und genügend Stackspeicher verfügbar ist[5]. Aber obwohl Sie `PrepareConstrainedRegions` vor einer `Try`-Anweisung aufrufen, wird der Code im `Try`-Block nicht präpariert. Sie können das folgende Beispiel benutzen, um diese Codestücke zu präparieren, indem Sie den Code innerhalb einer CER in einen `Finally`-Block hüllen:

---

[5] Zufällig bilden überschreibbare Methoden und Delegaten ein Problem, weil der Aufrufbaum zum Zeitpunkt der Vorbereitung nicht ableitbar ist. Wenn Sie aber das Ziel der überschreibbaren Methode oder des Delegaten kennen, können Sie sie explizit vorbereiten, indem Sie einfach `RuntimeHelpers.PrepareDelegate()` aufrufen.

```vbnet
Imports System.Collections
Imports System.Runtime.CompilerServices
Imports System.Runtime.ConstrainedExecution

Class Employee
End Class

Class EmployeeDatabase
    Private ActiveEmployees As ArrayList
    Private TerminatedEmployees As ArrayList

    Public Sub TerminateEmployee(ByVal index As Integer)
        'Klon-sensitive Objekte
        Dim tempActiveEmployees As ArrayList = _
            DirectCast(ActiveEmployees.Clone(), ArrayList)
        Dim tempTerminatedEmployees As ArrayList = _
            DirectCast(TerminatedEmployees.Clone(), ArrayList)

        'Aktionen an Temp-Objekten vornehmen.
        Dim employee As Object = tempActiveEmployees(index)
        tempActiveEmployees.RemoveAt(index)
        tempTerminatedEmployees.Add(employee)

        RuntimeHelpers.PrepareConstrainedRegions()

        Try

        Finally
            'Änderungen jetzt festschreiben.
            Dim tempSpace As ArrayList = Nothing

            ListSwap(ActiveEmployees, tempActiveEmployees, tempSpace)
            ListSwap(TerminatedEmployees, tempTerminatedEmployees, _
tempSpace)
        End Try
    End Sub

    <ReliabilityContract(Consistency.WillNotCorruptState, Cer.Success)> _
    Sub ListSwap(ByRef first As ArrayList, ByRef second As ArrayList, _
        ByRef temp As ArrayList)
        temp = first
        first = second
        second = temp
        temp = Nothing
    End Sub
End Class
```

Beachten Sie, dass das Commit-Stück der Methode `TerminateEmployee` in eine CER gehüllt wird. Zur Laufzeit, bevor der Code ausgeführt wird, bereitet die CLR den Code vor, indem sie die `ListSwap`-Methode vorbereitet und sicherstellt, dass der Stack die Arbeit erledigen kann. Natürlich können diese Vorbereitungsoperationen auch fehlschlagen, aber das ist OK, denn noch sind Sie nicht beim Code angelangt, der die Änderungen ausführt. Beachten Sie auch, dass das `ReliabilityContractAttribute` nun zur Methode `ListSwap` hinzugekommen ist. Dieses informiert die Laufzeitumgebung darüber, welche Garantien die Methode `ListSwap` einhält, so dass die CER korrekt gebildet werden kann. Sie könnten ebenfalls ein `ReliabilityContractAttribute` an die Methode `TerminateEmployee` heften, aber es ist eigentlich nur für Code hilfreich, der innerhalb der CER ausgeführt wird. Wenn Sie dieses Attribut an die Methode `TerminateEmployee` anhängen wollen, damit Sie diese in einer CER verwenden können, die anderswo erstellt wurde, könnten Sie das folgende Attribut hinzufügen:

```
<ReliabilityContract(Consistency.WillNotCorruptState, Cer.MayFail)>
```

Dieses `ReliabilityContractAttribute` drückt das Ziel aus, das Sie von Beginn an mit `TerminateEmployee()` erreichen wollten: Es kann schiefgehen, das ja, aber wenn es passiert, wird der Systemzustand nicht korrumpiert.

Hinweis: Obwohl die CLR garantiert, dass asynchrone Ausnahmen nicht in den Ausführungsstrang injiziert werden, während er sich in einer CER befindet, kann sie jedoch keine Garantie dafür geben, alle Exceptions zu unterdrücken. Sie unterdrückt nur diejenigen, die sich außerhalb Ihrer Kontrolle befinden. Das heißt: Wenn Sie innerhalb einer CER Objekte erzeugen, müssen Sie darauf vorbereitet sein, mit einer `OutOfMemoryException` oder einer anderen vom Code hervorgerufenen Ausnahme umzugehen.

8.4.3 Kritische Finalisierer und SafeHandle

Kritische Finalisierer (Critical Finalizers) ähneln CERs insofern, als der Code in ihrem Inneren gegen asynchrone Exceptions und andere Gefahren geschützt ist, die die Abarbeitung in einer virtuellen Ausführungsumgebung verursacht und sich außerhalb Ihrer Kontrolle befinden. Um Ihr Objekt dergestalt zu kennzeichnen, dass es einen kritischen Finalisierer hat, müssen Sie nur von `CriticalFinalizerObject` ableiten. Wenn Sie das tun, besitzt Ihr Objekt unter Garantie einen Finalisierer, der im Kontext einer CER läuft und deshalb auch alle Regeln befolgen muss, die eine CER auferlegt. Außerdem führt die CLR kritische Finalisierer aus, nachdem sie die unkritischen finalisierbaren Objekte abgearbeitet hat.

Im echten Leben werden Sie kaum jemals ein kritisches finalisierbares Objekt erzeugen müssen. Das Verhalten, das Sie brauchen, können Sie üblicherweise auch bekommen, wenn Sie von `SafeHandle` ableiten. `SafeHandle` ist ein wichtiges Werkzeug, wenn Sie nativen interoperablen Code durch Platform Invoke (P/Invoke)[6] oder COM Interop erstellen, da es Ihnen garantiert, dass keine nicht verwalteten Ressourcen aus der CLR herauströpfeln. Vor .NET 2.0 war dies nicht möglich. Indem Sie eine weitere indirekte Ebene[7] in der Form von `SafeHandle` einbauen, können Sie diese Probleme lindern.

> **Vorsicht:** Bevor Sie voreilig den Schluss ziehen, dass Sie eine Ableitung von `SafeHandle` erzeugen müssen, prüfen Sie lieber, ob nicht einer der mitgelieferten `SafeHandle`-Abkömmlinge im .NET-Framework die Arbeit genauso gut erledigt. Wenn Sie zum Beispiel Code erstellen, der direkt mit einem Gerätetreiber kommunizieren soll, indem er die Win32-Funktion `DeviceIoControl()` per P/Invoke aufruft, dann genügt der Typ `SafeFileHandle`, um den Griff zu halten, den Sie an den Treiber ansetzen.

Wenn Sie Ihre eigene von `SafeHandle` abgeleitete Klasse erzeugen, müssen Sie eine kurze Folge von Schritten einhalten. Um ein Beispiel zu nehmen, erschaffen wir etwa eine von `SafeHandle` abgeleitete Klasse, `SafeBluetoothRadioFindHandle`, um die Bluetooth-Funkgeräte in einem System durchzunummerieren, sofern es welche gibt. Das Muster, um Bluetooth-Geräte in einem System durchzunummerieren, ist in nativem Code ziemlich einfach und ein Thema, das sich durch die gesamte Win32-Programmierschnittstelle zieht. Sie rufen die Win32-Funktion `BluetoothFindFirstRadio()` auf, und wenn sie Erfolg hat, gibt sie den Zugriff auf das erste Gerät durch einen Out-Parameter und ein Enumerations-Handle durch den Rückgabewert zurück. Sie können weitere Funkgeräte finden, indem Sie die Win32-Funktion `BluetoothFindNextRadio()` aufrufen. Am Ende müssen Sie sichergehen, dass Sie die Win32-Funktion `BluetoothFindRadioClose()` auf das Enumerations-Handle aufrufen. Betrachten Sie den folgenden Code:

```
Imports System
Imports System.Runtime.InteropServices
Imports System.Runtime.ConstrainedExecution
Imports System.Security
Imports System.Security.Permissions
Imports System.Text
Imports Microsoft.Win32.SafeHandles


'Entspricht den Win32 BLUETOOTH_FIND_RADIO_PARAMS
<StructLayout(LayoutKind.Sequential)> _
Class BluetoothFindRadioParams
```

---

[6] Platform Invoke (P/Invoke) erlaubt Ihrem verwalteten Code, die Programmierschnittstelle von Win32 und anderen nicht verwalteten Code wie etwa ältere Dynamic Link Libraries (DLL) oder Third-Party-Code aufzurufen. Mehr darüber im Anhang A.

[7] Andrew Koenig, der aus dem C++-Lager bekannt ist, nennt dies gerne den fundamentalen Satz des Software Engineering: Demnach lässt sich jedes Engineering-Problem lösen, indem ein weiteres indirektes Element hinzugefügt wird.

```vb
        Public dwSize As UInteger

    Public Sub New()
        dwSize = 4
    End Sub
End Class


'Entspricht der Win32 BLUETOOTH_RADIO_INFO
<StructLayout(LayoutKind.Sequential, CharSet:=CharSet.Unicode)> _
Structure BluetoothRadioInfo
    Public Const BLUETOOTH_MAX_NAME_SIZE As Integer = 248
    Public dwSize As UInteger
    Public address As ULong


    <MarshalAs(UnmanagedType.ByValTStr,
SizeConst:=BLUETOOTH_MAX_NAME_SIZE)> _
    Public szName As String
    Public ulClassOfDevice As UInteger
    Public lmpSubversion As ULong
    Public manufacturer As UShort
End Structure


'Sicheres Bluetooth-Enumerations-Handle
<SecurityPermission(SecurityAction.Demand, UnmanagedCode:=True)> _
Public NotInheritable Class SafeBluetoothRadioFindHandle
    Inherits SafeHandleZeroOrMinusOneIsInvalid

    Private Sub New()
        MyBase.New(True)
    End Sub

    Protected Overrides Function ReleaseHandle() As Boolean
        Return BluetoothFindRadioClose(handle)
    End Function

    <DllImport("Irprops.cpl")> _
    <ReliabilityContract(Consistency.WillNotCorruptState, Cer.Success)> _
    <SuppressUnmanagedCodeSecurity()> _
    Private Shared Function BluetoothFindRadioClose(ByVal hFind As IntPtr)
_
        As Boolean
    End Function
End Class


Public Class EntryPoint
    Private Const ERROR_SUCCESS As Integer = 0
```

```
    Shared Sub Main()
        Dim PreexistingHandle As IntPtr
        Dim OwnsHandle As Boolean = True
        Dim RadioHandle As SafeFileHandle = _
        New SafeFileHandle(PreexistingHandle, OwnsHandle)

        Using radioFindHandle As SafeBluetoothRadioFindHandle = _
        BluetoothFindFirstRadio(New BluetoothFindRadioParams(),
RadioHandle)
            If Not radioFindHandle.IsInvalid Then
                Dim radioInfo As BluetoothRadioInfo = New
BluetoothRadioInfo()
                radioInfo.dwSize = 520
                Dim result As UInteger = BluetoothGetRadioInfo(RadioHandle,
_
                    radioInfo)


                If result = ERROR_SUCCESS Then
                    'Let's send the contents of the radio info to the
console.
                    Console.WriteLine("address = {0:X}", radioInfo.address)
                    Console.WriteLine("szName = {0}", radioInfo.szName)
                    Console.WriteLine("ulClassOfDevice = {0}", _
                        radioInfo.ulClassOfDevice)
                    Console.WriteLine("lmpSubversion = {0}", _
                        radioInfo.lmpSubversion)
                    Console.WriteLine("manufacturer = {0}",
radioInfo.manufacturer)
                End If
                RadioHandle.Dispose()
            End If
        End Using
    End Sub

    <DllImport("Irprops.cpl")> _
    Private Shared Function _
        BluetoothFindFirstRadio(<MarshalAs(UnmanagedType.LPStruct)> _
        ByVal pbtfrp As BluetoothFindRadioParams, ByRef phRadio As
SafeFileHandle) _
        As SafeBluetoothRadioFindHandle
    End Function

    <DllImport("Irprops.cpl")> _
    Private Shared Function BluetoothGetRadioInfo(ByVal hRadio As
SafeFileHandle, _
```

```
       ByRef pRadioInfo As BluetoothRadioInfo) As UInteger
    End Function
End Class
```

Die Crux bei diesem Beispiel ist das `SafeBluetoothRadioFindHandle`. Sie könnten es direkt von `SafeHandle` abgeleitet haben, aber die Laufzeitumgebung stellt zwei Helferklassen zur Verfügung, `SafeHandleZeroOrMinusOneIsInvalid` und `SafeHandleMinusOneIsInvalid`, von denen Sie ableiten können, um die Dinge einfacher zu gestalten.

> **Vorsicht:** Seien Sie wachsam, wenn Sie per P/Invoke mit Win32-Funktionen hantieren, und lesen Sie die Dokumentation aufmerksam im Hinblick darauf, welcher Handle-Wert ungültig ist. Die Programmierschnittstelle von Win32 ist dafür berüchtigt, dass die Dinge hier verwirrend werden. Die Win32-Funktion `CreateFile()` gibt zum Beispiel `-1` zurück, um einen Fehler anzuzeigen. Die Funktion `CreateEvent()` gibt ein `NULL`-Handle zurück, wenn ein Fehler passiert. In beiden Fällen ist der Rückgabetyp `HANDLE`.

Sie sollten verschiedene Dinge ins Kalkül ziehen, wenn Sie Ihr eigenes `Safe-Handle`-Derivat ins Rennen schicken:

- Wenden Sie eine Code Access Security (CAS)[8]-Anfrage auf die Klasse an, die die Fähigkeit benötigt, nicht verwalteten Code aufzurufen: Sie müssen das nicht tun, außer Sie rufen wirklich nicht verwalteten Code auf – aber die Chancen, dass Sie jemals ein `SafeHandle`-Derivat erstellen und dabei keinen Unmanaged Code aufrufen, sind gering.

- Stellen Sie einen Standardkonstruktor zur Verfügung, der das `SafeHandle`-Derivat initialisiert: Beachten Sie, dass `SafeBluetoothRadioFindHandle` einen privaten Standardkonstruktor deklariert. Die P/Invoke-Schicht kann Instanzen des Objekts erstellen, obwohl der Konstruktor privat ist. Der private Konstruktor hält Client-Code davon ab, Instanzen zu erzeugen, ohne die Win32-Funktionen aufzurufen, die die darunterliegenden Ressourcen erstellen.

- Überschreiben Sie das Property `IsInvalid`: In diesem Fall ist das nicht nötig, da die Basisklasse `SafeHandleZeroOrMinusOneIsInvalid` dies für Sie erledigt.

- Überschreiben Sie die Methode `ReleaseHandle`, die dazu benutzt wird, die Ressource aufzuräumen: Typischerweise würden Sie hier Ihren Aufruf durch P/Invoke machen, um die nicht verwaltete Ressource freizugeben. Im Beispiel rufen Sie `BluetoothFindRadioClose()`. Beachten Sie, dass Sie, sobald Sie die Methode für P/Invoke deklarieren, einen Zuverlässigkeitskontrakt anwenden, da die Methode `ReleaseHandle` im Kontext einer CER aufgerufen wird. Zudem ist es klug, das Attribut `SuppressUnmanagedCodeSecurity` der Methode beizugeben.

---

[8] CAS erweitert die rollenbasierte Sicherheit, indem sie Trust-Levels für Code und Programme festlegt. Mehr dazu in Anhang A.

Sobald Sie Ihr `SafeHandle`-Derivat definieren, sind Sie bereit, es in P/Invoke-Deklarationen zu verwenden. Im vorigen Beispiel deklarieren Sie die Methode `BluetoothFindFirstRadio`, damit sie durch P/Invoke aufgerufen werden konnte. Wenn Sie nach dieser Funktion im Microsoft Developer Network (MSDN) suchen, sehen Sie, dass sie den Typ `BLUETOOTH_RADIO_FIND` zurückgibt, der ein Handle zu dem internen Objekt für die Durchnummerierung der Funkgeräte darstellt, welches den Typ `SafeBluetoothRadioFindHandle` zurückgibt. Die Steuerschicht von P/Invoke erledigt den Rest. Nun ist das Durchnummerierungs-Handle davor sicher, aus der Laufzeitumgebung nach draußen zu gelangen, falls ein asynchroner Zwischenfall von der virtuellen Ausführungsumgebung erzeugt wird.

> **Vorsicht:** Wenn sie zwischen einer COM-Methode oder einer Win32-Methode vermittelt, die ein Handle in einer Struktur zurückgibt, leistet die Interoperabilitätsschicht keine Unterstützung für den Umgang mit Derivaten von `SafeHandle`. In diesen seltenen Fällen, müssen Sie `SetHandle()` für das `SafeHandle`-Derivat aufrufen, nachdem Sie die Struktur von der Funktion oder COM-Methode zurückbekommen. Wenn Sie aber so etwas tun, werden Sie sicherstellen wollen, dass die Operation, die das Handle erzeugt, sowie der darauffolgende Aufruf der `SetHandle`-Methode in einer CER abläuft, damit nichts den Prozess der Ressourcenzuweisung und der Zuordnung des Handle zu dem Objekt `SafeHandle` unterbrechen kann; ansonsten könnte Ihre Applikation Ressourcen an die Umgebung abgeben.

8.5 Benutzerdefinierte Ausnahmeklassen erstellen

`System.Exception` hat drei öffentliche Konstruktoren und einen geschützten Konstruktor. Der erste ist der standardmäßige Konstruktor, der nicht viel tut. Der zweite ist ein Konstruktor, der eine Referenz auf ein String-Objekt annimmt. Dieser String ist eine allgemeine, von Programmierern definierte Nachricht, die Sie als eine etwas benutzerfreundlichere Beschreibung der Ausnahme ansehen könnten. Der dritte ist ein Konstruktor, der einen Nachrichtenstring übernimmt, wie der zweite, aber auch eine Referenz zu einer anderen `Exception` akzeptiert. Die Referenz zu der anderen Ausnahme erlaubt es Ihnen, den Überblick über entstehende Ausnahmen zu behalten, wenn eine Exception in einem `Try`-Block in eine andere übersetzt wird. Sie wird die »innere« Ausnahme für die soeben erzeugte Exception.

Ein gutes Beispiel dafür ist, wenn eine Ausnahme nicht behandelt wird und sich über den Stack eines gemeinsam genutzten Konstruktors ausbreitet. Die Laufzeitumgebung gibt dann eine `TypeInitializationException` aus, aber erst, nachdem sie die innere Ausnahme auf die ursprüngliche Exception eingestellt hat. Das Element, das die `TypeInitializationException` abfängt, wird dann wenigstens wissen, warum sich diese Ausnahme überhaupt ereignet hat.

Zuletzt erlaubt der geschützte Konstruktor die Erstellung einer Ausnahme von einem `SerializationInfo`-Objekt. Sie müssen stets daran interessiert sein, serialisierbare Ausnahmen zu erzeugen, die Sie über die Grenzen von Zusammenhängen benutzen können – zum Beispiel durch .NET-Remoting. Das bedeutet, dass Sie Ihre benutzerdefinierten Ausnahmeklassen ebenfalls mit dem `SerializableAttribute` auszeichnen sollten.

Die Klasse `System.Exception` ist hilfreich mit diesen drei öffentlichen Konstruktoren. Es ist jedoch sinnvoll, einen neuen, spezifischeren Ausnahmetyp zu kreieren, der sich von `System.Exception` ableitet. Auf diese Weise ist der Typ der Exception im Hinblick auf das vorliegende Problem weitaus ausdrucksstärker. Noch besser ist die Tatsache, dass Ihre abgeleitete Ausnahmeklasse Daten enthalten könnte, die gegenüber dem Grund, warum die Exception überhaupt ausgelöst wurde, unempfindlich sind. Beachten Sie, dass alle Ausnahmen von `System.Exception` abgeleitet sein müssen. Schauen wir mal, was nötig ist, um benutzerdefinierte Ausnahmen effektiv zu beschreiben.

Betrachten Sie das vorherige Beispiel mit der `EmployeeDatabase`. Stellen Sie sich vor, dass die Daten eines Angestellten geprüft werden müssen, um ihn der Datenbank hinzuzufügen. Wenn die Prüfung der Daten eines Angestellten fehlschlägt, wird die `Add`-Methode eine Ausnahme vom Typ `EmployeeVerificationException` auswerfen. Beachten Sie, dass der Typ der neuen Ausnahme mit dem Wort Exception endet. Das ist eine empfohlene Konvention, da Ausnahmen damit in Ihrem Typsystem leicht zu entdecken sind. Schauen wir, wie so ein Ausnahmetyp aussehen könnte:

```
Imports System
Imports System.Collections
Imports System.Runtime.Serialization

Public Class Employee
    Private mEmployeeSSN As String
    Private mEmployeeBirthDate As Date

    Public Sub New()
        MyBase.New()
    End Sub


    Public Sub Add(ByVal anSSN As String, ByVal aBirthDate As Date)
        Me.EmployeeBirthDate = aBirthDate
        Me.EmployeeSSN = anSSN
    End Sub

    Public Property EmployeeSSN() As String
        Get
            Return mEmployeeSSN
        End Get
        Set(ByVal value As String)
            If value.Length = 9 Then
                mEmployeeSSN = value
            Else
```

```
                   Throw New EmployeeVerificationException( _
                   EmployeeVerificationException.Cause.InvalidSSN, _
                   "Social Security Number must be 9 digits.")
            End If
        End Set
    End Property

    Public Property EmployeeBirthDate() As Date
        Get
            Return mEmployeeBirthDate
        End Get
        Set(ByVal value As Date)
            mEmployeeBirthDate = value
        End Set
    End Property
End Class

<Serializable()> _
Public Class EmployeeVerificationException
    Inherits Exception

    Private mReason As Cause

    Public Enum Cause
        InvalidSSN
        InvalidBirthDate
    End Enum

    Public Sub New(ByVal reason As Cause)
        MyBase.New()
        Me.mReason = reason
    End Sub


    Public Sub New(ByVal reason As Cause, ByVal msg As String)
        MyBase.New(msg)
        Me.mReason = reason
    End Sub

    Public Sub New(ByVal reason As Cause, ByVal msg As String, _
        ByVal inner As Exception)
        MyBase.New(msg, inner)
        Me.mReason = reason
    End Sub

    Protected Sub New(ByVal info As SerializationInfo, _
        ByVal context As StreamingContext)
```

```
        MyBase.New(info, context)
    End Sub

    Public ReadOnly Property Reason() As Cause
        Get
            Return mReason
        End Get
    End Property
End Class

Public Class EntryPoint
    Shared Sub Main()
        Dim anEmployeeSSN As String = New String("12345678")
        Dim anEmployeeBD As Date = New Date(1959, 3, 12)
        Dim anEmployee As Employee = New Employee()

        Try
            anEmployee.Add(anEmployeeSSN, anEmployeeBD)
        Catch e As EmployeeVerificationException
            Console.WriteLine(e.Message & vbCrLf & "Reason Code: " & _
                CStr(e.Reason))
        End Try
    End Sub
End Class
```

In der Methode `Employee.Add` können Sie einen einfachen Aufruf an `Me.EmployeeSSN` sehen, der die Länge der übergebenen Sozialversicherungsnummer validiert. Das ist ein sehr einfaches Beispiel, in dem Sie erzwingen, dass die Validierung fehlschlägt, indem eine `EmployeeVerificationException` ausgeworfen wird, aber der Hauptfokus des Beispiels liegt ja gerade in der Erstellung des neuen Ausnahmetyps. Sehr häufig werden Sie feststellen, dass es genügt, einen neuen Exception-Typ zu erzeugen, um die zusätzliche Information zu transportieren, die Sie übermitteln wollen. In diesem Fall überträgt der Ausnahmetyp mehr Informationen über das Scheitern der Validierung, so dass Sie ein `Reason`-Property erstellen können, dessen unterstützendes Feld im Konstruktor initialisiert werden muss. Beachten Sie auch, dass `EmployeeVerificationException` sich von `System.Exception` ableitet. Es gab einmal die Denkschule, dass alle vom .NET Framework definierten Ausnahmetypen sich von `System.Exception` ableiten würden, während alle benutzerdefinierten Exceptions von `Application.Exception` herrühren sollten; dadurch würde es leichter fallen, die beiden auseinanderzuhalten. Dieses Ziel wurde aus den Augen verloren – zum Teil auch deswegen, weil sich einige vom .NET Framework definierten Ausnahmen von `Application.Exception` ableiten. Die Klasse `Application.Exception` leitet sich wiederum von `System.Exception` ab.

Sie werden sich fragen, warum wir vier Ausnahme-Konstruktoren für diesen einfachen Exception-Typ definiert haben. Der traditionelle Gedanke bei der Definition neuer Ausnahmetypen ist, dieselben vier öffentlichen Konstruktoren zu definieren, die

System.Exception besitzt. Hätten Sie sich dafür entschieden, nicht auch noch die zusätzlichen Daten für den Grund der Ausnahme draufzupacken, dann hätten die Konstruktoren von EmployeeVerificationException den Konstruktoren von System.Exception formal exakt entsprochen. Wenn sie diesem Grundsatz bei der Definition Ihrer Ausnahmetypen folgen, dann werden die Anwender in der Lage sein, ihren neuen Exception-Typ auf genau dieselbe Weise zu nutzen wie andere systemdefinierte Ausnahmen. Außerdem kann ihre abgeleitete Exception die Nachricht und die innere Ausnahme, die bereits von System.Exception gekapselt wurde, vorteilhaft zur Geltung bringen.

8.6 Mit zugeordneten Ressourcen und Ausnahmen arbeiten

Eine Sache, mit der Sie in der Welt von VB zu kämpfen haben werden, ist das Fehlen deterministischer Zerstörung. C++-Entwickler sind daran gewöhnt, Konstruktoren und Destruktoren von Stack-basierten Objekten zu verwenden, um die knappen Ressourcen zu verwalten. Das heißt, dass Sie auf dem C++-Stack Objekte erzeugen können; im Konstruktor dieser Objekte wurde ihnen wertvoller Ressourcenvorrat zugewiesen, und wenn Sie die De-Allokation in den Destruktor eintragen, können Sie sich darauf verlassen, dass der Destruktor zur richtigen Zeit aufräumt, sobald er aufgerufen wird.

Als die CLR den Entwicklern erstmals während des Beta-Programms vorgestellt wurde, äußerten sich viele von ihnen sehr deutlich über diese Lücke in der Laufzeitumgebung. Egal ob Sie es als Lücke ansehen oder nicht, es war einfach nicht konsequent angesprochen worden, bis die Gemeinde der Beta-Entwickler ein wenig Druck ausübte. Das Problem stammt zum Teil von der Natur der Objekte in der CLR, die über die Garbage Collection entfernt werden, gekoppelt mit der Tatsache, dass der freundliche Destruktor in der VB-Syntax wiederverwendet wurde, um Objektfinalisierer zu implementieren. Finalisierer sind etwas ganz anderes als Destruktoren, und die Syntax von Destruktoren für die Finalisierer zu verwenden, machte die Sache nur noch verwirrender.

Die Lösung, die auf den Tisch kam, war das Disposable-Muster, das Sie verwenden, indem Sie das Interface IDisposable implementieren. Wenn Ihr Objekt eine deterministische Zerstörung braucht, bekommt es sie, indem es das IDisposable-Interface implementiert. Sie müssen jedoch Ihre Methode Dispose explizit aufrufen, um aufzuräumen. Wenn Sie das vergessen und Ihr Objekt gründlich codiert ist, dann geht die Ressource nicht verloren, sie wird lediglich beiseite geräumt, wenn der GC dazu kommt, Ihren Finalisierer aufzurufen.

Betrachten wir dieses etwas konstruierte Beispiel, das die Gefahr, der Sie gegenüberstehen können, illustriert:

```
Imports System
Imports System.IO
```

```
Imports System.Text

Public Class EntryPoint
    Public Shared Sub DoSomeStuff()
        Dim fs As FileStream = _
        File.Open("log.txt", FileMode.Append, FileAccess.Write,
FileShare.None)

        Dim msg As Byte() = New UTF8Encoding(True).GetBytes("Doing Some" &
"Stuff")

        fs.Write(msg, 0, msg.Length)
    End Sub

    Public Shared Sub DoSomeMoreStuff()
        Dim fs As FileStream = _
        File.Open("log.txt", FileMode.Append, FileAccess.Write,
FileShare.None)

        Dim msg As Byte() = New UTF8Encoding(True).GetBytes("Doing Some" &
_
            "More Stuff")

        fs.Write(msg, 0, msg.Length)
    End Sub

    Shared Sub Main()
        DoSomeStuff()
        DoSomeMoreStuff()
    End Sub
End Class
```

Der Code sieht ja eigentlich ganz unschuldig aus. Wenn Sie ihn aber ausführen, werden Sie sehr wahrscheinlich einer IOException begegnen. Der Code in DoSomeStuff() erzeugt ein FileStream-Objekt mit einem exklusiven Zugriff auf die Datei. Sobald das FileStream-Objekt am Ende der Funktion aus dem Gültigkeitsbereich herausfällt, ist es für die Beseitigung markiert, aber Sie sind dem GC und seiner Entscheidung, wann er die Reinigung vornimmt, ausgeliefert. Wenn Sie die Datei in DoSomeMoreStuff() noch einmal öffnen, bekommen Sie deshalb die Ausnahme, da die Ressource immer noch im Griff des unerreichbaren FileStream-Objekts steckt. Das ist ganz klar eine schreckliche Position. Sie könnten sich überlegen, einen expliziten Aufruf von GC.Collect() in Main() zu starten, bevor Sie DoSomeMoreStuff() aufrufen, aber den GC-Algorithmus dazu zu zwingen, zu bestimmten Zeiten aufzuräumen, ist ein Patentrezept für schlechte Systemperformance. Sie können dem GC nicht helfen, seine Arbeit besser zu erledigen, da Sie keine Idee davon haben, wie er implementiert ist.

Was also tun? Auf die eine oder andere Weise müssen Sie sicherstellen, dass die Datei geschlossen wird. Hier ist aber der Nachteil: Egal, wie Sie es machen, Sie müssen daran denken, es zu tun. Eine Option könnte sein, die Close-Methode auf den FileStream bei jeder Methode, die ihn benutzt, aufzurufen. Das funktioniert prima, ist aber sehr viel weniger automatisch und Sie müssen jedesmal daran denken, es zu tun. Aber selbst wenn Sie es tun – was passiert, wenn eine Ausnahme ausgelöst wird, bevor die Close()-Methode aufgerufen wird? Sie befinden sich immer noch in demselben Morast wie vorher, mit einer Ressource, die vor Ihnen umherzappelt und die Sie nicht in die Hand bekommen, um sie freizugeben.

Diejenigen unter Ihnen, die geschickt mit der Ausnahmebehandlung umgehen, werden bemerken, dass sich das Problem mit einigen Try/Finally-Blocks lösen lässt, wie im folgenden Beispiel:

```
Imports System
Imports System.IO
Imports System.Text

Public Class EntryPoint
    Public Shared Sub DoSomeStuff()
        'Eine Datei öffnen.
        Dim fs As FileStream = Nothing

        Try
            fs = File.Open("log.txt", FileMode.Append, FileAccess.Write, _
                FileShare.None)
            Dim msg As Byte() = New UTF8Encoding(True).GetBytes("Doing
Some" & _
                " Stuff")

            fs.Write(msg, 0, msg.Length)
        Finally
            If Not (fs Is Nothing) Then
                fs.Close()
            End If
        End Try
    End Sub

    Public Shared Sub DoSomeMoreStuff()
        'Eine Datei öffnen.
        Dim fs As FileStream = Nothing

        Try
            fs = File.Open("log.txt", FileMode.Append, FileAccess.Write, _
                FileShare.None)
            Dim msg As Byte() = New UTF8Encoding(True).GetBytes("Doing
Some" & _
```

```
                "More Stuff")

            fs.Write(msg, 0, msg.Length)
        Finally
            If Not (fs Is Nothing) Then
                fs.Close()
            End If
        End Try
    End Sub

    Shared Sub Main()
        DoSomeStuff()
        DoSomeMoreStuff()
    End Sub
End Class
```

Die Try/Finally-Blocks lösen das Problem, aber dafür mussten wir eine ganze Menge zusätzlich tippen. Mehr noch, der Code wird schwerer lesbar. Es gibt aber einen noch besseren Weg, wie Sie vielleicht erwarten würden. Viele Objekte wie FileStream, die eine Close-Methode haben, implementieren auch das IDisposable-Muster. Üblicherweise hat der Aufruf von Dispose() bei diesen Objekten denselben Effekt wie Close() aufzurufen. Natürlich, ob man jetzt lieber Close() oder Dispose() verwendet, ist etwa so, wie sich über Äpfel und Birnen zu streiten, wenn man den einen oder anderen explizit aufrufen muss. Glücklicherweise gibt es einen guten Grund, warum die meisten Klassen, die eine Close()-Methode haben, auch Dispose() implementieren – damit können Sie sie effektiv benutzen, indem Sie das Using-Schlüsselwort verwenden, das typischerweise als Teil des Disposable-Musters gebraucht wird. Somit könnten Sie den Code wie folgt ändern:

```
Imports System
Imports System.IO
Imports System.Text

Public Class EntryPoint
    Public Shared Sub DoSomeStuff()
        'Eine Datei öffnen.
        Using fs As FileStream = _
        File.Open("log.txt", FileMode.Append, FileAccess.Write,
FileShare.None)

            Dim msg As Byte() = New UTF8Encoding(True).GetBytes("Doing
Some" & _
                " Stuff")

            fs.Write(msg, 0, msg.Length)
        End Using
    End Sub
```

```
    Public Shared Sub DoSomeMoreStuff()
        'Eine Datei öffnen.
        Using fs As FileStream = _
        File.Open("log.txt", FileMode.Append, FileAccess.Write,
FileShare.None)

            Dim msg As Byte() = New UTF8Encoding(True).GetBytes("Doing
Some" & _
                " More Stuff")

            fs.Write(msg, 0, msg.Length)
        End Using
    End Sub

    Shared Sub Main()
        DoSomeStuff()
        DoSomeMoreStuff()
    End Sub
End Class
```

Wie Sie sehen, kann man diesem Code viel leichter folgen, und das Schlüsselwort Using nimmt einem die Notwendigkeit ab, all die expliziten Try/Finally-Blöcke tippen zu müssen. Sie werden sich wahrscheinlich kaum wundern, dass der Compiler die Try/Finally-Blöcke anstelle des Using-Schlüsselworts generiert hat, wenn Sie sich den generierten Code im Disassembler für die Microsoft Intermediate Language (MSIL) ansehen. Sie können zudem die Using-Schlüsselwörter in ihren Blöcken verschachteln, wie Sie auch Try/Finally-Blöcke verschachteln können.

Obwohl das Using-Schlüsselwort das Symptom des hässlichen Codes löst und die Chancen reduziert, dass Sie zusätzliche Bugs eintippen, müssen Sie nach wie vor daran denken, es zu benutzen. Es ist nicht so bequem zu benutzen wie die deterministische Zerstörung lokaler Objekte, aber es ist besser, als Ihren Code überall mit Try/Finally-Blöcken zu überschütten. Das Endergebnis ist, dass VB eine Art der deterministischen Zerstörung hat, aber sie ist eben nur dann deterministisch, wenn Sie daran denken.

8.7   Rollback-Verhalten zur Verfügung stellen

Wenn Sie ausnahmeneutrale Methoden erstellen, finden Sie es häufig nützlich, einen Mechanismus zu verwenden, der alle Änderungen rückgängig macht, wenn eine Ausnahme ausgeworfen wird. Sie können dieses Problem lösen, indem Sie die klassische Technik anwenden, eine weitere indirekte Ebene in Form einer Helferklasse einzuführen. Verwenden wir dazu ein Objekt, das eine Datenbankverbindung repräsentiert und die Methoden Commit() und Rollback() hat.

Die Helferklasse hat ebenfalls eine Methode mit dem Namen `Commit()`. Wird sie aufgerufen, geht sie praktisch nur weiter bis zu der Methode des Datenbankobjekts, aber zuvor setzt sie ein internes Flag. Der Trick liegt im Destruktor. Wenn der Destruktor sein Werk tut, bevor das Flag gesetzt wird, gibt es nur zwei mögliche Wege. Zunächst könnte der Anwender vergessen zu haben, `Commit()` aufzurufen. Da dies ein Bug im Code ist, wollen wir diese Option nicht weiterverfolgen. Der zweite Weg, zum Destruktor zu gelangen, ohne dass das Flag gesetzt wird, ist, wenn das Objekt beseitigt wird, weil der Stack sich aufdröselt, da er nach einem Ansatzpunkt für eine ausgeworfene Ausnahme sucht. Abhängig vom Zustand des Flags im Destruktor-Code können Sie sofort sagen, ob Sie aufgrund der normalen Codeausführung oder aufgrund einer Ausnahme hierher gekommen sind. Wenn Sie über eine Ausnahme hierhergekommen sind, müssen Sie nur einen `Rollback()` auf das Datenbankobjekt ausführen, und Sie haben die Funktionalität, die Sie brauchen.

Um zu diesem Ergebnis zu kommen, verwenden Sie die VB-Form der deterministischen Zerstörung, die in der Verbindung zwischen `IDisposable` und dem Schlüsselwort `Using` besteht. Alles, was Sie codieren müssen, ist die Methode `Dispose()` der Helferklasse. Sehen wir uns an, wie diese Helferklasse aussehen könnte:

```
Imports System
Imports System.Diagnostics

Public Class Database
    Public Sub Commit()
        Console.WriteLine("Changes Committed")
    End Sub

    Public Sub Rollback()
        Console.WriteLine("Changes Abandoned")
    End Sub
End Class

Public Class RollbackHelper
    Implements IDisposable

    Private DB As Database
    Private Disposed As Boolean = False
    Private Committed As Boolean = False

    Public Sub New(ByVal db As Database)
        Me.DB = db
    End Sub


    Protected Overrides Sub Finalize()
        Try
            Dispose(False)
```

```
        Finally
            MyBase.Finalize()
        End Try
    End Sub

    Public Sub Dispose() Implements System.IDisposable.Dispose
        Dispose(True)
    End Sub

    Public Sub Commit()
        DB.Commit()
        Committed = True
    End Sub

    Private Sub Dispose(ByVal disposing As Boolean)
        'Tut nichts, wenn das Objekt schon beseitigt ist.
        'Es ist zulässig, mehrfach Dispose() auf ein
        'Disposable-Objekt aufzurufen.
        If Not Disposed Then
            'Wir wollen der Datenbank nichts antun, wenn wir
                'vom Finalisierer hierhergekommen sind, da das
                'Feld bereits finalisiert sein könnte!
            'Wir wollen jedoch nicht verwaltete Ressourcen
            'freigeben. Aber in diesem Fall sind keine hier.
            If disposing Then
                If Not Committed Then
                    DB.Rollback()
                End If
            Else
                Debug.Assert(False, "Failed to call Dispose()" & _
                    " on RollbackHelper")
            End If
            Me.Disposed = True
        End If
    End Sub
End Class

Public Class EntryPoint
    Private Shared db As Database
    Private Shared nullPtr As Object = Nothing


    Private Shared Sub DoSomeWork()
        Using guard As RollbackHelper = New RollbackHelper(db)
            'Wir tun etwas, was eine Exception auslösen könnte.
```

```
          'Entfernen Sie die Kommentarzeichen von der folgenden Zeile, um
eine Ausnahme auszulösen.
          'nullPtr.GetType()

          guard.Commit()
      End Using
    End Sub

    Shared Sub Main()
        db = New Database()
        DoSomeWork()
    End Sub
End Class
```

Innerhalb der Methode DoSomeWork werden Sie etwas Arbeit erledigen, die mit einer Ausnahme scheitern könnte. Sollte eine Exception auftreten, möchten Sie natürlich, dass alle Änderungen, die Eingang in das Datenbankobjekt gefunden haben, zurückgesetzt werden können. Im Using-Block haben Sie ein neues RollbackHelper-Objekt kreiert, das eine Referenz zum Database-Objekt enthält. Wenn der Kontrollfluss soweit kommt, Commit() auf die Referenz aufzurufen, ist alles gut – vorausgesetzt, die Commit-Methode löst keine Ausnahme aus. Es erübrigt sich zu sagen, dass Sie Commit() auf eine Weise codieren sollten, dass die Database in einem zulässigen Zustand verbleibt. Wenn Ihr Code innerhalb des bewachten Blocks jedoch eine Ausnahme ausgibt, wird das Glied Dispose im RollbackHelper die Datenbank pflichtbewusst wieder zurücksetzen.

Egal was passiert – die Methode Dispose wird dank dem Using-Block auf die RollbackHelper-Instanz aufgerufen. Vergessen Sie den Using-Block, dann kann der Finalisierer des RollbackHelper nichts für Sie tun, da die Finalisierung von Objekten in zufälliger Reihenfolge geschieht, und die Database, die von RollbackHelper referenziert wird, könnte noch vor der Instanz von RollbackHelper finalisiert werden. Um Ihnen bei der Suche der Orte zu helfen, an denen Sie Using ausgelassen haben, können Sie eine Assertion in das Helferobjekt einbauen. Da dieses Muster sehr stark von dem Using-Block abhängt, lassen Sie uns einfach annehmen, dass Sie ihn nicht vergessen haben.

Sobald sich die Code-Ausführung sicher in der Dispose-Methode befindet – und sie dort über den Aufruf von Dispose() anstelle durch den Finalisierer angelangt ist –, prüft sie einfach das Flag. Ist es nicht gesetzt, ruft es Rollback() für die Database-Instanz auf. Mehr ist nicht nötig. Wenn Sie sehen möchten, was passiert, wenn eine Ausnahme ausgelöst wird, entfernen Sie einfach das Kommentarzeichen von dem Versuch, auf die Nothing-Referenz innerhalb der Methode DoSomeWork zuzugreifen (die Zeile 'nullPtr.GetType()).

Sie dürften bemerkt haben, dass wir nicht angesprochen haben, was passiert, wenn Rollback() eine Ausnahme auswirft. Natürlich ist es eine optimale Voraussetzung für robusten Code, dass garantiert keine Exception erfolgt, ganz gleich, welche Operation RollbackHelper im Prozess des Zurücksetzens ausführt. Dies lässt sich auf eine der grundsätzlichsten Anforderungen an ausnahmesicheren und ausnahmeneutralen Code zurückführen: Sie brauchen ein wohldefiniertes Set von Operationen, die garantiert keine Ausnahmen auslösen, um robusten ausnahmesicheren Code zu erzeugen.

Ein `Using`-Block wird quasi unter der Decke zu einem `Try/Finally`-Block aufgespannt. Und wenn eine Ausnahme innerhalb eines `Finally`-Blocks ausgeworfen wird, die als Ergebnis einer früheren Exception ausgeführt wird, dann ist die frühere Ausnahme einfach verloren und die neue wird ausgegeben. Schlimmer ist, dass der `Finally`-Block, der gerade ausgeführt wird, nicht ans Ziel gelangt.

Da der Verlust von Informationen über Ausnahmen es erschwert, Probleme zu finden, ist es zu empfehlen, niemals eine Exception in einem `Finally`-Block auszugeben. Wir haben dies zwar bereits in diesem Kapitel erwähnt, aber es ist so wichtig, dass es gerechtfertigt ist, dies nochmals zu sagen. Die CLR wird Ihre Anwendung deshalb nicht abbrechen, aber die Applikation wird sich wahrscheinlich in einem undefinierten Zustand befinden, wenn eine Ausnahme bei der Ausführung in einem `Finally`-Block vorkommt.

8.8   Zusammenfassung

Dieses Kapitel behandelte die Grundlagen der Ausnahmebehandlung und wie Sie das Expertenmuster anwenden sollten, um den besten Ort zu finden, an dem Sie eine bestimmte Ausnahme behandeln sollten. Der Hauptteil des Kapitels beschrieb Techniken für die Erstellung quasi kugelsicheren ausnahmesicheren Codes, der auch im Hinblick auf unerwartete Ausnahmeereignisse die Stabilität des Systems garantiert. Wir haben auch beschränkte Ausnahmeregionen (CER) beschrieben, die Sie dazu nützen können, asynchrone Ausnahmen bei der Beendigung eines Ausführungsstrangs zu verschieben. Es ist keine leichte Aufgabe, ausnahmesicheren und ausnahmeneutralen Code zu schreiben.

Viele Entwicklungsprojekte verschwenden erst im Nachhinein Gedanken an die Ausnahmesicherheit. Im echten Leben ist Ausnahmesicherheit eine wichtige Sache, die Sie bereits beim Design der Software berücksichtigen sollten. Dies nicht zu tun, resultiert in suboptimalen Systemen, die nur die Anwender frustrieren und Marktanteile an Unternehmen abgeben, deren Entwickler etwas mehr Zeit hineingesteckt haben, um Ausnahmesicherheit zu erreichen. Mehr noch – je mehr Computer ein Teil des täglichen Lebens der Leute werden, desto eher könnten Regulationen von Seiten der Regierung Systeme dazu zwingen, sich rigorosen Tests zu unterziehen, um zu beweisen, dass sich die Gesellschaft zu Recht auf sie verlässt. Man könnte sich durchaus eine Atmosphäre vorstellen, in der eine Regierung jeder kommerziell verkauften Software solche Regeln auferlegt.

Im nächsten Kapitel werden wir die wichtigsten Facetten des Umgangs mit Strings in VB und .NET behandeln. Zudem werden wir das überaus wichtige Thema der Globalisierung angehen.

9   Arbeiten mit Strings

Innerhalb der Basisklassenbibliothek von .NET (Base Class Library, BCL) ist der Typ `String` quasi ein vorbildlicher Bürger. Er liefert ein ideales Beispiel dafür, wie man einen unveränderlichen Referenztyp erstellt, der sich semantisch wie ein Werttyp verhält.

9.1   Überblick über Strings

Instanzen von `String` sind in dem Sinn unveränderlich, als dass man sie nicht verändern kann, sobald sie einmal erzeugt worden sind. Obwohl dies auf den ersten Blick nicht sehr effizient erscheint, macht dieser Ansatz den Code in der Tat effizienter. Jedes Mal, wenn Sie Instanzen von `String` großzügig in der Anwendung kopieren, erzeugen Sie eine neue Instanz, die auf dieselben rohen Zeichenkettendaten verweist wie die ursprüngliche Instanz. Das ist auch absolut sicher, weil das öffentliche Interface von `String` keine Möglichkeit bietet, die eigentlichen `String`-Daten zu verändern. Wenn Sie eine Zeichenkette benötigen, die eine tiefe Kopie der originalen Zeichenkette darstellt, können Sie die `Copy`-Methode aufrufen, um dies zu tun.

> **Tipp:** Entwickler, die mit den verbreiteten Entwurfsmustern vertraut sind, können in dieser Vorgehensweise das Griff/Körper- (Handle/Body) oder Umschlag/Brief- (Envelope/Letter) Idiom erkennen.

In Umgebungen wie C++ und C ist der String kein eingebauter Typ, sondern ein primitiveres Konstrukt, so etwas wie ein Zeiger auf das erste Zeichen eines Arrays von Zeichen. Typischerweise sind Routinen zur Stringmanipulation nicht Teil der Sprache selbst, sondern ein Teil der Bibliothek, die mit der Sprache benutzt wird. Obwohl dies auch bei Visual Basic (VB) größtenteils stimmt, werden die Grenzlinien durch die .NET-Laufzeitumgebung etwas verwischt. Die Designer der Spezifikation der Common Language Infrastructure (CLI) hätten sich dafür entscheiden können, alle Zeichenketten als einfache Arrays von `System.Char`-Typen darzustellen, aber sie haben sich stattdessen dazu entschlossen, `System.String` in die Sammlung der eingebauten Typen aufzunehmen. In der Tat ist `System.String` ein Exzentriker in der Sammlung der eingebauten Typen, da er ein Referenztyp ist – und die meisten der eingebauten Typen sind Werttypen. Dieser Unterschied ist allerdings nicht immer einfach zu bemerken, da der `String`-Typ das semantische Verhalten von Werten an den Tag legt.

Sie wissen vielleicht schon, dass der Typ `System.String` eine Zeichenkette von Unicode-Zeichen repräsentiert, und `System.Char` ein 16-Bit-Unicode-Zeichen darstellt. Dies macht natürlich die Portierung und Lokalisierung in andere Betriebssysteme – vor allem Systeme mit umfangreichen Zeichensätzen – einfach. Manchmal müssen Sie aber vielleicht eine Kopplung zu externen Systemen herstellen, die andere Formen der Verschlüsselung benutzen als Unicode-Zeichenketten. In solchen Situationen können Sie die Klasse `System.Text.Encoding` benutzen, um Zeichenketten hin und her zu übertragen, zum Beispiel von und nach ASCII, UTF-7, UTF-8 und UTF-32. Zufällig benutzt die Laufzeitumgebung intern das Unicode-Format UTF-16.[9]

9.2 String-Literale

Wenn Sie in Ihrem Code einen String deklarieren, erzeugt der Compiler für Sie ein `System.String`-Objekt. Dieses legt er in einer internen Tabelle ab, die in einem Modul namens *Intern Pool* liegt. Dem liegt der Gedanke zugrunde, dass der Compiler jedes Mal, wenn Sie ein neues String-Literal im Code deklarieren, erst prüft, ob Sie denselben String bereits an einer anderen Stelle deklariert haben. Wenn dies der Fall sein sollte, referenziert der Code einfach den bereits abgelegten String. Sehen wir uns ein Beispiel an, wie man ein String-Literal deklariert:

```
Imports System

Public Class EntryPoint
    Shared Sub Main(ByVal args As String())
        Dim lit1 As String = "c:\windows\system32"
        Dim lit2 As String = "c:\windows\system32"

        Dim lit3 As String = vbCrLf & "Jack and Jill" & vbCrLf & _
            "Went up the hill . . ." & vbCrLf

        Console.WriteLine(lit3)

        Console.WriteLine("Object.RefEq(lit1, lit2): {0}", _
            Object.ReferenceEquals(lit1, lit2))

        If args.Length > 0 Then
            Console.WriteLine("Parameter given: {0}", args(0))

            Dim strNew As String = String.Intern(args(0))

            Console.WriteLine("Object.RefEq(lit1, strNew): {0}", _
                Object.ReferenceEquals(lit1, strNew))
        End If
    End Sub
End Class
```

---

[9] Mehr Informationen über den Unicode-Standard finden Sie auf `www.unicode.org`.

Hier ist der Output des Beispiels:

```
Jack and Jill
Went up the hill . . .

Object.RefEq(lit1, lit2): True
Parameter given: This is an IP address: 123.124.125.126
Object.RefEq(lit1, strNew): False
```

Tipp: Um dieses Beispiel ablaufen lassen zu können, müssen Sie ein Befehlszeilen-argument in Ihre Projekteigenschaften eintragen. Auf dem Karteikartenreiter »Debuggen« müssen Sie im Bereich »Startoptionen« eingeben »This is an IP address: 123.124.125.126« (einschließlich der doppelten Anführungszeichen).

Beachten Sie zuerst die Deklarationen der beiden Stringliterale lit1 und lit2. Der deklarierte Typ ist String, der in VB gebräuchliche Kurzname für System.String. Offensichtlich enthalten lit1 und lit2 Strings mit demselben Wert. Auf der Grundlage dessen, was Sie vorher gelernt haben, würden Sie erwarten, dass die beiden Instanzen auf dasselbe Stringobjekt verweisen. Das tun sie auch, und das zeigt auch die Ausgabe des Programms, wo Sie das mit der Methode Object.ReferenceEquals() prüfen.

Schließlich demonstriert dieses Beispiel die Benutzung der gemeinsam genutzten Methode String.Intern(). Wenn Sie bestimmen wollen, ob ein String, den Sie zur Laufzeit deklarieren wollen, sich bereits im Intern-Pool befindet, könnte es effizienter sein, diesen String zu referenzieren, anstatt eine neue Instanz zu erzeugen. Der vorherige Code akzeptiert einen String über die Befehlszeile und erzeugt dann eine neue Instanz davon mithilfe der Methode String.Intern. Diese Methode gibt stets eine gültige String-Referenz zurück, aber das wird entweder eine String-Instanz sein, die einen String im Intern-Pool referenziert, oder eine neue Stringkopie, die auf dem übergebenen Wert basiert.

9.3 Formatspezifizierer und Globalisierung

Die Daten, die eine Anwendung anzeigt, müssen sehr häufig auf eine bestimmte Weise formatiert werden. Es kann zum Beispiel sein, dass Sie einen Fließkommawert, der eine konkrete Maßzahl darstellt, in exponentieller Form oder als Festkommazahl anzeigen müssen. Wenn es um Festkommazahlen geht, könnten Sie ein länderspezifisches Zeichen benötigen, etwa das Dezimalkomma. Die Basisklassenbibliothek von .NET bietet mächtige Mechanismen, um diese beiden Absichten auf flexible und erweiterbare Art umzusetzen. Bevor wir jedoch in das Thema der Formatspezifizierer richtig einsteigen können, müssen wir vorab noch ein paar Punkte klären:

> **Tipp:** Es ist wichtig, kulturspezifische Probleme, die es bei Ihrer Software geben könnte, bereits sehr früh im Entwicklungszyklus zu beachten. Die Designer von .NET haben eine Menge Arbeit aufgewendet, um eine reichhaltige Bibliothek zu erstellen, die die Anliegen der Lokalisierung und Globalisierung adressiert. Die Vielseitigkeit der Programmierungsschnittstelle für die Globalisierung gibt jedoch bereits einen Hinweis darauf, wie schwierig sich dies im Einzelfall gestalten kann.

9.3.1 Object.ToString(), IFormattable und CultureInfo

Jedes Objekt erbt eine Methode von `System.Object` namens `ToString()`, die sehr hilfreich ist, wenn Sie eine Darstellung Ihres Objekts in Stringform für die Ausgabe benötigen, und sei es nur zu Debugging-Zwecken. Bei den von Ihnen erstellten Klassen gibt die standardmäßige Implementierung von `ToString()` lediglich den Typnamen des Objekts zurück, und Sie müssen diese überschreiben, um etwas Nützliches zu erreichen. Alle eingebauten Typen tun dies, und wenn Sie zum Beispiel `ToString()` bei einem Wert vom Typ `System.Integer` aufrufen, bekommen Sie eine Stringdarstellung des enthaltenen Werts. Aber was ist, wenn die Stringdarstellung ein hexadezimales Format haben soll? In diesem Fall gibt es einen anderen Weg, das gewünschte Format anzufragen. Hierbei wird das Interface `IFormattable` implementiert, was folgendermaßen aussieht:

```
Public Interface IFormattable
    Function ToString(ByVal Format As String, ByVal FormatProvider As _
        IFormatProvider) As String
End Interface
```

Alle eingebauten numerischen Typen, ebenso wie die Datumstypen, implementieren dieses Interface. Durch diese Methode können Sie genau spezifizieren, wie der Wert formatiert werden soll, indem Sie einen String übergeben, der das Format spezifiziert. Bevor wir uns genau ansehen, wie solche Formatstrings aussehen, sollten Sie allerdings noch ein paar Konzepte verstehen. Wir beginnen mit dem zweiten Parameter der Methode `IFormattable.ToString`.

Ein Objekt, das das Interface `IFormatProvider` implementiert, ist ein Formatprovider. Die wichtigste Aufgabe eines Formatproviders im .NET-Framework ist es, kulturspezifische Formatierungsinformationen zu übergeben – etwa, welches Zeichen für die Darstellung von Geldbeträgen verwendet wird, für die Kennzeichnung von Dezimalstellen, und so weiter. Wenn Sie bei diesem Parameter `Nothing` übergeben, benutzt `IFormattable.ToString()` typischerweise die `CultureInfo`-Instanz, die von `System.Globalization.CultureInfo.CurrentCulture` und `My.Application.Culture` zurückgegeben wird. Diese Instanz von `CultureInfo` ist jene, die zu der Kultur passt, die der gegenwärtige Thread benutzt. Sie können diese Instanz jedoch überschreiben, indem Sie eine andere Instanz von `CultureInfo` übergeben – Sie können zum Beispiel eine neue erhalten, indem Sie eine neue Instanz von `CultureInfo` erstellen und in ihren Konstruktor einen String einsetzen, der den gewünschten Schauplatz repräsentiert.

Schließlich können Sie sogar eine kulturneutrale Instanz von `CultureInfo` nutzen, indem Sie die Instanz übergeben, die `CultureInfo.InvariantCulture` zur Verfügung stellt.

Tipp: Die Instanzen von `CultureInfo` werden als ein bequemer Gruppierungsmechanismus für alle Formatierungsinformationen genutzt, die für eine spezifische Kultur relevant sind. Zum Beispiel könnte eine Instanz von `CultureInfo` die kulturspezifischen Qualitäten des Englischen repräsentieren, das in den USA gesprochen wird, während eine andere die Eigenarten enthalten könnte, die spezifisch für das Englische sind, das in Großbritannien gesprochen wird. Jede Instanz von `CultureInfo` enthält spezifische Instanzen von `DateTimeFormatInfo`, `NumberFormatInfo` und `CompareInfo`, die zu der repräsentierten Sprache und Region passen.

Sobald die Implementierung von `IFormattable.ToString()` einen gültigen Formatprovider besitzt – egal, ob er übergeben wurde oder ob er von Anfang an den aktuellen Thread angehängt war –, kann sie den Formatprovider anfragen, um einen spezifischen Formatierer zu erhalten, indem sie die Methode `IFormatProvider.GetFormat` aufruft. Die vom .NET-Framework implementierten Formatierer sind die Typen `NumberFormatInfo` und `TimeFormatInfo`. Wenn Sie eines dieser Objekte über `IFormatProvider.GetFormat()` anfragen, dann fragen Sie danach über den Typ. Dieser Mechanismus ist ausgesprochen ausbaufähig, weil Sie Ihre eigenen Formatierungstypen zur Verfügung stellen können und andere von Ihnen erstellte Typen, die wissen, wie man sie nutzt, können einen benutzerdefinierten Formatprovider für ihre Instanzen erfragen.

Stellen Sie sich vor, Sie wollen einen Fließkommawert in einen String umwandeln. Der Ablauf der Implementierung von `IFormattable.ToString()` für `System.Double`-Typen sieht im Allgemeinen so aus:

- Die Implementierung übernimmt eine Referenz auf einen `IFormatProvider`-Typ – entweder einen, der übergeben wurde oder derjenige, der dem aktuellen Thread anhängt, falls der übergebene Typ `Nothing` ist.

- Sie fragt den Formatprovider nach einer Instanz des Typs `NumberFormatInfo` über einen Aufruf von `IFormatProvider.GetFormat()`. Der Formatprovider initialisiert die Eigenschaften der Instanz von `NumberFormatInfo` basierend auf der Kultur, die er repräsentiert.

- Sie benutzt die Instanz von `NumberFormatInfo`, um die Zahl korrekt zu formatieren, während sie einen Stringdarstellung erzeugt, die auf der Spezifikation des Formatstrings basiert.

9.3.2 Eigene CultureInfo-Typen erstellen und registrieren

Die Globalisierungsfähigkeiten des .NET-Frameworks sind mit der Einführung einer neuen Klasse namens `CultureAndRegionInfoBuilder` im Namensraum `System.`

`Globalization` erweitert worden. Indem Sie `CultureAndRegionInfoBuilder` benutzen, haben Sie jetzt die Fähigkeit, neue Informationen bezüglich einer Kultur und einer Region zu definieren, sie ins System einzuführen und für den globalen Gebrauch zu registrieren. In ähnlicher Form können Sie bereits existierende Informationen über Kulturen und Regionen im System modifizieren und die Information in einer Locale Data Markup Language-Datei (LDML) serialisieren, was ein XML-Standardformat ist. Wenn Sie Ihre neue Kultur und Region im System registrieren, können Ihre Anwendungen Instanzen von `CultureInfo` und `RegionInfo` erstellen, indem sie den registrierten stringbasierten Namen benutzen.

Wenn Sie Ihren neuen Kulturen Namen vergeben, sollten Sie das Standardformat für Kulturnamen verwenden. Das Format ist im allgemeinen `[Präfix-]Sprache[-region]` `[-suffix[…]]`, wobei der Sprachidentifizierer der einzige notwendige Teil ist und die anderen Elemente optional sind. Das Präfix kann eine der beiden folgenden Optionen sein, in großen oder kleinen Buchstaben:

- `i-` für Kulturnamen, die bei der Internet Assigned Numbers Authority (IANA) registriert sind

- `x-` für alle anderen

Der Sprachenteil ist der Zwei-Buchstaben-Code (in kleinen Buchstaben) des Standards ISO 639-1, während die Region ein aus zwei Großbuchstaben bestehender Code nach dem Standard ISO 3166 ist. Zum Beispiel steht ru-RU für Russisch, das in Russland gesprochen wird, de-DE für Deutsch, das in Deutschland gesprochen wird. Die Suffix-Komponente wird benutzt, um die Kultur basierend auf weiteren Daten noch feingranularer zu identifizieren. Zum Beispiel könnte Serbisch, das in Serbien gesprochen wird, entweder `sr-SP-Cyrl` oder `sr-SP-Latn` sein – ein Code steht für das kyrillische, der andere für das lateinische Alphabet. Wenn Sie eine Kultur definieren, die für eine Abteilung in Ihrem Unternehmen spezifisch ist, könnten Sie eine Kultur kreieren, indem Sie den Namen `x-en-US-MyCompany-WidgetDivision` benutzen.

Benutzen wir einmal `CultureAndRegionInfoBuilder`, um eine fiktive Kultur zu bauen, die auf einer existierenden beruht. In den USA sind englische Einheiten die dominanten Maßeinheiten. Nehmen wir mal an, die USA wechseln irgendwann zum metrischen System, und Sie müssten die kulturellen Informationen modifizieren, damit sie dazu passen. Sehen wir uns an, wie der Code aussehen würde:

```
Imports System
Imports System.Globalization


Public Class EntryPoint
    Shared Sub Main()
        Dim cib As CultureAndRegionInfoBuilder = Nothing

        cib = New CultureAndRegionInfoBuilder("x-en-US-metric", _
            CultureAndRegionModifiers.None)
```

```
            cib.LoadDataFromCultureInfo(New CultureInfo("en-US"))
            cib.LoadDataFromRegionInfo(New RegionInfo("US"))

            'Die Änderung durchführen.
            cib.IsMetric = True

            'Die LDML-Datei erzeugen.
            cib.Save("x-en-US-metric.ldml")

            'Beim System registrieren.
            cib.Register()
        End Sub
End Class
```

> **Tipp:** Um das vorherige Beispiel erstellen zu können, müssen Sie eine Referenz zu der Assembly `sysglobl.dll` hinzufügen, die Sie im Verzeichnis `Windows\Microsoft.NET\Framework\v2.0.xxxxx` finden.

Sie sehen, dass der Prozess einfach ist, da der `CultureAndRegionInfoBuilder` ein wohldefiniertes Interface besitzt. Zur Illustration haben wir die LDML an eine Datei geschickt, so dass Sie sehen können, wie sie aussieht; allerdings ist sie zu wortreich, um sie hier aufzuführen. Sie müssen allerdings beachten, dass Sie die dazugehörigen Rechte benötigen, um die Methode `Register` aufzurufen. Dies erfordert in der Regel, dass Sie der Administrator sind, aber Sie können dies umgehen, indem Sie die entsprechenden Rechte zum Verzeichnis `%WINDIR%\Globalization` und dem Registrierungsschlüssel `HKEY_LOCAL_MACHINE\SYSTEM\CurrentControlSet\Control\Nls\CustomLocale` öffnen. Sobald Sie die Kultur beim System registrieren, können Sie sie referenzieren, indem Sie den vorgegebenen Namen benutzen, wenn Sie irgendeine Kulturinformation in der CLR spezifizieren. Um zum Beispiel zu prüfen, ob die Information über die Kultur und die Region korrekt registriert ist, können Sie den folgenden Code schreiben und ausführen lassen:

```
Public Class EntryPoint
    Shared Sub Main()
        Dim ri As RegionInfo = New RegionInfo("x-en-US-metric")

        Console.WriteLine(ri.IsMetric)
    End Sub
End Class
```

9.3.3 Formatstrings

Sie müssen beachten, wie ein Formatstring aussieht. Die eingebauten numerischen Objekte benutzen die standardmäßigen numerischen Formatstrings oder die benutzerdefinierten numerischen Formatstrings, die im .NET-Framework definiert sind. Sie können sie in der Dokumentation des Microsoft Developer Network (MSDN) finden, indem Sie nach »standard numeric format strings« suchen. Die standardmäßigen Formatstrings haben typischerweise die Form Axx, wobei A für das gewünschte Format steht und xx ein optionaler Spezifizierer der Präzision ist. Beispiele für Formatspezifizierer für Zahlenwerte sind »C« für Währung (Currency), »D« für Dezimalwerte, »E« für die wissenschaftliche Notation, »F« für die Festkommanotation und »X« für die hexadezimale Notation. Jeder Typ unterstützt außerdem »G« für generell oder allgemein, den standardmäßigen Formatspezifizierer. Dies ist das Format, das Sie bekommen, wenn Sie Object.ToString() aufrufen, wenn Sie keinen Formatstring spezifizieren können. Wenn diese Formatstrings Ihren Bedürfnissen nicht genügen, können Sie auch einen der benutzerdefinierten Formatstrings benutzen, die Ihnen die Beschreibung dessen, was Sie wollen, in einem mehr oder weniger bildlichen Format ermöglichen.

Der Sinn dieses ganzen Mechanismus ist der, dass jeder Typ den Formatstring im Kontext seiner eigenen Bedürfnisse interpretiert und definiert. In anderen Worten kann System.Double den Spezifizierer »G« anders behandeln als der Typ System.Integer. Mehr noch, Ihr eigener Typ – sagen wir, der Typ Employee – kann einen Formatstring auf eine Weise implementieren, die er für richtig hält. Zum Beispiel könnte ein Formatstring »SSN« einen String erzeugen, der auf der Sozialversicherungsnummer (SSN) des Angestellten basiert.

> **Tipp:** Es ist ebenfalls sehr hilfreich, wenn Sie Ihren Typen erlauben, einen Formatstring namens »DBG« zu behandeln; dadurch erzeugen Sie einen detaillierten String, der den internen Zustand repräsentiert und der dann beim Debugging zu einem Output-Log geschickt wird.

Schauen wir uns einen Beispielcode an, der diese Konzepte vorexerziert:

```
Imports System
Imports System.Globalization
Imports System.Windows.Forms

Public Class EntryPoint
    Shared Sub Main()
        Dim current As CultureInfo = CultureInfo.CurrentCulture
        Dim germany As CultureInfo = New CultureInfo("de-DE")
        Dim russian As CultureInfo = New CultureInfo("ru-RU")

        Dim money As Double = 123.45

        Dim localMoney As String = money.ToString("C", current)
        MessageBox.Show(localMoney, "Local Money")

        localMoney = money.ToString("C", germany)
        MessageBox.Show(localMoney, "German Money")
```

```
        localMoney = money.ToString("C", russian)
        MessageBox.Show(localMoney, "Russian Money")
    End Sub
End Class
```

Dieses Listing zeigt die drei Dialogboxen in Abbildung 9-1 an.

Abbildung 9-1: Die Ergebnisse, die bei der Ausführung des Codes angezeigt werden.

Tipp: Um das vorherige Beispiel erstellen zu können, müssen Sie eine Referenz zu der Assembly `System.Windows.Forms.dll` hinzufügen, die sich im Verzeichnis `Windows\Microsoft.NET\Framework\v2.0.xxxxx` befindet.

Dieses Beispiel zeigt die Strings mithilfe des `MessageBox`-Typs an, der in `Windows.Forms` definiert ist, da die Konsole Unicode-Zeichen nicht besonders gut darstellen kann. Der Formatspezifizierer, den wir gewählt haben, ist »C«, der die Zahl im Währungsformat darstellt. Für die erste Anzeige benutzen Sie die Instanz von `CultureInfo`, die dem aktuellen Thread beigefügt ist. Für die beiden anderen erzeugen Sie eine `CultureInfo`-Instanz für Deutschland und Russland. Beachten Sie, dass der Typ `System.Double` bei der Formatierung des Strings die Properties `CurrencyDecimalSeparator`, `CurrencyDecimalDigits` und `CurrencySymbols` der `NumberFormatInfo`-Instanz benutzt hat, den die Methode `CultureIfo.GetFormat` zurückgegeben hat. Hätten Sie eine Instanz von `DateTime` benutzt, dann hätte die `DateTime`-Implementierung von `IFormattable.ToString()` eine Instanz von `DateTimeFormatInfo` benutzt, die in ähnlicher Weise von `CultureInfo.GetFormat()` zurückgegeben worden wäre.

9.3.4 Console.WriteLine() und String.Format()

Im gesamten Buch haben Sie bisher `Console.WriteLine()` in den Beispielen gesehen. Eine nützliche Form von `WriteLine()`, die identisch mit einigen Überladungen von `String.Format()` ist, erlaubt es Ihnen, zusammengesetzte Strings zu bauen, indem Sie Formatierungssymbole innerhalb eines Strings durch eine variable Zahl von übergebenen Parametern ersetzen. Schauen wir uns ein Beispiel für diese Benutzung von Stringformaten an:

```
Imports System
Imports System.Globalization
Imports System.Windows.Forms

Public Class EntryPoint
    Shared Sub Main(ByVal args As String())
        If args.Length < 3 Then
            Console.WriteLine("Please provide 3 parameters")
            Return
        End If


        Dim composite As String = _
            String.Format("{0}, {1}, and {2}.", args(0), args(1), args(2))

        Console.WriteLine(composite)
    End Sub
End Class
```

Hier die Ergebnisse des Beispiels:

```
Jack, Jill, and Spot.
```

Tipp: Um dieses Beispiel auszuführen müssen Sie ein Befehlszeilenargument in Ihre Projekteigenschaften eintragen. Fügen Sie »Jack«, »Jill«, »Spot« inklusive der doppelten Anführungszeichen auf dem Karteikartenreiter »Debuggen« im Bereich »Startoptionen« ein.

Ein Platzhalter wird durch geschweifte Klammern begrenzt. Die davon umschlossene Zahl ist der nullbasierte Index zu der folgenden Parameterliste. Die Methode `String.Format` besitzt ebenso wie die Methode `Console.WriteLine` eine Überladung, die es erlaubt, eine variable Anzahl von Parametern als Ersatzwerte zu benutzen. In diesem Beispiel ersetzt die Methode `String.Format()` jeden Platzhalter und benutzt dabei die allgemeine Formatierung des Typs, die Sie über einen Aufruf der parameterlosen Version von `ToString()` bekommen. Wenn die Instanz, die an diesen Ort platziert wird, `IFormattable` unterstützt, dann wird die Methode `IFormattable.ToString` mit dem Formatspezifizierer `Nothing` aufgerufen. Dieser ist normalerweise derselbe, als wenn Sie den Formatspezifizierer »G« (oder generell) benutzt hätten. Apropos – wenn Sie in den Quellstring geschweifte Klammern einsetzen wollen, die auch in der Ausgabe zu sehen sind, müssen Sie diese verdoppeln, also entweder `{{` oder `}}` schreiben.

Das exakte Format des Ersetzungselementes lautet `{index[,Anordnung]`
`[:formatString]}`, wobei die Teile in den eckigen Klammern optional sind. Der Indexwert ist ein nullbasierter Wert, der die nachfolgenden Parameter, die der Methode übergeben werden, referenziert. Die Anordnung zeigt an, wie breit der Eintrag in dem zusammengesetzten String sein soll. Wenn Sie ihn zum Beispiel auf eine

Breite von acht Zeichen festgelegt haben und der String kürzer ist, dann wird der übrige Platz nach links mit Leerzeichen aufgefüllt. Zuletzt erlaubt Ihnen der FormatString-Teil des Ersetzungselements exakt zu bezeichnen, welche Formatierung dafür verwendet werden soll. Der Formatstring folgt demselben Stil, den Sie verwenden würden, wenn Sie IFormattable.ToString() für die Instanz selbst aufgerufen hätten. Leider können Sie keine spezielle IFormatProvider-Instanz für jeden der Austauschstrings spezifizieren. Wenn Sie einen zusammengesetzten String aus Elementen erstellen müssen, die verschiedene Formatprovider oder Kulturen benutzen, müssen Sie IFormattable.ToString() direkt verwenden.

9.3.5 Beispiele für die Stringformatierung in benutzerdefinierten Typen

Schauen wir uns ein anderes Beispiel an, für das wir den ehrwürdigen Complex-Typ verwenden, den wir schon vorher benutzt haben. Diesmal implementieren wir IFormattable, um ihn etwas nützlicher zu machen, wenn wir eine String-Version der Instanz generieren:

```
Imports System
Imports System.Text
Imports System.Globalization

Public Structure Complex
    Implements IFormattable

    Private real As Double
    Private imaginary As Double

    Public Sub New(ByVal real As Double, ByVal imaginary As Double)
        Me.real = real
        Me.imaginary = imaginary
    End Sub

    'IFormattable-Implementation
    Public Overloads Function ToString(ByVal format As String, _
        ByVal formatProvider As IFormatProvider) As String _
        Implements IFormattable.ToString

        Dim sb As StringBuilder = New StringBuilder()

        If format = "DBG" Then
            sb.Append(Me.[GetType]().ToString() & "" & vbCrLf & "")

            sb.AppendFormat("" & vbTab  & "real:" & vbTab & _
                "{0}" & vbCrLf & "", real)
```

```
                sb.AppendFormat("" & vbTab & "imaginary:" & vbTab & _
                    "{0}" & vbCrLf & "", imaginary)
            Else
                sb.Append("( ")
                sb.Append(real.ToString(format, formatProvider))
                sb.Append(" : ")
                sb.Append(imaginary.ToString(format, formatProvider))
                sb.Append(" )")
            End If

            Return sb.ToString()
        End Function
    End Structure

Public Class EntryPoint
    Shared Sub Main()
        Dim local As CultureInfo = CultureInfo.CurrentCulture
        Dim germany As CultureInfo = New CultureInfo("de-DE")
        Dim cpx As Complex = New Complex(12.3456, 1234.56)
        Dim strCpx As String = cpx.ToString("F", local)

        Console.WriteLine(strCpx)
        strCpx = cpx.ToString("F", germany)

        Console.WriteLine(strCpx)

        Console.WriteLine("" & vbCrLf & "Debugging output:" & vbCrLf & _
            "{0:DBG}", cpx)
    End Sub
End Class
```

So sieht die Ausgabe des Beispiels aus:

```
( 12.35 : 1234.56 )
( 12,35 : 1234,56 )

Debugging output:
Strings1.Complex
        real:   12.3456
        imaginary:      1234.56
```

Der Kern des Beispiels liegt in der Implementierung von IFormattable.ToString().
Sie implementieren einen »DBG«-Formatstring für diesen Typ, der einen String erzeugt,
der den internen Zustand des Objekts anzeigt und für Debuggingzwecke nützlich sein
kann. Wenn der Formatstring nicht »DBG« ist, dann lassen Sie der Implementierung
von IFormattable von System.Double den Vortritt. Beachten Sie die Verwendung von
StringBuilder, um den String zu erzeugen, der schließlich zurückgegeben wird.

Zudem haben wir uns entschieden, etwas mehr Variabilität an den Tag zu legen und die Methode `Console.WriteLine` sowie die Syntax ihrer Formatierungselemente dazu zu benutzen, die Debugging-Ausgabe an die Konsole zu schicken.

9.3.6 ICustomFormatter

`ICustomFormatter` ist ein Interface, das Ihnen erlaubt, ein eingebautes oder bereits existierendes Interface `IFormattable` für ein Objekt zu ersetzen oder auszubauen. Immer wenn Sie `String.Format()` oder `StringBuilder.AppendFormat()` aufrufen, um eine Objektinstanz in einen String umzuwandeln, prüft die Methode zuerst, ob der übergebene `IFormatProvider` einen benutzerdefinierten Formatierer zur Verfügung stellt, bevor die Methode die Implementation des Objekts von `IFormattable.ToString()` aufruft. Dies geschieht durch einen Aufruf von `IFormatProvider.GetFormat()`, während ein Typ von `ICustomFormatter` übergeben wird. Wenn der Formatierer eine Implementierung von `ICustomFormatter` zurückgibt, dann wird die Methode den benutzerdefinierten Formatierer verwenden. Sonst wird sie die Implementation des Objekts von `IFormattable.ToString()` oder in Fällen, in denen es nicht `IFormattable` implementiert, von `Object.ToString()` wählen.

Betrachten Sie das folgende Beispiel, für das wir das vorhergehende `Complex`-Beispiel überarbeitet haben, aber die Ausgabefähigkeiten für das Debugging nach außerhalb der `Complex`-Struktur vergeben haben:

```
Imports System
Imports System.Text
Imports System.Globalization


Public Class ComplexDbgFormatter
    Implements ICustomFormatter
    Implements IFormatProvider

    'IFormatProvider-Implementierung
    Public Function GetFormat(ByVal formatType As Type) As Object _
        Implements System.IFormatProvider.GetFormat

        If formatType Is GetType(ICustomFormatter) Then
            Return Me
        Else
            Return CultureInfo.CurrentCulture.GetFormat(formatType)
        End If
    End Function

    'ICustomFormatter-Implementierung
    Public Function Format(ByVal formatString As String, ByVal arg As Object, _
        ByVal formatProvider As IFormatProvider) As String _
```

```vbnet
        Implements System.ICustomFormatter.Format

        If TypeOf arg Is IFormattable AndAlso formatString = "DBG" Then
            Dim cpx As Complex = DirectCast(arg, Complex)

            'Generiere die Debugging-Ausgabe für das Objekt.
            Dim sb As StringBuilder = New StringBuilder()

            sb.Append(arg.[GetType]().ToString() & "" & vbLf & "")
            sb.AppendFormat("" & vbTab & "real:" & vbTab & "{0}" & _
                vbLf & "", cpx.Real)
            sb.AppendFormat("" & vbTab & "imaginary:" & vbTab & "{0}" & _
                vbLf & "", cpx.Img)

            Return sb.ToString()
        Else
            Dim formattable As IFormattable = TryCast(arg, IFormattable)

            If formattable Is Nothing Then
                Return formattable.ToString(formatString, formatProvider)
            Else
                Return arg.ToString()
            End If
        End If
    End Function
End Class

Public Structure Complex
    Implements IFormattable

    Private mReal As Double
    Private mImaginary As Double

    Public Sub New(ByVal real As Double, ByVal imaginary As Double)
        Me.mReal = real
        Me.mImaginary = imaginary
    End Sub

    Public ReadOnly Property Real() As Double
        Get
            Return mReal
        End Get
    End Property

    Public ReadOnly Property Img() As Double
        Get
            Return mImaginary
```

```vb
            End Get
        End Property

        'IFormattable-Implementierung
        Public Overloads Function ToString(ByVal format As String, _
            ByVal formatProvider As IFormatProvider) As String _
            Implements IFormattable.ToString

            Dim sb As StringBuilder = New StringBuilder()

            sb.Append("( ")
            sb.Append(mReal.ToString(format, formatProvider))
            sb.Append(" : ")
            sb.Append(mImaginary.ToString(format, formatProvider))
            sb.Append(" )")

            Return sb.ToString()
        End Function
    End Structure

Public Class EntryPoint
    Shared Sub Main()
        Dim local As CultureInfo = CultureInfo.CurrentCulture
        Dim germany As CultureInfo = New CultureInfo("de-DE")
        Dim cpx As Complex = New Complex(12.3456, 1234.56)
        Dim strCpx As String = cpx.ToString("F", local)

        Console.WriteLine(strCpx)
        strCpx = cpx.ToString("F", germany)

        Console.WriteLine(strCpx)

        Dim dbgFormatter As ComplexDbgFormatter = New ComplexDbgFormatter()

        strCpx = [String].Format(dbgFormatter, "{0:DBG}", cpx)

        Console.WriteLine("" & vbCrLf & "Debugging output:" & _
            vbCrLf & "{0}", strCpx)
    End Sub
End Class
```

Dieses Beispiel ist etwas komplexer (das Wortspiel ist beabsichtigt), aber das Ergebnis ist dasselbe wie vorher. Aber wenn Sie nicht der ursprüngliche Schöpfer des `Complex`-Typs sind, ist dies der einzige Weg, um dem Typ eine benutzerdefinierte Formatierung hinzuzufügen. Über diese Methode können Sie jedem der anderen eingebauten Typen im System benutzerdefinierte Formatierungen angedeihen lassen.

9.3.7   Strings vergleichen

Wenn es um das Vergleichen von Strings geht, ist das .NET-Framework ziemlich flexibel. Sie können Strings, die auf kulturellen Informationen beruhen, ebenso vergleichen wie solche ohne kulturelle Bezüge. Sie können auch Strings unter Beachtung der Groß- und Kleinschreibung vergleichen, und die Regeln für Vergleiche, die die Groß- und Kleinschreibung beachten, variieren von Kultur zu Kultur. Im Framework gibt es viele Möglichkeiten, Strings zu vergleichen. Einige davon stehen direkt beim Typen `System.String` über die statische Methode `String.Compare` offen zur Verfügung. Sie können einige Überladungen wählen, und die grundlegendsten von ihnen benutzen `CultureInfo` in Verbindung mit dem aktuellen Thread, um Vergleiche abzuwickeln.

Sie müssen oft Strings vergleichen und wollen nicht die Last kulturspezifischer Vergleiche tragen. Ein perfektes Beispiel dafür ist es, wenn Sie interne Stringdaten von einer Konfigurationsdatei oder Dateiverzeichnisse vergleichen. Das .NET-Framework führt eine neue Enumeration, `StringComparison`, ein, die Ihnen einen echten Vergleich ohne Berücksichtigung der Kultur erlaubt. Die Enumeration `StringComparison` sieht wie folgt aus:

```
Public Enum StringComparison
    CurrentCulture
    CurrentCultureIgnoreCase
    InvariantCulture
    InvariantCultureIgnoreCase
    Ordinal
    OrdinalIgnoreCase
End Enum
```

Die letzten beiden Elemente der Enumeration sind die wirklich interessanten. Ein auf Ordinalzahlen basierender Vergleich ist der grundlegendste Stringvergleich, der einfach die Zeichenwerte zweier Strings basierend auf dem Vergleich der numerischen Werte gegenüberstellt (er vergleicht in der Tat nur die binären Werte jedes Zeichens). Vergleiche auf diesem Wege durchzuführen entfernt alle kulturellen Verzerrungen und steigert die Effizient dieser Vergleiche gewaltig.

Das .NET-Framework bietet eine neue Klasse namens `StringComparer`, die das Interface `IComparer` implementiert. Sortierte Sammlungen (Collections) können `StringComparer` verwenden, um den Sortiervorgang zu verwalten. Der Typ `System.StringComparer` folgt demselben Muster wie die Unterstützung von Schauplätzen von `IFormattable`. Sie können das Property `StringComparer.CurrentCulture` verwenden, um eine `StringComparer`-Instanz zu bekommen, die spezifisch auf die Kultur des aktuellen Threads passt.

Zudem können Sie die Instanz von `StringComparer` über `StringComparer.CurrentCulture IgnoreCase` bekommen, um Vergleiche ohne Berücksichtigung der Groß- und Kleinschreibung durchführen zu können, ebenso wie kulturunabhängige Instanzen durch den Gebrauch der Properties `InvariantCulture` und `InvariantCultureIgnoreCase`. Zuletzt können Sie die Properties `Ordinal` und

`OrdinalIgnoreCase` verwenden, um Instanzen zu erhalten, die Vergleiche anhand der Regeln ordinalzahlbasierter Regeln ausführen.

Wie Sie erwarten dürften, können Sie Instanzen von `StringComparer` erzeugen, die auf expliziten regionalen Schauplätzen beruhen, indem Sie die `StringComparer.Create`-Methode aufrufen und die gewünschte `CultureInfo`, die den Schauplatz repräsentiert, übergeben – ebenso wie ein Flag, das anzeigt, ob Sie einen Vergleich unter Berücksichtigung der Groß- und Kleinschreibung wollen. Der String, der verwendet wird, um zu spezifizieren, welcher Schauplatz verwendet werden soll, ist derselbe wie bei `CultureInfo`.

Wenn Sie zwischen den diversen Vergleichstechniken zu wählen haben, gilt die Faustregel, den kulturspezifischen oder den kulturunabhängigen Vergleich für alle Daten zu verwenden, die der Anwender zu sehen bekommt – also Daten, die Endanwendern in irgendeiner Art und Weise präsentiert werden – und ordinale Vergleiche für alle anderen. Es ist aber selten, dass Sie jemals Strings, die mit `InvariantCulture` verglichen werden, für die Anzeige gegenüber dem Endanwender verwenden werden. Benutzen Sie ordinale Vergleiche, wenn Sie es mit Daten zu tun haben, die ausschließlich für die interne Verwendung bestimmt sind.

9.4 Arbeiten mit Strings aus externen Quellen

Innerhalb von .NET werden alle Zeichenketten durch die Verwendung von UTF-16-Zeichenarrays dargestellt. Es kann jedoch sein, dass Sie im Austausch mit der Außenwelt eine andere Art der Verschlüsselung verwenden müssen, etwa UTF-8. Manchmal kann es sogar beim Austausch mit anderen Entitäten, die 16-Bit-Unicode-Zeichen benutzen, sein, dass diese Big-Endian Unicode-Strings benutzen[10], während die Intel-Plattfrom typischerweise Little-Endian-Unicode-Strings benutzt. Diese Konvertierung ist mit der Klasse `System.Text.Encoding` sehr einfach.

Dieses oberflächliche Beispiel zeigt, wie man von und nach verschiedenen Codierungen konvertiert, indem man die `Encoding`-Objekte benutzt, die von der Klasse `System.Text.Encoding` zur Verfügung gestellt werden:

```
Imports System
Imports System.Text
Imports System.Windows.Forms

Public Class EntryPoint
    Shared Sub Main()
        Dim leUnicodeStr As String = " здорово!"
        Dim leUnicode As Encoding = Encoding.Unicode
```

---

[10] Beachten Sie die häufig gestellten Fragen (FAQ) zu Unicode auf `http://www.unicode.org/faq/utf_bom.html` für eine Einführung in die UTF-Codierung.

```
        Dim beUnicode As Encoding = Encoding.BigEndianUnicode
        Dim utf8 As Encoding = Encoding.UTF8

        Dim leUnicodeBytes As Byte() = leUnicode.GetBytes(leUnicodeStr)
        Dim beUnicodeBytes As Byte() = _
            Encoding.Convert(leUnicode, beUnicode, leUnicodeBytes)
        Dim utf8Bytes As Byte() = Encoding.Convert(leUnicode, utf8,
leUnicodeBytes)

        MessageBox.Show(leUnicodeStr, "Original String")

        Dim sb As StringBuilder = New StringBuilder()
        For Each b As Byte In leUnicodeBytes
            sb.Append(b).Append(" : ")
        Next

        MessageBox.Show(sb.ToString(), "Little Endian Unicode Bytes")

        sb = New StringBuilder()
        For Each b As Byte In beUnicodeBytes
            sb.Append(b).Append(" : ")
        Next

        MessageBox.Show(sb.ToString(), "Big Endian Unicode Bytes")

        sb = New StringBuilder()
        For Each b As Byte In utf8Bytes
            sb.Append(b).Append(" : ")
        Next

        MessageBox.Show(sb.ToString(), "UTF Bytes")
    End Sub
End Class
```

Das voranstehende Beispiel zeigt die vier Dialogboxen an, die in Abildung 9-2 gezeigt werden.

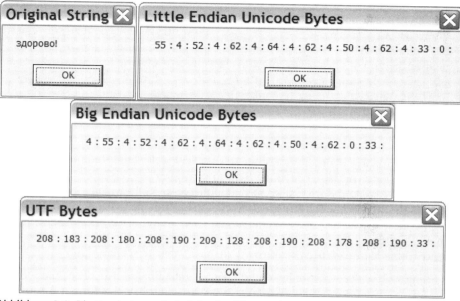

Abbildung 9-2: Die Ergebnisse, die bei der Ausführung des Codes angezeigt werden

Das Beispiel beginnt damit, dass ein `System.String` mit russischem Text erzeugt wird. Wie erwähnt, enthält der String einen Unicode-String, aber ist es ein Big-Endian- oder in Little-Endian-Unicode-String? Die Antwort hängt davon ab, auf welcher Plattform das Programm läuft. Auf einem Intel-System ist es normalerweise Little-Endian. Da Sie aber normalerweise nicht auf die darunter liegende Byte-Darstellung des Strings zugreifen, da sie vor Ihnen verborgen ist, macht das nichts. Um an die Bytes des Strings zu kommen, sollten Sie eines der `Encoding`-Objekte benutzen, die Sie von `System.Text.Encoding` bekommen können. Im Beispiel bekommen Sie lokale Referenzen auf die Encoding-Objekte, um Big-Endian- und Little-Endian-Unicode sowie UTF-8 behandeln zu können. Haben Sie diese einmal, können Sie sie nutzen, um den String in jede Byte-Darstellung zu verwandeln, die Sie wollen. Wie Sie sehen können, bekommen Sie drei Repräsentationen desselben Strings und Sie senden die Werte der Byte-Sequenzen an die Konsole. Zuletzt wollen Sie keine Vermutungen über den Speicherbedarf für jede der Codierungen anstellen. Wenn Sie wissen müssen, wie viel Platz notwendig ist, um den codierten String zu speichern, rufen Sie die Methode `Encoding.GetByteCount` auf, um diesen Wert zu erhalten.

Tipp: Treffen Sie nie Annahmen hinsichtlich des Formats der internen Stringdarstellung der CLR. Niemand sagt, dass die interne Repräsentanz nicht von einer Plattform zur nächsten variieren könnte. Es wäre sehr unglücklich, wenn Ihr Code irgendwelche Annahmen basierend auf einer Intel-Plattform treffen würde und dann eben nicht auf einer Sun-Plattform mit der Mono-CLR läuft. Microsoft könnte durchaus eines Tages die Wahl treffen, Windows auf einer anderen Hardwareplattform laufen zu lassen – so wie Apple sich dafür entschied, Intel-Prozessoren zu benutzen.

Während Sie arbeiten, kann es vorkommen, dass Sie bei der Umwandlung den umgekehrten Weg gehen müssen und einen Byte-Array von außerhalb in einen String verwandeln müssen, den das System leicht manipulieren kann. Zum Beispiel benutzt der Bluetooth-Protokollstack Big-Endian Unicode-Strings, um Stringdaten zu transportieren. Um diese Bytes in einen `System.String` zu verwandeln, verwenden Sie die Methode `GetString` mit dem Encoder, den Sie benutzen. Sie müssen zudem den Encoder benutzen, der zu der Quelle passt, die Ihre Daten verschlüsselt.

Dies bringt uns zu einem wichtigen Punkt, den Sie unbedingt im Kopf behalten sollten. Wenn String-Daten von und zu anderen Systemen im rohen Byteformat übergeben werden, müssen Sie stets das Verschlüsselungsschema des Protokolls kennen, das Sie benutzen. Vor allem müssen Sie stets das `Encoding`-Objekt benutzen, das zu diesem Verfahren passt, um den Byte-Array in einen `System.String` zu konvertieren, auch wenn Sie wissen, dass das Encoding in dem Protokoll dasselbe ist wie jenes, das intern mit `System.String` auf der Plattform gebraucht wird, auf der Sie Ihre Anwendung erstellen. Warum? Stellen wir uns vor, Sie entwickeln ihre Applikation auf der Intel-Plattform und die Kodierung des Protokolls ist Little-Endian, von dem Sie ja wissen, dass es dasselbe ist wie das Verfahren, das die Hardwareplattform nutzt. Wenn Sie nun eine Abkürzung nehmen und nicht das Objekt `System.Text.Encoding.Unicode` benutzen, um die Bytes in einen String zu verwandeln, und wenn Sie sich entscheiden, die Anwendung auf einer Plattform ablaufen zu lassen, die intern Big-Endian-Strings verwendet, dann werden Sie überrascht sein, wenn die Anwendung zusammenbricht, weil Sie fälschlicherweise Annahmen darüber angestellt haben, welche Verschlüsselung `System.String` intern verwendet. Für die Effizienz ist es kein Problem, wenn Sie den Encoder immer verwenden, da auf Plattformen, wo das interne Encoding genauso abläuft wie das externe, sich die Konvertierung letztlich auf ein Nichts reduziert.

Im vorigen Beispiel haben Sie gesehen, wie die Klasse `StringBuilder` benutzt wird, um den Array aus Bytes an die Konsole zu senden. Sehen wir uns jetzt an, was der Typ `StringBuilder` eigentlich ist.

9.5   StringBuilder

Da System.String-Objekte unveränderlich sind, können sie manchmal Flaschenhälse für die Effizienz bedeuten, wenn Sie versuchen, Strings quasi im Vorbeigehen zu erzeugen. Sie können zusammengesetzte Strings mit dem &-Operator wie folgt erstellen:

```
Dim compound As String = "Vote" & " for " & "Pedro"
```

Diese Methode ist jedoch nicht effizient, da Sie vier Strings bauen müssen, um den Job zu erledigen. Obwohl dieses Beispiel ziemlich konstruiert ist, können Sie sich sicher vorstellen, dass die Effizient eines komplexen Systems, das eine Menge Stringmanipulationen durchführt, schnell abnehmen kann. Bedenken Sie einen Fall, in dem Sie einen benutzerdefinierten base64-Encoder implementieren, der zunehmend Zeichen anhängt, während er eine Binärdatei verarbeitet. Die .NET-Bibliothek offeriert diese Funktionalität zwar in der Klasse System.Convert, aber vergessen wir das einmal kurz. Wenn Sie wiederholt den &-Operator in einer Schleife verwenden, um einen großen base64-String zu erzeugen, würde Ihre Systemleistung schnell einbrechen, da die Quelldaten immer weiter zunehmen. Für diese Zwecke können Sie die Klasse System.Text.StringBuilder benutzen, die einen veränderbaren String spezifisch implementiert, um auf effiziente Weise zusammengesetzte Strings zu bauen.

StringBuilder enthält intern einen Array von Zeichen, den sie dynamisch verwaltet. Die Arbeitspferde der Klasse StringBuilder sind die Methoden Append(), Insert() und AppendFormat(). Diese Methoden sind sehr stark überladen, um das Anhängen und Einfügen von Stringformen der vielen verbreiteten Typen zu unterstützen. Wenn Sie eine Instanz von StringBuilder erstellen, können Sie aus zahlreichen Konstruktoren wählen. Der Standardkonstruktor erstellt eine neue StringBuilder-Instanz mit der vom System definierten standardmäßigen Kapazität. Diese Kapazität beschränkt jedoch nicht die Größe des Strings, den die Klasse erzeugen kann. Stattdessen repräsentiert sie die Größe von Stringdaten, die StringBuilder halten kann, bevor der interne Puffer vergrößert werden muss und damit die Kapazität wachsen kann. Wenn Sie aber wissen, wie groß Ihr String wahrscheinlich werden wird, dann können Sie StringBuilder diese Zahl in einer der Konstruktor-Überladungen übermitteln, und sie wird den Puffer entsprechend initialisieren. Das kann die StringBuilder-Instanz davon abhalten, den Puffer zu oft neu messen zu müssen, während Sie ihn füllen.

Sie können auch das Property für die maximale Kapazität in den Konstruktor-Überladungen definieren. Standardmäßig liegt die maximale Kapazität bei System.Int32.MaxValue, was 2.147.483.647 entspricht, aber dieser Wert kann sich ändern, während sich das System entwickelt. Wenn Sie Ihren StringBuilder-Puffer davor bewahren müssen, eine bestimmte Größe zu überschreiten, können Sie eine alternative maximale Kapazität in einem der überladenen Konstruktoren festlegen. Wenn entweder eine Anhängen- oder eine Einfügen-Operation den Puffer dazu zwingt, über diese maximale Kapazität hinaus zu wachsen, wird eine ArgumentOutOfRangeException ausgegeben.

Bequemerweise geben alle Methoden, die Daten einer Instanz hinzu- oder einfügen, eine Referenz an die Instanz von StringBuilder zurück. Daher können Sie Operationen mit einem einzelnen StringBuilder verketten, wie Sie hier sehen:

```
Imports System
Imports System.Text

Public Class EntryPoint
    Shared Sub Main()
        Dim sb As StringBuilder = New StringBuilder()

        sb.Append("StringBuilder ").Append("is ").Append("very . . . ")

        Dim built1 As String = sb.ToString()

        sb.Append("cool")

        Dim built2 As String = sb.ToString()

        Console.WriteLine(built1)
        Console.WriteLine(built2)
    End Sub
End Class
```

Hier sind die Ergebnisse:

```
StringBuilder is very . . .
StringBuilder is very . . . cool
```

Im vorigen Beispiel haben wir die StringBuilder-Instanz sb in eine neue SystemString-Instanz mit dem Namen built1 umgewandelt, indem wir sb.ToString() aufgerufen haben. Für maximale Effizienz übergibt StringBuilder einfach eine Referenz auf den Zeichenpuffer an die String-Instanz weiter, so dass eine Kopie nicht notwendig ist. Wenn Sie darüber nachdenken, würde ja auch ein Teil der Nützlichkeit von StringBuilder kompromittiert, wenn es nicht so wäre. Wenn Sie einen großen String erzeugen – sagen wir, einige Megabytes groß, wie ein base-64-codiertes großes Bild –, wollen Sie nicht, dass die Daten kopiert werden, um einen String daraus zu kreieren. Wenn Sie jedoch den System.String erzeugen, halten sowohl System.String als auch StringBuilder Referenzen zu demselben Array von Zeichen. Da System.String unveränderlich ist, wird der interne Zeichenarray von StringBuilder nun ebenfalls unveränderlich. StringBuilder geht nun dazu über, einen Kopieren-beim-Schreiben-Ansatz mit diesem Puffer zu verwenden. Daher muss StringBuilder, nachdem die String-Instanz built1 gebildet wurde, eine neue Kopie des internen Zeichenarrays erstellen, sobald wieder neue Daten angehängt werden sollen, und damit die Herrschaft über den alten Puffer an built1, die Instanz von System.String, abtreten. Es ist wichtig, sich dieses Verhalten zu vergegenwärtigen, wenn Sie StringBuilder für die Arbeit mit großen Stringdaten nutzen.

9.6   Strings mit regulären Ausdrücken suchen

Der Typ System.String bietet bereits rudimentäre Suchmethoden wie IndexOf(), IndexOfAny(), LastIndexOf(), LastIndexOfAny() und StartsWith(). Mit diesen Methoden können Sie bestimmen, ob ein String Substrings besitzt und wo sich diese befinden. Das .NET-Framework enthält außerdem Klassen, die reguläre Ausdrücke implementieren (regular expressions, kurz regexes)[11]. Diese Syntax ist quasi eine Sprache für sich und sie voll abzubilden würde den Rahmen dieses Buches sprengen. Wir werden hier aber die Wege beschreiben, wie man reguläre Ausdrücke benutzen kann, die spezifisch für das .NET-Framework sind.

Es gibt drei Haupttypen von Operationen, für die Sie reguläre Ausdrücke einsetzen. Der erste ist, wenn Sie einen String absuchen, um zu prüfen, ob er ein spezifisches Muster aufweist, und wenn ja, wo. Der zweite ähnelt dem ersten, außer dass Sie sich während des Prozesses Teile des gesuchten Ausdrucks ersparen. Wenn Sie zum Beispiel einen String auf ein Datum in einem spezifischen Format untersuchen, können Sie wählen, die drei Teile des Datums in individuelle Variablen zu zerlegen. Und zuletzt werden reguläre Ausdrücke oft für Suchen-und-Ersetzen-Operationen gebraucht. Dieser Operationstyp baut auf den Fähigkeiten der beiden erstgenannten auf. Sehen wir uns an, wie man diese drei Ziele erreichen kann, indem man die .NET-Implementierung regulärer Ausdrücke benutzt.

9.6.1   Suchen mit regulären Ausdrücken

Wie die Klasse System.String selbst sind die meisten Objekte, die aus Klassen regulärer Ausdrücke erzeugt wurden, unveränderlich. Das Arbeitspferd, das allem zugrunde liegt, ist die Klasse Regex, die im Namensraum System.Text.RegularExpressions existiert. Die allgemeine Methode für ihre Benutzung ist es, eine Instanz von Regex zu erzeugen, die Ihren regulären Ausdruck repräsentiert, indem ihm ein String mit dem Muster übergeben wird, nach dem er suchen soll. Sie wenden dies dann auf einen String an, um herauszufinden, ob Übereinstimmungen existieren. Die Ergebnisse der Suche schließen ein, ob eine Übereinstimmung gefunden wurde, und wenn, wo. Sie können auch herausfinden, an welchen Stellen des durchsuchten Strings alle folgenden Instanzen der Übereinstimmung vorkommen. Schauen wir uns einmal an einem Beispiel an, wie eine grundlegende Regex-Suche aussieht. Danach schürfen wir etwas tiefer, um nützlichere Arten, Regex zu benutzen, zu finden:

```
Imports System
Imports System.Text.RegularExpressions

Public Class EntryPoint
    Shared Sub Main(ByVal args As String())
```

---

[11] Schauen Sie sich die Seite zu regulären Ausdrücken der Wikipedia auf http://en.wikipedia.org/wiki/Regular_expression an, um eine Einführung zu erhalten.

```
        If args.Length < 1 Then
            Console.WriteLine("You must provide a string.")
            Return
        End If

        'Regex erzeugen, um nach IP-Adressmuster zu suchen.
        Dim pattern As String = "\d\d?\d?\.\d\d?\d?.\d\d?\d?.\d\d?\d?"
        Dim regex As Regex = New Regex(pattern)
        Dim match As Match = regex.Match(args(0))

        While match.Success
            Console.WriteLine("IP Address found at {0} with value of {1}", _
                match.Index, match.Value)

            match = match.NextMatch()
        End While
    End Sub
End Class
```

Das vorige Beispiel durchsucht einen String, der als Befehlszeilenargument übergeben wurde, nach einer IP-Adresse. Die Suche ist sehr simpel, aber wir verfeinern sie, wenn wir weiter voranschreiten. Reguläre Ausdrücke können aus Zeichenliteralen bestehen, nach denen gesucht wird, aber ebenso aus Fluchtsymbolen, die eine spezielle Bedeutung haben. Der vertraute Backslash ist die Methode, um Fluchtsymbole in einem regulären Ausdruck darzustellen. Im vorigen Beispiel bedeutet \d eine numerische Ziffer. Diejenigen, denen ein Fragezeichen angehängt wurde, bedeuten, dass das vorangestellte Zeichen oder Fluchtsymbol entweder einmal oder gar nicht vorkommt. Beachten Sie, dass der Punkt ebenfalls mit einem Fluchtsymbol versehen ist, denn der Punkt hat ebenfalls eine spezielle Bedeutung: Ein Punkt ohne Fluchtsymbol stimmt mit jedem Zeichen an dieser Stelle überein. Wenn Sie das vorige Beispiel laufen lassen und diesen String als Kommandozeilenargument übergeben:

```
"This is an IP-Adress: 123.123.1.123",
```

dann wird die Ausgabe folgendermaßen aussehen:

```
IP Address found at 22 with value of 123.123.1.123
```

Das vorige Beispiel erzeugt eine neue Regex-Instanz mit dem Namen regex und wendet das Muster über die Methode Match auf den gegebenen String an. Die Ergebnisse der Übereinstimmungen werden in der Variable match gespeichert. Die Variable match repräsentiert die erste Übereinstimmung in dem durchsuchten String. Sie können das Property Match.Success benutzen, um zu bestimmen, ob das Regex überhaupt etwas gefunden hat. Dann können Sie sehen, dass der Code die Properties Index und Value benutzt, um mehr über die Übereinstimmung zu erfahren. Zuletzt können Sie zu der nächsten Übereinstimmung gehen, indem Sie die Methode Match.NextMatch aufrufen, und Sie können diese Kette wiederholt durchlaufen, bis Sie im String keine Übereinstimmungen mehr finden.

Alternativ können Sie auch die Methode `Regex.Matches` aufrufen, um die `MatchCollection` zu erhalten, die Ihnen alle Übereinstimmungen angibt, anstatt `Match.NextMatch()` in einer Schleife aufrufen zu müssen und die Übereinstimmungen peu à peu zu bekommen. Jedes der Beispiele in diesem Kapitel, das `regex` benutzt, ruft Instanzenmethoden einer `Regex`-Instanz auf. Viele der Methoden von `Regex` wie `Match()` und `Replace()` bieten auch gemeinsam genutzte Versionen, bei denen Sie nicht zuerst eine `Regex`-Instanz erzeugen müssen und Sie ganz einfach das Muster des regulären Ausdrucks an den Methodenaufruf übergeben können.

9.6.2 Suchen und Gruppieren

Wenn wir uns das vorherige Beispiel genau angesehen haben, passierte ja nicht viel – das Muster suchte nach einer Reihe von vier Zifferngruppen, die durch Punkte getrennt waren, wobei jede Gruppe zwischen einer und drei Ziffern lang sein konnte. Das ist eine sehr simple Suche, weil sie auch bei einer ungültigen IP-Adresse wir 999.888.777.666 eine Übereinstimmung findet. Eine bessere Suche nach einer IP-Adresse würde wie folgt aussehen:

```
Imports System
Imports System.Text.RegularExpressions

Public Class EntryPoint
    Shared Sub Main(ByVal args As String())
        If args.Length < 1 Then
            Console.WriteLine("You must provide a string.")
            Return
        End If

        'Regex erzeugen, um nach IP-Adressmuster zu suchen.
        Dim pattern As String = "([01]?\d\d?|2[0-4]\d|25[0-5])\." & _
            "([01]?\d\d?|2[0-4]\d|25[0-5])\." & _
            "([01]?\d\d?|2[0-4]\d|25[0-5])\." & _
            "([01]?\d\d?|2[0-4]\d|25[0-5])"

        Dim regex As Regex = New Regex(pattern)
        Dim match As Match = regex.Match(args(0))

        While match.Success
            Console.WriteLine("IP Address found at {0} with value of {1}", _
                match.Index, match.Value)
```

```
        match = match.NextMatch()
    End While
  End Sub
End Class
```

Im Wesentlichen werden hier vier Gruppen desselben Suchmusters [01]?\d\d?|2[0-4]\d|25[0-5] durch Punkte getrennt, denen im vorangegangenen regulären Ausdruck wiederum ebenfalls Fluchtsymbole vorangestellt wurden. Jeder dieser Unterausdrücke stimmt mit einer Zahl zwischen 0 und 255 überein. Dieser ganze Ausdruck für die Suche mit regulären Ausdrücken ist schon besser, aber noch lange nicht perfekt. Sie sehen aber, dass wir uns dem Ziel nähern, und mit etwas mehr Feintuning können Sie den Ausdruck dazu nutzen, eine IP-Adresse, die in einem String übergeben wurde, zu validieren. Auf diese Weise können Sie reguläre Ausdrücke nutzen, um Eingaben von Benutzern effektiv zu prüfen, damit sichergestellt ist, dass sie mit einer bestimmten Form übereinstimmen. Sie könnten zum Beispiel einen Webserver betreiben, der erwartet, dass amerikanische Telefonnummern in der Art wie (xxx) xxx-xxxx eingegeben werden. Reguläre Ausdrücke erlauben Ihnen, auf sehr einfache Weise zu prüfen, dass der Anwender die Nummer korrekt eingegeben hat.

Sie haben wahrscheinlich den Gebrauch der Klammern bei dem Ausdruck für die Suche nach den IP-Adressen im vorigen Beispiel bemerkt. Klammern werden dazu benutzt, Gruppen zu definieren, die Unterausdrücke in regulären Ausdrücken in getrennte Stücke zusammenfassen. Gruppen können auch andere Gruppen enthalten. Daher formt das Muster regulärer Ausdrücke für die IP-Adresse im vorigen Beispiel eine Gruppe um jeden Teil der IP-Adresse. Zusätzlich können Sie jede individuelle Gruppe innerhalb einer Übereinstimmung ansprechen. Betrachten Sie die folgende modifizierte Version des vorigen Beispiels:

```
Imports System
Imports System.Text.RegularExpressions

Public Class EntryPoint
    Shared Sub Main(ByVal args As String())
        If args.Length < 1 Then
            Console.WriteLine("You must provide a string.")
            Return
        End If

        'Regex erzeugen, um nach IP-Adressmuster zu suchen.
        Dim pattern As String = "([01]?\d\d?|2[0-4]\d|25[0-5])\." & _
            "([01]?\d\d?|2[0-4]\d|25[0-5])\." & _
            "([01]?\d\d?|2[0-4]\d|25[0-5])\." & _
            "([01]?\d\d?|2[0-4]\d|25[0-5])"

        Dim regex As Regex = New Regex(pattern)
        Dim match As Match = regex.Match(args(0))
```

```
        While match.Success
            Console.WriteLine("IP Address found at {0} with value of {1}", _
                match.Index, match.Value)

            Console.WriteLine()
            Console.WriteLine("Groups are")

            For Each g As Group In match.Groups
                Console.WriteLine("" & Chr(9) & "{0} at {1}", g.Value,
g.Index)
            Next

            match = match.NextMatch()
        End While
    End Sub
End Class
```

In jede Übereinstimmung haben Sie eine Schleife eingeführt, die die einzelnen Gruppen wiederholt durchläuft. Wie Sie erwarten würden, gibt es wenigstens vier Gruppen
in der Sammlung, eine für jede Portion der IP-Adresse. In der Tat gibt es aber auch
noch ein fünftes Element in der Gruppe, und zwar die gesamte Übereinstimmung.
Eine Gruppe innerhalb der Sammlung der Gruppen, die von `Match.Groups`
zurückgegeben wird, wird immer die gesamte Übereinstimmung enthalten. Betrachten
Sie den folgenden Input für das vorige Beispiel:

```
"This is an IP address:123.123.1.123"
```

Das Ergebnis sieht dann so aus:

```
IP Address found at 22 with value of 123.123.1.123

Groups are
        123.123.1.123 at 22
        123 at 22
        123 at 26
        1 at 30
        123 at 32
```

Gruppen bieten ein exzellentes Mittel, um Portionen aus einem gegebenen Eingabe-
string herauspicken zu können. Zum Beispiel könnten Sie in derselben Zeit, in der Sie
prüfen, ob der Benutzer eine Telefonnummer im benötigten Format eingegeben hat,
die Vorwahlnummer für den späteren Gebrauch in einer Gruppe erfassen. Noch
geschickter ist es, diesen Gruppen einen Namen zu geben. Sehen Sie sich das folgende
modifizierte Beispiel an:

```
Imports System
Imports System.Text.RegularExpressions


Public Class EntryPoint
    Shared Sub Main(ByVal args As String())
        If args.Length < 1 Then
            Console.WriteLine("You must provide a string.")
            Return
        End If

        Dim pattern As String = "(?<part1>[01]?\d\d?|2[0-4]\d|25[0-5])\." & _
            "(?<part2>[01]?\d\d?|2[0-4]\d|25[0-5])\." & _
            "(?<part3>[01]?\d\d?|2[0-4]\d|25[0-5])\." & _
            "(?<part4>[01]?\d\d?|2[0-4]\d|25[0-5])"

        Dim regex As Regex = New Regex(pattern)
        Dim match As Match = regex.Match(args(0))

        While match.Success
            Console.WriteLine("IP Address found at {0} with value of {1}" & _
                vbCrLf, match.Index, match.Value)

            Console.WriteLine("Groups are")
            Console.WriteLine("" & Chr(9) & "Part 1: {0}",
match.Groups("part1"))
            Console.WriteLine("" & Chr(9) & "Part 2: {0}",
match.Groups("part2"))
            Console.WriteLine("" & Chr(9) & "Part 3: {0}",
match.Groups("part3"))
            Console.WriteLine("" & Chr(9) & "Part 4: {0}",
match.Groups("part4"))

            match = match.NextMatch()
        End While
    End Sub
End Class
```

Hier sind die Ergebnisse dieser Version des Beispiels:

```
IP Address found at 22 with value of 123.123.1.123

Groups are
        Part 1: 123
        Part 2: 123
        Part 3: 1
        Part 4: 123
```

In dieser Variante wird jeder Teil in einer Gruppe mit einem eigenen Namen erfasst. Und wenn Sie das Ergebnis an die Konsole senden, wird die Gruppe mit ihrem Namen durch einen Indexer von `GroupCollection` angesprochen, der von `Match.Groups` zurückgegeben wird, welcher ein Stringargument akzeptiert.

Mit der Fähigkeit, Gruppen einen Namen zu geben, kommt die Fähigkeit, Gruppen innerhalb von Suchvorgängen zurückzureferenzieren. Wenn Sie zum Beispiel nach einer exakten Wiederholung der vorherigen Übereinstimmung suchen, können Sie eine frühere Gruppe über eine sogenannte Back-Referenz referenzieren, indem Sie \k<name> einbauen; name ist dabei der Name der Gruppe, die zurückreferenziert werden soll. Betrachten Sie folgendes Beispiel, das nach IP-Adressen sucht, bei denen alle vier Teile gleich sind:

```
Imports System
Imports System.Text.RegularExpressions

Public Class EntryPoint
    Shared Sub Main(ByVal args As String())
        If args.Length < 1 Then
            Console.WriteLine("You must provide a string.")
            Return
        End If

        Dim pattern As String = "(?<part1>[01]?\d\d?|2[0-4]\d|25[0-5])\." &
_
            "\k<part1>\." & "\k<part1>\." & "\k<part1>"

        Dim regex As Regex = New Regex(pattern)
        Dim match As Match = regex.Match(args(0))

        While match.Success
            Console.WriteLine("IP Address found at {0} with value of {1}",
_
                match.Index, match.Value)

            match = match.NextMatch()
        End While
    End Sub
End Class
```

Der folgende Output zeigt die Ergebnisse des Codes anhand des Strings »My IP Address is 123.123.123.123.«

```
IP Address found at 17 with value of 123.123.123.123
```

9.6.3 Text durch Regex ersetzen

Das .NET-Framework stellt die Fähigkeit, reguläre Ausdrücke durch Textzeichen zu ersetzen, durch Überladungen der Methode Regex.Replace zur Verfügung. Stellen Sie sich vor, Sie wollen einen String bearbeiten, der nach einer IP-Adresse sucht, die ein Anwender eingegeben hat, und Sie möchten den String anzeigen. Sie möchten allerdings aus Sicherheitsgründen die IP-Adresse durch xxx.xxx.xxx.xxx ersetzen. Sie können dieses Ziel folgendermaßen erreichen:

```
Imports System
Imports System.Text.RegularExpressions

Public Class EntryPoint
    Shared Sub Main(ByVal args As String())
        If args.Length < 1 Then
            Console.WriteLine("You must provide a string.")
            Return
        End If

        Dim pattern As String = "([01]?\d\d?|2[0-4]\d|25[0-5])\." & _
            "([01]?\d\d?|2[0-4]\d|25[0-5])\." & _
            "([01]?\d\d?|2[0-4]\d|25[0-5])\." & _
            "([01]?\d\d?|2[0-4]\d|25[0-5])"

        Dim regex As Regex = New Regex(pattern)

        Console.WriteLine("Input given --> {0}", regex.Replace(args(0), _
            "xxx.xxx.xxx.xxx"))
    End Sub
End Class
```

Für diese Eingabe

```
"My IP address is 123.123.123.123"
```

lautet der Output folgendermaßen:

```
Input given --> My IP address is xxx.xxx.xxx.xxx
```

Natürlich möchten Sie die Übereinstimmung in einem String durch etwas ersetzen, das davon abhängt, wie die Übereinstimmung lautet. Das vorige Beispiel ersetzt einfach jede Übereinstimmung mit einem statischen String. Um auf Basis der Instanz der Übereinstimmung eine Ersetzung vorzunehmen, können Sie eine Instanz des Delegaten MatchEvaluator erzeugen und an die Methode Regex.Replace weitergeben. Immer, wenn sie eine Übereinstimmung findet, ruft sie die Delegaten-Instanz MatchEvaluator auf, während sie den Treffer weiterleitet. Deshalb kann der Delegat den Ersatzstring basierend auf der tatsächlichen Übereinstimmung erzeugen. Der Delegat `MatchEvaluator` hat folgende Signatur:

```
Public Delegate Function MatchEvaluator(ByVal match As Match) As String
```

Nehmen wir an, Sie wollen die individuellen Teile einer IP-Adresse vertauschen. Sie können den `MatchEvaluator` in Kombination mit `Regex.Replace()` benutzen, um die Arbeit zu erledigen, wie im folgenden Beispiel:

```
Imports System
Imports System.Text
Imports System.Text.RegularExpressions

Public Class EntryPoint
    Shared Sub Main(ByVal args As String())
        If args.Length < 1 Then
            Console.WriteLine("You must provide a string.")
            Return
        End If

        Dim pattern As String = "(?<part1>[01]?\d\d?|2[0-4]\d|25[0-5])\." & _
            "(?<part2>[01]?\d\d?|2[0-4]\d|25[0-5])\." & _
            "(?<part3>[01]?\d\d?|2[0-4]\d|25[0-5])\." & _
            "(?<part4>[01]?\d\d?|2[0-4]\d|25[0-5])"

        Dim regex As Regex = New Regex(pattern)
        Dim match As Match = regex.Match(args(0))

        Dim eval As MatchEvaluator = _
            New MatchEvaluator(AddressOf EntryPoint.IPReverse)

        Console.WriteLine(regex.Replace(args(0), eval))
    End Sub

    Shared Function IPReverse(ByVal match As Match) As String
        Dim sb As StringBuilder = New StringBuilder()

        sb.Append(match.Groups("part4").ToString & ".")
        sb.Append(match.Groups("part3").ToString & ".")
        sb.Append(match.Groups("part2").ToString & ".")
        sb.Append(match.Groups("part1"))

        Return sb.ToString()
    End Function
End Class
```

Wenn Sie nun "My IP address is 123.124.125.126" als Befehlszeilenargument verwenden, lautet die Ausgabe wie folgt:

```
My IP address is 126.125.124.123
```

Im vorigen Fall wird der Delegat jedesmal aufgerufen, wenn eine Übereinstimmung gefunden wird, um zu bestimmen, wie der Ersatzstring aussehen soll. Da Sie aber nur die Ordnung vertauschen, ist die Arbeit nicht zu schwierig für Substitutionen regulärer Ausdrücke. Hätten Sie im vorigen Beispiel die Überladung von Replace() gewählt, die MatchEvaluator nicht benutzt, hätten Sie dasselbe Ergebnis erreichen können, da der Regex Sie die Gruppenvariablen im Austauschstring referenzieren lässt. Um eine der mit Namen versehenen Gruppen zu referenzieren, können Sie die Syntax des folgenden Beispiels benutzen:

```
Imports System
Imports System.Text
Imports System.Text.RegularExpressions

Public Class EntryPoint
    Shared Sub Main(ByVal args As String())
        If args.Length < 1 Then
            Console.WriteLine("You must provide a string.")
            Return
        End If


        Dim pattern As String = "(?<part1>[01]?\d\d?|2[0-4]\d|25[0-5])\." & _

            "(?<part2>[01]?\d\d?|2[0-4]\d|25[0-5])\." & _
            "(?<part3>[01]?\d\d?|2[0-4]\d|25[0-5])\." & _
            "(?<part4>[01]?\d\d?|2[0-4]\d|25[0-5])"

        Dim regex As Regex = New Regex(pattern)
        Dim match As Match = regex.Match(args(0))

        Dim replace As String = _
            "${part4}.${part3}.${part2}.${part1} (the reverse of $&)"

        Console.WriteLine(regex.Replace(args(0), replace))
    End Sub
End Class
```

Wenn Sie jetzt dasselbe Kommandozeilenargument wie im letzten Beispiel verwenden, lautet der Output wie folgt:

```
My IP address is 126.125.124.123 (the reverse of 123.124.125.126)
```

Wenn Sie eine der mit Namen versehenen Gruppen einbinden wollen, ist die Syntax `${name}` notwendig, wobei `name` für den Namen der Gruppe steht. Sie können zudem sehen, dass der Code den vollen Text der Übereinstimmung referenziert und dabei `$&` benutzt. Andere Austauschstrings sind ebenfalls verfügbar, etwa `$``, der den Teil des Eingabestrings vor und bis zur Übereinstimmung ersetzt, und `$'`, der den ganzen Text nach der Übereinstimmung ersetzt. Ganz offensichtlich können Sie mächtige Fähigkeiten zur String-Ersetzung basteln, indem Sie die Implementierung der regulären Ausdrücke im .NET-Framework benutzen.

9.6.4   Optionen zur Regex-Erzeugung

Eine der Konstruktor-Überladungen von `Regex` erlaubt Ihnen, verschiedene Optionen vom Typ `RegexOptions` zu übergeben, während Sie eine `Regex`-Instanz erstellen. Analog dazu haben die Methoden für `Regex` wie `Match()` und `Replace()` eine statische Überladung, was Ihnen erlaubt, `RegexOptions`-Flags zu übergeben. Wir werden die häufig genutzten Optionen in diesem Abschnitt besprechen.

Standardmäßig werden reguläre Ausdrücke zur Laufzeit ausgewertet. Komplexe reguläre Ausdrücke können dabei ein ganz schönes Stück Rechenzeit verbrauchen, während die Regex-Engine sie verarbeitet. Für solche Situationen sollten Sie die `Compiled`-Option erwägen. Diese Option sorgt dafür, dass der reguläre Ausdruck intern durch Intermediate Language-Code repräsentiert wird, der vom Just-In-Time-Compiler kompiliert wird. Das vergrößert zwar die Wartezeit bei der ersten Benutzung des regulären Ausdrucks, aber wenn es oft benutzt wird, wird es sich am Ende auszahlen. JIT-kompilierter Code vergrößert den Umfang der Anwendung.

Sehr oft werden Sie es auch nützlich finden, Suchvorgänge ohne Berücksichtigung der Groß- und Kleinschreibung vorzunehmen. Sie könnten das Muster des regulären Ausdrucks entsprechend anpassen, aber dadurch wird das Muster schwerer zu lesen. Es ist leichter, stattdessen das `IgnoreCase`-Flag zu übergeben, wenn Sie die `Regex`-Instanz erstellen. Wenn Sie dieses Flag benutzen, wird die Regex-Engine auch alle kulturspezifischen und mit der Groß- und Kleinschreibung in Zusammenhang stehenden Probleme berücksichtigen, indem sie die `CultureInfo` referenziert, die mit dem aktuellen Thread verbunden ist. Wenn Sie die Suche ohne Berücksichtigung der Groß- und Kleinschreibung und die kultur invariante Suche miteinander koppeln wollen, kombinieren Sie das Flag `IgnoreCase` mit dem Flag `CultureInvariant`.

Das Flag `IgnorePatternWhitespace` ist ebenfalls hilfreich für komplexe reguläre Ausdrücke. Es teilt der Regex-Engine mit, alle Leerräume in dem Ausdruck zu ignorieren und auch die Kommentare in Zeilen, die auf das Zeichen # folgen, auszublenden. Dies eröffnet einen geschickten Weg, reguläre Ausdrücke zu kommentieren, die mitunter recht komplex sein können. Sehen Sie sich mal die Suche nach der IP-Adresse aus dem vorigen Beispiel an, wenn Sie mit `IgnorePatternWhitespace` neu geschrieben wird:

```
Imports System
Imports System.Text.RegularExpressions
```

```vbnet
Public Class EntryPoint
    Shared Sub Main(ByVal args As String())
        If args.Length < 1 Then
            Console.WriteLine("You must provide a string.")
            Return
        End If

        Dim pattern As String = _
        "# First part match " & vbCrLf & _
        "([01]?\d\d?          # Wenigstens eine Ziffer," & vbCrLf & _
        "                     # möglicherweise mit einer vorangestellten 0
oder 1" & vbCrLf & _
        "                     # und möglicherweise von einer weiteren Ziffer
gefolgt" & _
        vbCrLf & "# OR " & vbCrLf & _
        "|2[0-4]\d            # Beginnt mit 2 nach einer Ziffer zwischen 0-4"
& _
        vbCrLf & "          # und dann jede beliebige Ziffer" &
vbCrLf & _
        "# OR " & vbCrLf & _
        "|25[0-5])            # 25 gefolgt von einer Ziffer zwischen 0-5" &
vbCrLf & _
        "\.                   # Der ganzen Gruppe folgt ein Punkt." & _
        vbCrLf & "# REPEAT " & vbCrLf & "([01]?\d\d?|2[0-4]\d|25[0-5])\. "
& _
        vbCrLf & "# REPEAT " & vbCrLf & "([01]?\d\d?|2[0-4]\d|25[0-5])\. "
& _
        vbCrLf & "# REPEAT " & vbCrLf & "([01]?\d\d?|2[0-4]\d|25[0-5])"

        Dim regex As Regex = _
            New Regex(pattern, RegexOptions.IgnorePatternWhitespace)

        Dim match As Match = regex.Match(args(0))

        While match.Success
            Console.WriteLine("IP Address found at {0} with value of {1}",
_
                match.Index, match.Value)

            match = match.NextMatch()
        End While
    End Sub
End Class
```

Wenn wir die bekannte Kommandozeileneingabe beibehalten, lautet der Output:

```
IP Address found at 17 with value of 123.124.125.126
```

Beachten Sie, wie ausdrucksstark Ihre Kommentare zu den regulären Ausdrücken sein können. Und wenn man sich anschaut, wie komplex reguläre Ausdrücke werden können, ist das wirklich eine gute Sache.

9.7 Zusammenfassung

In diesem Kapitel haben wir nur an der Spitze des Eisbergs der Fähigkeiten für die Stringbehandlung gekratzt, die VB und .NET offerieren. Da der Stringtyp so ein häufig benutzter Typ ist, haben die CLR-Designer sich dazu entschieden, ihn in die Gruppe der eingebauten Typen aufzunehmen, anstatt ihn in die BCL auszulagern. Das ist gut, wenn man bedenkt, wie verbreitet die Verwendung von Strings ist. Darüber hinaus stellt die Bibliothek eine gründliche Implementierung kulturspezifischer Muster über `CultureInfo` bereit, die Sie typischerweise brauchen werden, wenn Sie globale Software schreiben, die mit Strings umgeht.

Wir haben auch gezeigt, wie Sie Ihre eigenen Kulturen ganz einfach erstellen können, indem Sie die Klasse `CultureAndRegionInfoBuilder` benutzen. Im Wesentlichen muss jede Software, die direkt mit dem Anwender interagiert und die für den globalen Gebrauch vorgesehen ist, darauf vorbereitet sein, ortsspezifische Bedürfnisse zu erfüllen. Zuletzt gaben wir Ihnen eine kurze Übersicht über die Fähigkeiten des .NET-Frameworks, reguläre Ausdrücke einzusetzen. Wir glauben, dass Sie uns zustimmen, dass die Fähigkeiten der CLR sowie von .NET und VB, mit Texten und Strings umzugehen, gut durchdacht und leicht zu verwenden sind.

Im Kapitel 10 behandeln wir Arrays und andere, vielseitigere Typen von Sammlungen. Nach den Arrays und Sammlungstypen wenden wir uns dann dem Thema der Iteration zu.

10 Arrays und Auflistungen

Auflistungstypen (Collections) gibt es seit den Anfängen der Computerprogrammierung in verschiedenen Formen, und der grundlegendste Auflistungstyp ist der Array. Dieses Kapitel bietet einen Überblick über Arrays und erklärt die wichtigen allgemeinen Auflistungs-Interfaces. Nach den Arrays und Auflistungen werden wir Enumeratoren und Iterationen demonstrieren, die VB benutzt.

10.1 Einführung in Arrays

Ein VB-Array ist für die Laufzeitumgebung ein eingebauter, impliziter Datentyp. Wenn Sie einen Typ deklarieren – egal ob es sich dabei um eine Klasse oder eine Struktur handelt –, reserviert die Laufzeitumgebung sich das Recht, im Stillen einen Arraytyp zu erzeugen, der auf dem neuen Typ basiert. Der generierte Arraytyp ist ein Referenztyp. Der Referenztyp, den sie erzeugt, wird von System.Array abgeleitet und damit letztlich von System.Object. Daher können Sie alle Arrays polymorphisch durch eine Referenz auf System.Array behandeln. Das bedeutet, dass jeder Array, egal welchen konkreten Typ er besitzt, alle Methoden und Properties von System.Array implementiert.

Sie deklarieren einen Array, indem Sie Klammern benutzen, die auf den Variablennamen des Arrays folgen. Das folgende Beispiel zeigt drei Arten, einen Array von Integerzahlen zu erstellen und sie an die Konsole auszugeben:

```
Imports System

Public Class EntryPoint
    Shared Sub Main()
        Dim array1() As Integer = New Integer(5) {}
        Dim array2() As Integer = New Integer() {2, 4, 6, 8}
        Dim array3() As Integer = {1, 3, 5, 7}

        Dim i As Integer = 0

        For i = 0 To array1.Length - 1
            array1(i) = i * 2
        Next

        For Each item As Integer In array1
            Console.WriteLine("array1: " + item.ToString)
        Next
```

```
        Console.WriteLine(vbCrLf)

        For Each item As Integer In array2
            Console.WriteLine("array2: " + item.ToString)
        Next
        Console.WriteLine(vbCrLf)

        For Each item As Integer In array3
            Console.WriteLine("array3: " + item.ToString)
        Next
    End Sub
End Class
```

Die Ausführung des Codes führt zu folgendem Ergebnis:

```
array1: 0
array1: 2
array1: 4
array1: 6
array1: 8
array1: 10

array2: 2
array2: 4
array2: 6
array2: 8

array3: 1
array3: 3
array3: 5
array3: 7
```

Der konventionelle Weg, eine Array-Instanz zu erstellen und sie mit Anfangswerten zu füllen, wird an der Stelle gezeigt, an der `Array1` initialisiert wird. In VB ist die Untergrenze eines Arrays immer 0, um die Vorgabe der Common Language Specification (CLS) zu erfüllen, dass Arrays eine Untergrenze von 0 haben. Die Obergrenze von `Array1` ist 5, wie im Code zu sehen ist. Das bedeutet, dass der Array 6 Elemente enthält. Beachten Sie, dass der Operator `New` benutzt wird, um die Instanzen `Array1` und `Array2` zuzuweisen. Die Auslassung von `New` bei der Zuweisung von `Array3` ist eine Abkürzung in der Notation.

Eine bequeme Sache von bei Arrays in .NET ist, dass sie auf ihre Länge geprüft werden. Wenn Sie die Grenze eines Arrays überschreiten, wird die Laufzeitumgebung eine `IndexOutOfRangeException` ausgeben.

Sie können die Elemente des Arrays schrittweise durchlaufen, indem Sie das Statement `For…Each` benutzen. Das funktioniert, weil `System.Array` das Interface `IEnumerable` implementiert. Der Abschnitt »Wie Iterationen funktionieren« beschreibt IEnumerable und seinen nahen Verwandten IEnumerator im Detail.

10.1.1 Typkonvertierbarkeit

Wenn Sie einen Array deklarieren, der Instanzen eines bestimmten Typs enthalten soll, können die Instanzen, die Sie im Array platzieren, durchaus auch Instanzen eines weiter abgeleiteten Typs sein. Wenn Sie zum Beispiel einen Array erstellen, der Instanzen des Typs Animal enthält, dann können Sie selbstverständlich auch eine Instanz von Dog oder Cat einsetzen, vorausgesetzt, sie leiten sich vom Typ Animal ab. Sie können Arraytypen auch auf diese interessante Weise mischen:

```
Imports System

Public Class Animal
End Class

Public Class Dog
    Inherits Animal
End Class

Public Class Cat
    Inherits Animal
End Class

Public Class EntryPoint
    Shared Sub Main()
        Dim dogs() As Dog = New Dog(3) {}
        Dim cats() As Cat = New Cat(2) {}

        Dim animals() As Animal = dogs
        Dim moreAnimals() As Animal = cats
    End Sub
End Class
```

Die Zuweisung von dogs zu animals und von cats zu moreAnimals können Sie so lange weiter treiben, wie ihre Grade zusammenpassen und solange der im Array enthaltene Typ in den anderen konvertierbar ist.

> **Tipp:** Die vollständige Typinformation eines Arrays besteht aus seinem Grad (also wie viele Dimensionen er besitzt) und dem Typ, den er enthält.

Kovarianz

Ein Array-Element vom Typ B kann in der Tat den Typ A haben, vorausgesetzt, dass A und B Referenztypen sind und dass B ein Basistyp von A ist oder von A implementiert wird. Diese Beziehung wird *Array-Kovarianz* genannt. Aufgrund dieser Kovarianz sind alle Elementzuweisungen von Arrays von Referenztypen einer Prüfung zur Laufzeit unterworfen, um sicherzugehen, dass der zugewiesene Typ auch zulässig ist.

10.1.2 Sortierbarkeit und Durchsuchbarkeit

Das Interface `System.Array` schließt einige Methoden ein, die mit der Sortierung der Elemente in einem Array zu tun haben. Diese Methoden sind gebräuchlich, wenn der enthaltene Typ `IComparable` implementiert, das Standard-Interface, durch das die Elemente eines bestimmten Typs verglichen werden. Sie können keinen mehrdimensionalen Array sortieren; der Versuch würde zu einer Ausnahme der Sorte `RankException` führen. Wenn Sie versuchen, einen Array zu sortieren, in dem ein oder mehrere Mitglieder `IComparable` nicht unterstützen, können Sie damit rechnen, eine Ausnahme der Art `InvalidOperationException` zu sehen.

Indem Sie die gemeinsam genutzten Methoden `Index()` und `LastIndex()` benutzen, können Sie einen spezifischen Wert in einem Array lokalisieren. Wenn die Methode es nicht schafft, den gesuchten Wert zu finden, gibt sie `-1` aus. In diesen Methoden ist kein anderer Suchalgorithmus involviert als die Tatsache, dass die erste Methode vom Anfang des Arrays an sucht und die zweite vom Ende her. Um eine schnellere Suche durchzuführen, können Sie die gemeinsam genutzte Methode `BinarySearch` verwenden. Bevor Sie das allerdings tun können, müssen Sie Ihren Array sortieren. Das setzt voraus, dass die Elemente im Array `IComparable` implementieren.

10.1.3 Synchronisierung

Der Typ `System.Array` bietet die Interfaces `ICollection` und `IList`, um den Zugriff auf einen Array oder einen Auflistungstyp zu synchronisieren, der `ICollection` implementiert. Eines der Properties von `ICollection` ist `IsSynchronized`, das für reguläre Arrays immer `False` ausgibt. Reguläre Arrays sind standardmäßig nicht synchronisiert. Eine solche Regel durchzusetzen würde dazu führen, dass Arrays, die keine Synchronisierung benötigen, mit Leistungsnachteilen bestraft würden. Daher müssen Sie die Synchronisierung selbst verwalten.

Der leichteste Weg, die Synchronisierung zu verwalten, führt über die Klasse `System.Monitor`, die Sie normalerweise mit dem Schlüsselwort `SyncLock` benutzen. Diese Klasse erlaubt Ihnen, das eingebaute Synchronisierungs-Lock für ein Objekt zu belegen. Allerdings sollten Sie eher ein Lock für das Objekt `ICollection.SyncRoot` belegen als für das Array-Objekt selbst.

Viele Implementierungen von Arrays und Auflistungen können hier eine Referenz auf den Container zurückgeben, aber sie dürfen es aus verschiedenen Gründen nicht. `ICollection.SyncRoot` stellt einen einfachen Weg bereit, den Zugang zu Arrays und Auflistungen zu synchronisieren. Der Abschnitt »Synchronisierung von Auflistungen« behandelt Synchronisierungen im Detail.

10.2 Mehrdimensionale Arrays

VB und die CLR unterstützen mehrdimensionale Arrays direkt. Sie können sehr leicht einen Array mit mehreren Dimensionen deklarieren, indem Sie einfach ein Komma in die geschweiften Klammern {} einsetzen, um die Indizes zu trennen, wie das folgende Beispiel zeigt:

```
Imports System

Public Class EntryPoint
    Shared Sub Main()
        Dim twoDim1(,) As Integer = New Integer(5, 3) {}
        Dim twoDim2(,) As Integer = {{1, 2, 3}, {4, 5, 6}, {7, 8, 9}}


        For Each i As Integer In twoDim2
            Console.WriteLine(i)
        Next
    End Sub
End Class
```

Bei der Ausführung wird jedes Element des Arrays wie folgt aufgelistet:

```
1
2
3
4
5
6
7
8
9
```

Die beiden Deklarationen benötigen die Größe der jeweiligen Dimension nicht, wenn der Typ deklariert wird. Das liegt daran, dass Arrays auf der Grundlage des Typs, den sie enthalten, und ihres Grades typisiert werden. Sobald Sie jedoch eine Instanz des Arraytyps erzeugen, müssen Sie die Größe der Dimensionen verfügbar machen. Das vorige Beispiel erledigt dies auf zweifache Weise: Bei der Erstellung von twoDim1 sagen Sie explizit, wie groß die Dimensionen sind, und bei der Erzeugung von twoDim2 findet es der Compiler auf der Grundlage des Initialisierungsausdrucks heraus.

Das Beispiel listet alle Elemente in dem Array auf, indem es die Schleife For…Each verwendet. For…Each durchläuft alle Elemente in dem Array, wobei zuerst die Elemente einer Array-Dimension durchlaufen werden, bevor die Schleife sich der anderen zuwendet. Sie könnten dasselbe Ziel mit zwei ineinander verschachtelten For-Schleifen erreichen. Um die Array-Elemente in einer anderen Reihenfolge zu durchlaufen, würden Sie ebenfalls zwei verschachtelte For-Schleifen brauchen. Wenn Sie das tun, sollten

Sie bedenken, dass das Property `Array.Length` die Gesamtzahl der Elemente im Array wiedergibt. Um die Zählung für jede Dimension einzeln zu erhalten, müssen Sie die Methode `Array.GetLength` aufrufen, um die Zahl für die Dimension zu bekommen, an der Sie interessiert sind. Zum Beispiel könnten Sie die Elemente in dem Array mit der folgenden Syntax durchlaufen, und die Ergebnisse würden dieselben sein:

```
Imports System

Public Class EntryPoint
    Shared Sub Main()
        Dim twoDim As Integer(,) = {{1, 2, 3}, {4, 5, 6}, {7, 8, 9}}

        For i As Integer = 0 To twoDim.GetLength(0) - 1
            For j As Integer = 0 To twoDim.GetLength(1) - 1
                Console.WriteLine(twoDim(i, j))
            Next
        Next

        Console.WriteLine(vbCrLf)

        For i As Integer = twoDim.GetLowerBound(0) To
twoDim.GetUpperBound(0)
            For j As Integer = twoDim.GetLowerBound(1) To
twoDim.GetUpperBound(1)
                Console.WriteLine(twoDim(i, j))
            Next
        Next
    End Sub
End Class
```

Wir haben hier anhand von zwei Methoden gezeigt, wie man über die Dimensionen des Arrays iteriert. Die erste nimmt an, dass die Untergrenze jeder Dimension 0 ist, während die zweite dies nicht tut. In allen Aufrufen von `GetLength()`, `GetUpperBound()` und `GetLowerBound()` müssen Sie eine nullbasierte Dimension des Arrays liefern, an dem Sie interessiert sind.

Wenn Sie auf die Elemente eines mehrdimensionalen Arrays zugreifen, generiert der Compiler Aufrufe von `Get`- und `Set`-Methoden. Diese Methoden sind überladen, um eine variable Liste von `Integer`-Werten annehmen zu können, um die Ordnungszahl jeder Dimension im Array zu spezifizieren.

Wenn man mathematische Konzepte und mehrdimensionale Arrays miteinander in Einklang bringen möchte, dann ist der mehrdimensionale Array der bevorzugte und natürlichste Weg. Allerdings ist die Erstellung von Methoden, bei denen ein Argument aus einem Array variablen Grades bestehen kann, äußerst knifflig, da Sie das Argument als Typ `System.Array` entgegennehmen und sich dynamisch mit dem Grad des Arrays auseinandersetzen müssen. Auf den Grad eines Arrays finden Sie über das Property `Array.Rank` Zugriff.

10.3 Mehrdimensionale gezackte Arrays

Ein gezackter Array ist ein Array, der aus Arrays besteht, bei dem jedes Element der Array-Instanz des obersten Levels eine individuelle Array-Instanz ist. Zudem kann jede Array-Instanz im obersten Array jede Größe haben. Diese unterschiedlichen Array-Längen geben dem Array ein gezacktes Aussehen anstatt dem eines ordentlichen Rechtecks. Das folgende Beispiel zeigt das syntaktische Muster, mit dem ein gezackter Array in VB deklariert und zugewiesen wird:

```
Imports System
Imports System.Text

Public Class EntryPoint
    Shared Sub Main()
        Dim jagged()() As Integer = New Integer(2)() {}
        jagged(0) = New Integer() {1, 2}
        jagged(1) = New Integer() {1, 2, 3, 4, 5}
        jagged(2) = New Integer() {6, 5, 4}

        For Each ar As Integer() In jagged
            Dim sb As StringBuilder = New StringBuilder()

            For Each n As Integer In ar
                sb.AppendFormat("{0} ", n)
            Next
            Console.WriteLine(sb.ToString())
        Next
        Console.WriteLine()

        For i As Integer = 0 To jagged.Length - 1
            Dim sb As StringBuilder = New StringBuilder

            For j As Integer = 0 To jagged(i).Length - 1
                sb.AppendFormat("{0} ", jagged(i)(j))
            Next
            Console.WriteLine(sb.ToString())
        Next
    End Sub
End Class
```

Der Code gibt bei der Ausführung folgendes Ergebnis aus:

```
1 2
1 2 3 4 5
6 5 4
```

```
1 2
1 2 3 4 5
6 5 4
```

Das Beispiel zeigt zwei Arten, auf die der Array durchlaufen werden kann, um Sie mit der Syntax für den Zugriff auf die individuellen Array-Elemente in einem gezackten Array vertraut zu machen. Beachten Sie, dass die Ausgabe ein gezacktes Aussehen hat, da jeder Unterarray eine andere Größe hat. Wie Sie sehen können, ist es etwas schwieriger, einen gezackten Array zuzuordnen und zu erstellen, da Sie die Zuweisungen der Unterarrays individuell vornehmen müssen.

Eleganter ist die Methode For…Each, um den Array zu durchlaufen, und wie Sie später sehen werden, erlaubt Ihnen For…Each auch, Auflistungen zu durchlaufen, die kein Array sind.

Der Zugriff auf Elemente in einem gezackten Array erfordert größere Sorgfalt, da Sie nicht davon ausgehen können, dass jeder Unter-Array die gleiche Zahl von Elementen enthält.

10.4   Auflistungstypen

Unter einer Auflistung wird jeder Typ verstanden, der eine Reihe von Objekten enthält und IEnumerable oder IEnumerable(Of T) implementiert. Die Objekte in der Reihe sind typischerweise miteinander auf eine Weise verwandt, die von dem Problembereich definiert wird. Das .NET-Framework bietet eine Menge von Auflistungstypen, um alles von einem erweiterbaren Array via ArrayList, über eine Queue, einen Stack bis hin zu einem Verzeichnis über die Klasse HashTable zu verwalten.

10.4.1 Vergleich von ICollection(Of T) und ICollection

Seit .NET 2.0 definiert der Namensraum System.Collections.Generic das Interface ICollection(OfT). ICollection(Of T) weist eine starke Typisierung auf, und wenn es verwendet wird, um Wertetypen zu enthalten, ist es ziemlich effizient, da es kein überflüssiges Boxing gibt. Für mehr Informationen über das Boxing lesen Sie bitte in Kapitel 3 nach. Der Wurzeltyp aller generischen Auflistungstypen ist ICollection(Of T). Dieser Code enthält die Deklaration dafür:

```
Public Interface ICollection(Of T)
    Inherits IEnumerable(Of T)
    Inherits IEnumerable

    ReadOnly Property Count() As Integer
    ReadOnly Property IsReadOnly() As Boolean

    Sub Add(ByVal item As T)
    Sub Clear()
```

```
    Function Contains(ByVal item As T) As Boolean
    Sub CopyTo(ByVal array As T(), ByVal arrayIndex As Integer)
    Function Remove(ByVal item As T) As Boolean
End Interface
```

Um einen Vergleich zu ermöglichen, enthält dieser Code die Definition des nicht-generischen Interfaces `ICollection`:

```
Public Interface ICollection
    Inherits IEnumerable

    ReadOnly Property Count() As Integer
    ReadOnly Property IsSynchronized() As Boolean
    ReadOnly Property SyncRoot() As Object

    Sub CopyTo(ByVal array As Array, ByVal index As Integer)
End Interface
```

Sehen wir uns einmal die Unterschiede an und was sie für Ihren Code bedeuten. Eine Sache, die bei nicht-generischen Auflistungen gefehlt hat, ist ein einheitliches Interface zur Verwaltung der Inhalte der Auflistungen. Zum Beispiel haben die nicht-generischen Typen `Stack` und `Queue` eine Methode namens `Clear`, um ihre Inhalte zu löschen. Wie erwartet, implementieren sie beide `ICollection`. Da aber `ICollection` keine modifizierenden Methoden enthält, können Sie im Allgemeinen keine Instanzen dieser beiden Typen im Code behandeln. Daher müssten Sie immer eine Instanzenvariable für den Typ `Stack` festlegen, um `Stack.Clear()` aufrufen zu können, und das Gleiche mit `Queue` tun, um `Queue.Clear()` aufrufen zu können.

`ICollection(Of T)` löst dieses Problem, indem es einige Methoden deklariert, mit denen die Auflistung modifiziert werden kann. Wie bei den meisten Lösungen für den allgemeinen Gebrauch passt dies zwar nicht notwendigerweise auf alle Situationen. Zum Beispiel deklariert `ICollection(Of T)` auch ein `IsReadOnly`-Property, weil Sie manchmal eine unveränderliche Auflistung in Ihrem Design benötigen. Für diese Instanzen würden Sie erwarten, dass Aufrufe von `Add()`, `Clear()` und `Remove()` eine `InvalidOperationException` erzeugen.

> **Tipp:** Um die Systemleistung zu verbessern, ist es empfehlenswert, dass Ihr Code bestimmt, ob solche Operationen verboten sind, indem Sie das Property `IsReadOnly` prüfen. Auf diese Weise vermeiden Sie die Ausnahme komplett.

Da ein Hauptzweck von `IsCollection(Of T)` darin besteht, für stärkere Typsicherheit zu sorgen, stellt `IsCollection(Of T)` seine eigene Version von `CopyTo()` zur Verfügung, die stark typisiert ist. Während `ICollection.CopyTo()` weiß, dass der erste Parameter ein Array ist, erhält `ICollection(Of T).CopyTo()` auch den Grad des Arrays und den enthaltenen Typ übermittelt. Sie können nur einen eindimensionalen

Array an ICollection(Of T).CopyTo() übergeben. Das nicht-generische Interface ICollection.CopyTo() akzeptiert ebenfalls nur einen Array mit einer einzigen Dimension, aber da der Compiler den Grad eines System.Array-Typs zur Kompilierzeit nicht bestimmen kann, bekommen Sie eine Laufzeitausnahme des Typs ArgumentException, wenn Sie einen Array mit mehr als einer Dimension an eine Implementierung von ICollection.CopyTo() übermitteln. Nicht nur der Aufrufer von ICollection.CopyTo() sollte diese Regel kennen, sondern auch der Typ, der ICollection.CopyTo() implementiert. Die zusätzliche Typinformation in ICollection(Of T).CopyTo() schützt nicht nur den Aufrufer und die Implementierung davor, diesen Fehler zu machen, sondern sie sorgt auch für größere Effizienz.

Alle generischen Auflistungstypen implementieren sowohl ICollection(Of T) als auch ICollection. Beide Interfaces bieten ein wertvolles Werkzeug für den umschließenden Datentyp. Alle Methoden in ICollection, die sich mit ICollection(Of T) überschneiden, sollten explizit implementiert werden.

10.4.2 Synchronisierung von Auflistungen

Eine Fähigkeit, die ICollection aufweist und die in seinem generischen Pendant fehlt, ist die Vorrichtung, um die Multithreading-Synchronisierung allgemein über alle Auflistungen ausführen zu können. Normalerweise sind ja die meisten Auflistungstypen nicht synchronisiert. Manchmal benötigen Sie jedoch die Synchronisierung, während Sie auf diese Auflistungen von verschiedenen Threads aus zugreifen. Sie können das Property IsSynchronized abfragen, um zu bestimmen, ob die Auflistung synchronisiert ist. In den meisten Fällen, einschließlich des Falles von System.Array, wird die Antwort False lauten.

Es gibt ein paar Wege, um die Synchronisierung von Collections zu steuern, die auf ICollection.IsSynchronized den Wert False zurückgeben. Der grundlegendste ist, das Property ICollection.SyncRoot zu benutzen. Dieser gibt ein Objekt zurück, das Sie später mit System.Monitor benutzen können – gewöhnlich über das Statement SyncLock von VB – um den Zugang zu der Auflistung zu bewachen. Es auf diese Weise zu behandeln, verleiht Ihnen viel größere Flexibilität, wenn Sie auf die Auflistung zugreifen, da Sie die Granularität exakt steuern, wann der Lock belegt und wieder freigegeben wird. Bei Ihnen liegt jedoch die Last, sicherstellen zu müssen, dass das Locking korrekt gehandhabt wird, da die Collection keinen Versuch macht, das Lock intern zu belegen.

> **Tipp:** Die Wahl, wie die Synchronisierung zu implementieren ist, stellt eine klassische ingenieurmäßige Abwägung dar, die getroffen werden muss, wenn neue Collections entworfen werden, die `ICollection` implementieren. Sie können die Synchronisierung intern in der Auflistung implementieren , aber Client-Code, der sie nicht benötigt, bezahlt dafür mit einer Performance-Einbuße. Sie können die Synchronisierung auch nach außen verlagern, indem Sie `ICollection.SyncRoot` implementieren, aber dann müssen Sie sich auf den Client-Code verlassen können, die Synchronisation korrekt abwickeln zu können. Sie sollten Ihren Anwendungsbereich gründlich durchdenken, wenn Sie zwischen einer der beiden Möglichkeiten wählen.

In manchen Fällen geben Auflistungstypen einfach `Me` auf `ICollection.SyncRoot` zurück. Daher ist es wichtig, dass Sie den Zugang zu einer Collection nie dadurch synchronisieren, dass Sie ihre Referenz an `System.Monitor` übergeben. Benutzen Sie stattdessen stets das Objekt, das Sie durch das Property `SyncRoot` erhalten haben, auch wenn es möglicherweise `Me` zurückgibt.

Als Alternative zur manuellen Verwaltung von `SyncLock` implementieren die meisten der nicht-generischen Auflistungstypen der Standardbibliothek eine Methode namens `Synchronized`, die ein Objekt zurückgibt, welches die Collection einhüllt und den Synchronisationslock für Sie verwaltet. Sie könnten erwägen, dieses Vorgehen anzuwenden, wenn Sie eigene Auflistungstypen erstellen. Indem Sie den Wrapper benutzen, der von der Methode `Synchronized` zurückgegeben wird, muss Client-Code, der die Collection benutzt, nicht verändert werden, um in einer Multithreading-Umgebung zu funktionieren. Wenn Sie Ihre eigenen Auflistungen implementieren, sollten Sie dem Client-Code die Wahl erlauben, ob die Synchronisierung verwendet wird und sie ihm nie aufzwingen. Threading und Synchronisierung werden detailliert im Kapitel 13 behandelt.

10.4.3 Typen, die Collections erzeugen

Wenn die Inhalte einer Auflistung sich ändern, während ein Enumerator die Collection durchläuft, würde dies den Enumerator ungültig machen. Obwohl Sie einen Enumerator erstellen können, der den Zugriff auf den Container verschließt, während er arbeitet, ist das nicht unbedingt das Beste, wenn man die Effizienz in den Vordergrund stellt. Was passiert zum Beispiel, wenn es lange dauert, alle Elemente der Auflistung zu durchlaufen? Die Schleife `For…Each` könnte langwierige Prozesse an jedem Element ausführen und in dieser Zeit könnte alles andere davon abgehalten werden, die Auflistung zu modifizieren.

In Fällen wie diesen könnte es sinnvoll sein, dass die Schleife `For…Each` über einer Kopie der Auflistung iteriert anstatt über der ursprünglichen Auflistung. Wenn Sie sich dazu entscheiden, dies zu tun, müssen Sie sicherstellen, dass Sie verstehen, was die Kopie einer Collection bedeutet. Enthält die Auflistung Werttypen, dann ist die Kopie eine tiefe Kopie, solang die Werttypen nicht intern Referenztypen enthalten. Wenn die Collection Referenztypen enthält, müssen Sie entscheiden, ob die Auflistung jedes der enthaltenen Elemente klonen muss. Egal wie, es wäre schön, eine Richtlinie für das Design zu haben, um zu wissen, wann eine Kopie zurückgegeben werden muss.

Die aktuelle Faustregel lautet: Wenn Auflistungstypen von innerhalb Ihrer Typen zurückgegeben werden, ist immer eine Kopie der Auflistung von den Methoden und eine Referenz auf die aktuelle Collection zurückzugeben, wenn auf sie durch ein Property Ihres Typs zugegriffen wird. Obwohl diese Regel nicht in Stein gemeißelt ist, ergibt sie jedoch semantisch Sinn. Methoden tendieren darauf hinzuweisen, dass Sie eine Art Operation an dem Typ vornehmen und Sie Ergebnisse von dieser Operation erwarten dürfen. Auf der anderen Seite gibt der Zugriff über Properties einen Hinweis darauf, dass Sie den direkten Zugriff auf den Zustand des Objekts selbst brauchen.

10.4.4 Listen

Eine Sache, die bei `ICollection(Of T)` fehlt, ist ein Index-Operator, der Ihnen erlaubt, auf die Elemente in der Auflistung über die vertraute Syntax für den Arrayzugang zuzugreifen. Nicht alle konkreten Typen, die `ICollection(Of T)` implementieren, brauchen einen Index-Operator, und in einigen Fällen würde es auch gar keinen Sinn ergeben. Ein Index-Operator für eine Liste von `Integer`-Werten würde zum Beispiel einen Parameter vom Typ `Integer` akzeptieren, während ein Verzeichnistyp einen Parametertyp akzeptieren würde, der derselbe ist wie der Schlüsseltyp in dem Verzeichnis. Daher ist es unmöglich, einen allgemein gebräuchlichen Index-Operator zu definieren, der zu allen Auflistungstypen passt.

Wenn Sie eine Collection definieren, wo es Sinn ergibt, die Elemente zu indizieren, dann wollen Sie, dass die Auflistung `IList(Of T)` implementiert. Konkrete generische Listentypen implementieren typischerweise die Interfaces `ICollection(Of T)` und `IList`. `IList(Of T)` implementiert `ICollection(Of T)` und `IList` implementiert `ICollection`, Jeder Listentyp ist also auch eine Collection. Das Interface `IList(Of T)` sieht folgendermaßen aus:

```
Public Interface IList(Of T)
    Inherits ICollection(Of T)
    Inherits IEnumerable(Of T)
    Inherits IEnumerable

    Default Property Item(ByVal index As Integer) As T

    Function IndexOf(ByVal item As T) As Integer
        Sub Insert(ByVal index As Integer, ByVal item As T)
        Sub RemoveAt(ByVal index As Integer)
End Interface
```

Das Interface IList ist etwas größer:

```
Public Interface IList
     Inherits ICollection
     Inherits IEnumerable

   ReadOnly Property IsFixedSize() As Boolean
   ReadOnly Property IsReadOnly() As Boolean

   Default ReadOnly Property Item(ByVal index As Integer) As Object

   Function Add(ByVal value As Object) As Integer
   Sub Clear()
   Function Contains(ByVal value As Object) As Boolean
   Function IndexOf(ByVal value As Object) As Integer
   Sub Insert(ByVal index As Integer, ByVal value As Object)
   Sub Remove(ByVal value As Object)
   Sub RemoveAt(ByVal index As Integer)
End Interface
```

Es gibt eine gewisse Überschneidung zwischen IList(Of T) und IList, aber es existieren zahlreiche nützliche Properties und Methoden in IList, die ein generischer Behälter wie IList(Of T) oder jede andere generische Liste, die Sie erstellen, brauchen kann. Wie bei ICollection(Of T) und ICollection ist das typische Muster, beide Interfaces zu implementieren. Sie sollten explizit die Methoden von IList implementieren, die sich in der Funktionalität mit IList(Of T) überschneiden, so dass der einzige Weg, zu ihnen zu gelangen, darin besteht, zuerst die Instanzenreferenz zum Typ IList zu konvertieren.

> **Tipp:** Wenn Sie Ihre eigenen Listentypen implementieren, sollten Sie Ihre Ableitung von Collection(Of T) im Namensraum System.Collections.ObjectModel ableiten.

10.4.5 Dictionaries

Das .NET-Framework implementiert IDictionary(Of TKey, TValue) als stark typisiertes Gegstück zu IDictionary. Konkrete Typen, die IDictionary(Of TKey, TValue) implementieren, sollten IDictionary ebenso implementieren. Es gibt Überschneidungen, und das generische Interface deklariert typsicherere Versionen mancher Properties und Methoden, die in IDictionary deklariert sind. Sie können TryGetValue() verwenden, eine Methode, die für IDictionary(Of TKey, TValue) verfügbar ist, um einen Wert zu bekommen, der auf dem gegebenen Schlüssel basiert. Die Methode gibt den Wert durch einen ByRef-Parameter zurück und der Rückgabewert der Methode weist darauf hin, ob sich das Element in dem Dictionary (Nachschlagewerk) befand. Obwohl Sie dasselbe erreichen können, indem Sie den Indexoperator benutzen und die KeyNotFoundException abfangen, wenn sich das

Element nicht darin befindet, ist es effizienter, Ausnahmen zu verhindern, wenn Sie wissen, dass sich das Element wahrscheinlich nicht darin befindet. Ausnahmen für den Kontrollfluss zu verwenden ist ineffizient, weil Ausnahmen auf die Systemleistung durchschlagen. Und zweitens wird die Exception trivialisiert, indem sie dazu benutzt wird, mit einem erwarteten Ereignis umzugehen.

> **Tipp:** Wenn Sie generische Dictionaries implementieren, haben Sie ein paar Optionen, von denen Sie Implementierungen ableiten können. Zunächst können Sie `SortedDictionary(Of TKey, TValue)` verwenden, das eine 0(log n)-Abfrage zur Verfügung stellt und `IDictionary(Of TKey, TValue)` sowie die Auflistungs-Interfaces implementiert. Sie können aber auch `KeyedCollection(Of TKey, TValue)` im Namensraum `System.Collections.ObjectModel` wählen. Obwohl es die Dictionary-Interfaces nicht implementiert, stellt es 0(1)-Retrieval zur Verfügung.

10.4.6 System.Collections.ObjectModel

Um Ihre eigenen Auflistungstypen zu definieren, werden Sie die im Namensraum `System.Collections.ObjectModel` definierten Typen sehr nützlich finden. Dieser Namensraum enthält nur drei Typen, und der Hauptgrund, warum diese Typen ihren eigenen Namensraum bekommen haben, ist, dass die VB-Umgebung bereits einen Typ `Collections` enthält, der durch einen Namensraum implementiert ist, der den Typ standardmäßig importiert. Das VB-Team war auch darum bemüht, dass die VB-Anwender nicht durch zwei Typen mit ähnlichen Namen, aber drastisch unterschiedlichem Verhalten irritiert würden, die in IntelliSense auftauchen.

Diese Typen sind außerordentlich hilfreich für die Anwender, die Codebibliotheken schreiben, die von anderen benutzt werden, seien es Entwickler in Ihrer eigenen Organisation, die Klassenbibliotheken des Unternehmens gebrauchen, oder externe Benutzer, die Ihre Bibliothek für ihre eigenen Entwicklungsbedürfnisse erworben haben. Eine Richtline von Microsoft schlägt vor, dass Sie erwägen sollten, eine Unterklasse dieser Typen zu erstellen, wenn Sie Auflistungen offenlegen, auch wenn es nur darum geht, einen ausführlichen Typnamen zu liefern, der die Collection und einen leicht zugänglichen Erweiterungspunkt beschreibt.

Wenn Sie eigene Auflistungstypen definieren, können Sie Ihren Typ sehr leicht von `Collection(Of T)` ableiten, um standardmäßiges Verhalten der Collection zu erhalten, einschließlich der Implementierung von `ICollection(Of T)`, `IList(Of T)` und `IEnumerable(Of T)`. `Collection(Of T)` implementiert auch die nicht-generischen Interfaces `ICollection`, `IList` und `IEnumerable`. Es könnte nötig sein, den Typ eines dieser Interfaces explizit festzulegen, um auf seine Properties und Methoden zugreifen zu können, da viele von ihnen explizit implementiert sind. Mehr noch, der Typ `Collection(Of T)` nutzt das Non-Virtual-Interface-Muster (NVI), das in Kapitel 14 beschrieben wird, um den abgeleiteten Typ mit geschützten überschreibbaren Methoden auszustatten. Wir werden hier nicht das komplette öffentliche Interface von `Collection(Of T)` auflisten, aber wir zeigen hier die geschützten überschreibbaren Methoden:

```
Public Class Collection(Of T)
    Implements ICollection(Of T)
    Implements IList(Of T)
    Implements IEnumerable(Of T)
    Implements ICollection
    Implements IList
    Implements IEnumerable

    Protected Overridable Sub ClearItems()
    End Sub

    Protected Overridable Sub InsertItem(ByVal index As Integer, ByVal item
As T)
    End Sub

    Protected Overridable Sub RemoveItem(ByVal index As Integer)
    End Sub

    Protected Overridable Sub SetItem(ByVal index As Integer, ByVal item As
T)
    End Sub
End Class
```

Sie können den Speicherort der Collection nicht modifizieren, indem Sie diese Methoden überschreiben. `Collection(Of T)` verwaltet die Speicherung der Elemente, und die Elemente werden intern in einem privaten Feld von `IList(Of T)` gehalten. Sie können diese Methoden jedoch überschreiben, um die zusätzlichen Informationen zu verwalten, die von diesen Operationen freigesetzt werden. Stellen Sie nur sicher, dass Sie mit Ihren überschreibenden Methoden bis zu den Basisklassenversionen vordringen.

Zuletzt bietet der Typ `Collections(Of T)` zwei Konstruktoren: Einer erzeugt eine leere Instanz und der andere akzeptiert eine `IList(Of T)`. Der Konstruktor kopiert die übergebenen Inhalte der Instanz von IList(Of T) in die neue Auflistung, und zwar in der Reihenfolge, in der sie von dem Enumerator aus `IList(OfT).GetEnumerator()` ausgegeben werden. Die Implementierung des Enumerators aus der Quellliste kann zum Beispiel die Reihenfolge der Elemente umkehren, wenn sie in die Collection gelegt werden, indem er eine Implementierung des Enumerators verfügbar macht.

Um diesen flexibleren Weg, eine Collection zu füllen, zu illustrieren, führt das folgende Beispiel zusätzliche Konstruktoren für `Collection(Of T)` ein, die ein Interface vom Typ `IEnumerator(Of T)` und `IEnumerable(Of T)` implementieren:

```
Imports System
Imports System.Collections.Generic
Imports System.Collections.ObjectModel

Public Class MyCollection(Of T)
```

```vbnet
    Inherits Collection(Of T)


    Public Sub New()
        MyBase.New()
    End Sub

    Public Sub New(ByVal list As IList(Of T))
        MyBase.New(list)
    End Sub

    Public Sub New(ByVal enumerable As IEnumerable(Of T))
        MyBase.New()

        For Each item As T In enumerable
            Me.Add(item)
        Next
    End Sub

    Public Sub New(ByVal enumerator As IEnumerator(Of T))
        MyBase.New()

        While enumerator.MoveNext()
            Me.Add(enumerator.Current)
        End While
    End Sub
End Class

Public Class EntryPoint
    Shared Sub Main()
        Dim coll As MyCollection(Of Integer) = _
            New MyCollection(Of Integer)(GenerateNumbers())

        For Each n As Integer In coll
            Console.WriteLine(n)
        Next
    End Sub

    Shared Function GenerateNumbers() As IEnumerable(Of Integer)
        Dim SomeNumbers As New MyCollection(Of Integer)
        Dim i As Integer

        For i = 4 To 0 Step -1
            SomeNumbers.Add(i)
        Next

        Return SomeNumbers
```

```
    End Function
End Class
```

Die Ausführung des vorigen Beispiels führt zu diesem Ergebnis:

```
4
3
2
1
0
```

In `Main()` können Sie die Instanz von `MyCollection(Of Integer)` sehen, die durch Übergabe eines `IEnumerable(Of Integer)`-Typs, den die Methode `GenerateNumbers` zurückgibt, erzeugt wird. Sie erstellen keine Konstruktoren, die die nicht-generischen Interfaces `IEnumerable` und `IEnumerator` akzeptieren – schlicht und einfach, weil Sie stärkere Typsicherheit bevorzugen.

Sie haben vielleicht die Existenz von `List(Of T)` im Namensraum `System. Collections.Generic` bemerkt. Es wäre verführerisch, `List(Of T)` in Ihrer Anwendung zu benutzen, wo immer Sie einen generischen Listentyp zur Verfügung stellen wollen. Erwägen Sie jedoch, dass, `Collection(Of T).List(Of T)` nicht die geschützten überschreibbaren Methoden implementiert, die `Collection(Of T)` implementiert. Wenn Ihr Listentyp sich von `List(of T)` ableitet, hat Ihr abgeleiteter Typ keine Möglichkeit, zu antworten, wenn Sie Modifikationen an der Liste vornehmen. Andererseits dient `List(Of T)` als großartiges Werkzeug, wenn Sie die Implementierung einer rohen Liste in eine benutzerdefinierte Auflistung einbetten wollen, da sie keine überschreibbaren Methodenaufrufe wie `Collection(Of T)` enthält und deshalb im Ergebnis effizienter ist.

Ein anderer nützlicher Typ im Namensraum `System.Collections.ObjectModel` ist `ReadOnlyCollection(Of T)`, der einen Wrapper darstellt, den Sie benutzen können, um nur lesbare Auflistungen zu implementieren. Der Konstruktor für `ReadOnlyCollection(Of T)` akzeptiert `IList(Of T)` als Parametertyp. Damit können Sie `ReadOnlyCollection(Of T)` dazu benutzen, jeden Typ einzuhüllen, der `IList(Of T)` implementiert, einschließlich `Collection(Of T)`. Natürlich wird die Antwort `True` lauten, wenn Anwender auf das Property `ICollection(Of T).IsReadOnly` zugreifen. Jedesmal, wenn Benutzer versuchen, eine modifizierende Methode aufzurufen, wie etwa `IsCollection(Of T).Clear()`, wird eine Ausnahme vom Typ `NotSupportedException` ausgegeben. Mehr noch, um modifizierende Methoden aufzurufen, müssen Sie die Referenz `ReadOnlyCollection(Of T)` in das Interface einsetzen, das die Methode enthält, da `ReadOnlyCollection(Of T)` alle modifizierenden Methoden explizit implementiert. Der größte Vorteil, diese Methoden explizit zu implementieren, ist, dass Sie helfen, Ihren Gebrauch zur Kompilierzeit zu vermeiden.

10.5   Wie Iterationen funktionieren

Sie haben gesehen, wie Sie das Statement `For…Each` benutzen können, um bequem eine Sammlung von Objekten durchlaufen zu können, einschließlich `System.Array`, `ArrayList`, `List(Of T)` und so weiter. Wie geht das? Die Antwort lautet, dass jede Collection, die mit `For…Each` funktionieren soll, das Interface `IEnumerable(Of T)` oder `IEnumerable` implementieren muss. `For…Each` besetzt ein Objekt, das weiß, wie über die Elemente der Sammlung enumeriert oder iteriert werden muss. Das Iterator-Objekt, das von `IEnumerable(Of T)` erworben wurde, muss das Interface `IEnumerator` `(Of T)` oder `IEnumerate` implementieren. Generische Auflistungstypen implementieren typischerweise `IEnumerable(Of T)` und das Enumerator-Objekt implementiert `IEnumerator(Of T)`. `IEnumerable(Of T)` leitet sich von `IEnumerable` ab und `IEnumerator(Of T)` von `IEnumerator`. Das erlaubt es Ihnen, generische Collections an Orten zu benutzen, wo nicht-generische Auflistungen gebräuchlich sind. Streng genommen sind Ihre Auflistungstypen nicht Voraussetzung, um Enumeratoren zu implementieren, und die Anwender können durch die Collection iterieren, indem sie eine `For`-Schleife benutzen, wenn Sie einen Index-Operator zur Verfügung stellen, indem Sie zum Beispiel `IList(Of T)` implementieren.

Im Rest dieses Abschnitts werden wir schnell zu den saftigen Punkten der Erstellung von Enumeratoren in VB übergehen. Das Interface `IEnumerable(Of T)` existiert, damit Client-Code einen wohldefinierten Weg erhält, um sich einen Enumerator für die Auflistung zu sichern. Der folgende Code definiert die Interfaces `IEnumerable(Of T)` und `IEnumerable`:

```
Public Interface IEnumerable(Of T)
    Inherits IEnumerable

    Overloads Function GetEnumerator() As IEnumerator(Of T)
End Interface

Public Interface IEnumerable
    Function GetEnumerator() As IEnumerator
End Interface
```

Da beide Interfaces `GetEnumerator()` implementieren, muss jede Auflistung, die `IEnumerable(Of T)` implementiert, eine der Methoden von `GetEnumerator` explizit implementieren. Es ist am sinnvollsten, die typenlose Methode `IEnumerable.` `GetEnumerator` explizit zu implementieren. Die Interfaces `IEnumerator(Of T)` und `IEnumerator` werden hier gezeigt:

```
Public Interface IEnumerator(Of T)
    Inherits IEnumerator
    Inherits IDisposable

    Overloads ReadOnly Property Current() As T
```

```
End Interface

Public Interface IEnumerator
    ReadOnly Property Current() As Object

    Function MoveNext() As Boolean
    Sub Reset()
End Interface
```

Wieder einmal implementieren die beiden Interfaces ein Mitglied, das dieselbe Signatur besitzt; in diesem Fall ist dies das Property `Current`. Wenn Sie `IEnumerator(Of T)` implementieren, sollten Sie `IEnumerator.Current` explizit implementieren. Beachten Sie schließlich, dass `IEnumerator(Of T)` das Interface `IDisposable` implementiert.

Schauen wir uns ein Beispiel an, wie `IEnumerable(Of T)` und `IEnumerator(Of T)` implementiert werden, indem wir eine hausgemachte Ansammlung von `Integer`-Werten einführen. Wir zeigen Ihnen, wie die generischen Versionen implementiert werden, da dies impliziert, dass Sie auch die nicht-generischen Versionen implementieren müssen. Der Code implementiert `ICollection(Of T)` nicht, um das Beispiel nicht zu überfrachten, da wir uns auf die Interfaces für die Enumeration konzentrieren:

```
Imports System
Imports System.Threading
Imports System.Collections
Imports System.Collections.Generic

Public Class MyColl(Of T)
    Implements IEnumerable(Of T)

    Private items As T()

    Public Sub New(ByVal items As T())
        Me.items = items
    End Sub

    Public Overloads Function GetEnumeratorOfT() As IEnumerator(Of T) _
        Implements IEnumerable(Of T).GetEnumerator
        Return New NestedEnumerator(Me)
    End Function

    Private Overloads Function GetEnumerator() As IEnumerator _
        Implements IEnumerable.GetEnumerator
        Return GetEnumerator()
    End Function

    'Die Definition des Enumerators.
    Private Class NestedEnumerator
        Implements IEnumerator(Of T)
```

```
Private coll As MyColl(Of T)
Private mCurrent As T
Private index As Integer

Public Sub New(ByVal coll As MyColl(Of T))
    Monitor.Enter(coll.items.SyncRoot)
    Me.index = -1
    Me.coll = coll
End Sub

Public ReadOnly Property CurrentOfT() As T _
    Implements IEnumerator(Of T).Current
    Get
        Return mCurrent
    End Get
End Property

Private ReadOnly Property Current() As Object Implements
IEnumerator.Current
    Get
        Return mCurrent
    End Get
End Property


Public Function MoveNext() As Boolean Implements IEnumerator(Of
T).MoveNext
    Me.index += 1

    If index >= coll.items.Length Then
        Return False
    Else
        mCurrent = coll.items(index)
        Return True
    End If
End Function

Public Sub Reset() Implements IEnumerator(Of T).Reset
    mCurrent = Nothing
    index = 0
End Sub

Public Sub Dispose() Implements IEnumerator(Of T).Dispose
    Try
        mCurrent = Nothing
        index = coll.items.Length
```

```
            Finally
                Monitor.Exit(coll.items.SyncRoot)
            End Try
        End Sub
    End Class
End Class

Public Class EntryPoint
    Shared Sub Main()
        Dim integers As MyColl(Of Integer) = _
            New MyColl(Of Integer)(New Integer() {1, 2, 3, 4})

        For Each n As Integer In integers
            Console.WriteLine(n)
        Next n
    End Sub
End Class
```

Der Code zeigt beim Ausführen die folgenden Integerzahlen an:

```
1
2
3
4
```

Das Beispiel initialisiert den internen Array innerhalb von `MyColl(Of T)` mit einer Reihe von Integerzahlen, damit der Enumerator mit ein paar Zahlen arbeiten kann. Normalerweise sollte ein Container `ICollection(Of T)` implementieren, um Ihnen zu erlauben, die Elemente in der Collection dynamisch zu befüllen. Das Statement `For...Each` erstreckt sich in den Code, der einen Enumerator erwirbt, indem er die Methode `GetEnumeratorOfT()` bei dem Interface `IEnumerable(Of T)` aufruft. Sobald er den Enumerator erwirbt, beginnt er mit einer Schleife, bei der er zunächst `MoveNext()` aufruft und dann die Variable `n` mit dem Wert initialisiert, den er von `CurrentOfT()` bekommen hat. Wenn die Schleife keine anderen Ausgangspfade betritt, wird sie weiterlaufen, bis `MoveNext()` den Wert `False` ausgibt. An diesem Punkt beendet der Enumerator die Enumeration der Collection, und Sie müssen `Reset()` aufrufen, um den Enumerator wieder benutzen zu können.

Auch wenn Sie einen Enumerator explizit erstellen und benutzen könnten, empfehlen wir, dass Sie stattdessen das Konstrukt `For...Each` verwenden. Sie müssen weniger Code schreiben, was weniger Gelegenheit bedeutet, unbeabsichtigte Bugs einzuschleusen. Wenn Sie einen Grund haben sollten, die Enumeratoren direkt zu manipulieren, machen Sie das stets innerhalb eines Using-Blockes, da `IEnumerator(Of T)` `IDisposable` implementiert.

In die Enumeration ist standardmäßig kein Synchronisationsmechanismus eingebaut. Daher könnte ein Thread eine Collection enumerieren, während ein anderer sie modifiziert. Wenn die Auflistung modifiziert wird, während ein Enumerator sie referenziert, ist der Enumerator semantisch ungültig und sein weiterer Gebrauch könnte undefiniertes Verhalten nach sich ziehen. Wenn Sie in solchen Situationen die Integrität bewahren müssen, dann kann es sein, dass Sie wünschen, dass Ihr Enumerator die Auflistung über das vom Property `ICollection.SyncRoot` zur Verfügung gestellte Objekt verriegelt. Der offensichtliche Ort, um den Lock zu bekommen, wäre im Konstruktor für den Enumerator. Sie müssen jedoch den Lock an einem bestimmten Punkt wieder loslassen. Um ein solch deterministisches Aufräumen zu gewährleisten, müssen Sie das Interface `IDisposable` implementieren. Das ist ein Grund, warum `IEnumerator(Of T)` das Interface `IDisposable` implementiert. Mehr noch, der Code, der von einem `For…Each`-Statement generiert wird, erzeugt einen `Try/Finally`-Block, der `Dispose()` für den Enumerator im `Finally`-Block aufruft.

Tipp: In den meisten realistischen Fällen würden Sie Ihre selbstdefinierte Klasse von `Collection(Of T)` ableiten und die Implementierung von `IEnumerable(Of T)` quasi gratis dazu erhalten.

10.6 Zusammenfassung

Das Kapitel bot einen Überblick darüber, wie Arrays in der CLR und in VB funktionieren. Nachdem wir unsere Aufmerksamkeit den generischen Auflistungstypen zugewandt haben, die in `System.Collections.Generic` definiert sind, haben wir uns mit Fragen der Effizienz und der Gebrauchsnähe auseinandergesetzt und Ihnen die nützlichen Typen nahegebracht, die in `System.Collections.ObjectModel` definiert sind. Zuletzt haben wir Enumeratoren beleuchtet und Iteration in VB demonstriert. Obwohl dieses Kapitel nicht in die winzigen Einzelheiten eines jeden Sammlungstyps vorgedrungen ist, hoffen wir, dass Sie nach der Lektüre dieses Kapitels gut genug ausgestattet sind, um informierte Entscheidungen darüber zu treffen, welche generischen Collection-Typen Sie benutzen und wann Sie es tun.

In Kapitel 11 beginnen wir mit der Diskussion über Delegaten, die einen Mechanismus für die Definition und die Kopplung von Rückrufen an den Code bieten. Diese Diskussion wird dann dazu führen, dass wir Ereignisse als Methode verwenden, um Rückrufe an den Code zu heften, der sie auslöst.

11 Delegaten und Ereignisse

Delegaten bieten einen eingebauten Mechanismus, um Rückrufe (Callbacks) zu definieren und auszuführen. Ihre Flexibilität erlaubt Ihnen, die exakte Signatur des Rückrufs zu definieren, und diese Information wird ihrerseits Teil des Delegatentyps. Anonyme Funktionen sind Formen von Delegaten, die Ihnen erlauben, Teile der Delegatensyntax abzukürzen, die in vielen Fällen überflüssig sind. Auf der Grundlage der Delegaten ist die Unterstützung für Ereignisse (Events) in Visual Basic und der .NET-Plattform aufgebaut. Ereignisse stellen ein einheitliches Muster zur Verfügung, um Implementierungen von Rückrufen – und möglicherweise zahlreiche Instanzen davon – an den Code zu koppeln, der den Rückruf auslöst.

11.1 Delegaten im Überblick

Die Common Language Runtime (CLR) stellt einen Rückrufmechanismus zur Verfügung, sogenannte *Delegaten*, die ein Äquivalent zu Funktionszeigern in anderen Sprachen darstellen. Wenn Sie in Ihrem Code einen Delegaten deklarieren, erzeugt der VB-Compiler eine Klasse, die von `MulticastDelegate` abgeleitet ist, und die CLR implementiert alle interessanten Methoden des Delegaten dynamisch zur Laufzeit. `MulticastDelegate` ist eine `NotInheritable`-Klasse, die eine verbundene Liste von Delegaten enthält. Diese Liste wird Invocation List genannt.

Einen Delegaten aufzurufen läuft syntaktisch auf dasselbe hinaus wie der Aufruf einer regulären Funktion. Daher sind Delegaten perfekt dazu geeignet, Rückrufe zu implementieren, und sie bieten einen exzellenten Mechanismus, um die Methode, die auf eine Instanz aufgerufen wird, vom eigentlichen Aufrufer zu entkoppeln. In der Tat hat der Aufrufer des Delegaten keine Ahnung – und er muss es auch nicht wissen –, ob er die Methode einer Instanz oder eine gemeinsam genutzte Methode aufruft und auf welche Instanz er sie aufruft. Für den Aufrufer ist es, als ob er beliebigen Code aufruft. Der Aufrufer kann die Delegateninstanz auf jede geeignete Art erhalten, und er kann komplett von der Entität abgekoppelt werden, die er aufruft.

Denken Sie einmal über Elemente der Benutzeroberfläche in einem Dialog nach, etwa eine »OK«-Schaltfläche, und wie viele externe Beteiligte daran interessiert sein können, zu wissen, wann die Schaltfläche angeklickt wird. Wenn die Klasse, die die Schaltfläche repräsentiert, die interessierten Beteiligten direkt benachrichtigen muss, braucht sie intime Kenntnisse von der Struktur dieser Parteien oder Objekte, und sie muss wissen, welche Methode sie für jede davon aufrufen muss. Ganz klar bringt diese Voraussetzung zu viele Kopplungen zwischen der Schaltflächenklasse und den interessierten Beteiligten ins Spiel, und mit den Kopplungen kommt die Komplexität. Delegaten kommen hier zu Hilfe und brechen diese Verbindung auf. Jetzt müssen die interessierten Beteiligten nur einen Delegaten bei der Schaltfläche registrieren, der so konfiguriert ist, dass er die Methode aufruft, die die Beteiligten wollen. Dieser Entkopplungsmechanismus beschreibt Ereignisse, die von der CLR unterstützt werden. Der Abschnitt »Ereignisse« dieses Kapitels diskutiert CLR-Ereignisse im Detail. Aber sehen wir uns erst an, wie Sie Delegaten erzeugen und einsetzen.

11.2 Erzeugen und Verwenden von Delegaten

Die Deklaration von Delegaten sieht fast genauso aus wie die konventioneller Methoden, allerdings verfügen Delegaten über keinen Methodenrumpf und haben ein zusätzliches Schlüsselwort: das Schlüsselwort `Delegate`. Folgendes ist eine gültige Deklaration von Delegaten:

```
Public Delegate Function ProcessResults(ByVal x As Double, ByVal y As
Double) _
    As Double
```

Wenn der Compiler auf diese Zeile trifft, definiert er einen Typen, der sich von `MulticastDelegate` ableitet. Dieser implementiert auch eine Methode mit dem Namen `Invoke`, die exakt die gleiche Signatur der Methode hat, die in der Deklaration des Delegaten beschrieben ist. Diese Klasse sieht folgendermaßen aus:

```
NotInheritable Class ProcessResults
    Inherits System.MulticastDelegate

    Public Function Invoke(ByVal x As Double, ByVal y As Double) As Double
    End Function

    'Zum Zwecke der Klarheit wurden einige Dinge ausgelassen.
End Class
```

Obwohl der Compiler einen Typen erzeugt, der dem aufgelisteten ähnlich ist, abstrahiert der Compiler auch den Gebrauch der Delegaten hinter syntaktischen Abkürzungen. Tatsächlich wird Ihnen der Compiler nicht erlauben, die `Invoke`-Methode direkt auf den Delegaten aufzurufen. Stattdessen benutzen Sie eine Syntax, die einem Funktionsaufruf ähnlich sieht, welche wir Ihnen gleich zeigen.

Wenn Sie einen Delegaten benutzen, müssen Sie ihn mit einer Methode verdrahten, die er aufrufen soll, wenn er aufgerufen wird. Die Methode, mit der Sie ihn verdrahten, könnte entweder eine gemeinsam genutzte oder eine Instanzenmethode sein, die eine Signatur aufweist, welche kompatibel mit der des Delegaten ist. Daher müssen der Typ des Delegaten und der zurückgegebene Typ entweder zu dem der Deklaration des Delegaten passen oder sie müssen implizit in die Typen der Delegatendeklaration konvertierbar sein.

11.2.1 Ein einfacher Delegat

Das folgende Beispiel zeigt die grundlegende Syntax für die Erzeugung eines Delegaten:

```
Imports System

Public Delegate Function ProcessResults(ByVal x As Double, ByVal y As
Double) _
    As Double

Public Class Processor
    Private factor As Double

    Public Sub New(ByVal factor As Double)
        Me.factor = factor
    End Sub


    Public Function Compute(ByVal x As Double, ByVal y As Double) As Double
        Dim result As Double = (x + y) * factor

        Console.WriteLine("InstanceResults: {0}", result)

        Return result
    End Function

    Public Shared Function StaticCompute(ByVal x As Double, ByVal y As
Double) _
        As Double

        Dim result As Double = (x + y) * 0.5

        Console.WriteLine("StaticResult: {0}", result)

        Return result
    End Function
End Class

Public Class EntryPoint
    Shared Sub Main()
        Dim proc1 As Processor = New Processor(0.75)
        Dim proc2 As Processor = New Processor(0.83)

        Dim delegate1 As ProcessResults = _
            New ProcessResults(AddressOf proc1.Compute)
        Dim delegate2 As ProcessResults = _
            New ProcessResults(AddressOf proc2.Compute)
        Dim delegate3 As ProcessResults = _
```

```
            New ProcessResults(AddressOf Processor.StaticCompute)

      Dim combined As Double = _
         delegate1(4, 5) + delegate2(6, 2) + delegate3(5, 2)

      Console.WriteLine("Output: {0}", combined)
   End Sub
End Class
```

Der Code gibt folgende Ergebnisse aus:

```
InstanceResults: 6.75
InstanceResults: 6.64
StaticResult: 3.5
Output: 16.89
```

Dieses Beispiel erzeugt drei Delegaten. Zwei zeigen auf Instanzenmethoden und eine auf gemeinsam genutzte Methoden. Beachten Sie, dass Sie die Delegaten erstellen, indem Sie Instanzen des Typs `ProcessResults` erzeugen, welcher von der Deklaration der Delegaten erzeugt wird. Wenn Sie die Instanzen der Delegaten erstellen, übergeben Sie die Adresse der Methoden, die sie aufrufen müssen, an den Konstruktor, indem Sie den Operator `AddressOf` verwenden. `AddressOf` erzeugt den Funktionsdelegaten, der auf die übergebene Methode zeigt.

Beachten Sie das Format des Parameters. In den ersten beiden Fällen übergeben Sie eine Instanzenmethode an die Instanzen `proc1` und `proc2`. Dagegen übergeben Sie im dritten Fall einen Methodenzeiger an den Typ statt an die Instanz. Auf diese Weise schaffen Sie einen Delegaten, der auf eine gemeinsam genutzte Methode anstatt auf eine Instanzenmethode zeigt. An dem Punkt, zu dem die Delegaten aufgerufen werden, ist die Syntax identisch und unabhängig davon, ob der Delegat auf eine Instanzenmethode oder eine gemeinsam genutzte Methode zeigt.

In allen Fällen findet ein einziger Vorgang im vorherigen Code statt, wenn der Delegat aufgerufen wird. Es ist auch möglich, Delegaten zu verketten, so dass eine Vielzahl von Aktionen stattfindet.

11.2.2 Delegaten verketten

Die Verkettung von Delegaten erlaubt Ihnen, eine verbundene Liste von Delegaten zu erstellen, so dass, wenn der Delegat am Anfang der Liste aufgerufen wird, dies auch für alle anderen Delegaten in der Liste gilt. Die Klasse `System.Delegate` bietet Ihnen einige gemeinsam genutzte Methoden, um Listen von Delegaten zu verwalten. Um Delegatenlisten zu erstellen, greifen Sie zu den folgenden Methoden, die innerhalb des Typs `System.Delegate` deklariert werden:

```
Public Class Delegate
    Implements ICloneable
    Implements ISerializable

    Public Shared Function Combine(ByVal Delegates As Delegate()) _
        As Delegate
    End Function

    Public Shared Function Combine(ByVal First As Delegate, _
        ByVal Second As Delegate) As Delegate
    End Function
End Class
```

Die `Combine`-Methoden nehmen die Delegaten her, um einen anderen `Delegate` zu kombinieren und zurückzugeben. Der zurückgegebene `Delegate` ist eine neue Instanz von `MulticastDelegate`, weil Instanzen von `Delegate` als unveränderlich behandelt werden. Es könnte zum Beispiel sein, dass der Aufrufer von `Combine()` eine Delegatenliste erzeugen möchte, aber die ursprünglichen Delegateninstanzen in demselben Zustand belassen möchte, indem sie sich befunden haben. Der einzige Weg, dies zu tun, ist, Delegateninstanzen als unveränderlich zu behandeln, wenn Ketten von Delegaten erzeugt werden.

Beachten Sie, dass die erste Version von `Combine()` im vorigen Code einen Array von Delegaten hernimmt, um daraus die Mitglieder der neuen Delegatenliste zu formen, die zweite aber nur ein Paar benutzt. In beiden Fällen könnte jedoch jede der Instanzen von `Delegate` bereits eine Delegatenkette sein, was ziemlich komplexe Verschachtelungsszenarien erlaubt. Um Delegaten von einer Liste zu entfernen, greifen Sie auf die folgenden beiden gemeinsam genutzten Methoden bei `System.Delegate` zurück:

```
Public Class Delegate
    Implements ICloneable
    Implements ISerializable

    Public Shared Function Remove(ByVal Source As Delegate, _
        ByVal Value As Delegate) As Delegate
    End Function

    Public Shared Function RemoveAll(ByVal Source As Delegate, _
        ByVal Value As Delegate) As Delegate
    End Function
End Class
```

Wie in den `Combine`-Methoden geben die `Remove`- und `RemoveAll`-Methoden eine neue Instanz von `Delegate` zurück, der aus den vorangegangenen beiden erstellt wurde. Die `Remove`-Methode entfernt das letzte Vorkommen von `Value` in der ursprünglichen Delegatenliste, während `RemoveAll()` alle Vorkommen des Delegaten `Value` von der ursprünglichen Delegatenliste entfernt. Der Wertparameter kann eine Liste von Delegaten anstelle eines einzelnen Delegaten repräsentieren.

Sehen wir uns eine modifizierte Form des Codebeispiels im letzten Abschnitt an, um zu zeigen, wie Sie die Delegaten kombinieren können:

```
Imports System

Public Delegate Function ProcessResults(ByVal x As Double, ByVal y As
Double) _
    As Double

Public Class Processor
    Private factor As Double

    Public Sub New(ByVal factor As Double)
        Me.factor = factor
    End Sub

    Public Function Compute(ByVal x As Double, ByVal y As Double) As Double
        Dim Result As Double = (x + y) * factor

        Console.WriteLine("InstanceResults: {0}", Result)

        Return Result
    End Function

    Public Shared Function StaticCompute(ByVal x As Double, ByVal y As
Double) _
        As Double

        Dim Result As Double = (x + y) * 0.5

        Console.WriteLine("StaticResult: {0}", Result)

        Return Result
    End Function
End Class

Public Class EntryPoint
    Shared Sub Main()
        Dim proc1 As Processor = New Processor(0.75)
        Dim proc2 As Processor = New Processor(0.83)

        Dim delegates As ProcessResults() = New ProcessResults() _
            {New ProcessResults(AddressOf proc1.Compute), _
            New ProcessResults(AddressOf proc2.Compute), _
            New ProcessResults(AddressOf Processor.StaticCompute)}
```

```
        Dim chained As ProcessResults = _
            CType(System.Delegate.Combine(delegates), ProcessResults)

        Dim combined As Double = chained(4, 5)

        Console.WriteLine("Output: {0}", combined)
    End Sub
End Class
```

Wird diese Version des Programms ausgeführt, dann lauten die Ergebnisse:

```
InstanceResults: 6.75
InstanceResults: 7.47
StaticResult: 4.5
Output: 4.5
```

Anstatt alle Delegaten aufzurufen, kettet dieses Beispiel sie aneinander und ruft sie dann über den Anfang der Kette auf. Dieses Beispiel enthält einige fundamentale Unterschiede im Vergleich zum vorigen. Zuerst ist der `Double`-Wert, der aus dem verketteten Aufruf resultiert, das Ergebnis des letzten aufgerufenen Delegaten. In diesem Fall ist es derjenige, der auf die gemeinsam genutzte Methode `StaticCompute` zeigt. Die Rückgabewerte der anderen Delegaten in der Kette gehen einfach verloren. Wenn außerdem einer der Delegaten eine Ausnahme auslöst, wird die Verarbeitung der Delegatenkette eingestellt, und die CLR beginnt damit, nach der nächsten Schicht für die Ausnahmebehandlung auf dem Stack zu suchen. Wenn Sie Delegaten deklarieren, die Parameter als Referenz übernehmen, wird jeder Delegat, der den Referenzparameter verwendet, die Änderungen sehen, die vom vorherigen Delegaten in der Kette gemacht wurden. Das könnte ein erwünschter Effekt sein oder aber auch eine Überraschung, je nachdem, was Sie beabsichtigen. Zuletzt müssen Sie den Delegaten, bevor Sie die Kette aufrufen, wieder in den expliziten Delegatentyp verwandeln. Das ist notwendig, damit der Compiler weiß, wie er den Delegaten aufrufen muss. Der Typ, der von den Methoden `Combine` und `Remove` zurückgegeben wird, ist der Typ `System.Delegate`, der nicht genügend Typinformationen für den Compiler besitzt, als dass dieser ihn aufrufen könnte.

11.2.3 Durch Delegatenketten iterieren

Manchmal müssen Sie eine Kette von Delegaten aufrufen, aber Sie müssen auch die Rückgabewerte von jedem Aufruf sammeln, oder Sie müssen die Reihenfolge der Aufrufe in der Kette spezifizieren. Für diese Situationen bietet der Typ `System.Delegate` die Methode `GetInvocationList`, um einen Array von Delegaten zu erwerben, bei dem jedes Element im Array mit einem Delegaten in der Aufrufsliste korrespondiert. Verfügen Sie erst über diesen Array, dann können Sie die Delegaten in jeder beliebigen Reihenfolge aufrufen, und Sie können den Rückgabewert von jedem Delegaten angemessen verarbeiten. Sie können auch eine Ausnahmeschicht an jeden

Eintrag in der Liste heften, so dass eine Ausnahme bei einem Aufruf eines Delegaten die übrigen Aufrufe nicht abbricht. Diese modifizierte Version des vorigen Beispiels zeigt, wie Sie jeden Delegaten in der Kette explizit aufrufen:

```
Imports System

Public Delegate Function ProcessResults(ByVal x As Double, ByVal y As
Double) _
    As Double

Public Class Processor
    Private factor As Double

    Public Sub New(ByVal factor As Double)
        Me.factor = factor
    End Sub

    Public Function Compute(ByVal x As Double, ByVal y As Double) As Double
        Dim Result As Double = (x + y) * factor

        Console.WriteLine("InstanceResults: {0}", Result)

        Return Result
    End Function

    Public Shared Function StaticCompute(ByVal x As Double, ByVal y As
Double) _
        As Double

        Dim Result As Double = (x + y) * 0.5

        Console.WriteLine("StaticResult: {0}", Result)

        Return Result
    End Function
End Class

Public Class EntryPoint
    Shared Sub Main()
        Dim proc1 As Processor = New Processor(0.75)
        Dim proc2 As Processor = New Processor(0.83)

        Dim delegates As ProcessResults() = New ProcessResults() _
            {New ProcessResults(AddressOf proc1.Compute), _
            New ProcessResults(AddressOf proc2.Compute), _
            New ProcessResults(AddressOf Processor.StaticCompute)}
```

```
        Dim chained As ProcessResults = _
            CType(System.Delegate.Combine(delegates), ProcessResults)
        Dim chain As System.Delegate() = chained.GetInvocationList()

        Dim accumulator As Double = 0

        For i As Integer = 0 To chain.Length - 1
            Dim current As ProcessResults = CType(chain(i), ProcessResults)

            accumulator += current(4, 5)
        Next i

        Console.WriteLine("Output: {0}", accumulator)
    End Sub
End Class
```

Die expliziten Aufrufe an jeden Delegaten in der Kette führen zu diesem Ergebnis:

```
InstanceResults: 6.75
InstanceResults: 7.47
StaticResult: 4.5
Output: 18.72
```

11.2.4 Open-Instance-Delegaten

Alle bisherigen Beispiele von Delegaten zeigen, wie man einen Delegaten mit einer gemeinsam genutzten Methode oder einer Instanzenmethode bei einer spezifischen Instanz verdrahtet. Diese Abstraktion sorgt für eine exzellente Entkopplung. Aber der Delegat imitiert oder repräsentiert hier nicht wirklich einen Zeiger auf eine Methode, da er an eine Methode bei einer spezifischen Instanz gebunden ist. Was wäre, wenn ein Delegat eine Instanzenmethode repräsentieren soll, und Sie dann diesen Delegaten für eine Sammlung von Instanzen aufrufen wollen?

Für diese Aufgabe müssen Sie einen *Open-Instance-Delegaten* benutzen. Wenn Sie eine Methode einer Instanz aufrufen, repräsentiert ein versteckter Parameter am Anfang der Parameterliste, bekannt als Me, die aktuelle Instanz. Wenn Sie einen Delegaten einer geschlossenen Instanz (Close-Instance-Delegate) mit einer Instanzenmethode einer Objektinstanz verdrahten, übergibt der Delegat die Objektinstanz als Me-Referenz, wenn er die Instanzenmethode aufruft. Bei Delegaten offener Instanzen schiebt der Delegat diese Aktion an denjenigen, der den Delegaten aufruft. Damit können Sie die für den Aufruf bestimmte Objektinstanz zu der Zeit des Delegatenaufrufs bereitstellen.

Schauen wir uns an, wie dies in der Praxis aussehen würde. Stellen Sie sich eine Collection von Employee-Typen vor, und der Betrieb hat beschlossen, jedem von ihnen eine Gehaltserhöhung von 10 Prozent am Ende zu gewähren. Alle Employee-Objekte sind in einem Auflistungstyp enthalten, und jetzt müssen Sie über jeden Angestellten iterieren, indem Sie die `Employee.ApplyRaiseOf`-Methode aufrufen:

```
Imports System
Imports System.Reflection
Imports System.Collections.Generic

Delegate Sub ApplyRaiseDelegate(ByVal emp As Employee, _
                                ByVal percent As Decimal)

Public Class Employee
    Private mSalary As Decimal

    Public Sub New(ByVal salary As Decimal)
        Me.mSalary = salary
    End Sub

    Public ReadOnly Property Salary() As Decimal
        Get
            Return mSalary
        End Get
    End Property

    Public Sub ApplyRaiseOf(ByVal percent As Decimal)
        mSalary *= 1 + percent
    End Sub
End Class

Public Class EntryPoint
    Shared Sub Main()
        Dim Employees As List(Of Employee) = New List(Of Employee)

        Employees.Add(New Employee(40000))
        Employees.Add(New Employee(65000))
        Employees.Add(New Employee(95000))

        'Einen Open-Instance-Delegaten erzeugen.
        Dim mi As MethodInfo = GetType(Employee).GetMethod("ApplyRaiseOf", _

            BindingFlags.Public Or BindingFlags.Instance)

        Dim applyRaise As ApplyRaiseDelegate = _

CType(System.Delegate.CreateDelegate(GetType(ApplyRaiseDelegate), _
        mi), ApplyRaiseDelegate)

        'Gehaltserhöhung vornehmen.
```

```
        Dim e As Employee

        For Each e In Employees
            applyRaise(e, CType(0.1, Decimal))

            'Gehalt auf der Konsole ausgeben.
            Console.WriteLine("Employee's new salary = {0:C}", e.Salary)
        Next
    End Sub
End Class
```

Hier die erhöhten Gehälter:

```
Employee's new salary = $44,000.00
Employee's new salary = $71,500.00
Employee's new salary = $104,500.00
```

Bei der Deklaration des Delegaten wird zu Beginn der Parameterliste ein `Employee`-Typ deklariert. Auf diese Weise exponieren Sie den versteckten Instanzenzeiger, damit Sie später daran eine Bindung vornehmen können. Hätten Sie diesen Delegaten als Closed-Instance-Delegat benutzt, wäre der `Employee`-Typ ausgelassen worden. Leider hat VB keine spezielle Syntax, um Open-Instance-Delegaten zu erzeugen. Daher müssen Sie eine der allgemeinen Überladungen `Delegate.CreateDelegate()` benutzen, um die Delegateninstanz wie gezeigt zu erzeugen: Aber bevor Sie das tun können, müssen Sie die Reflexion benutzen, um die Instanz `MethodInfo` zu erhalten und damit die Methode, an die Sie die Bildung vornehmen.

Während der Instanzierung des Delegaten stellen Sie an keiner Stelle eine spezifische Objektinstanz zur Verfügung. Sie stellen diese erst am Punkt des Delegatenaufrufs zur Verfügung. Die Schleife `For…Each` zeigt, wie Sie zur gleichen Zeit den Delegaten aufrufen und die Instanz, die er aufrufen soll, verfügbar machen. Obwohl die Methode `ApplyRaiseOf`, mit der der Delegat verbunden ist, nur einen Parameter benötigt, braucht der Delegatenaufruf zwei Parameter, so dass Sie die Instanz zur Verfügung stellen können, die aufgerufen werden soll.

Das vorige Beispiel zeigt, wie ein Open-Instance-Delegat erzeugt und aufgerufen wird; jedoch könnte der Delegat immer noch allgemeiner und nützlicher sein. In diesem Beispiel haben Sie den Delegaten so deklariert, dass er wusste, dass er eine Methode auf einen Typ von `Employee` aufrufen würde. Zum Zeitpunkt des Aufrufs hätten Sie also den Aufruf nur auf eine Instanz von `Employee` oder einen davon abgeleiteten Typ platzieren können. Sie können einen generischen Delegaten benutzen, um den Delegaten so zu deklarieren, dass der Typ, auf den er aufgerufen wird, zum Zeitpunkt der Deklaration unspezifiziert bleibt[12]. Solch ein Delegat ist potenziell noch viel nützlicher. Er erlaubt Ihnen, Folgendes zu konstatieren: »Ich möchte eine Methode repräsentieren, die zu dieser Signatur passt und von einem noch zu spezifizierenden Typ

---

[12] Generics werden im nächsten Kapitel im Detail behandelt.

unterstützt wird.« Nur bei der Instanziierung des Delegaten müssen Sie den konkreten Typ liefern, der aufgerufen wird. Prüfen Sie die folgenden (fett gedruckten) Modifikationen des vorigen Beispiels:

```vb
Imports System
Imports System.Reflection
Imports System.Collections.Generic

Delegate Sub ApplyRaiseDelegate(Of T)(ByVal instance As T, _
                                 ByVal percent As Decimal)

Public Class Employee
    Private mSalary As Decimal

    Public Sub New(ByVal salary As Decimal)
        Me.mSalary = salary
    End Sub

    Public ReadOnly Property Salary() As Decimal
        Get
            Return mSalary
        End Get
    End Property

    Public Sub ApplyRaiseOf(ByVal percent As Decimal)
        mSalary *= 1 + percent
    End Sub
End Class

Public Class EntryPoint
    Shared Sub Main()
        Dim Employees As List(Of Employee) = New List(Of Employee)

        Employees.Add(New Employee(40000))
        Employees.Add(New Employee(65000))
        Employees.Add(New Employee(95000))

        'Einen Open-Instance-Delegaten erzeugen
        Dim mi As MethodInfo = GetType(Employee).GetMethod("ApplyRaiseOf",
_
                                 BindingFlags.Public Or
BindingFlags.Instance)

        Dim applyRaise As ApplyRaiseDelegate(Of Employee) = _
            CType([Delegate].CreateDelegate( _
            GetType(ApplyRaiseDelegate(Of Employee)), mi), _
            ApplyRaiseDelegate(Of Employee))
```

```
'Gehaltserhöhung umsetzen.
Dim e As Employee

For Each e In Employees
    applyRaise(e, CType(0.1, Decimal))

    'Neues Gehalt ausgeben.
    Console.WriteLine("Employee's new salary = {0:C}", e.Salary)
Next
    End Sub
End Class
```

Jetzt ist der Delegat viel generischer. Stellen Sie sich ein Bildverarbeitungsprogramm vor, das verschiedene Filter unterstützt, die auf die einzelnen Objekte auf der Leinwand angewandt werden. Nehmen wir an, Sie benötigen einen Delegaten, der einen generischen Filter repräsentiert, der bei seiner Anwendung einen Prozentwert liefert, wie stark der Effekt auf das Objekt wirken soll. Mit generischen Open-Instance-Delegaten könnten Sie einen solchen Gedanken umsetzen.

11.2.5 Das Strategy-Muster

Delegaten offerieren einen praktischen Mechanismus, um das Strategy-Pattern zu implementieren. Im Kern erlaubt dieses Entwurfsmuster Ihnen, je nach Laufzeitsituation dynamisch die Algorithmen zu vertauschen. Stellen Sie sich den häufigen Fall vor, dass eine Gruppe von Elementen sortiert wird. Nehmen wir auch an, Sie wollen, dass die Sortierung so schnell wie möglich abgewickelt wird. Aufgrund der Systembedingungen ist aber mehr Speicher notwendig, um diese Geschwindigkeit zu erreichen. Dies funktioniert sehr gut bei Auflistungen von handhabbarer Größe, aber wenn die Collection riesig wird, ist es möglich, dass der Speicherbedarf, der für die schnelle Sortierung notwendig ist, die Systemressourcen erschöpft. In diesen Fällen können Sie einen Sortierungsalgorithmus zur Verfügung stellen, der viel langsamer ist, aber weniger Ressourcen verbraucht. Das Strategy-Pattern erlaubt Ihnen, diese Algorithmen in Abhängigkeit von den Rahmenbedingungen zur Laufzeit zu vertauschen. Dieses Beispiel illustriert den Zweck des Strategy-Musters perfekt.

Typischerweise implementieren Sie das Strategy-Pattern über Interfaces. Sie deklarieren ein Interface, das alle Implementierungen der Strategie implementiert. Dann kümmert sich der Anwender des Algorithmus nicht darum, welche konkrete Implementierung der Strategie er benutzt. Abbildung 11-1 zeigt ein Diagramm, das die typische Verwendung beschreibt:

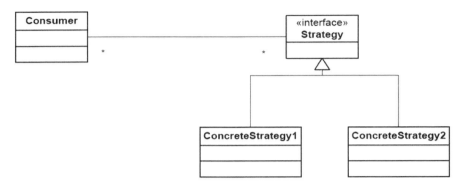

Abbildung 11-1: Eine typische interface basierte Implementierung des Strategy-Musters

Delegaten bieten eine Alternative zu Interfaces, um eine einzelne Strategie zu implementieren, da Interfaces ja nur ein Mechanismus sind, um einen Programmier-Kontrakt zu implementieren. Stellen Sie sich stattdessen vor, dass Ihre Deklaration der Delegaten benutzt wird, um den Kontrakt zu implementieren, und jede Methode, die zur Signatur des Delegaten passt, eine potenzielle konkrete Strategie ist. Anstatt dass der Benutzercode nun eine Referenz auf das abstrakte Strategie-Interface hält, hält er sich nun an einer Delegateninstanz fest. Das folgende Beispiel illustriert dieses Szenario:

```vb
Imports System
Imports System.Collections

Public Delegate Function SortStrategy(ByVal theCollection As ICollection)
As Array

Public Class Consumer
    Private myCollection As ArrayList
    Private mStrategy As SortStrategy

    Public Sub New(ByVal defaultStrategy As SortStrategy)
        Me.mStrategy = defaultStrategy
    End Sub

    Public Property Strategy() As SortStrategy
        Get
            Return mStrategy
        End Get
        Set(ByVal value As SortStrategy)
            mStrategy = value
        End Set
    End Property
End Property
```

```
    Public Sub DoSomeWork()
        'Die Strategie anwenden.
        Dim sorted As Array = mStrategy(myCollection)


        'Stellen Sie etwas mit den Ergebnissen an.
    End Sub

End Class

Public Class SortAlgorithms
    Private Shared Function SortFast(ByVal theCollection As ICollection) As
Array
        'Die schnelle Sortierung vornehmen.
    End Function

    Private Shared Function SortSlow(ByVal theCollection As ICollection) As
Array
        'Die langsame Sortierung vornehmen.
    End Function
End Class
```

Wenn das Objekt `Consumer` instanziiert wird, wird ihm eine standardmäßige Sortierungsstrategie übergeben – nichts anderes als eine Methode, die die Signatur des Delegaten `SortStrategy` implementiert. Wenn die Bedingungen zur Laufzeit stimmen, wird die Sortierungsstrategie ausgetauscht und die Methode `Consumer.DoSomeWork` ruft automatisch die Ersatzstrategie auf. Sie könnten argumentieren, dass die Implementierung des Strategy-Patterns auf diesem Weg viel flexibler ist als Interfaces zu benutzen, da die Delegaten sich sowohl an Instanzenmethoden und gemeinsam genutzte Methoden binden können. Daher könnten Sie eine konkrete Implementierung der Strategie erstellen, die auch einige Zustandsdaten enthält, welche für die Operation gebraucht werden, solange der Delegat auf eine Instanzenmethode einer Klasse zeigt, die diese Zustandsdaten enthält.

11.3 Ereignisse

In vielen Fällen, bei denen Sie Delegaten als Rückrufmechanismus benutzen, kann es sein, dass Sie jemanden benachrichtigen wollen, dass ein Ereignis eingetreten ist, wie zum Beispiel das Anklicken einer Schaltfläche in einer Benutzeroberfläche. Stellen wir uns vor, Sie entwerfen eine Media-Player-Anwendung. Irgendwo in ihrer Benutzeroberfläche befindet sich eine Schaltfläche. In einem wohldefinierten System sind die Oberfläche und die Steuerlogik durch eine wohldefinierte Abstraktion getrennt. Diese Abstraktion erleichtert es, später eine andere Benutzeroberfläche zu implementieren oder – da Benutzeroberflächenoperationen normalerweise plattformspezifisch sind – die Anwendung zu einer anderen Plattform zu portieren. Dies ist als *Bridge*-Muster bekannt und funktioniert gut in Situationen, in denen Sie die Kontrolllogik von der Benutzeroberfläche entkoppeln wollen.

Mit dem Bridge-Pattern können Sie das Szenario, in dem Änderungen im Kernsystem keine Änderungen an der Oberfläche zeitigen und umgekehrt, leichter verwirklichen. Ein häufiger Weg, es zu implementieren, ist die Erstellung wohldefinierter Interfaces im Kernsystem, die die Oberfläche benutzt, um mit dem Kern zu kommunizieren, und umgekehrt. Mit einem Delegaten können Sie so abstrakte Dinge sagen wie: »Wenn der Benutzer eine Datei abspielen will, will ich, dass du registrierte Methoden aufrufst, welche die dafür wichtigen Informationen an das System übergeben.« Das Schöne dabei ist, dass sich das Kernsystem gar nicht darum kümmert, wie der Benutzer der Oberfläche mitteilt, dass der Player eine Datei abspielen soll. Es könnte durch Knopfdruck, durch eine Menüauswahl oder über ein Gerät zur Erfassung von Gehirnwellen, das die Gedanken des Benutzers erkennt, geschehen. Dem Kernsystem ist das ganz egal und Sie können beide unabhängig voneinander auswechseln, ohne dass das Gegenstück auseinander gerissen wird. Beide Seiten folgen demselben vereinbarten Interface-Kontrakt, der in diesem Fall ein speziell geformter Delegat ist und ein Mittel bildet, das diesen Delegaten bei der Entität registriert, die das Ereignis auslöst[13].

Dieses Muster, auch als *Publish-Subscribe*-Muster bekannt, ist so verbreitet – auch außerhalb der Welt der Benutzeroberflächen-Entwicklung –, dass die Designer der .NET-Laufzeitumgebung einen formalisierten eingebauten Ereignismechanismus definiert haben. Wenn Sie in einer Klasse einen Event deklarieren, implementiert der Compiler einige versteckte Methoden, die es Ihnen erlauben, Delegaten zu registrieren und zu deregistrieren, die aufgerufen werden, wenn ein bestimmtes Ereignis eintritt. Im Wesentlichen ist ein Event eine Abkürzung, die Ihnen es erspart, die Methoden zur Registrierung und Deregistrierung, die eine Delegatenkette verwalten, selbst schreiben zu müssen. Schauen wir uns ein einfaches Ereignisbeispiel an, das auf der vorigen Diskussion basiert:

```
Imports System

'Argumente, die von der Oberfläche weitergegeben werden,
'wenn das Abspielen-Ereignis eintritt.
Public Class PlayEventArgs
    Inherits EventArgs

    Private mFilename As String

    Public Sub New(ByVal filename As String)
        Me.mFilename = filename
    End Sub

    Public ReadOnly Property Filename() As String
```

---

[13] Kapitel 6 behandelt Kontrakte und Interfaces im Detail.

```vbnet
        Get
            Return mFilename
        End Get
    End Property
End Class

Public Class PlayerUI
    'Ereignis für die Play-Benachrichtigung definieren.
    Public Event PlayEvent As EventHandler(Of PlayEventArgs)

    Public Sub UserPressedPlay()
        OnPlay()
    End Sub

    Protected Overridable Sub OnPlay()
        'Das Ereignis auslösen.
        Dim localHandler As EventHandler(Of PlayEventArgs) = PlayEventEvent

        If Not localHandler Is Nothing Then
            localHandler(Me, New PlayEventArgs("song.wav"))
        End If
    End Sub
End Class

Public Class CorePlayer
    Private ui As PlayerUI

    Public Sub New()
        ui = New PlayerUI()

        'Den Event-Handler registrieren.
        AddHandler ui.PlayEvent, AddressOf PlaySomething
    End Sub

    Private Sub PlaySomething(ByVal source As Object, ByVal args As
PlayEventArgs)
        'Die Datei abspielen.
    End Sub
End Class

Public Class EntryPoint
    Shared Sub Main()
        Dim player As CorePlayer = New CorePlayer()
    End Sub
End Class
```

Die Syntax dieses Ereignisses sieht zwar kompliziert aus, es soll jedoch einfach ein wohldefiniertes Interface erstellen werden, durch das die interessierten Beteiligten benachrichtigt werden, wenn der Benutzer eine Datei abspielen möchte. Dieses Interface ist innerhalb der Klasse `PlayEventArgs` gekapselt. Events stellen gewisse Regeln auf, wie Sie Delegaten verwenden. Der Delegat darf nichts zurückgeben und er muss zwei Argumente akzeptieren. Das erste Argument ist eine Objektreferenz, die die Partei repräsentiert, welche das Ereignis auslöst. Das zweite Argument muss ein Typ sein, der sich von `System.Event.Args` ableitet. Ihre abgeleitete Klasse `EventArgs` ist der Ort, an der Sie ereignisspezifische Argumente definieren.

Im selben Code deklarierten wir den Event, indem wir die generische Klasse `EventHandler(Of T)` benutzt haben. Das Ereignis wird in der Klasse `PlayerUI` über das Schlüsselwort `Event` definiert. Auf das Schlüsselwort folgt zunächst der Name des Events, `PlayEvent`, und dann das definierte Delegat des Ereignisses. Der Bezeichner `PlayEvent` meint zwei ganz unterschiedliche Dinge, die davon abhängen, auf welcher Seite der Entkopplung Sie sich befinden. Aus der Perspektive des Eventgenerators – in diesem Fall `PlayerUI` – wird der `PlayEvent` wie ein Delegat gebraucht. Sie können diesen Gebrauch innerhalb der Methode `OnPlay` sehen. Typischerweise wird eine Methode wie `OnPlay` als Antwort auf einen Knopfdruck aufgerufen. Sie benachrichtigt die registrierten Listener, indem sie durch den Event-Delegaten `PlayEvent` ihren Aufruf vornimmt.

> **Tipp:** Die verbreitete Ausdrucksweise, wenn ein Ereignis ausgelöst wird, ist es, den Event innerhalb einer `Protected Overridable` Methode namens On*<event>* zu erzeugen, wobei *<event>* durch den Namen des Ereignisses ersetzt wird – in diesem Fall ist dies `OnPlay`. Auf diese Weise können abgeleitete Klassen sehr leicht die Vorgänge modifizieren, wenn der Event ausgelöst werden muss. In VB müssen Sie den Event auf `Nothing` prüfen, bevor Sie ihn aufrufen; sonst könnte das Ergebnis eine `NullReferenceException` sein. Die Methode `OnPlay()` macht eine lokale Kopie des Events, bevor sie ihn auf `Nothing` testet. Das vermeidet die Race Condition, die eintritt, wenn ein Ereignis von einem anderen Thread auf `Nothing` gesetzt wird, nachdem es bereits die Prüfung auf `Nothing` durchlaufen hatte und bevor der Event ausgelöst wird.

Aus der Perspektive des Empfängers des Ereignisses wird der Bezeichner `PlayEvent` völlig anders genutzt. Wie Sie im Konstruktor von `CorePlayer` sehen können, wird das Statement `AddHandler` dazu benutzt, den Event-Listener zu registrieren.

So sieht die Grundstruktur von Ereignissen aus. Wie bereits früher angedeutet, sind Events in .NET Abkürzungen, um Delegaten und die Interfaces, mit denen diese Delegaten registriert werden, zu erzeugen. Zum Beweis können Sie die Intermediate Language (IL) prüfen, die beim Kompilieren des vorigen Beispiels generiert wurde. Dabei sehen Sie, dass der Compiler zwei Methoden generiert hat, nämlich `add_PlayEvent()` und `remove_PlayEvent()`, die aufgerufen werden, wenn Sie die Statements `AddHandler` und `RemoveHandler` benutzen. Diese Anweisungen übernehmen das Hinzufügen und Entfernen der Delegaten von der Kette der Event-Delegaten.

11.3.1 Benutzerdefinierte Ereignisse

Seit VB 2005 können Sie das Schlüsselwort `Custom` als Modifizierer für das Statement `Event` verwenden. Benutzerdefinierte Ereignisse erlauben Ihnen, Aktionen zu spezifizieren, wenn Ihr Code entweder einen Event-Handler hinzufügt oder entfernt oder aber ein Ereignis auslöst. Sie erreichen dies, indem Sie die Befehle `AddHandler`, `RemoveHandler` und `RaiseEvent` abändern. Die folgende Klasse `PlayerUI` wurde modifiziert, um diese Operationen zu zeigen:

```
Public Class PlayerUI
    'Ereignis zur Benachrichtigung des Abspielens definieren.
    Private PlayEventEvent As EventHandler(Of PlayEventArgs)

    Public Custom Event PlayEvent As EventHandler(Of PlayEventArgs)
        AddHandler(ByVal value As EventHandler(Of PlayEventArgs))
            PlayEventEvent = _
                CType(System.Delegate.Combine(PlayEventEvent, value), _
                EventHandler(Of PlayEventArgs))
        End AddHandler

        RemoveHandler(ByVal value As EventHandler(Of PlayEventArgs))
            PlayEventEvent = _
                CType(System.Delegate.Remove(PlayEventEvent, value), _
                EventHandler(Of PlayEventArgs))
        End RemoveHandler

        RaiseEvent(ByVal sender As Object, ByVal e As PlayEventArgs)
            If Not sender Is Nothing Then
                'Ereigniscode hier eintragen.
            End If
        End RaiseEvent
    End Event

    Public Sub UserPressedPlay()
        OnPlay()
    End Sub

    Protected Overridable Sub OnPlay()
        'Das Ereignis auslösen.
        Dim localHandler As EventHandler(Of PlayEventArgs) =
PlayEventEvent

        If Not localHandler Is Nothing Then
            localHandler(Me, New PlayEventArgs("song.wav"))
        End If
    End Sub
End Class
```

In den Abschnitten `AddHandler` und `RemoveHandler` der Deklaration von `Event` wird der hinzugefügte oder entfernte Delegat über das Schlüsselwort `value` referenziert. Das ist das identische Verfahren, nach dem auch die Setter von Properties arbeiten. Dieses Beispiel benutzt `Delegate.Combine()` und `Delegate.Remove()`, um eine interne Delegatenkette zu verwalten.

Events sind ideal, um ein Publish-Subscribe-Entwurfsmuster zu implementieren, bei dem sich viele Listener für die Benachrichtigung über ein Ereignis registrieren. Sie können .NET-Ereignisse ganz ähnlich benutzen, um eine Form des Observer-Musters zu implementieren. Hierbei registrieren sich verschiedene Entitäten, um eine Nachricht zu erhalten, dass sich eine andere Entität verändert hat.

11.3.2 Ereignisse und Relaxed Delegates

VB 2008 bietet weitere Verbesserungen für Ereignisse und Relaxed Delegates. War es Ihnen in VB 2005 gestattet, Untertypen von jedem benötigten Parameter zu übergeben, so können Sie in VB 2008 diese Parameter komplett weglassen. Der folgende Code erzeugt einen Dialog mit drei Befehls-Buttons. Diese Buttons sind auf jede der unterschiedlichen Weisen verdrahtet, mit denen Sie einen Button-Klick-Event erzeugen können.

```
Imports System
Imports System.Drawing
Imports System.Windows.Forms

Public Class Form1
    Inherits Form

    Private Window1 As New Form
    Private Label1 As New Label


    Private Button1 As New Button
    Private Button2 As New Button
    Private Button3 As New Button

    Public Sub New()
        Me.Size = New Size(350, 150)
        Me.Text = "Event Handlers"

        Label1.Location = New Point(10, 15)
        Label1.Size = New Size(320, 50)
        Label1.TextAlign = ContentAlignment.MiddleCenter
        Label1.BorderStyle = BorderStyle.Fixed3D
        Label1.Text = "Press buttons below to fire each event handler."

        Button1.Location = New Point(15, 75)
```

```
        Button1.Size = New Size(110, 25)
        Button1.Text = "Object / EventArgs"
        Button2.Location = New Point(130, 75)
        Button2.Size = New Size(100, 25)
        Button2.Text = "Object / Object"
        Button3.Location = New Point(235, 75)
        Button3.Size = New Size(90, 25)
        Button3.Text = "No parameters"

        Me.Controls.Add(Label1)
        Me.Controls.Add(Button1)
        Me.Controls.Add(Button2)
        Me.Controls.Add(Button3)

        AddHandler Button1.Click, AddressOf Button1_Click
        AddHandler Button2.Click, AddressOf Button2_Click
        AddHandler Button3.Click, AddressOf Button3_Click
    End Sub

    Private Sub Button1_Click(ByVal sender As Object, ByVal e As EventArgs)
        Label1.Text = "The pre-VB 2005" + vbCrLf + _
            "(ByVal sender as Object, ByVal e As EventArgs) version."
    End Sub

    Private Sub Button2_Click(ByVal sender As Object, ByVal e As Object)
        Label1.Text = "The VB 2005 subtype" + vbCrLf + _
            "(ByVal sender as Object, ByVal e As Object) version."
    End Sub

    Private Sub Button3_Click()
        Label1.Text = "The parameterless, fully relaxed version in VB
2008."
    End Sub
End Class

Public Class EntryPoint
    Shared Sub Main()
        Dim SampleWin As Form1 = New Form1

        SampleWin.ShowDialog()
    End Sub
End Class
```

Der vorherige Code erzeugt ein neues Formular und fügt dann ein Beschriftungsfeld und drei Kommando-Buttons hinzu. Der Formularkonstruktor ergänzt Text und positioniert ihn auf jeder Steuerfläche des Formulars. Nachdem die Steuerflächen ergänzt worden sind, benutzen wir die `AddHandler`-Statements, um die Delegaten an die Ereignisprozeduren zu binden.

Bei der Ausführung arbeitet dieser Code die vorausgehenden Schritte ab und zeigt einen Dialog mit unserem Formular an. Durch Anklicken jedes Knopfes wird sich die Botschaft im Beschriftungsfeld ändern und Sie wissen lassen, welche Variante der Ereignis-Subroutine Sie aufgerufen haben.

> **Tipp:** Um das vorherige Beispiel erstellen zu können, müssen Sie eine Referenz auf die Assemblies `System.Windows.Forms.dll` und `System.Drawing.dll` hinzufügen. Sie befinden sich im Verzeichnis `Windows\Microsoft.NET\Framework\v2.0.xxxxx`.

11.4 Zusammenfassung

Delegaten bieten einen erstklassigen systemdefinierten und implementierten Mechanismus, um Rückrufe einheitlich darzustellen. In diesem Kapitel haben Sie verschiedene Wege kennengelernt, Delegaten verschiedener Typen zu deklarieren und zu erzeugen – darunter einzelne Delegaten, verkettete Delegaten und Open-Instance-Delegaten. Zudem haben wir gezeigt, wie man Delegaten als Bausteine für Ereignisse verwendet. Sie können Delegaten dazu verwenden, eine große Bandbreite an Entwurfsmustern zu implementieren, da Delegaten ein großartiges Mittel sind, um einen Programmierkontrakt zu definieren. Und im Kern fast jedes Entwurfsmusters befindet sich ein wohldefinierter Kontrakt.

Das nächste Kapitel widmet sich einem der aufregendsten Features der Sprache Visual Basic im Detail, nämlich den Generics.

12 Generics

Generics haben sich als eine willkommene Ergänzung in VB erwiesen, seit sie mit VB 2005 eingeführt wurden. Eine generische Klasse ist dadurch definiert, dass sie Datentypen als Parameter benutzt, die dann über die ganze Implementierung hinweg genutzt werden können. Jede generische Klasse wird, einmal instanziiert, zu einem einzigartigen Typ und die Datentypen, die als Parameter übergeben worden sind, bei ihrem Einsatz ersetzen.

Generics erlauben Ihnen, eine stärkere Typisierung in Ihren Klasen durchzusetzen, da der VB-Compiler eine Ausnahme erzeugt, wenn Sie hier einen Fehler machen. Das Boxing wird mit Generics eliminiert, weil VB mit diesen Typen keine Konvertierungen vornehmen muss. Zuletzt erlauben Generics die Wiederverwendung von Code in großem Stil. Mit Generics können Sie oft die Definitionen von Klassen kombinieren, die zwar im Wesentlichen dieselben sind, sich aber im Hinblick auf den verwendeten Datentyp unterscheiden.

12.1 Einführung in Generics

Generics sind dadurch definiert, dass sie *Typparameter* verwenden. Das Schlüsselwort Of, gefolgt von einem Typargument, spezifiziert den Typen, den Sie benutzen sollten, wenn Sie den generischen Typ erstellen oder das generische Mitglied zur Laufzeit ausführen. Um einen generischen Typ zu deklarieren, spezifizieren Sie eine Liste von Typparametern in der Deklaration, wie im folgenden Beispiel:

```
Public Class MyCollection(Of T)
    Private Storage As T()

    Public Sub New()
    End Sub
End Class
```

In diesem Fall deklarieren Sie einen generischen Typ, MyCollection (Of T), der den Array innerhalb der Klasse als unspezifizierten Typ behandelt. In diesem Beispiel besteht der Typparameter nur aus einem Typ und er ist mit Syntax dort beschrieben, wo der generische Typ zwischen Klammern aufgelistet ist. Der Bezeichner T ist nur ein Platzhalter für jeden beliebigen Typ. An irgendeinem Punkt spezifiziert der Benutzer von MyCollection(Of T) den konkreten Typ, den T repräsentieren soll. Nehmen wir zum Beispiel an, Sie wollen einen konstruierten Typ MyCollection(Of T) kreieren, der Mitglieder vom Typ Integer enthält. Dann würde das so funktionieren wie im folgenden Code:

```
Public Sub SomeMethod()
    Dim collectionOfNumbers As MyCollection(Of Integer) = _
        New MyCollection(Of Integer)()
End Sub
```

`MyCollection(Of Integer)` ist nun genau wie jeder andere deklarierte Typ benutzbar, und er folgt auch denselben Regeln, die die nicht-generischen Typen einhalten müssen. Der einzige Unterschied ist, dass der Typ aus einem generischen Typ hervorgegangen ist. An dem Punkt der Instanziierung wird die Intermediate Language (IL) Just-In-Time kompiliert, so dass jede Verwendung des Typs `T` in der Implementierung von `MyCollection(Of T)` durch den Typ `Integer` ersetzt wird.

Alle von demselben generischen Typ konstruierten einzelnen Typen sind in der Tat jedoch komplett verschieden und teilen keine Fähigkeiten zur impliziten Konvertierung. `MyCollection(Of Long)` ist ein völlig anderer Typ als `MyCollection(Of Integer)` und Sie können so etwas wie das Folgende nicht tun:

```
'DIES WIRD NICHT FUNKTIONIEREN!
Public Sub SomeMethod(ByVal intNumbers As MyCollection(Of Integer))
    Dim longNumbers As MyCollection(Of Long) = intNumbers ' ERROR!
End Sub
```

Die Regeln der Array-Kovarianz, die es erlauben, dass ein Wert im Array A eine Instanz des Arrays B referenziert, wenn Sie eine implizite Konvertierung von B nach A vornehmen können, gestatten Ihnen, Folgendes zu tun:

```
    Public Sub ProcessStrings(ByVal myStrings As String())
        Dim objs As Object() = myStrings

        For Each o As Object In objs
            Console.WriteLine(o)
        Next o
    End Sub
```

Sie mögen überrascht sein, dass Sie denselben Gedanken nicht mit konstruierten generischen Typen umsetzen können. Der Unterschied liegt darin, dass bei der Array-Kovarianz die Quelle und das Ziel der Zuweisung vom selben Typ sind, `System.Array`. Die Regeln der Array-Kovarianz erlauben Ihnen einfach, einen Array von einem anderen zuzuweisen, solange der deklarierte Typ der Elemente im Array zur Kompilierzeit implizit konvertierbar ist. Im Fall von zwei konstruierten generischen Typen sind dies jedoch zwei komplett unterschiedliche Typen.

12.1.1 Effizienz und Typsicherheit von Generics

Effizienz ist definitiv einer der wichtigsten Vorteile der Generics in VB. Ein regulärer Array, der auf `System.Array` basiert, kann eine heterogene Ansammlung von Instanzen beherbergen, die aus vielen Typen entstanden sind. Dies hat jedoch seine Nachteile. Sehen wir uns die folgende Verwendung an:

```
Public Sub SomeMethod(ByVal col As ArrayList)
    For Each o As Object In col
        Dim iface As ISomeInterface = CType(o, ISomeInterface)

        iface.DoSomething()
    Next o
End Sub
```

Da alles in der Common Language Runtime (CLR) von `System.Object` abgeleitet ist, könnte die `ArrayList`, die über den Parameter `col` übergeben worden ist, ein wahres Durcheinander an Dingen enthalten. Manche dieser Dinge dürfte auch `ISomeInterface` nicht implementieren. Wie Sie erwarten würden, könnte eine `InvalidCastException` als Folge dieses Codes entstehen. Wäre es aber nicht schön, den Compiler dazu benutzen zu können, solche Dinge zur Kompilierzeit auszuschnüffeln? Dies erlauben ihnen die Generics. Mit Generics können Sie nämlich Folgendes machen:

```
    Public Sub SomeMethod(ByVal col As IList(Of ISomeInterface))
    For Each iface As ISomeInterface In col
        iface.DoSomething()
    Next iface
End Sub
```

Im vorigen Beispiel akzeptiert die Methode ein Interface namens `IList(Of T)`. Da der Typparameter für den konstruierten Typ vom Typ `ISomeInterface` ist, darf die Liste nur Objekte vom Typ `ISomeInterface` enthalten. Nun hat der Compiler alle Mittel, die er braucht, um starke Typsicherheit durchzusetzen.

> **Tipp:** Zusätzliche Typsicherheit zur Kompilierzeit ist eine gute Sache. Es ist nämlich besser, die Bugs, die aufgrund nicht zusammenpassender Typen entstehen, zur Kompilierzeit abzufangen, anstatt dies später zur Laufzeit tun zu müssen.

Das vorige Beispiel zeigt, wie man Generics für bessere Typsicherheit benutzt. Sie haben damit aus Sicht der Effizienz aber noch nicht viel gewonnen. Der echte Effizienzgewinn kommt ins Spiel, wenn das Typargument ein Werttyp ist. Erinnern Sie sich noch daran, dass ein Werttyp, der in eine Auflistung im Namensraum `System.Collections` – wie `ArrayList` – eingesetzt wird, erst geboxt werden muss, da die `ArrayList` eine Sammlung von `System.Object`-Typen enthält? Eine `ArrayList`, die nur ein paar `Integer`-Werte enthält, leidet unter erheblichen Effizientproblemen, da Sie die Integerwerte jedes Mal boxen und unboxen müssen, wenn Sie sie in die `ArrayList` einsetzen und sie referenzieren oder wieder daraus entfernen. Außerdem besteht eine Unboxing-Operation in VB normalerweise aus einer Unbox-Operation in IL, die mit einer Kopieroperation für die Daten des Werttyps gepaart wird. Hier kommen Generics zu Hilfe und beenden den Box/Unbox-Zyklus. Kompilieren Sie zum Beispiel den folgenden Code und laden Sie dann die Assembly in den IL-Disassembler (IL DASM), um die IL für jede der Methoden, die einen Stack akzeptieren, zu vergleichen:

```
Imports System
Imports System.Collections
Imports System.Collections.Generic

Public Class EntryPoint
    Shared Sub Main()
    End Sub

    Public Sub NonGeneric(ByVal stack As Stack)
        For Each o As Object In stack
            Dim number As Integer = CInt(Fix(o))

            Console.WriteLine(number)
        Next o
    End Sub

    Public Sub Generic(ByVal stack As Stack(Of Integer))
        For Each number As Integer In stack
            Console.WriteLine(number)
        Next number
    End Sub
End Class
```

Sie werden feststellen, dass der IL-Code, der durch die Methode `NonGeneric` generiert wird, mehr Instruktionen enthält als die generische Version. Das meiste davon ist auf das Unboxing zurückzuführen, das die `NonGeneric`-Methode zu erledigen hat. Mehr noch, die Methode `NonGeneric` könnte möglicherweise eine `InvalidCastException` auslösen, wenn sie einem Objekt begegnet, das sie nicht explizit konvertieren und zur Laufzeit in ein Integer unboxen kann.

Ganz klar eröffnen Generics dem Compiler eine größere Freiheit, seinen Job zu erledigen, indem Typinformationen zur Kompilierzeit nicht abgestreift werden. Sie könnten jedoch auch argumentieren, dass der Effizienzgewinn so hoch ist, dass die primäre Motivation für Generics in der CLR darin liegt, unnötige Boxing-Operationen zu vermeiden. Egal wie, beide Vorteile sind signifikant und sie sind es wert, bis zur Neige ausgekostet zu werden.

12.1.2 Namenskonventionen für die Platzhalter in generischen Typen

Obwohl es keine in Stein gehauenen Regeln für die Namen der Platzhalter in generischen Parametern gibt, ist es zu empfehlen, dass Sie wenigstens einen Namen benutzen, der in etwa beschreibt, wie der Typ genutzt werden wird. Zudem weisen die Bezeichner der Platzhalter konventionsgemäß ein großes T als ersten Buchstaben auf, um ihn als Typ zu identifizieren. Konventionen wie diese sorgen ähnlich wie die Konventionen für Interfaces, deren Namen mit einem großen I beginnen, für einen leichter zu lesenden Code. Generische Typdefinitionen benutzen gewöhnlich Typparameter wie T für Typ, K für Keys (Schlüssel) und V für Values (Werte).

12.2 Generische Typdefinitionen und konstruierte Typen

Wie schon vorher angedeutet, ist ein generischer Typ ein kompilierter Typ, der nicht brauchbar ist, bis ein geschlossener Typ daraus erzeugt wird. Ein nicht-generischer Typ ist auch als *geschlossener* Typ bekannt, während ein generischer Typ ein *offener* Typ ist. Es ist aber auch möglich, einen neuen offenen Typ durch einen generischen zu definieren, wie der folgende Code zeigt:

```
Public Class A(Of T)
    Private innerObject As T
End Class

Public Class Consumer(Of T)
    Private obj As A(Of Stack(Of T))
End Class
```

In diesem Fall wird ein generischer Typ, `Consumer(Of T)` definiert. Er enthält auch ein Feld, das auf einem anderen generischen Typ basiert. Wenn der Typ des Feldes `Consumer(Of T).obj` deklariert wird, bleibt `A(Stack(Of T))` offen, bis jemand einen konstruierten Typ auf der Basis von `Consumer(Of T)` deklariert und damit einen geschlossenen Typ für das enthaltene Feld erstellt.

12.2.1 Generische Klassen und Strukturen

Bis jetzt haben alle Beispiele generische Klassen gezeigt. Aber im Großen und Ganzen lassen sich die Regeln von Generics auch auf Strukturen abbilden. Jedes Mal, wenn eine Klassendeklaration eine Liste von Typparametern enthält, ist sie ab diesem Punkt ein generischer Typ. Genauso ist jede verschachtelte Klassendeklaration, egal ob generisch oder nicht, die innerhalb des Gültigkeitsbereichs eines generischen Typs deklariert wird, selbst ein generischer Typ. Das ist so, weil der qualifizierte Name des umschließenden Typs ein Typargument benötigt, um den eingeschlossenen Typ komplett zu spezifizieren.

Generische Typen werden basierend auf der Zahl der Argumente in ihrer Typargumentenliste überladen. Das folgende Beispiel illustriert dies:

```
Public Class Container
End Class

Public Class Container(Of T)
End Class

Public Class Container(Of T, R)
End Class
```

Jede der vorigen drei Deklarationen ist im selben Namensraum gültig. Sie können so viele generische Typen, die auf dem Bezeichner `Container` basieren, deklarieren, wie Sie wollen, solange jeder eine unterschiedliche Anzahl von Parametern aufweist. Sie können aber keinen anderen Typen mit dem Namen `Container(Of X, Y)` deklarieren, obwohl die Bezeichner in der Typparameterliste anders sind. Die Überladungsregeln für generische Deklarationen basieren auf der Anzahl der Typparameter anstelle der Namen, die für die Platzhalter vergeben werden.

Wenn Sie einen generischen Typ deklarieren, deklarieren Sie einen sogenannten offenen Typ. Er wird offener Typ genannt, weil sein voll spezifizierter Typ noch nicht bekannt ist. Wenn Sie einen anderen Typ deklarieren, der auf der generischen Typdefinition basiert, deklarieren Sie einen *geschlossenen* oder *konstruierten* Typ, wie hier gezeigt:

```
Public Class A(Of T)
    Private field1 As Container(Of Integer)
    Private field2 As Container(Of T)
End Class
```

Beide Felder in der vorigen Deklaration von `A(Of T)` sind konstruierte Typen, da sie einen neuen Typ deklarieren, der auf dem generischen Typ `Container(Of T)` basiert. Allerdings ist nicht jeder konstruierte Typ auch ein geschlossener Typ. Nur `field1` ist ein geschlossener Typ, während `field2` ein offener Typ ist, da sein endgültiger Typ erst zur Laufzeit bestimmt werden muss, und zwar anhand der Typargumente von `A(Of T)`.

In VB werden alle Namensdeklarationen innerhalb eines bestimmten Gültigkeitsbereichs deklariert, in welchem sie auch zulässig sind. Innerhalb der Grenzen einer Methode sind zum Beispiel alle lokalen Variablenbezeichner, die in der Methode deklariert werden, nur in diesem Gültigkeitsbereich verfügbar. Ähnliche Regeln existieren für die Typparameter-Bezeichner bei Generics. Im vorigen Beispiel ist der Bezeichner T nur innerhalb des Gültigkeitsbereichs der Klassendeklaration gültig. Betrachten Sie das folgende Beispiel mit verschachtelten Klassen:

```
Public Class A(Of T)
    Public Class NestedClass(Of R)
    End Class
End Class
```

Der Bezeichner R ist nur innerhalb des Gültigkeitsbereichs der eingeschlossenen Klasse gültig und Sie dürfen ihn nicht im äußeren Gültigkeitsbereich für A(Of T) verwenden. Sie dürfen allerdings T in der eingeschlossenen Klasse verwenden, da diese Klasse in dem Gültigkeitsbereich definiert ist, in dem T zulässig ist. Es gilt als schlechte Form, die äußeren Argumentenbezeichner innerhalb eingeschlossener Gültigkeitsbereiche zu verstecken, ähnlich wie es bei Bezeichnern von Variablennamen in verschachtelten Gültigkeitsbereichen der Fall ist.

Generische Strukturen und Klassen können gemeinsam genutzte Typen enthalten, genau wie normale Strukturen und Klassen. Jedoch enthält jeder geschlossene Typ, der auf dem generischen Typ basiert, seine eigene Instanz des gemeinsam genutzten Typs. Wenn Sie bedenken, dass jeder geschlossene Typ für sich ein separater konkreter Typ ist, dann ergibt diese Tatsache absolut Sinn. Wenn Sie also gemeinsam genutzte Daten zwischen verschiedenen geschlossenen Typen, die auf demselben generischen Typ gründen, aufteilen wollen, müssen Sie ein anderes Mittel finden, dies zu tun. Eine mögliche Technik macht Gebrauch von einem separaten, nicht-generischen Typ, der gemeinsam genutzte Daten enthält, die von den generischen Typen referenziert werden. Sie implementieren so eine Konstruktion in der Regel mit dem Singleton-Muster, das wir in Kapitel 6 besprochen haben.

Tipp: Der Initialisierungscode generischer Typen muss jedes Mal ablaufen, wenn die CLR einen geschlossenen Typ erzeugt, der darauf basiert. Komplexe Typinitialisierer oder gemeinsam genutzte Konstruktoren können den Arbeitsumfang der Applikation vergrößern, wenn zu viele geschlossene Typen erzeugt werden, die auf so einem generischen Typ basieren. Wenn Sie zum Beispiel eine recht große Pro-Typ-Datenstruktur in einem generischen Typinitialisierer erzeugen, könnten Sie so eine Quelle für versteckten Speicherverbrauch schaffen, wenn daraus viele Typen hervorgehen.

12.2.2 Generische Interfaces

Zusammen mit Klassen und Strukturen können Sie auch generische Interface-Deklarationen erstellen. Dieses Konzept ist eine natürliche Folge von Generics bei Klassen und Strukturen. Ein ganzes Heer von Interfaces, die in der .NET-Standardbibliothek deklariert sind, gibt gute Kandidaten ab, um nach ihrem Vorbild generische Versionen zu bilden. Ein perfektes Beispiel ist IEnumerable(Of T). Generische Container erzeugen viel effizienteren Code als nicht-generische, wenn sie Werttypen enthalten, da sie das unnötige Boxing vermeiden. Jeder von Ihnen implementierte Container, der enumeriert werden kann, sollte auch IEnumerable(Of T) implementieren, oder Sie können das ganz ohne Aufwand haben, indem Sie Ihre benutzerdefinierten Container von Collection(Of T) ableiten.

Tipp: Wenn Sie Ihre eigenen benutzerdefinierten Auflistungstypen erstellen, sollten Sie diese von Collection(Of T) ableiten. Andere Typen wie List(Of T) sind nicht für eine Ableitung vorgesehen und als Speichermechanismus einer höheren Ebene vorgesehen. Collection(Of T) implementiert Protected Friend-Methoden, die Sie überschreiben können, um das Verhalten anzupassen. Bei List(Of T) ist das nicht der Fall.

12.2.3 Generische Methoden

Jede Methodendeklaration, die innerhalb einer Struktur, einer Klasse oder eines Interface existiert, kann als generische Methode deklariert werden – sogar wenn der Typ, der die Methode enthält, nicht generisch ist. Um eine generische Methode zu deklarieren, fügen Sie eine Typargumentenliste an das Ende es Methodennamens (aber vor der Parameterliste) an. Sie können jeden Typ in der Parameterliste der Methode deklarieren, einschließlich des Rückgabetyps der Methode, indem Sie einen generischen Parameter benutzen. Wie bei verschachtelten Klassen ist es schlechte Form, die äußeren Typbezeichner zu verstecken, indem Sie denselben Bezeichner in dem eingeschlossenen Gültigkeitsbereich wieder verwenden, welcher in diesem Fall der Gültigkeitsbereich der eingeschlossenen Methode ist. Betrachten wir ein Beispiel, in dem eine generische Methode nützlich sein könnte. Im folgenden Beispiel erzeugen Sie einen Container, dem Sie die Inhalte eines anderen generischen Containers übergeben wollen:

```
Imports System
Imports System.Collections.ObjectModel

Public Class MyContainer(Of T)
    Inherits Collection(Of T)

    Private impl As List(Of T) = New List(Of T)()

    Public Overloads Sub Add(Of R)(ByVal otherContainer As MyContainer(Of R), _
        ByVal converter As Converter(Of R, T))

        For Each item As R In otherContainer
            MyBase.Add(converter(item))
        Next item
    End Sub
End Class

Public Class EntryPoint
    Shared Sub Main()
        Dim lContainer As MyContainer(Of Long) = New MyContainer(Of Long)()
        Dim iContainer As MyContainer(Of Integer) = New MyContainer(Of Integer)()
```

```
    'Füge dem Long-Container zwei Elemente hinzu:
    lContainer.Add(1)
    lContainer.Add(2)

    'Füge dem Integer-Container zwei Elemente hinzu:
    iContainer.Add(3)
    iContainer.Add(4)

    'Convertiere den Integer-Container und hänge ihn an den
     'Long-Container an:
    lContainer.Add(iContainer, AddressOf EntryPoint.IntToLongConverter)


    For Each i As Integer In iContainer
        Console.WriteLine("iContainer Item: {0}", i)
    Next i

    Console.WriteLine()

    For Each l As Long In lContainer
        Console.WriteLine("lContainer Item: {0}", l)
    Next l
  End Sub

  Private Shared Function IntToLongConverter(ByVal i As Integer) As Long
    Return i
  End Function
End Class
```

Hier ist der Output der Ausführung des vorangegangenen Codes:

```
iContainer Item: 3
iContainer Item: 4

lContainer Item: 1
lContainer Item: 2
lContainer Item: 3
lContainer Item: 4
```

Beachten Sie die Überladung von `Add()` in `MyContainer(Of T)`. Diese Methode benutzt den Delegaten `Converter(Of R, T)`, den wir mit `IntToLongConverter()` verdrahten. Die Methode `IntToLongConverter` erlaubt uns, eine ganze Palette von Objekten von einem anderen geschlossenen Typ, der von `MyContainer(Of T)` geformt wurde, hinzuzufügen. Das funktioniert so lange gut, wie der eingeschlossene Typ des ursprünglichen Containers in den eingeschlossenen Typ des Ziels konvertierbar ist. Wenn Sie sich die Methode `Main` betrachten, können Sie die Absicht erkennen. Sie wollen die Objekte, die in einer Instanz von `MyContainer(Of Integer)` enthalten sind, in einer Instanz von `MyContainer(Of Long)` platzieren. Daher erlaubt Ihnen die Erstellung einer generischen Methode, `Add(Of R)`, einen anderen Container zu akzeptieren, der jeden beliebigen Typ enthält.

Logischerweise wollen Sie eine Kollektion von `Integer` einer Kollektion von `Long` hinzufügen, und Sie wissen ja, dass ein `Integer` implizit in `Long` konvertierbar ist. Obwohl dies stimmt, müssen Sie berücksichtigen, dass Generics dynamisch zur Laufzeit gebildet werden und es keine Garantie dafür gibt, welchen geschlossenen Typ, der von `MyContainer(Of T)` geformt wurde, die Methode `Add(Of R)` sehen wird. Es könnte `MyContainer(Of Apples)` sein, und ein `Apple` könnte nicht implizit zu `Long` konvertierbar sein, wenn wir annehmen, dass er an `MyContainer(Of Long).Add(Of Apples)()` übergeben würde. Die Lösung ist hier, einen Delegaten für die Konvertierung bereit zu stellen, um die Aufgabe zu erledigen.

Die Base Class Library (BCL) sieht den Delegaten `System.Converter(Of T, R)` spezifisch für diesen Fall vor. Die Syntax für diesen Delegaten mag ein wenig ungewohnt sein, aber es ist einfach eine Deklaration eines Delegaten, die der folgende Abschnitt »Generische Delegaten« im Detail beschreibt. Wenn `Add(Of R)()` aufgerufen wird, muss der Aufrufer auch eine Instanz des generischen Delegaten `Converter(Of T, R)` bereitstellen, der auf eine Methode zeigt, die weiß, wie man von dem Quelltyp zum Zieltyp konvertieren kann. Das erklärt die Notwendigkeit für `IntToLongConverter` im vorherigen Beispiel. Die Methode `Add(Of R)` benutzt diesen Delegaten, um die eigentliche Konvertierung von einem Typen zum anderen vorzunehmen. In diesem Fall ist die Konvertierung eine implizite, aber sie muss auf diese Weise externalisiert werden. Denn zur Kompilierzeit muss der Compiler mit der Tatsache fertig werden, dass der Methode `Add(Of R)` praktisch jeder Typ zugeworfen werden kann.

12.2.4 Generische Delegaten

Generics werden sehr häufig im Kontext von Container-Typen benutzt, wo das Feld eines geschlossenen Typen oder ein interner Array auf dem gegebenen Typargument basiert. Wenn Sie einen Delegaten deklarieren müssten, der zwei Parameter annimmt, wobei der erste ein `Long`-Wert und der zweite vom Typ `Object` ist, würden Sie den Delegaten wie folgt deklarieren:

```
Public Delegate Sub MyDelegate(ByVal l As Long, ByVal o As Object)
```

Im vorigen Abschnitt haben Sie ja schon eine Vorschau auf einen generischen Delegaten bekommen, als Sie gesehen haben, wie man den generischen Konvertierungs-Delegaten einsetzt. Die Deklaration für den generischen Konvertierungsdelegaten sieht folgendermaßen aus:

```
Public Delegate Function Converter(Of TInput, TOutput)(ByVal input As TInput) _
    As TOutput
```

Das sieht wie bei jedem anderen Delegaten aus, außer der verräterischen Form eines Generics mit einer Typparameter-Liste, auf die unmittelbar der Name des Delegaten folgt. Genau wie nicht-generische Delegaten ähnlich aussehen wie Methodendeklarationen ohne Körper, sehen Deklarationen generischer Delegaten fast identisch aus wie generische Methodendeklarationen ohne Körper. Die Typparameter-Liste folgt auf den Namen des Delegaten, aber sie geht der Parameterliste des Delegaten voran.

Der generische Konverter benutzt die Platzhalterbezeichner TInput und TOutput innerhalb seiner Typparameter-Liste, und diese Typen werden anderswo in der Deklaration für den Delegaten benutzt. In Deklarationen generischer Delegaten stehen die Typen in der Parameterliste im Geltungsbereich für die gesamte Deklaration des Delegaten, einschließlich des Rückgabetyps, wie wir in der vorherigen Deklaration des generischen Konvertierungsdelegaten gezeigt haben.

Eine Instanz des Delegaten Converter(TInput, TOutput) zu erzeugen ist dasselbe wie eine Instanz jedes anderen Delegaten zu erstellen. Wenn Sie eine Instanz des generischen Delegaten kreieren, können Sie den Operator New benutzen und explizit die Typenliste zur Kompilierzeit zur Verfügung stellen. Oder Sie verwenden einfach die verkürzte Syntax, die wir in dem Beispiel von MyContainer(Of T) im vorigen Abschnitt verwendet haben; in diesem Fall leitet der Compiler die Typparameter ab. Für mehr Bequemlichkeit geben wir die Main-Methode des Beispiels nochmals wieder:

```
Shared Sub Main()
    Dim lContainer As MyContainer(Of Long) = New MyContainer(Of Long)()
    Dim iContainer As MyContainer(Of Integer) = New MyContainer(Of
Integer)()


    '2 Elemente zum Long-Container hinzufügen.
    lContainer.Add(1)
    lContainer.Add(2)


    '2 Elemente zum Integer-Container hinzufügen.
    iContainer.Add(3)
    iContainer.Add(4)


    'Integer-Container konvertieren und an Long-Container
    'anhängen.
    lContainer.Add(iContainer, AddressOf EntryPoint.IntToLongConverter)

    For Each i As Integer In iContainer
        Console.WriteLine("iContainer Item: {0}", i)
    Next i

    Console.WriteLine()

    For Each l As Long In lContainer
```

```
        Console.WriteLine("lContainer Item: {0}", l)
    Next l
End Sub
```

Der zweite Parameter der letzten `Add`-Methode ist einfach eine Referenz auf die Methode anstatt eine explizite Erstellung des Delegaten selbst. Das funktioniert aufgrund der Regeln für die Konvertierung von Methodengruppen, die die Sprache definiert. Wenn ein tatsächlicher Delegat von der Methode erzeugt wird, wird der geschlossene Typ des Generics abgeleitet, indem ein komplexer Algorithmus für die Musterabstimmung von den Parametertypen der Methode `IntToLongConverter` selbst verwendet wird. In der Tat enthält der Aufruf von `Add(Of T)` zum Zeitpunkt der Anrufung keine explizite Typparameter-Liste. Der Compiler ist in der Lage, exakt dieselbe Art von Musterabstimmung auszuführen, um die geschlossene Form der aufgerufenen Methode `Add(Of T)` abzuleiten, die in diesem Fall `Add(Of Integer)` ist. Sie könnten den Aufruf in der folgenden Weise schreiben, bei der jeder Typ explizit genannt wird:

```
        lContainer.Add(Of Integer)(iContainer, New Converter(Of Integer,
Long) _
        (AddressOf EntryPoint.IntToLongConverter))
```

Hier werden alle Typen explizit aufgeführt, und der Compiler wird nicht mit der Aufgabe allein gelassen, diese zur Kompilierzeit abzuleiten. Der generierte IL-Code ist allerdings derselbe. Die meiste Zeit können Sie sich auf den Mechanismus des Compilers für die Typenableitung verlassen. In Abhängigkeit von der Komplexität Ihres Codes kann es aber sein, dass Sie eine explizite Typenliste bereitstellen müssen.

Neben der Möglichkeit, die Konvertierung von einem externen Container-Typ zu externalisieren, wie in den vorigen Beispielen gezeigt, helfen generische Delegaten dabei, ein spezielles Problem zu lösen, das im folgenden Code dargestellt wird:

```
' DIES FUNKTIONIERT NICHT WIE ERWARTET!!!
Imports System
Imports System.Collections.Generic

Public Delegate Sub MyDelegate(ByVal i As Integer)

Public Class DelegateContainer(Of T)
    Private imp As List(Of T) = New List(Of T)()

    Public Sub Add(ByVal del As T)
        imp.Add(del)
    End Sub


    Public Sub CallDelegates(ByVal k As Integer)
        For Each del As T In imp
```

```
                'del(k)
            Next del
        End Sub

End Class

Public Class EntryPoint
    Shared Sub Main()
        Dim delegates As DelegateContainer(Of MyDelegate) = _
            New DelegateContainer(Of MyDelegate)()

        delegates.Add(AddressOf EntryPoint.PrintInt)
    End Sub

    Private Shared Sub PrintInt(ByVal i As Integer)
        Console.WriteLine(i)
    End Sub
End Class
```

So wie er geschrieben ist, wird der Code kompiliert. Beachten Sie jedoch die kommentierte Zeile in der Methode `CallDelegates` – nämlich `del(k)`. Wenn Sie das Kommentarzeichen entfernen, bekommen Sie den folgenden Fehler angezeigt:

```
Error  1        Expression is not a method.
```

Das Problem liegt darin, dass der Compiler gar nicht wissen kann, dass der Typ, der durch den Platzhalter `T` repräsentiert wird, ein Delegat ist. Zur Laufzeit könnte der Delegat, der durch `del` repräsentiert wird, eine beliebige Zahl von Parametern aufnehmen. Es ergibt aber selten Sinn, einen geschlossenen Typ von einem Generic zu erzeugen, bei dem eines der Typargumente ein Delegatentyp ist, da Sie es nicht wie gewohnt aufrufen können.

Was Sie tun können, um die Situation zu bereinigen, ist, einen generischen Delegaten einzusetzen, um dem Compiler etwas mehr Informationen darüber zu geben, was Sie mit diesem Delegaten anstellen wollen. Zum Beispiel könnten Sie einen generischen Delegaten benutzen und effektiv sagen: »Ich möchte, dass Sie Delegaten verwenden, die nur zwei Parameter akzeptieren und einen beliebigen Typ zurückgeben.« Das ist genug Information, damit der Compiler diesen Block passieren und Code für das Generic generieren kann, der Sinn ergibt. Wenn Sie dem Compiler dieses Informationshäppchen geben, weiß er zumindest, wie viele Parameter er auf den Stack schieben muss, bevor er den Aufruf durch den Delegaten vornimmt. Der folgende Code zeigt, wie Sie die vorige Situation abmildern können:

```
Imports System
Imports System.Collections.Generic

Public Delegate Sub MyDelegate(Of T)(ByVal i As T)
```

```vbnet
Public Class DelegateContainer(Of T)
    Private imp As List(Of MyDelegate(Of T)) = New List(Of MyDelegate(Of
T))()


    Public Sub Add(ByVal del As MyDelegate(Of T))
        imp.Add(del)
    End Sub

    Public Sub CallDelegates(ByVal k As T)
        For Each del As MyDelegate(Of T) In imp
            del(k)
        Next del
    End Sub
End Class

Public Class EntryPoint
    Shared Sub Main()
        Dim delegates As DelegateContainer(Of Integer) = _
            New DelegateContainer(Of Integer)()

        delegates.Add(AddressOf EntryPoint.PrintInt)
        delegates.CallDelegates(42)
    End Sub

    Private Shared Sub PrintInt(ByVal i As Integer)
        Console.WriteLine(i)
    End Sub
End Class
```

Das vorige Beispiel gibt folgenden Wert zurück:

```
42
```

12.2.5 Generische Typkonvertierung

Wie dieses Kapitel bereits dargestellt hat, gibt es keine implizite Typkonvertierung für unterschiedliche konstruierte Typen, die von demselben generischen Typ gebildet werden. Dieselben Regeln, die für die Bestimmung gelten, ob ein Objekt vom Typ X implizit in ein Objekt vom Typ Y konvertierbar ist, gelten ebenfalls, wenn es zu bestimmen gilt, ob ein Objekt des Typs List(Of Integer) in ein Objekt des Typs List(Of Object) konvertierbar ist. Wenn so eine Konvertierung gewünscht wird, müssen Sie einen benutzerdefinierten Operator für die implizite Konvertierung erstellen, wie in dem Fall, in dem Sie Objekte vom Typ X in Objekte vom Typ Y konvertieren, wenn sie in keinem Vererbungsverhältnis zueinander stehen. Sonst müssen Sie eine Konvertierungsmethode kreieren, um von einem Typ zum anderen gehen zu können. Der folgende Code ist zum Beispiel unzulässig:

```vb
' UNGÜLTIGER CODE!!!
Public Sub SomeMethod(ByVal theList As List(Of Integer))
   Dim theSameList As List(Of Object) = theList          '
Sch…!!!
End Sub
```

Wenn Sie sich die Dokumentation von List(Of T) betrachten, bemerken Sie eine generische Methode mit dem Namen `ConvertAll(Of TOutput)()`. Über diese Methode können Sie eine generische Liste vom Typ `List(Of Integer)` nach `List(Of Object)` konvertieren. Sie müssen der Methode jedoch eine Instanz eines generischen Konvertierungsdelegaten übergeben, wie wir es im vorigen Abschnitt beschrieben haben. Das ist der einzige Weg, über den die Methode wissen kann, wie jede enthaltene Instanz vom Quelltyp in den Zieltyp umzuwandeln ist. Obwohl Sie eventuell eine Methode aufrufen können, um `List(Of Integer)` in `List(Of Object)` zu verwandeln, müssen Sie die expliziten Mittel zur Verfügung stellen, mit der sie einen `Integer`-Wert in ein `Object` umwandeln kann.

Wer mit dem Strategy-Pattern vertraut ist, das wir in Kapitel 11 diskutiert haben, dem könnte dies bekannt vorkommen. Im Wesentlichen können Sie die Methode `ConvertAll(Of TOutput)` zur Laufzeit zur Verfügung stellen, mit einem Mittel, die Konvertierung für die enthaltenen Instanzen vorzunehmen, welches in Abhängigkeit von der Komplexität der Umwandlung auf die Plattform, auf der das Programm läuft, abgestimmt sein kann.

In anderen Worten können Sie einige unterschiedliche Umwandlungsmethoden zur Verfügung stellen, aus denen Sie auswählen können, wenn Sie `List(Of Apples)` in `List(Of Oranges)` verwandeln wollen. Eine davon ist sehr stark an eine Umgebung mit einer Menge an Ressourcen angepasst, so dass sie schneller läuft. Eine andere Version könnte für minimalen Ressourcenverbrauch optimiert sein, aber ist dafür auch langsamer. Zur Laufzeit wird der richtige Konvertierungsdelegat erzeugt, um die Konvertierungsmethode an sich zu binden, die für den Job die logische ist.

12.2.6 Generische nullfähige Typen

In VB 2008 wurde die Unterstützung für nullfähige Typen verbessert, so dass sie einfacher anzuwenden und leichter zu lesen sind. Die nullfähigen Typen in VB wurden ausgebaut, um die Arithmetik der Nullpropagation zu unterstützen, während das Resultat automatisch, wo nötig, in `Nullable` umgewandelt wurde. Das .NET-Framework bietet die generische Klasse `System.Nullable(Of T)` an, die einen Extrawert enthalten kann, nämlich `Nothing`, was einem leeren oder nicht definierten Wert entspricht.

```vb
Imports System

Public Class Employee
```

```vb
    Public FirstName As String
    Public LastName As String
    Public StartDate As DateTime

    Public TerminationDate As Nullable(Of DateTime)
    Public SSN As Nullable(Of Long)

    Public Sub New(ByVal firstName As String, ByVal lastName As String, _
                   ByVal startDate As DateTime)
        Me.FirstName = firstName
        Me.LastName = lastName
        Me.StartDate = startDate

        Me.TerminationDate = Nothing
        Me.SSN = Nothing
    End Sub

End Class


Public Class EntryPoint
    Shared Sub Main()
        Dim emp As Employee = New Employee("Jodi", "Fouche", "10/22/1988")
        Dim tempSSN As Long

        emp.SSN = 123456789

        Console.WriteLine("{0} {1} started on {2}", _
            emp.FirstName, emp.LastName, emp.StartDate.ToShortDateString)

        If emp.SSN.HasValue Then
            tempSSN = emp.SSN
        End If
        Console.WriteLine("SSN: {0}", tempSSN)

        If emp.TerminationDate.HasValue Then
            Console.WriteLine("Termination Date: {0}", _
                              emp.TerminationDate.HasValue)
        Else
            Console.WriteLine(emp.FirstName + " " + emp.LastName + _
                              " is still active.")
        End If
    End Sub
End Class
```

Der Code produziert folgendes Ergebnis:

```
Jodi Fouche started on 10/22/1988
SSN: 123456789
Jodi Fouche is still active.
```

Der vorige Code demonstriert, wie ein nullfähiger Typ deklariert wird. Die nullfähigen Felder im Typ `Employee` werden deklariert, indem die Typen `System.Nullable(Of DateTime)` und `System.Nullable(Of Long)` verwendet werden. Eines der Properties von `Nullable(Of T)` ist `HasValue`, das den Wert `True` zurückgibt, wenn der nullfähige Wert nicht `Nothing` ist; andernfalls gibt es `False` aus.

Eine andere Sache, die man bedenken sollte, wenn nullfähige Typen verwendet werden, ist die Zuordnung. Im Konstruktor für `Employee` können Sie sehen, dass Sie `Nothing` zuerst den nullfähigen Typen zuordnen. Der Compiler benutzt eine implizite Konvertierung für den Wert `Nothing`. Letztlich müssen Sie überlegen, was es bedeutet, einen nullfähigen Typ an einen nicht-nullfähigen Typ zuzuweisen. Zum Beispiel wollen Sie in der Methode `Main` den Wert `tempSSN` zuweisen auf der Basis des Werts von `emp.ssn`. Da aber `emp.ssn` nullfähig ist, was sollte `tempSSN` zugewiesen werden, wenn `emp.ssn` keinen Wert haben sollte? Sie können das Property `HasValue` benutzen, um `emp.ssn` zu inspizieren und es einem anderen Wert zuzuordnen, falls es `Nothing` sein sollte.

Nullfähige Typen machen es ganz einfach, Werte in einem System zu repräsentieren, die semantisch Null sein können. Das ist hilfreich, wenn Sie Werte benutzen, die Felder in einem Datenbankfeld ausdrücken sollen, das den Wert Null annehmen kann.

12.2.7 Zugänglichkeit konstruierter Typen

Wenn Sie konstruierte Typen aus generischen erstellen, müssen Sie die Zugänglichkeit des generischen Typs und der Typen, die als Typargumente dienen, bedenken, um die Zugänglichkeit des gesamten konstruierten Typs zu bestimmen. Zum Beispiel ist der folgende Code ungültig und kann nicht kompiliert werden:

```
Public Class Outer
    Private Class Nested
    End Class

    Public Class GenericNested(Of T)
    End Class

    Private field1 As GenericNested(Of Nested)
    Public field2 As GenericNested(Of Nested) ' Ooops!
End Class
```

Das Problem besteht im Hinblick auf `field2`. Der Typ `Nested` ist privat, weswegen `GenericNested(Of Nested)` nicht öffentlich sein kann. Bei konstruierten Typen ist die Zugänglichkeit immer eine Kreuzung zwischen der Zugänglichkeit des generischen Typs und der Typen, die in der Argumentliste geliefert werden.

12.3 Beschränkungen

Die Mehrzahl der bisher gezeigten Beispiele für Generics hatte mit Klassen im Auflistungsstil zu tun, die eine Menge von Objekten oder Werten eines spezifischen Typs enthalten. Aber sehr häufig werden Sie generische Typen erstellen müssen, die Instanzen verschiedener Typen nicht nur enthalten, sondern diese Objekte auch direkt nutzen. Stellen Sie sich zum Beispiel vor, Sie hätten einen generischen Typ, der Instanzen mit beliebigen geometrischen Formen enthält, die alle ein Property namens `Area` (Flächeninhalt) implementieren. Stellen Sie sich vor, Sie brauchen den generischen Typ, um ein Property namens `TotalArea` zu implementieren, bei dem alle Flächeninhalte der enthaltenen Formen zusammengezählt werden. Die Garantie hier ist, dass jede geometrische Form in dem generischen Container das Property `Area` implementiert. Sie könnten dazu neigen, Code wie diesen zu schreiben:

```
Imports System
Imports System.Collections.Generic

Public Interface IShape
    ReadOnly Property Area() As Double
End Interface

Public Class Circle
    Implements IShape

    Private radius As Double


    Public Sub New(ByVal radius As Double)
        Me.radius = radius
    End Sub

    Public ReadOnly Property Area() As Double Implements IShape.Area
        Get
            Return 3.1415 * radius * radius
        End Get
    End Property
End Class


Public Class Rect
    Implements IShape
```

```
      Private width As Double
      Private height As Double

      Public Sub New(ByVal width As Double, ByVal height As Double)
          Me.width = width
          Me.height = height
      End Sub

      Public ReadOnly Property Area() As Double Implements IShape.Area
          Get
              Return width * height
          End Get
      End Property
End Class

Public Class Shapes(Of T)
      Private shapes As List(Of T) = New List(Of T)()

      Public ReadOnly Property TotalArea() As Double
          Get
              Dim acc As Double = 0
              For Each shape As T In shapes
                  'THIS WON'T COMPILE!!!
                  acc += shape.Area
              Next shape
              Return acc
          End Get
      End Property

      Public Sub Add(ByVal shape As T)
          shapes.Add(shape)
      End Sub
End Class

Public Class EntryPoint
      Shared Sub Main()
          Dim shapes As Shapes(Of IShape) = New Shapes(Of IShape)()

          shapes.Add(New Circle(2))
          shapes.Add(New Rect(3, 5))

          Console.WriteLine("Total Area: {0}", shapes.TotalArea)
      End Sub
End Class
```

Es gibt allerdings ein größeres Problem: Der Code lässt sich nicht kompilieren. Die problematische Codezeile befindet sich innerhalb des `TotalArea`-Properties von `Shapes(Of T)`. Der Compiler beklagt sich mit der folgenden Fehlermeldung:

```
Error 1        'Area' is not a member of 'T'.
```

Der enthaltene Typ `T` muss also das Property `Area` unterstützen. Das hört sich sehr nach einem Kontrakt an, und es ist auch einer. Generics sind in ihrer Natur dynamisch und nicht statisch, weswegen Sie denselben Effekt nicht ohne zusätzliche Informationen erzielen können. Wann immer Sie das Wort *Kontrakt* in der Welt von VB hören, werden Sie wahrscheinlich zunächst an Interfaces denken. Daher haben wir uns entschieden, dass die beiden Formen das Interface `IShape` implementieren müssen. So definiert das Interface `IShape` den Kontrakt und die Formen implementieren diesen Kontrakt. Das ist aber noch nicht genug, damit der Compiler den vorherigen Code kompilieren kann.

Generics brauchen eine Möglichkeit, um die Regel durchsetzen zu können, dass der Typ `T` einen spezifischen Kontrakt zur Laufzeit unterstützt, da die konstruierten Typen dynamisch zur Laufzeit gebildet werden. Ein weiterer Versuch, das Problem zu lösen, könnte folgendermaßen aussehen:

```
Public Class Shapes(Of T)
    Private shapes As List(Of T) = New List(Of T)()

    Public ReadOnly Property TotalArea() As Double
        Get
            Dim acc As Double = 0
            For Each shape As T In shapes
                'LASSEN SIE DAVON DIE FINGER!
                Dim theShape As IShape = CType(shape, IShape)
                acc += theShape.Area
            Next shape
            Return acc
        End Get
    End Property

    Public Sub Add(ByVal shape As T)
        shapes.Add(shape)
    End Sub
End Class
```

Diese Modifikation von `Shapes(Of T)` kompiliert tatsächlich und funktioniert auch die meiste Zeit. Dieses Generic hat jedoch aufgrund der Typenfestlegung in der `For...Each`-Schleife an Wert verloren. Stellen Sie sich einfach vor, Sie versuchen einen konstruierten Typen `Shapes(Of Integer)` zu erstellen. Der Compiler erfüllt Ihnen diesen Wunsch. Aber was würde passieren, wenn Sie versuchen, das Property `TotalArea` von einer Instanz von `Shapes(Of Integer)` zu bekommen? Wie erwartet, würden Sie zur Laufzeit eine Ausnahme erhalten, da der Accessor des Properties `TotalArea` versucht, einen Integer-Wert in ein `IShape` zu gießen. Einer der hauptsächlichen Vorteile bei der Verwendung von Generics ist die bessere Typsicherheit, aber in diesem Fall werfen Sie die Typsicherheit geradewegs aus dem Fenster. Was sollen wir also tun? Die Antwort liegt in einem Konzept namens *Generic Constraints*. Betrachten Sie die folgende Implementierung:

```
Public Class Shapes(Of T As IShape)
    Private shapes As List(Of T) = New List(Of T)()

    Public ReadOnly Property TotalArea() As Double
        Get
            Dim acc As Double = 0

            For Each shape As T In shapes
                acc += shape.Area
            Next shape

            Return acc
        End Get
    End Property

    Public Sub Add(ByVal shape As T)
        shapes.Add(shape)
    End Sub
End Class
```

Beachten Sie die Passage in der ersten Zeile der Klassendeklaration, die das Schlüsselwort `As` benutzt. Diese besagt: »Definiere die Klasse `Shapes(Of T)`, wobei `T` das Interface `IShape` implementieren muss.« Nun hat der Compiler alles, was er braucht, um die Typsicherheit durchzusetzen, und der JIT-Compiler hat alles, um funktionierenden Code zur Laufzeit zu generieren. Dem Compiler wurde ein Tipp gegeben, der ihm hilft, Sie mit einem Fehler zur Kompilierzeit zu benachrichtigen, wenn Sie versuchen, konstruierte Typen zu erstellen, bei denen `IShape` nicht von `T` implementiert wird. Jede Anzahl von Interfaces darf, gelistet in geschweiften Klammern, nach dem Typparameter in der `As`-Passage aufgeführt werden, aber nur maximal eine Klasse. Die Restriktion ergibt intuitiv Sinn, da ein gegebener Typ nur von einer Klasse abgeleitet sein darf, aber eine unbegrenzte Anzahl von Interfaces implementieren kann.

Zusätzlich kann nur eine Beschränkung einen Klassentyp benennen (da die CLR das Konzept der vielfachen Vererbung nicht kennt), weswegen dieser Constraint als *Primary Constraint* bezeichnet wird. Anstatt einen Klassennamen zu spezifizieren, kann der primäre Constraint die besonderen Worte `Class` oder `Structure` auflisten. Dies wird verwendet, um darauf hinzuweisen, dass der Typparameter eine Klasse oder eine Struktur sein muss. Die Passage mit dem Constraint kann dann so viele sekundäre Beschränkungen wie nötig enthalten, und dies ist für gewöhnlich eine Liste von Interfaces. Zuletzt können Sie ein Konstruktor-Constraint auflisten, das die Form `New` hat.

Dies schränkt den parametrisierten Typen derart ein, dass er einen standardmäßigen, parameterlosen Konstruktor benötigt. Klassentypen müssen einen explizit definierten Standardkonstruktor haben, während der Constraint New für Werttypen automatisch ist, da sie einen systemgenerierten Standardkonstruktor haben. Schauen wir uns ein Beispiel mit zwei Constraint-Passagen an:

```
Imports System
Imports System.Collections.Generic

Public Interface IValue
    'Methoden von IValue.
End Interface

Public Class MyDictionary(Of TKey As _
    {Structure, IComparable(Of TKey)}, TValue As {IValue, New})

    Private imp As Dictionary(Of TKey, TValue) = New Dictionary(Of TKey,
TValue)()

    Public Sub Add(ByVal key As TKey, ByVal val As TValue)
        imp.Add(key, val)
    End Sub
End Class
```

Sie deklarieren MyDictionary(Of TKey, Of TValue) so, dass der Schlüsselwert auf Werttypen beschränkt ist. Sie wollen, dass diese Schlüsselwerte miteinander vergleichbar sind, also brauchen Sie den Typ TKey, um IComparable(Of TKey) zu implementieren. Dieses Beispiel zeigt zwei Klauseln mit Beschränkungen, eine für jeden Typparameter. In diesem Fall erlauben Sie dem Typ TValue, entweder eine Struktur oder eine Klasse zu sein, aber Sie verlangen, dass er das definierte Interface IValue sowie den Standardkonstruktor unterstützt.

In dem Maß, in dem die Sprache und die CLR sich entwickeln, wird das Gebiet der Constraints wahrscheinlich noch einige Zugaben erhalten, da immer mehr Anwendungen für Generics sondiert werden. Zuletzt ist das Format für Constraints bei generischen Interfaces identisch zu dem von generischen Klassen und Strukturen.

12.4 Generische System-Collections

Es scheint so, als liege die natürlichste Verwendung von Generics in VB und bei der CLR bei Auflistungstypen. Vielleicht ist es deshalb so, weil Sie ein großes Maß an Effizienz gewinnen können, wenn Sie generische Behälter benutzen, um Werttypen zu enthalten, als wenn Sie Typen aus dem Namensraum System.Collections verwenden. Natürlich darf man auch die zusätzliche Typsicherheit, die mit generischen Collections kommt, auch nicht gering schätzen. Jedes Mal, wenn Sie zusätzliche Typsicherheit bekommen, erhalten Sie auch garantiert weniger Exceptions bei Typkonvertierungen zur Laufzeit, da der Compiler schon viele davon zur Kompilierzeit abfangen kann.

Wir ermuntern Sie ausdrücklich dazu, sich die Dokumentation des .NET-Frameworks für den Namensraum System.Collections.Generic anzusehen. Dort finden Sie alle generischen Auflistungsklassen, die das Framework zur Verfügung stellt. In dem Namensraum befinden sich unter anderem Dictionary(Of TKey, TValue), LinkedList(Of T), List(Of T), Queue(Of T), SortedDictionary(Of TKey, TValue), SortedList(Of T) und Stack(Of T).

Wie Sie schon an den Namen sehen, sollte Ihnen die Verwendung dieser Typen vertraut vorkommen, wenn Sie sie mit den nicht-generischen Klassen unter System.Collections vergleichen. Obwohl die Sammlung von Containern in dem Namensraum System.Collections.Generic vielleicht für Ihre Zwecke nicht ganz komplett ist, öffnet sie doch die Möglichkeit, Ihre eigenen Collections zu erstellen, vor allem, wenn man sich die ausbaufähigen Typen in System.Collections.ObjectModel ansieht.

Wenn Sie Ihre eigenen Sammlungstypen erstellen, werden Sie die enthaltenen Typen oft vergleichen wollen. Während es sich natürlich anfühlt, die eingebauten Operatoren für Gleichheit und Ungleichheit zu verwenden, um den Vergleich vorzunehmen, sollten Sie diese jedoch meiden. Denn die Unterstützung von Operatoren durch Klassen und Strukturen ist zwar möglich, aber nicht Teil der Common Language Specification (CLS). Manche Sprachen haben keine Unterstützung für Operatoren. Daher muss Ihr Container für den Fall vorbereitet sein, dass er Typen enthält, die die Vergleichsoperatoren nicht unterstützen. Das ist einer der Gründe, warum es Interfaces wie IComparer und IComparable gibt.

Wenn Sie eine Instanz des Typs SortedList innerhalb von System.Collections erstellen, haben Sie die Möglichkeit, eine Instanz eines Objekts anzubieten, die IComparer unterstützt. Die SortedList benutzt dann dieses Objekt, wenn sie zwei Schlüsselinstanzen miteinander vergleichen muss, die sie enthält. Wenn Sie kein Objekt zur Verfügung stellen, das IComparer unterstützt, sucht SortedList nach einem IComparable-Interface bei den enthaltenen Schlüsselobjekten, um den Vergleich ausführen zu können. Natürlich müssen Sie einen expliziten Vergleicher zur Verfügung stellen, wenn die enthaltenen Schlüsselobjekte IComparable nicht unterstützen. Die überladenen Versionen des Konstruktors, die einen IComparer-Typ unterstützen, existieren speziell für diesen Fall.

Die generische Version der sortierten Liste, SortedList(Of TKey, TValue), folgt demselben Muster. Wenn Sie eine SortedList(Of TKey, TValue) erstellen, haben Sie die Option, ein Objekt bereitzustellen, das das Interface IComparer(Of T) implementiert, damit es zwei Schlüsselwerte vergleicht. Wenn sie keines zur Verfügung stellen, benutzt SortedList(Of TKey, TValue) den sogenannten *generischen Vergleicher* (generic comparer). Der generische Vergleicher ist einfach ein Objekt, das sich von der Klasse Comparer(Of T) ableitet und durch das Property Comparer(Of T).Default erworben werden kann. Ausgehend von der nicht-generischen SortedList, könnten Sie denken, dass, wenn der Ersteller von SortedList(Of TKey, TValue) keinen

Vergleicher anbietet, er einfach beim enthaltenen Schlüsseltyp nach `IComparable(Of T)` suchen wird. Dieser Ansatz würde aber Probleme bereiten, da der enthaltene Schlüsseltyp entweder `IComparable(Of T)` oder das nicht-generische `IComparable` unterstützt. Daher agiert der Standardvergleicher als eine zusätzliche indirekte Ebene. Der Standardvergleicher prüft, ob der Typ, der im Typparameter bereitgestellt wird, `IComparable(Of T)` implementiert. Ist dies nicht der Fall, prüft er, ob der Typ `IComparable` unterstützt, und benutzt den ersten, den er findet. Die Benutzung dieser zusätzlichen indirekten Ebene sorgt für größere Flexibilität in Bezug auf die enthaltenen Typen. Schauen wir ein Beispiel an, das dies illustriert:

```
Imports System
Imports System.Collections.Generic

Public Class EntryPoint
    Shared Sub Main()
        Dim list1 As SortedList(Of Integer, String) = _
            New SortedList(Of Integer, String)()

        Dim list2 As SortedList(Of Integer, String) = _
            New SortedList(Of Integer, String)(Comparer(Of
Integer).Default)

        list1.Add(1, "one")
        list1.Add(2, "two")
        list2.Add(3, "three")
        list2.Add(4, "four")
    End Sub
End Class
```

Sie deklarieren zwei Instanzen von `SortedList(Of TKey, TValue)`. In der ersten Instanz benutzen sie den Standardkonstruktor, und in der zweiten stellen Sie explizit einen Vergleicher für `Integer`-Werte zur Verfügung. In beiden Fällen ist das Ergebnis dasselbe, da Sie den standardmäßigen generischen Vergleicher im Konstruktor `list2` bereitstellen. Hier können Sie die Syntax sehen, mit der der standardmäßige generische Vergleicher übergeben wird. Sie hätten ebenso einfach jeden anderen Typ für `Comparer` in die Typparameterliste einfügen können, solange er entweder `IComparable` oder `IComparable(Of T)` unterstützt.

12.5 Ausgewählte Probleme und Lösungen

Dieser Abschnitt illustriert einige Beispiele für generische Typen, die einige nützliche Techniken für die Erstellung generischen Codes zeigen. Beim Lernen, wie Generics effektiv eingesetzt werden können, wird es von Zeit zu Zeit zu einigen Überraschungen kommen und es wird mitunter ein etwas unnatürlicher und verworrener Weg nötig sein, um Dinge zu erledigen, die eigentlich vom Konzept her geradlinig und natürlich erscheinen.

12.5.1 Konvertierung und Operatoren in generischen Typen

Von einem Typ zum anderen zu konvertieren oder Operatoren bei parametrisierten Typen anzuwenden kann bei Generics knifflig sein. Um dies zu illustrieren, entwickeln wir eine generische Struktur mit dem Namen `Complex`, die eine komplexe Zahl repräsentiert. Stellen wir uns vor, Sie wollen bestimmen, welcher Werttyp intern verwendet wird, um die realen und imaginären Anteile einer komplexen Zahl darzustellen. Dieses Beispiel ist ein bisschen konstruiert, da Sie die Komponenten einer komplexen Zahl normalerweise mit so etwas wie `System.Double` darstellen würden. Um des Beispiels willen stellen wir uns jedoch vor, dass Sie die Komponenten mit Hilfe von `System.Int64` repräsentieren möchten. Um während der Diskussion die störenden Elemente zu reduzieren und uns auf die Problemstellung mit Blick auf die Generics konzentrieren zu können, ignorieren wir die vorschriftsmäßigen Konstrukte, die eine generische `Complex`-Struktur implementieren sollte.

Sie könnten beginnen, indem Sie die `Complex`-Struktur wie folgt definieren:

```
Imports System

Public Structure Complex(Of T As Structure)
    Private mReal As T
    Private mImaginary As T

    Public Sub New(ByVal real As T, ByVal imaginary As T)
        Me.mReal = real
        Me.mImaginary = imaginary
    End Sub

    Public Property Real() As T
        Get
            Return mReal
        End Get
        Set(ByVal value As T)
            mReal = value
        End Set
    End Property

    Public Property Img() As T
        Get
            Return mImaginary
        End Get
        Set(ByVal value As T)
            mImaginary = value
        End Set
```

```
    End Property
End Structure

Public Class EntryPoint
    Shared Sub Main()
        Dim c As Complex(Of Int64) = New Complex(Of Int64)(4, 5)
    End Sub
End Class
```

Das ist schon mal ein guter Anfang, aber wir können diesen Werttyp noch etwas nützlicher gestalten. Sie könnten einen Vorteil haben, wenn Sie ein Property mit den Namen Magnitude hätten, das die Quadratwurzel des Produktes aus der Multiplikation der beiden Komponenten zurückgibt. Versuchen wir so ein Property herzustellen:

```
Imports System

Public Structure Complex(Of T As Structure)
    Private mReal As T
    Private mImaginary As T

    Public Sub New(ByVal real As T, ByVal imaginary As T)
        Me.mReal = real
        Me.mImaginary = imaginary
    End Sub

    Public Property Real() As T
        Get
            Return mReal
        End Get
        Set(ByVal value As T)
            mReal = value
        End Set
    End Property

    Public Property Img() As T
        Get
            Return mImaginary
        End Get
        Set(ByVal value As T)
            mImaginary = value
        End Set
    End Property


    Public ReadOnly Property Magnitude() As T
        Get
            'This will not compile.
```

```
            Return Math.Sqrt(mReal * mReal + mImaginary * mImaginary)
        End Get
    End Property

End Structure

Public Class EntryPoint
    Shared Sub Main()
        Dim c As Complex(Of Int64) = New Complex(Of Int64)(4, 5)

        Console.WriteLine("Magnitude is {0}", c.Magnitude)
    End Sub
End Class
```

Wenn Sie versuchen, diesen Code zu kompilieren, dürften Sie von dieser Fehlermeldung überrascht sein:

```
Error  1      Operator '*' is not defined for types 'T' and 'T'.
```

Das ist ein perfektes Beispiel für das Problem, das bei der Verwendung von Operatoren in generischem Code entsteht. Das Problem beim Kompilieren leitet sich von der Tatsache her, dass Sie generischen Code auf generische Weise kompilieren müssen, um dem Umstand Rechnung zu tragen, dass konstruierte Typen, die zur Laufzeit aus einem Werttyp gebildet werden, den Operator eventuell nicht unterstützen. In diesem Fall kann der Compiler unmöglich wissen, ob der Typ, der für T in einem konstruierten Typ vorgegeben wird, ab einem gewissen Punkt in der Zukunft den Multiplikationsoperator überhaupt unterstützt. Was also tun? Eine verbreitete Technik ist es, die Operation von der Definition Complex(Of T) zu externalisieren. Dann muss der Benutzer der Definition die Operation zur Verfügung stellen. Ein Delegat ist dafür das perfekte Werkzeug, wie das folgende Beispiel zeigt:

```
Imports System

Public Structure Complex(Of T As {Structure, IConvertible})
    ' Delegat für die Ausführung der Multiplikation.
    Public Delegate Function BinaryOp(ByVal val1 As T, ByVal val2 As T) As
T

    Private mReal As T
    Private mImaginary As T
    Private mult As BinaryOp
    Private add As BinaryOp
    Private convToT As Converter(Of Double, T)

    Public Sub New(ByVal real As T, ByVal imaginary As T, ByVal mult As
BinaryOp, _
        ByVal add As BinaryOp, ByVal convToT As Converter(Of Double, T))
```

```
        Me.mReal = real
        Me.mImaginary = imaginary
        Me.mult = mult
        Me.add = add
        Me.convToT = convToT
    End Sub

    Public Property Real() As T
        Get
            Return mReal
        End Get
        Set(ByVal value As T)
            mReal = value
        End Set
    End Property

    Public Property Img() As T
        Get
            Return mImaginary
        End Get
        Set(ByVal value As T)
            mImaginary = value
        End Set
    End Property

    Public ReadOnly Property Magnitude() As T
        Get
            Dim mMagnitude As Double = _
                Math.Sqrt(Convert.ToDouble(add(mult(mReal, mReal), _
                mult(mImaginary, mImaginary))))

            Return convToT(mMagnitude)
        End Get
    End Property
End Structure

Public Class EntryPoint
    Shared Sub Main()
        Dim c As Complex(Of Int64) = New Complex(Of Int64)(4, 5, _
            AddressOf MultiplyInt64, AddressOf AddInt64, AddressOf
DoubleToInt64)

        Console.WriteLine("Magnitude is {0}", c.Magnitude)
    End Sub
```

```
Private Shared Function MultiplyInt64(ByVal val1 As Int64, _
    ByVal val2 As Int64) As Int64

    Return val1 * val2
End Function

Private Shared Function AddInt64(ByVal val1 As Int64, _
    ByVal val2 As Int64) As Int64

    Return val1 + val2
End Function

Private Shared Function DoubleToInt64(ByVal d As Double) As Int64
    Return Convert.ToInt64(d)
End Function
End Class
```

Das vorige Beispiel gibt den folgenden Wert für `Magnitude` zurück:

```
Magnitude is 6
```

Sie könnten sich beim Blick auf den Code die Augen reiben und sich wundern, warum die Komplexität so viel höher ist, wenn Sie nur versuchen, die Größenordnung der komplexen Zahl zu finden. Wie schon erwähnt, müssen Sie einen Delegaten bereitstellen, um die Multiplikation außerhalb des generischen Typs vorzunehmen. Daher definieren Sie den Delegaten `Complex(Of T).Multiply`. Zur Konstruktionszeit muss dem Konstruktor von `Complex(Of T)` ein dritter Parameter übergeben werden, der eine Methode referenziert, auf die sich der Delegat für die Multiplikation beziehen kann. In diesem Fall nimmt `EntryPoint.MultiplyInt64` die Multiplikation vor. Wenn also das Property `Magnitude` die Komponenten multiplizieren muss, muss es den Delegaten anstelle des Multiplikationsoperators verwenden. Wenn der Delegat aufgerufen wird, läuft dies natürlich auf einen Aufruf des Multiplikationsoperators hinaus. Die Anwendung des Operators findet jetzt aber effektiv außerhalb des generischen Typs `Complex(Of T)` statt.

Zweifellos haben Sie die zusätzliche Komplexität für die Property-Zugriffsmethode erkannt. Zuerst akzeptiert `Math.Sqrt` einen Typ von `System.Double`. Das erklärt den Aufruf der Methode `Convert.ToDouble`. Und um sicherzustellen, dass die Dinge glatt laufen, fügen Sie `T` eine Beschränkung hinzu, damit der Typ `IConvertible` unterstützt. Aber Sie sind damit noch nicht fertig. `Math.Sqrt` gibt einen Wert vom Typ `System.Double` zurück und Sie müssen diesen Wert zurückverwandeln in den Typ `T`. Um dies zu erreichen, können Sie sich nicht auf die Klasse `System.Convert` verlassen, da Sie nicht wissen, welchen Typ Sie zur Kompilierzeit konvertieren. Wieder einmal müssen Sie eine Operation externalisieren, in diesem Fall eine Konvertierung. Dies ist ein Grund, warum das Framework den Delegaten `Converter(Of TInput, TOutput)` definiert. In diesem Fall braucht `Complex(Of T)` den Konvertierungsdelegaten

`Converter(Of Double, T)`. **Zur Konstruktionszeit müssen Sie eine Methode für diesen Delegaten übergeben, die dieser Delegat aufrufen kann, in diesem Falle** `EntryPoint.DoubleToInt64`. **Nun funktioniert das Property** `Complex(Of T).Magnitude` **endlich wie erwartet.**

Sagen wir, Sie möchten, dass Instanzen von `Complex(Of T)` als Schlüsselwerte in einem generischen Typ der Art `SortedList(Of TKey, TValue)` genutzt werden. Damit das funktioniert, muss `Complex(Of T)` das Interface `IComparable(Of T)` implementieren. Schauen wir mal, was Sie tun müssen, damit das Wirklichkeit werden kann:

```
Imports System

Public Structure Complex(Of T As {Structure, IConvertible, IComparable})
    Implements IComparable(Of Complex(Of T))


    'Delegat für die Multiplikation.
    Public Delegate Function BinaryOp(ByVal val1 As T, ByVal val2 As T) As
T

    Private mReal As T
    Private mImaginary As T
    Private mult As BinaryOp
    Private add As BinaryOp
    Private convToT As Converter(Of Double, T)

    Public Sub New(ByVal real As T, ByVal imaginary As T, ByVal mult As
BinaryOp, _
        ByVal add As BinaryOp, ByVal convToT As Converter(Of Double, T))

        Me.mReal = real
        Me.mImaginary = imaginary
        Me.mult = mult
        Me.add = add
        Me.convToT = convToT
    End Sub

    Public Property Real() As T
        Get
            Return mReal
        End Get
        Set(ByVal value As T)
            mReal = value
        End Set
    End Property

    Public Property Img() As T
        Get
```

```
                Return mImaginary
            End Get
            Set(ByVal value As T)
                mImaginary = value
            End Set
        End Property


        Public ReadOnly Property Magnitude() As T
            Get
                Dim mMagnitude As Double = _
                    Math.Sqrt(Convert.ToDouble(add(mult(mReal, mReal), _
                    mult(mImaginary, mImaginary))))

                Return convToT(mMagnitude)
            End Get
        End Property


        Public Function CompareTo(ByVal other As Complex(Of T)) As Integer _
            Implements IComparable(Of Complex(Of T)).CompareTo

            Return Magnitude.CompareTo(other.Magnitude)
        End Function
    End Structure

Public Class EntryPoint
    Shared Sub Main()
        Dim c As Complex(Of Int64) = New Complex(Of Int64)(4, 5, _
            AddressOf MultiplyInt64, AddressOf AddInt64, AddressOf
DoubleToInt64)

        Console.WriteLine("Magnitude is {0}", c.Magnitude)
    End Sub

    Private Shared Function MultiplyInt64(ByVal val1 As Int64, _
        ByVal val2 As Int64) As Int64

        Return val1 * val2
    End Function

    Private Shared Function AddInt64(ByVal val1 As Int64, _
        ByVal val2 As Int64) As Int64

        Return val1 + val2
    End Function

    Private Shared Function DoubleToInt64(ByVal d As Double) As Int64
```

```
        Return Convert.ToInt64(d)
    End Function
End Class
```

Diese Implementierung des Interfaces `IComparable(Complex(Of T))` geht davon aus, dass zwei Typen von `Complex(Of T)` äquivalent sind, wenn sie die gleiche Größenordnung haben. Daher ist die Hauptarbeit, die für den Vergleich nötig ist, bereits getan. Anstatt sich jetzt aber auf den Ungleichheitsoperator in VB verlassen zu können, müssen Sie einen Mechanismus verwenden, der nicht auf Operatoren vertraut. In diesem Fall benutzen Sie die Methode `CompareTo()`. Dafür ist es natürlich notwendig, dem Typ `T` eine andere Beschränkung aufzuzwingen: dass er nämlich das nicht-generische Interface `IComparable` unterstützen muss.

Eine bemerkenswerte Sache ist, dass der vorige Constraint auf dem nicht-generischen Interface `IComparable` es dem `Complex(of T)` etwas schwierig macht, generische Strukturen zu enthalten, weil generische Strukturen stattdessen `IComparable(Of T)` unterstützen könnten. In der Tat ist es angesichts der aktuellen Definition unmöglich, einen Typ von `Complex(Of Complex(Of Integer))` zu definieren. Es wäre schön, wenn Sie `Complex(Of T)` aus Typen konstruieren könnten, die `IComparable(Of T)` oder `IComparable` oder beides implementieren. Schauen wir uns mal an, wie Sie das anstellen können:

```
Imports System
Imports System.Collections.Generic

Public Structure Complex(Of T As Structure)
    Implements IComparable(Of Complex(Of T))

    ' Delegat für die Multiplikation.
    Public Delegate Function BinaryOp(ByVal val1 As T, ByVal val2 As T) As
T

    Private mReal As T
    Private mImaginary As T
    Private mult As BinaryOp
    Private add As BinaryOp
    Private convToT As Converter(Of Double, T)

    Public Sub New(ByVal real As T, ByVal imaginary As T, ByVal mult As
BinaryOp, _
        ByVal add As BinaryOp, ByVal convToT As Converter(Of Double, T))

        Me.mReal = real
        Me.mImaginary = imaginary
        Me.mult = mult
        Me.add = add
        Me.convToT = convToT
```

```
        End Sub

    Public Property Real() As T
        Get
            Return mReal
        End Get
        Set(ByVal value As T)
            mReal = value
        End Set
    End Property

    Public Property Img() As T
        Get
            Return mImaginary
        End Get
        Set(ByVal value As T)
            mImaginary = value
        End Set
    End Property


    Public ReadOnly Property Magnitude() As T
        Get
            Dim mMagnitude As Double = _
                Math.Sqrt(Convert.ToDouble(add(mult(mReal, mReal), _
                mult(mImaginary, mImaginary)))))

            Return convToT(mMagnitude)
        End Get
    End Property

    Public Function CompareTo(ByVal other As Complex(Of T)) As Integer _
        Implements IComparable(Of Complex(Of T)).CompareTo

        Return Comparer(Of T).Default.Compare(Me.Magnitude,
other.Magnitude)
    End Function
End Structure

Public Class EntryPoint
    Shared Sub Main()
        Dim c As Complex(Of Int64) = New Complex(Of Int64)(4, 5, _
            AddressOf MultiplyInt64, AddressOf AddInt64, AddressOf
DoubleToInt64)

        Console.WriteLine("Magnitude is {0}", c.Magnitude)
    End Sub
```

```
    Private Shared Sub DummyMethod(ByVal c As Complex(Of Complex(Of
Integer)))
    End Sub

    Private Shared Function MultiplyInt64(ByVal val1 As Int64, _
        ByVal val2 As Int64) As Int64

        Return val1 * val2
    End Function

    Private Shared Function AddInt64(ByVal val1 As Int64, _
        ByVal val2 As Int64) As Int64

        Return val1 + val2
    End Function

    Private Shared Function DoubleToInt64(ByVal d As Double) As Int64
        Return Convert.ToInt64(d)
    End Function
End Class
```

In diesem Beispiel müssen Sie den Constraint auf `T` entfernen, der die Implementierung des Interfaces `IComparable` verlangt. Stattdessen verlässt sich die Methode `CompareTo` auf den standardmäßigen generischen Vergleicher, der im Namensraum `System.Collections.Generic` definiert ist.

> **Tipp:** Die generische Vergleichsklasse `Comparer(Of T)` führt hinsichtlich des Vergleichs von zwei Instanzen eine weitere indirekte Ebene in Form einer Klasse ein. Effektiv externalisiert sie die Vergleichbarkeit der Instanzen. Wenn Sie eine benutzerdefinierte Implementierung von `IComparer` brauchen, sollten Sie sie von `Comparer(of T)` ableiten.

Zusätzlich müssen Sie die `IConvertible`-Beschränkung auf `T` beseitigen, damit `DummyMethod()` kompiliert werden kann. Das liegt daran, dass `Complex(Of T)` das Interface `IConvertible` nicht implementiert, und wenn `T` mit `Complex(Of T)` ersetzt wird – und so `Complex(Complex(Of T))` erzeugt – implementiert `T` `IConvertible` nicht.

> **Tipp:** Wenn Sie generische Typen erzeugen, versuchen Sie nicht, zu restriktiv zu sein, indem Sie den enthaltenen Typen zu viele Beschränkungen auferlegen. Zwingen Sie zum Beispiel nicht alle enthaltenen Typen dazu, `IConvertible` zu implementieren. Sehr häufig können Sie solche Constraints externalisieren, indem Sie ein Helferobjekt verwenden, das mit einem Delegaten gekoppelt ist.

Denken Sie einen Moment über die Entfernung dieser Beschränkung nach. In dem Property `Magnitude` verlassen Sie sich auf die Methode `Convert.ToDouble`. Da Sie aber die Beschränkung entfernt haben, existiert die Möglichkeit, eine Ausnahme zur Laufzeit zu erhalten – etwa wenn der Typ, den `T` repräsentiert, `IConvertible` nicht implementiert. Da Generics darauf ausgelegt sind, die Typsicherheit zu verbessern und Ihnen helfen, Laufzeitfehler zu vermeiden, muss es einen besseren Weg geben. Es gibt einen, und Sie können es besser machen, indem Sie `Complex(Of T)` einen anderen Konverter in Form des Delegaten `Convert(Of T, Double)` im Konstruktor an die Hand geben, wie hier:

```
Imports System
Imports System.Collections.Generic

Public Structure Complex(Of T As Structure)
    Implements IComparable(Of Complex(Of T))

    'Delegat für die Multiplikation.
    Public Delegate Function BinaryOp(ByVal val1 As T, ByVal val2 As T) As
T

    Private mReal As T
    Private mImaginary As T
    Private mult As BinaryOp
    Private add As BinaryOp
    Private convToT As Converter(Of Double, T)
    Private convToDouble As Converter(Of T, Double)


    Public Sub New(ByVal real As T, ByVal imaginary As T, ByVal mult As _
BinaryOp, _
        ByVal add As BinaryOp, ByVal convToT As Converter(Of Double, T), _
        ByVal convToDouble As Converter(Of T, Double))

        Me.mReal = real
        Me.mImaginary = imaginary
        Me.mult = mult
        Me.add = add
        Me.convToT = convToT
        Me.convToDouble = convToDouble
    End Sub

    Public Property Real() As T
        Get
            Return mReal
        End Get
        Set(ByVal value As T)
            mReal = value
```

```vbnet
        End Set
    End Property

    Public Property Img() As T
        Get
            Return mImaginary
        End Get
        Set(ByVal value As T)
            mImaginary = value
        End Set
    End Property

    Public ReadOnly Property Magnitude() As T
        Get
            Dim mMagnitude As Double = _
                Math.Sqrt(convToDouble(add(mult(mReal, mReal), _
                mult(mImaginary, mImaginary))))

            Return convToT(mMagnitude)
        End Get
    End Property

    Public Function CompareTo(ByVal other As Complex(Of T)) As Integer _
        Implements IComparable(Of Complex(Of T)).CompareTo

        Return Comparer(Of T).Default.Compare(Me.Magnitude, _
other.Magnitude)
    End Function
End Structure

Public Class EntryPoint
    Shared Sub Main()
        Dim c As Complex(Of Int64) = New Complex(Of Int64)(4, 5, _
            AddressOf MultiplyInt64, AddressOf AddInt64, AddressOf
DoubleToInt64, _
            AddressOf Int64ToDouble)

        Console.WriteLine("Magnitude is {0}", c.Magnitude)
    End Sub

    Private Shared Sub DummyMethod(ByVal c As Complex(Of Complex(Of
Integer)))
    End Sub

    Private Shared Function MultiplyInt64(ByVal val1 As Int64, _
        ByVal val2 As Int64) As Int64
```

```
        Return val1 * val2
    End Function


    Private Shared Function AddInt64(ByVal val1 As Int64, _
        ByVal val2 As Int64) As Int64


        Return val1 + val2
    End Function


    Private Shared Function DoubleToInt64(ByVal d As Double) As Int64
        Return Convert.ToInt64(d)
    End Function


    Private Shared Function Int64ToDouble(ByVal i As Int64) As Double
        Return Convert.ToDouble(i)
    End Function
End Class
```

Nun kann der Typ `Complex(Of T)` Strukturen jeder Art enthalten, egal ob generisch oder nicht. Sie müssen ihn aber mit den nötigen Mitteln versorgen, damit er in der Lage ist, nach und von `Double` zu konvertieren. Ebenso muss er die Typen, aus denen er besteht, multiplizieren und addieren können. Diese Struktur `Complex (Of T)` ist in keiner Weise als Referenz für die Repräsentation komplexer Zahlen gedacht. Es ist vielmehr ein konstruiertes Beispiel, das viele der Belange illustriert, mit denen Sie es zu tun haben, wenn Sie effektive generische Typen erstellen wollen. Sie sehen einige dieser Techniken in der Praxis, wenn Sie mit den generischen Containern umgehen, die in der Framework Class Library existieren.

12.5.2 Konstruierte Typen dynamisch erzeugen

In Anbetracht der dynamischen Natur der CLR und der Tatsache, dass Sie tatsächlich Klassen und Code zur Laufzeit generieren können, ist es nur natürlich, über die Möglichkeit nachzudenken, geschlossene Typen aus Generics zur Laufzeit zu erzeugen. Bis jetzt haben die Beispiele in diesem Buch nur die Erzeugung geschlossener Typen zur Kompilierzeit behandelt.

Diese Funktionalität stammt von einer natürlichen Erweiterung der Metadaten-Spezifikation, um die Generics unterbringen zu können. Der Typ `System.Type` ist der Eckstein der Funktionalität, wann immer Sie dynamisch mit Typen in der CLR arbeiten müssen, und er wurde erweitert, um auch mit Generics zu arbeiten. Manche der neuen Methoden in `System.Type` erklären sich vom Namen her selbst und schließen `GetGenericArguments()`, `GetGenericParameterConstraints()` und `GetGenericTypeDefinition()` ein. Diese Methoden sind hilfreich, wenn Sie schon eine Instanz von `System.Type` haben, die einen geschlossenen Typ repräsentiert. Die Methode, die die Dinge interessant macht, ist jedoch `MakeGenericType()`, die es Ihnen erlaubt, einen Array von `System.Type`-Objekten zu übergeben. Diese repräsentieren die Typen, die in der Parameterliste für den resultierenden konstruierten Typ benutzt werden. Zum Beispiel ist es ein Leichtes, eine Parsing-Engine für irgendeine XML-basierte Sprache zu erstellen, die neue Typen aus Generics definiert. Schauen wir uns ein Beispiel an, wie Sie die Methode `MakeGenericType` nutzen können:

```
Imports System
Imports System.Collections.Generic

Public Class EntryPoint
    Shared Sub Main()
        Dim intList As IList(Of Integer) = _
            CType(CreateClosedType(Of Integer)(GetType(List(Of ))), _
            IList(Of Integer))

        Dim doubleList As IList(Of Double) = _
            CType(CreateClosedType(Of Double)(GetType(List(Of ))), _
            IList(Of Double))

        Console.WriteLine(intList)
        Console.WriteLine(doubleList)
    End Sub

    Private Shared Function CreateClosedType(Of T)(ByVal genericType As
Type) _
        As Object

        Dim typeArguments As Type() = {GetType(T)}
        Dim closedType As Type = genericType.MakeGenericType(typeArguments)

        Return Activator.CreateInstance(closedType)
    End Function
End Class
```

Hier ist das Ergebnis des vorigen Beispiels:

```
System.Collections.Generic.List`1[System.Int32]
System.Collections.Generic.List`1[System.Double]
```

Der Kern des Codes liegt innerhalb der generischen Methode `CreateClosedType(Of T)()`. Sie erledigen die ganze Arbeit durch Referenzen auf `Type`, die von den verfügbaren Metadaten erzeugt werden. Zuerst müssen Sie eine Referenz auf den generischen offenen Typ `List()` bekommen, der als Parameter übergeben wird. Danach erstellen Sie einfach einen Array mit Instanzen von `Type`, den Sie an `MakeGenericType()` übergeben, um eine Referenz auf den geschlossenen Typ zu bekommen. Ist diese Phase abgeschlossen, müssen Sie nur noch `CreateInstance()` in der Klasse `System.Activator` aufrufen. `System.Activator` ist die Einrichtung, die Sie benutzen müssen, um Instanzen von Typen erzeugen zu können, die erst zur Laufzeit bekannt sind. In diesem Fall rufen Sie den standardmäßigen Konstruktor für den geschlossenen Typ auf. `Activator` verfügt jedoch über Überladungen von `CreateInstance()`, die es Ihnen erlauben, Konstruktoren aufzurufen, die Parameter benötigen. Wenn Sie das vorige Beispiel ausführen, sehen Sie, dass die geschlossenen Typen in die Konsole geleitet werden und ihre voll qualifizierten Typnamen anzeigen. Das beweist, dass Sie die geschlossenen Typen richtig kreiert haben.

Die Fähigkeit, geschlossene Typen zur Laufzeit zu erzeugen, ist ein weiteres mächtiges Tool in Ihrem Werkzeugkasten, um hochdynamische Systeme zu programmieren. Sie können nicht nur generische Typen in Ihrem Code deklarieren, damit Sie flexiblen Code schreiben können, sondern Sie können auch zur Laufzeit geschlossene Typen aus diesen generischen Definitionen erzeugen.

12.6 Zusammenfassung

Das Kapitel hat ihnen gezeigt, wie Sie mit VB 2008 Generics deklarieren und benutzen, einschließlich generischer Klassen, Strukturen, Interfaces, Methoden und Delegaten. Wir haben auch generische Beschränkungen (Constraints) diskutiert, die für den Compiler notwendig sind, um Code erzeugen zu können, wenn bestimmte funktionale Annahmen an die Typargumente geheftet werden, die den generischen Typen zur Laufzeit übermittelt werden. Auflistungstypen bekommen einen echten und messbaren Gewinn an Effizienz und Sicherheit durch Generics.

Generics erlauben Ihnen nicht nur, effizienteren Code zu generieren, wenn Sie Werttypen mit Containern benutzen, sie geben auch dem Compiler mehr Macht, die Typsicherheit durchzusetzen. In der Regel sollten Sie stets die Typsicherheit zur Kompilierzeit gegenüber der Typsicherheit zur Laufzeit vorziehen. Sie können einen Fehler zur Kompilierzeit reparieren, bevor die Software ausgeliefert wird, aber ein Laufzeitfehler resultiert daraus, dass eine `InvalidCastException` ausgegeben wird. Zuletzt: Geben Sie dem Compiler so viel Macht wie möglich, um Typsicherheit durchzusetzen.

Das nächste Kapitel geht das Thema Threading in VB und der .NET-Laufzeit an. Zusammen mit dem Threading widmen wir uns auch dem wichtigen Thema der Synchronisation.

13 Threading

Multithreading erlaubt Ihrem Programm, mehrere unabhängige Ausführungspfade gleichzeitig zu verfolgen. Jeder dieser Pfade wird *Thread* (Strang) genannt. Die Benutzung von Threads kann das Benutzerinterface Ihrer Anwendung flexibler machen. Sie können auch die Last einer umfangreichen Berechnung oder die Verarbeitung großer Datenmengen auf mehrere Prozessoren verteilen.

Jeder Applikation hat einen primären Thread, der am Einstiegspunkt Ihrer Anwendung erzeugt wird. Während der Lebensdauer Ihrer Anwendung können Sie eine beliebige Anzahl von Threads hervorbringen, benutzen und wieder zerstören, die Arbeitsthreads genannt werden.

Multithreading, das wir von jetzt an einfach Threading nennen wollen, ist ein Gebiet voller Herausforderungen. Bugs beim Threading können aufgrund ihrer asynchronen Natur die am schwersten aufzufindenden Programmfehler sein. Tatsächlich strecken einige Threading-Bugs erst ihre hässlichen Köpfe heraus, wenn Sie Ihre Anwendung auf einer Multiprozessormaschine ausführen lassen, da dies der einzige Weg ist, echtes paralleles Multithreading zu bekommen. Aus diesem Grund sollte jeder, der eine Multithreading-Anwendung entwickelt, diese auch auf einer Mehrprozessormaschine testen. Sonst riskieren Sie, dass Ihr Produkt mit im Verborgenen lauernden Threading-Fehlern ausgeliefert wird.

13.1 Threading in VB 2008 und .NET 3.5

Obwohl Threading-Umgebungen viele Herausforderungen und Hürden mit sich bringen, mildern die Common Language Runtime (CLR) und das .NET-Framework viele dieser Risiken ab und bieten ein sauberes Modell, auf dem Sie aufbauen können. Es ist nach wie vor wahr, dass die größte Herausforderung für die Programmierung qualitativ hochwertigen Threading-Codes in der Synchronisierung liegt. Das .NET-Framework macht es leichter als je zuvor, neue Threads zu erzeugen oder einen vom System verwalteten Pool von Threads zu benutzen, und es stellt intuitive Objekte zur Verfügung, die es erlauben, diese Threads miteinander zu synchronisieren.

Verwaltete Threads sind virtuelle Threads in dem Sinne, dass sie sich nicht eins zu eins auf Betriebssystem-Threads abbilden lassen. Verwaltete Threads laufen nebeneinander, aber es wäre ein Irrtum, anzunehmen, dass der Betriebssystem-Thread, der gerade den Code eines verwalteten Threads ausführt, dafür nur verwalteten Code verwendet. Tatsächlich könnte ein Betriebssystem-Thread in der gegenwärtigen Implementierung der CLR für viele verwaltete Threads in zahlreichen Anwendungsdomänen verwalteten Code ablaufen lassen. Wenn Sie tief in den Betriebssystem-Thread einsteigen, der die Schicht P/Invoke verwendet, um direkte Win32-Aufrufe zu machen, sollten Sie sicherstellen, dass Sie diese Information nur zu Debugging-Zwecken verwenden und keine Programmlogik darauf aufbauen. Sonst stehen Sie am Ende mit etwas da, das bald auseinanderbricht, wenn Sie es in einer anderem Implementierung der CLR ablaufen lassen.

Das Programmieren mit Multithreading ist mehr, als zusätzliche Programmstränge zu erstellen, die etwas tun sollen, was lange dauern kann. Ja, das ist auch Teil des Puzzles. Wenn Sie eine Desktopanwendung erzeugen, wollen Sie definitiv eine Threading-Technik einbauen, um sicherzustellen, dass die Benutzeroberfläche während einer langen Rechenoperation ansprechbar bleibt. Wir alle wissen ja, wozu ungeduldige Anwender neigen, wenn Desktop-Anwendungen nicht mehr auf ihre Eingaben reagieren: Sie schießen sie ab! Aber es gehört mehr dazu, das Threading-Puzzle zu lösen, als nur einen zusätzlichen Thread zu erstellen, der den Code für die Fleißarbeiten abarbeitet. Diese Aufgabe ist in der Tat ganz einfach: Werfen Sie einen Blick darauf und sehen Sie, wie einfach sie ist.

```
Imports System
Imports System.Threading

Public Class EntryPoint
    Private Shared Sub ThreadFunc()
        Console.WriteLine("Hello from new thread {0}!", _
            Thread.CurrentThread.GetHashCode())
    End Sub

    Shared Sub Main()
        'Den neuen Thread erstellen.
        Dim newThread As Thread = _
            New Thread(AddressOf EntryPoint.ThreadFunc)

        Console.WriteLine("Main Thread is {0}", _
            Thread.CurrentThread.GetHashCode())
        Console.WriteLine("Starting new thread . . . ")

        'Den neuen Thread starten.
        newThread.Start()

        'Auf das Ende des neuen Threads warten.
        newThread.Join()

        Console.WriteLine("New thread has finished")
    End Sub
End Class
```

Das vorige Beispiel führt zu folgendem Ergebnis:

```
Main Thread is 1
Starting new thread . . .
Hello from new thread 3!
New thread has finished
```

Alles, was Sie tun müssen, ist, ein neues Objekt vom Typ System.Thread zu erstellen und eine Instanz des Delegaten ThreadStart als Parameter an den Konstruktor zu übergeben. Der Delegat ThreadStrart referenziert eine Methode, die keine Parameter annimmt und keine zurückgibt. Im vorherigen Beispiel haben wir uns dafür entschieden, die gemeinsam genutzte Methode ThreadFunc als den Beginn der Ausführung für den neuen Thread zu benutzen. Wir hätten genauso gut jede andere Methode, die für den Code sichtbar ist, nehmen können, die keine Parameter akzeptiert und keine zurückgibt. Beachten Sie, dass der Code auch den Hashcode des Threads ausgibt, indem er die Methode GetHashCode() verwendet, um zu demonstrieren, wie Sie Threads in der verwalteten Welt identifizieren. So lang dieser Thread am Leben ist, wird er garantiert niemals mit irgendeinem anderen Thread in irgendeiner anderen Anwendungsdomäne des Prozesses zusammenstoßen. Der Hashcode des Threads ist nicht überall auf dem ganzen System einzigartig. Zudem können Sie sehen, wie Sie eine Referenz auf den aktuellen Thread bekommen können, indem Sie auf das gemeinsam genutzte Property Thread.CurrentThread zugreifen. Achten Sie zuletzt auf den Aufruf der Methode Join für das Objekt newThread. In diesem Fall wartet der Code ewig darauf, dass der Thread an ein Ende kommt. Thread.Join() bietet zudem einige Überladungen, die es Ihnen erlauben, eine Auszeitperiode für das Warten zu spezifizieren.

In der verwalteten Umgebung kapselt die Klasse System.Thread alle Operationen, die Sie an einem Thread vornehmen können. Wenn Sie so etwas wie Zustandsdaten haben, die Sie an den neuen Thread übermitteln müssen, damit ihm die Daten zur Verfügung stehen, wenn er mit der Ausführung beginnt, können Sie einfach ein Helferobjekt erzeugen und den Delegaten ThreadStart initialisieren, um eine Instanzenmethode auf das Objekt zu nageln. Wieder einmal lösen Sie ein anderes Problem durch die Einführung einer zusätzlichen indirekten Ebene in Form einer Klasse. Nehmen wir an, Sie wollen ein System, bei dem Sie mehrere Warteschlangen mit Aufgaben füllen. Dann wollen Sie mit einem Mal einen neuen Thread erstellen, um die Elemente in einer speziellen Warteschlange zu verarbeiten, die Sie an ihn weitergeben. Der folgende Code zeigt, wie Sie so ein Ziel erreichen können:

```
Imports System
Imports System.Threading
Imports System.Collections

Public Class QueueProcessor
    Private mQueue As Queue
    Private mThread As Thread
```

```vb
    Public Sub New(ByVal theQueue As Queue)
        Me.mQueue = theQueue
        mThread = New Thread(AddressOf Me.ThreadFunc)
    End Sub

    Public ReadOnly Property TheThread() As Thread
        Get
            Return mThread
        End Get
    End Property

    Public Sub BeginProcessData()
        mThread.Start()
    End Sub

    Public Sub EndProcessData()
        mThread.Join()
    End Sub

    Private Sub ThreadFunc()
        ' . . . hier die Warteschlange auflösen.
    End Sub
End Class

Public Class EntryPoint
    Shared Sub Main()
        Dim queue1 As Queue = New Queue()
        Dim queue2 As Queue = New Queue()

        ' . . . Operationen, die die Warteschlangen mit
        ' Daten füllen.

        'Jede Warteschlange in einem eigenen Thread
        'Verarbeiten.
        Dim proc1 As QueueProcessor = New QueueProcessor(queue1)
        proc1.BeginProcessData()

        Dim proc2 As QueueProcessor = New QueueProcessor(queue2)
        proc2.BeginProcessData()

        ' . . . tu etwas anderes in der Zwischenzeit.

        'Warten Sie, bis die Arbeit zu Ende geht.
        proc1.EndProcessData()
        proc2.EndProcessData()
    End Sub
End Class
```

Es gibt hier einige potenzielle Probleme bei der Synchronisierung, falls jemand auf die Warteschlangen zugreifen will, nachdem die neuen Threads ihre Arbeit aufnehmen. Wir sparen uns jedoch die Probleme bei der Synchronisierung erst einmal auf, bis wir zum Abschnitt »Threads synchronisieren« in diesem Kapitel kommen. Die vorhergehende Lösung ist sauber und folgt auch lose dem typischen Muster asynchroner Prozesse im .NET-Framework. Die Klasse, die die zusätzliche indirekte Ebene hinzufügt, ist die Klasse QueueProcessor. Sie kapselt sauber den Arbeitsthread und stellt ein leichtgewichtiges Interface zur Verfügung, um die Arbeit zu erledigen. In dem Beispiel wartet der Hauptthread darauf, dass die Arbeit beendet wird, indem er EndProcessData() aufruft. Diese Methode ruft lediglich Join() bei den gekapselten Thread auf. Hätten Sie jedoch noch irgendeine Statusmeldung im Hinblick auf die Beendigung der Aufgabe benötigt, dann hätte Ihnen die Methode EndProcessData diese liefern können.

Wenn Sie einen eigenständigen Thread erstellen, unterliegt er den Regeln des Thread-Schedulers im System, wie jeder andere Thread auch. Manchmal müssen Sie jedoch Threads erzeugen, die ein anderes Gewicht haben, wenn der Scheduler-Algorithmus entscheidet, welcher Thread als nächster ausgeführt werden soll. Sie steuern die Priorität eines verwalteten Threads über das Property Thread.Priority, und Sie können diesen Wert so anpassen, wie es die Ausführung des Threads bedingt. Es kommt wirklich selten vor, dass Sie diesen Wert anpassen müssen. Alle Threads beginnen mit der Priorität Normal in der Enumeration ThreadPriority.

13.1.1 Zustände eines Threads

Die Zustände eines verwalteten Threads werden von der Laufzeitumgebung gut definiert. Obwohl die Zustandsübergänge manchmal verwirrend erscheinen, sind sie nicht verwirrender als die Zustandsübergänge eines Betriebssystem-Threads. Es sind andere Überlegungen in der verwalteten Welt zu berücksichtigen, weswegen die erlaubten Zustände und Zustandsübergänge komplexer sind. Die Abnbildung 13-1 zeigt ein Zustandsdiagramm für verwaltete Threads.

Die Zustände in dem Zustandsdiagramm basieren auf den Zuständen, die die CLR für verwaltete Threads definiert, wie sie die Enumeration ThreadState festlegt. Jeder verwaltete Thread beginnt sein Leben in dem Status Unstarted. Beachten Sie, dass es keinen Weg zurück in den Status Unstarted gibt. Sobald Sie die Methode Start() für den neuen Thread aufrufen, tritt er in den Zustand Running ein. Betriebssystem-Threads, welche in die verwaltete Laufzeitumgebung eintreten, beginnen sofort im Zustand Running. Dies ist der Status des Threads, wenn er Code normal ausführt, einschließlich der Ausnahmebehandlung und der Ausführung etwaiger Finally-Blöcke. Wenn die Hauptthread-Methode, die während der Erstellung des Threads durch eine Instanz des Delegaten ThreadStart übergeben wird, normal beendet wird, dann tritt der Thread in den Status Finished ein, wie die Abbildung 13-1 zeigt. Einmal in diesem Zustand, ist der Thread tot und kann nicht mehr aktiviert werden. Wenn alle Threads im Vordergrund Ihres Prozesses den Zustand Finished einnehmen, wird der Prozess normal beendet.

Die drei erwähnten Zustände decken die Grundlagen der Übergänge zwischen verwalteten Threads ab, sofern Sie einen Thread haben, der einfach Code ausführt und dann beendet wird. Sobald Sie dem Ausführungspfad Konstrukte zur Synchronisierung hinzufügen oder den Zustand des Threads steuern möchten – ob von einem anderen Thread oder dem aktuellen – werden die Dinge komplizierter.

Stellen Sie sich zum Beispiel vor, Sie schreiben Code für einen neuen Thread und wollen ihn für eine Weile schlafen legen. Sie würden die Methode `Thread.Sleep()` aufrufen und ihm eine Auszeit geben, etwa wie viele Millisekunden er zum Schlafen bekommt. Wenn Sie `Sleep()` aufrufen, tritt der Thread in den Zustand `WaitSleepJoin` ein, in dem seine Ausführung für die Auszeit ausgesetzt ist. Wenn der Schlaf endet, tritt der Thread wieder in den Zustand `Running` ein.

Synchronisierungsoperationen können den Thread ebenfalls in den Zustand `WaitSleepJoin` schicken. Auch die Methode `Monitor.Wait()` aufzurufen bringt den Zustand `WaitSleepJoin`. Sie können andere Synchronisierungsmethoden mit einem Thread benutzen, die der Abschnitt »Threads synchronisieren« später in diesem Kapitel beschreibt. Wie zuvor tritt der Thread wieder in den Zustand `Running` ein, sobald seine Wartebedingungen erfüllt sind. Die Codeausführung setzt sich dann normal fort.

Jedesmal, wenn der Code im `WaitSleepJoin`-Status liegt, kann er quasi mit Gewalt wieder in den Status `Running` zurückgeholt werden, wenn ein anderer Thread `Thread.Interrupt()` für den wartenden Strang aufruft. Wenn ein Strang `Thread.Interrupt()` bei einem anderen aufruft, erhält der unterbrochene Thread eine `ThreadInterruptedException`. Obwohl also der unterbrochene Thread wieder den Status `Running` hat, wird er nicht lange in diesem Zustand bleiben, falls nicht eine passende Schicht für die Ausnahmebehandlung vorhanden ist. Ansonsten wird der Thread bald den Status `Finished` einnehmen, falls die Ausnahme sich unbehandelt ihren Weg durch den Stack des Threads bahnt.

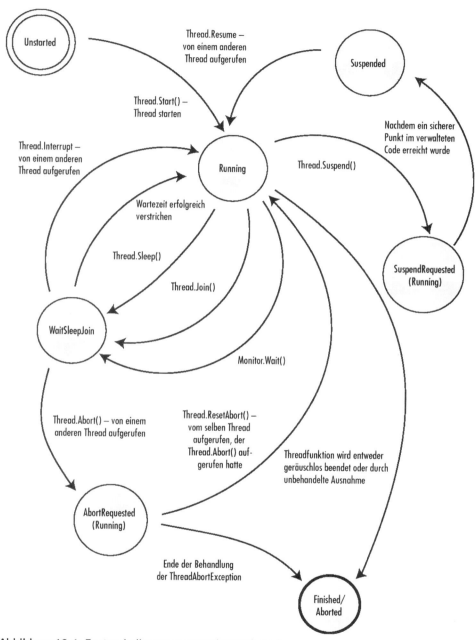

Abbildung 13-1: Zustandsdiagramm verwalteter Threads

Eine andere Möglichkeit, dass der Threadzustand den Status WaitSleepJoin verlassen kann, besteht dann, wenn ein anderer Thread beim aktuellen Strang die Methode Thread.Abort() aufruft. Sobald Thread.Abort() aufgerufen wird, tritt der Thread in den Zustand `AbortRequested` ein. Dieser Status ist in der Tat eine Form eines laufenden Zustands, da der Thread eine `ThreadAbortException` erhält und diese behandeln muss. Wie wir später erklären werden, behandelt der verwaltete Thread diese Ausnahme auf eine besondere Weise: Der nächste Status wird der endgültige Zustand `Aborted` sein, es sei denn, der Thread, der `Thread.Abort()` aufrief, schafft es, `Thread.ResetAbort()` aufzurufen, bevor das geschieht. Es gibt nichts, was den Strang, der den Abbruch befohlen hat, daran hindert, `Thread.ResetAbort()` aufzurufen. Sie sollten sich jedoch davor hüten, so etwas zu tun, da es zu unvorhergesehenem Verhalten führen kann. Wenn Sie zum Beispiel einen Thread, der im Vordergrund läuft, nicht abbrechen können, weil er den Abbruch immer wieder blockiert, dann wird dieser Prozess nie enden.

> **Hinweis:** Seit .NET 2.0 hat der Host jetzt die Fähigkeit, Threads während der Beendigung der Anwendungsdomäne abzubrechen, indem er einen groben Threadabbruch (rude thread abort) benutzt. In so einer Situation ist es für den Thread unmöglich, sich durch `Thread.ResetAbort()` zu retten.

Zuletzt tritt ein laufender Thread in den Zustand `SuspendRequested` ein, nachdem er entweder für sich selbst die Methode `Thread.Suspend()` aufruft oder ein anderer Strang für ihn `Suspend()` aufruft. Sobald ein Strang den Zustand `SuspendRequested` einnimmt, gibt es keine Möglichkeit, ihn davor zu bewahren, schließlich in den Zustand `Suspended` einzutreten. Später werden wir im Abschnitt »Threads anhalten und aufwecken« darlegen, warum dieser Zwischenzustand nötig ist, wenn ein Thread suspendiert wird. Aber für den Augenblick ist es wichtig zu wissen, dass der Status `SuspendRequested` auch eine Form eines laufenden Zustands ist, und zwar in dem Sinne, dass er immer noch verwalteten Code ausführt.

Damit schließen wir die Übersicht über die Übergänge zwischen den Zuständen verwalteter Threads ab. Betrachten Sie die Abbildung 13-1 immer wieder im weiteren Verlauf des Kapitels, wenn es um Themen geht, die den Zustand des Threads betreffen.

13.1.2 Threads beenden

Wenn Sie die Methode `Thread.Abort()` aufrufen, erhält der fragliche Strang eine `ThreadAbortException`. Um diese Situation elegant zu regeln, müssen Sie die `ThreadAbortException` bearbeiten, wenn es etwas Spezielles zu tun gibt, wenn der Thread abgebrochen wird. Es gibt auch eine Überladung von `Abort()`, die eine beliebige Objektreferenz akzeptiert, die dann in der resultierenden `ThreadAbortException` gekapselt wird. Dies erlaubt dem Code, der den Thread abbricht, etwas kontextuelle Information an den Handler der `ThreadAbortException` zu übermitteln, etwa einen Grund, warum der `Abort()` überhaupt angeordnet wurde.

Die CLR löst keine `ThreadAbortException` aus, wenn der Thread nicht in dem verwalteten Kontext läuft. Wenn Ihr Thread eine native Funktion über die P/Invoke-Schicht aufgerufen hat und diese Funktion lange braucht, biss sie fertig ist, dann wird der Thread aufrechterhalten, bis die Ausführung wieder in den verwalteten Raum zurückkehrt.

> **Tipp:** Wird ein `Finally`-Block ausgeführt, dann wird seit .NET 2.0 die Übermittlung einer `ThreadAbortException` aufrechterhalten, bis die Ausführung den `Finally`-Block passiert hat.

Der Aufruf von Abort() bei einem Thread beendet diesen nicht gewaltsam. Wenn Sie also warten müssen, bis der Thread seine Codeausführung beendet hat, müssen Sie `Join()` aufrufen, bis der gesamte Code im Ausnahmebehandler in der `ThreadAbortException` beendet ist. Während dieser Wartezeit ist es klug, eine Zeitmarke zu setzen, damit Sie nicht ewig warten müssen, bis der Thread damit fertig ist, hinter sich selbst aufzuräumen. Obwohl der Code im Ausnahmebehandler gewissen Richtlinien folgen sollte, ist es durchaus möglich, dass der Handler eine lange Zeit braucht, um seine Aufgabe zu beenden, Schauen wir uns einen Ausnahmebehandler für `ThreadAbortException` an und betrachten wir, wie dies funktioniert:

```vb
Imports System
Imports System.Threading

Public Class EntryPoint
    Private Shared Sub ThreadFunc()
        Dim counter As ULong = 0

        Do While True
            Try
                Console.WriteLine("{0}", counter)

                counter += 1
            Catch e1 As ThreadAbortException
                'Versuch, die Ausnahme abzufangen und
                'weiterzumachen.
                Console.WriteLine("Abort!")
            End Try
        Loop
    End Sub

    Shared Sub Main()
        Dim newThread As Thread = _
            New Thread(AddressOf EntryPoint.ThreadFunc)

        newThread.Start()
        Thread.Sleep(2000)

        'Den Thread abbrechen.
        newThread.Abort()
```

```
        'Auf Beendigung des Threads warten.
        newThread.Join()
    End Sub
End Class
```

Betrachtet man den Code nur oberflächlich, würde es so aussehen, als ob der Aufruf von `Join()` auf die Instanz von `newThread` diese für immer blockieren würde. Gerade das passiert jedoch nicht. Es würde scheinen, als ob die Ausnahme abgefangen und die Schleife weiterlaufen wird, egal, wie oft, der Hauptstrang versucht, den Thread abzubrechen – schließlich wird die `ThreadAbortException` in der Schleife der Threadfunktion behandelt. Wie sich jedoch herausstellt, ist die `ThreadAbortException`, die durch die Methode `Thread.Abort` ausgelöst wird, etwas Besonderes. Wenn Ihr Thread die Bearbeitung der Abbruchausnahme beendet, löst die Laufzeitumgebung sie wieder implizit am Ende des Ausnahmebehandlers aus. Es ist fast so, als hätten Sie die Ausnahme selbst wieder ausgelöst. Daher werden alle äußeren Ausnahmebehandler oder `Finally`-Blöcke den Code ganz normal ausführen. Im vorigen Beispiel wartet der Aufruf für die Methode `Join()` nicht ewig, wie man vielleicht anfangs vermutet hätte.

Obwohl die Laufzeitumgebung einen saubereren Weg zur Verfügung stellt, um Threads abzubrechen – so etwa, dass Sie interessierte Dritte darüber informieren können, wenn der Strang abreißt –, müssen Sie immer noch einen Ausnahmebehandler für `ThreadAbortException` implementieren. Obwohl Sie das System davon abhalten können, die `ThreadAbortException` von neuen auszuwerfen, indem Sie die gemeinsam genutzte Methode `Thread.ResetAbort` aufrufen, lautet die allgemeine Empfehlung, dass Sie `ResetAbort()` nur von dem Thread aus aufrufen, der auch `Abort()`aufgerufen hatte.

> **Tipp:** Der Umstand, dass Instanzen der ThreadAbortException asynchron in einen zufälligen asynchronen Thread geworfen werden können, macht es knifflig, robusten und ausnahmesicheren Code zu erstellen. Lesen Sie bitte den Abschnitt über »Eingeschränkte Ausführungsregionen« in Kapitel 8.

13.1.3 Threads stoppen und aufwecken

Es gibt Mechanismen dafür, einen Thread für eine gewisse Zeit schlafen zu legen oder die Codeausführung anzuhalten, bis sie wieder explizit freigegeben ist. Wenn ein Thread sich selbst für eine vorbestimmte Zeitspanne suspendieren will, kann er die gemeinsam genutzte Methode `Thread.Sleep()` aufrufen. Der einzige Parameter der Methode `Sleep` ist die Zahl der Millisekunden, über die der Thread schlafen soll. Wenn sie aufgerufen wird, sorgt diese Methode dafür, dass der Thread den Rest seiner Zeitscheibe, die ihm der Prozessor zuteilt, aufgibt und sich schlafen legt. Nachdem diese Zeit abgelaufen ist, kann der Thread wieder in das Scheduling einbezogen werden. Natürlich ist die Zeitspanne, die Sie `Sleep()` übergeben, zwar einigermaßen akkurat, aber nie ganz exakt. Denn am Ende dieser Zeitspanne wird dem Strang nicht sofort Rechenzeit beim Prozessor zugeteilt. Es könnte andere Threads mit höherer Priorität weiter vorn in der Warteschlange geben. Daher ist es alles andere als empfehlenswert, `Sleep()` zu benutzen, um die Ausführung von Code zwischen zwei Strängen zu synchronisieren.

Es gibt einen speziellen Wert namens `Timeout.Infinite`, den Sie an `Sleep()` übergeben können, damit der Thread für immer schlafen geht. Einen schlafenden Thread können Sie über die Instanzenmethode `Thread.Interrupt` wieder aufwecken. `Interrupt()` ist `Abort()` insofern ähnlich, als er den Zielthread aufweckt und eine `ThreadInterruptedException` ausgibt. Wenn also Ihre Threadfunktion nicht dafür ausgerüstet ist, die Ausnahme zu behandeln, wird sie den Weg bis ganz oben auf den Aufrufstack zurücklegen, bis die Laufzeitumgebung die Ausführung des Threads beendet. Um ganz sicherzugehen, sollten Sie Ihren Aufruf von `Sleep()` in einem `Try`-Block ausführen und die `ThreadInterruptException` abfangen. Anders als die `ThreadAbortException` wird die `ThreadInterruptException` nicht von der Laufzeitumgebung neu ausgelöst, wenn sie den Ausnahmebehandler passiert hat.

> **Tipp:** Ein anderer besonderer Parameter für `Thread.Sleep()` ist 0. Wenn Sie die 0 übergeben, wird `Thread.Sleep()` den Strang veranlassen, den Rest seiner Zeitscheibe abzugeben. Der Thread darf dann wieder laufen, sobald der Thread-Scheduler des Systems wieder auf ihn zurückkommt.

Ein anderer Weg, einen Thread über eine unbestimmte Zeitspanne schlafen zu legen, führt über die Instanzenmethode `Thread.Suspend()`. Der Aufruf von `Suspend()` suspendiert die Ausführung des Threads, bis sie explizit wieder aufgenommen wird. Sie können den Thread wieder aufnehmen, indem Sie die Instanzenmethode `Resume` aufrufen oder `Interrupt()`. Allerdings benötigt der Zielthread einen Ausnahmebehandler beim Aufruf von `Suspend()`; andernfalls wird der Thread beendet. Technisch gesehen erweckt der Aufruf von `Abort()` den Strang wieder zum Leben, aber nur, um ihm eine `ThreadAbortException` zu schicken und das Ende des Threads auszulösen. Beachten Sie, dass jeder Thread mit ausreichenden Rechten `Suspend()` für einen Strang aufrufen kann – auch der aktuelle Thread kann `Suspend()` aufrufen. Wenn der aktuelle Thread `Suspend()` aufruft, blockiert er sich selbst und wartet auf den nächsten Aufruf von `Resume()`.

Wenn Sie für einen Thread `Suspend()` aufrufen, wird der Strang nicht sofort suspendiert. Stattdessen darf der Thread weiter Code ausführen, bis er an einen sogenannten sicheren Punkt gelangt. Sobald er dort ankommt, wird der Thread suspendiert. Ein sicherer Punkt ist ein Ort im verwalteten Code, wo es sicher ist, die Garbage Collection auszuführen. Wenn die CLR zum Beispiel bestimmt, dass es Zeit ist, die Garbage Collection auszuführen, muss sie alle Threads für eine gewisse Zeit suspendieren, während sie die Aufräumaktion vornimmt. Wenn der Garbage Collector (GC) die Threads für die Aufräumaktion suspendiert, muss er warten, bis sie alle einen sicheren Punkt erreicht haben, an dem es unproblematisch ist, die Dinge auf dem Heap hin und her zu schieben. Der Aufruf an `Suspend()` erlaubt dem Thread, einen sicheren Punkt zu erreichen, bevor er tatsächlich suspendiert wird. Benutzen Sie aber nie `Suspend()` und `Resume()`, um die Synchronisierung von Threads zu orchestrieren. Die Tatsache, dass das System dem Thread erlaubt weiterzulaufen, bevor er einen sicheren Punkt erreicht, ist ein guter Grund, sich auf diesen Mechanismus nicht zu verlassen.

13.1.4 Auf die Beendigung eines Threads warten

In den bisherigen Beispielen dieses Kapitels haben wir die Methode Join benutzt, um darauf zu waren, dass ein bestimmter Thread beendet wird. Der Name der Methode suggeriert die Tatsache, dass Sie den Ausführungspfad des aktuellen Threads mit dem des Threads vereinigen, auf den Sie Join() aufrufen, und Sie nicht weitermachen können, bis Ihr vereinter Strang ankommt.

Natürlich wollen Sie es vermeiden, Join() für den aktuellen Thread aufzurufen. Der Effekt ist dem Aufruf von Suspend() aus dem aktuellen Thread heraus ähnlich. Der Thread ist blockiert, bis er unterbrochen wird. Sogar wenn ein Thread davon abgehalten wird, Join() aufzurufen, können Sie ihn aufwecken, indem Sie ihn über Interrupt() oder Abort() aufrufen, wie wir im vorigen Abschnitt dargelegt haben.

Manchmal möchten Sie Join() aufrufen, um darauf zu warten, dass ein anderer Thread seine Aufgabe erledigt, aber Sie wollen nicht ewig darauf warten. Join() bietet Überladungen an, die es Ihnen erlauben, die Zeitspanne zu bestimmen, die Sie warten wollen. Diese Überladungen geben einen Booleschen Wert zurück. Er ergibt True, um anzuzeigen, dass der Thread tatsächlich beendet ist, oder False, um anzudeuten, dass die Auszeit abgelaufen ist.

13.1.5 Threads im Vorder- und Hintergrund

Wenn Sie einen Thread in der verwalteten Umgebung von .NET erstellen, existiert dieser standardmäßig als Thread im Vordergrund. Das heißt, dass die verwaltete Ausführungsumgebung und damit der Prozess so lang am Leben bleiben, wie der Thread lebt. Schauen Sie sich den folgenden Code an:

```
Imports System
Imports System.Threading


Public Class EntryPoint
    Private Shared Sub ThreadFunc1()
        Thread.Sleep(5000)
      Console.WriteLine("Exiting extra thread at " & Now() & ".")
    End Sub

    Shared Sub Main()
        Dim thread1 As Thread = _
            New Thread(AddressOf EntryPoint.ThreadFunc1)

        thread1.Start()
```

```
    Console.WriteLine("Exiting main thread at " & Now() & ".")
  End Sub
End Class
```

Dabei entstehen folgende Ergebnisse:

```
Exiting main thread at 10/9/2007 3:56:50 AM.
Exiting extra thread at 10/9/2007 3:56:55 AM.
```

Wenn Sie den vorigen Code laufen lassen, werden Sie sehen, dass die Methode `Main()` `wie erwartet` schon zu Ende ist, bevor der zusätzliche Thread zum Ende kommt. Zeitweise könnten Sie sich wünschen, dass der Prozess auch endet, wenn der Hauptthread beendet wird, selbst wenn zusätzliche Stränge im Hintergrund existieren. Sie können dies in der Laufzeitumgebung bewerkstelligen, indem Sie den aktuellen Strang in einen Hintergrund-Thread verwandeln. Dies erreichen Sie, wenn Sie das Property `Thread.IsBackground` auf `True` setzen. Sie könnten sich dies für Stränge überlegen, die im Hintergrund Aufgaben übernehmen, so etwa an einem Port nach Netzwerkverbindungen zu horchen. Bedenken Sie jedoch, dass Sie stets sicherstellen sollten, dass die Threads die Chance erhalten, aufzuräumen, wenn sie dies brauchen, bevor sie beendet werden. Wenn ein Hintergrund-Thread beendet wird, während der Prozess endet, erhält er keine wie auch immer geartete Ausnahme, wie es der Fall ist, wenn jemand `Interrupt()` oder `Abort()` aufruft. Wenn der Thread also persistente Daten in irgendeinem halbgaren Zustand hat, ist es für diese Daten nicht gut, wenn der Prozess beendet wird. Wenn Sie also Hintergrund-Threads erstellen, programmieren Sie diese so, dass Sie sie zu jeder Zeit grob ohne nachteilige Folgen beenden können. Sie könnten auch einen Mechanismus implementieren, der den Thread benachrichtigt, dass der Prozess gleich beendet wird. Einen solchen Mechanismus zu erstellen wird ein Durcheinander ergeben, da der Hauptthread nach der Benachrichtigung warten muss, bis der zusätzliche Thread seine Aufräumarbeiten beendet hat. An dieser Stelle ist es fast vernünftig, den Thread wieder in einen Vordergrund-Thread zu verwandeln.

13.1.6 Threadlokale Speicherung

Sie können eine threadlokale Speicherung in der verwalteten Umgebung einrichten. Abhängig von Ihrer Anwendung kann es notwendig sein, ein gemeinsam genutztes Feld einer Klasse zu haben, das für jeden Thread, in dem die Klasse benutzt wird, einzigartig ist. Wenn Sie ein gemeinsam genutztes Feld haben, das thread-relativ ist, dann statten Sie es einfach mit dem Attribut `ThreadStaticAttribute` aus. Sobald Sie das tun, wird das Feld für jeden Thread initialisiert, der darauf zugreift, und jeder Thread wird seinen eigenen threadrelativen Platz bekommen, um den Wert oder die Referenz zu speichern. Wenn Sie jedoch Referenzen auf Objekte benutzen, sollten Sie mit Ihren Annahmen über die Erzeugung von Objekten vorsichtig sein. Der folgende Code zeigt eine Fallgrube, die es zu vermeiden gilt:

```
Imports System
Imports System.Threading

Public Class TLSClass
    Public Sub New()
        Console.WriteLine("Creating TLSClass")
    End Sub
End Class

Public Class TLSFieldClass
    <ThreadStatic()> _
    Public Shared tlsdata As TLSClass = New TLSClass()
End Class

Public Class EntryPoint
    Private Shared Sub ThreadFunc()
        Console.WriteLine("Thread {0} starting . . . ", _
            Thread.CurrentThread.GetHashCode())

        Console.WriteLine("tlsdata for this thread is ""{0}""", _
            TLSFieldClass.tlsdata)

        Console.WriteLine("Thread {0} exiting",
Thread.CurrentThread.GetHashCode())
    End Sub

    Shared Sub Main()
        Dim thread1 As Thread = _
            New Thread(AddressOf EntryPoint.ThreadFunc)
        Dim thread2 As Thread = _
            New Thread(AddressOf EntryPoint.ThreadFunc)

        thread1.Start()
        thread2.Start()
    End Sub
End Class
```

Dieser Code erzeugt zwei Threads, die auf ein threadrelatives statisches Mitglied von
`TLSFieldClass` zugreifen. Um die Falle zu illustrieren, haben wir die threadspezifische
Speicherstelle (Slot) des Typs `TLSClass` erstellt, und der Code versucht nun, diesen Slot
mit einem Initialisierer in der Klassendefinition zu initialisieren, der einfach `New` auf
den Standardkonstruktor der Klasse aufruft. Schauen Sie sich die überraschende Ausgabe an:

```
Thread 11 starting . . .
Creating TLSClass
tlsdata for this thread is "Threading.TLSClass"
```

```
Thread 11 exiting
Thread 12 starting . . .
tlsdata for this thread is ""
Thread 12 exiting
```

Tipp: Denken Sie immer daran, dass in Programmen mit mehreren Threads die Reihenfolge der Codeausführung nie garantiert ist – außer Sie setzen spezifische Mechanismen zur Synchronisierung ein. Das vorige Ergebnis wurde auf einem System mit einem Prozessor generiert. Wenn Sie dasselbe Programm auf einem Multiprozessorsystem ausführen, werden Sie wahrscheinlich sehen, dass die Ausgabe in einer völlig anderen Reihenfolge erfolgt. Der Zweck des Beispiels ändert sich dennoch nicht.

Der Konstruktor für `TLSClass` wurde nur einmal aufgerufen. Der Konstruktor wurde für den ersten Thread aufgerufen, aber nicht für den zweiten Ausführungsstrang. Für den zweiten Thread wird das Feld mit dem Wert `Nothing` initialisiert. Da `tlsdata` gemeinsam genutzt wird, erfolgt seine Initialisierung zu dem Zeitpunkt, zu dem der gemeinsam genutzte Konstruktor für `TLSFieldClass` aufgerufen wird. Allerdings können gemeinsam genutzte Konstruktoren nur einmal pro Klasse und pro Applikationsdomäne aufgerufen werden. Aus diesem Grund sollten Sie es vermeiden, threadrelative Slots zum Zeitpunkt der Deklaration zuzuweisen. Auf diese Weise werden sie immer ihren Standardwerten zugewiesen. Für Referenztypen ist dies `Nothing` und bei Werttypen kommt dies der Zurücksetzung aller Speicherbits des Werts auf 0 gleich. Beim ersten Zugriff auf den threadspezifischen Slot können Sie prüfen, ob der Wert `Nothing` ist, und eine geeignete Instanz erstellen. Der sauberste Weg, dies zu erreichen, ist es, auf den threadlokalen Slot über ein gemeinsam genutztes Property zuzugreifen.

Es gibt noch einen anderen Weg, threadlokalen Speicher zu benutzen, bei dem kein gemeinsam genutztes Property mit einem Attribut ausgestattet werden muss. Sie können threadspezifischen Speicher dynamisch zuweisen, indem Sie eine der beiden Methoden `Thread.AllocateDataSlot` oder `Thread.AllocateNamedDataSlot` verwenden. Sie sollten diese Methoden benutzen, wenn Sie nicht wissen, wie viele threadspezifische Slots Sie bis zur Laufzeit zuweisen müssen. Ansonsten ist es generell viel einfacher, die gemeinsam genutzte Feldmethode zu benutzen. Wenn Sie `AllocateDataSlot()` aufrufen, wird in allen Ausführungssträngen ein neuer Slot erzeugt, der eine Referenz auf den Typ `System.Object` enthält. Die Methode gibt ein Handle in Form einer Objektinstanz von `LocalDataStoreSlot` zurück. Sie können auf diese Stelle zugreifen, indem Sie die Methoden `GetData` und `SetData` mit dem Thread benutzen. Schauen wir uns eine Variante der vorherigen Beispiels an:

```
Imports System
Imports System.Threading

Public Class TLSClass
    Private Shared mSlot As LocalDataStoreSlot = Nothing
```

```
    Shared Sub New()
        mSlot = Thread.AllocateDataSlot()
    End Sub

    Public Sub New()
        Console.WriteLine("Creating TLSClass")
    End Sub

    Public Shared ReadOnly Property TlsSlot() As TLSClass
        Get
            Dim obj As Object = Thread.GetData(mSlot)
            If obj Is Nothing Then
                obj = New TLSClass()
                Thread.SetData(mSlot, obj)
            End If
            Return CType(obj, TLSClass)
        End Get
    End Property
End Class

Public Class EntryPoint
    Private Shared Sub ThreadFunc()
        Console.WriteLine("Thread {0} starting . . . ", _
            Thread.CurrentThread.GetHashCode())

        Console.WriteLine("tlsdata for this thread is ""{0}""", _
            TLSClass.TlsSlot)
        Console.WriteLine("Thread {0} exiting", _
            Thread.CurrentThread.GetHashCode())
    End Sub

    Shared Sub Main()
        Dim thread1 As Thread = _
            New Thread(AddressOf EntryPoint.ThreadFunc)
        Dim thread2 As Thread = _
            New Thread(AddressOf EntryPoint.ThreadFunc)

        thread1.Start()
        thread2.Start()
    End Sub
End Class
```

Die Ausführung des Codes führt zu folgendem Ergebnis:

```
Thread 3 starting . . .
Thread 4 starting . . .
Creating TLSClass
```

```
tlsdata for this thread is "Threading.TLSClass"
Thread 3 exiting
Creating TLSClass
tlsdata for this thread is "Threading.TLSClass"
Thread 4 exiting
```

Wie Sie sehen können, gehört etwas mehr dazu, dynamische Slots zu verwenden, als die gemeinsam genutzte Feldmethode zu benutzen. Es sorgt jedoch für zusätzliche Flexibilität. Beachten Sie, dass der Slot im Typinitialisierer zugewiesen wird, welcher der gemeinsame Konstruktor ist, den Sie in diesem Beispiel sehen. Auf diese Weise wird der Slot an der Stelle für alle Threads zugewiesen, an dem die Laufzeitumgebung den Typ für die Verwendung initialisiert. Beachten Sie, dass Sie den Slot in dem Property-Accessor der `TLSClass` auf `Nothing` prüfen. Wenn Sie den Slot per `AllocateDataSlot()` zuweisen, wird er bei jedem Thread mit `Nothing` initialisiert.

Sie dürften es angenehm finden, auf Ihren threadspezifischen Speicher über einen String zuzugreifen anstatt über eine Referenz auf eine Instanz von `LocalDataStoreSlot`. Überlegen Sie sich, Ihren Slot durch Verwendung einer Stringdarstellung eines Globally Unique Identifiers (GUID) zu benennen, so dass Sie vernünftigerweise annehmen können, dass niemand versuchen wird, einen mit demselben Namen zu kreieren. Wenn Sie auf den Slot zugreifen müssen, können Sie die Methode `GetNamedDataSlot()` aufrufen, die Ihren String einfach in eine Instanz von `LocalDataStoreSlot` übersetzt. Die Dokumentation des Microsoft Developer Networks (MSDN) enthält noch mehr Details über die Benennung threadlokaler Speicherslots.

13.2 Threads synchronisieren

Die Synchronisierung ist sicher der schwierigste Teil bei der Erstellung von Multithreading-Anwendungen. Sie können zusätzliche Ausführungsstränge erstellen, die tagelang arbeiten, ohne dass Sie einen Gedanken an die Synchronisierung verschwenden müssten, solange diese Threads beim Start mit Daten arbeiten, die kein anderer Strang benutzt. Niemand muss wissen, wenn sie enden oder wie die Ergebnisse ihrer Operationen aussehen. Ganz offensichtlich ist es aber selten, dass Sie so einen Thread erstellen. In den meisten Fällen müssen Sie mit dem laufenden Thread kommunizieren, Sie müssen darauf warten, dass er einen definierten Zustand im Code erreicht oder er möglicherweise mit demselben Objekt oder demselben Wert arbeitet, mit dem auch andere Threads werkeln.

In all diesen Fällen müssen Sie Synchronisierungstechniken verwenden, um die Threads zu synchronisieren und damit Race Conditions oder Deadlocks zu vermeiden. Bei Race Conditions kann es sein, dass zwei Threads auf denselben Speicherbereich zugreifen müssen, aber nur einer dies zu einem gegebenen Zeitpunkt auf sichere Weise tun kann. In diesen Fällen müssen Sie einen Synchronisierungsmechanismus verwenden, der es nur einem Thread zu einer gegebenen Zeit erlaubt, auf die Daten zuzugreifen und den anderen Thread auszusperren, der dann warten muss, bis der erste fertig ist. Multithreading-Umgebungen sind von ihrer Natur her stochastisch, Sie können nie wissen, wann der Scheduler dem Thread die Kontrolle entziehen wird. Das klassische Beispiel dafür ist, dass ein Thread seine Aufgabe, einen Speicherblock zu verändern, zur Hälfte erledigt und dann die Kontrolle entzogen bekommt. Dann erhält der andere Strang die Kontrolle und beginnt den Speicherinhalt zu lesen, natürlich in der Annahme, dass er sich in einem gültigen Zustand befindet. Ein Beispiel für einen Deadlock ist, wenn zwei Threads darauf warten, dass der andere eine Ressource freigibt. Beide Threads warten aufeinander, und da keiner von ihnen laufen kann, bevor die Ressource frei ist, warten sie bis zum Sankt-Nimmerleinstag.

Bei allen Synchronisierungsaufgaben sollten Sie den leichtgewichtigsten Synchronisierungsmechanismus verwenden, den Sie bekommen können. Wenn Sie zum Beispiel versuchen, einen Datenblock im selben Prozess zwischen zwei Threads zu teilen und Sie die beiden gegeneinander abschirmen müssen, sollten Sie eher so etwas wie einen `Monitor`-Lock anstatt eines `Mutex` verwenden. Warum? Ein `Mutex` ist dafür ausgelegt, den Zugriff auf eine gemeinsam genutzte Ressource zwischen den Prozessen abzuteilen. Daher ist er ein schwergewichtiges Betriebssystemobjekt, das beim Belegen und Freigeben des Locks den Prozess verlangsamt. Wenn keine gegenseitige Aussperrung der Prozesse notwendig wird, sollten Sie stattdessen den `Monitor` benutzen. Noch leichtgewichtiger als `Monitor` ist ein Satz von Methoden in der Klasse `Interlocked`. Diese sind ideal, wenn Sie wissen, dass die Wahrscheinlichkeit niedrig ist, tatsächlich warten zu müssen, wenn ein Lock belegt wird.

> **Tipp:** Jede Art von Warten auf ein Kernel-Objekt – etwa das Warten auf ein `Mutex`, `Semaphore`, `EventWaitHandle` oder jede andere Art, die letztlich auf das Warten auf ein Win32-Kernelobjekt hinausläuft – benötigt einen Übergang in den Kernelmodus. Übergänge in den Kernelmodus sind aufwendig, und Sie sollten Sie vermeiden, wenn es möglich ist. Die leichtgewichtigste Synchronisationstechnik erfordert die geschickte Anwendung der Klasse `Threading.Interlocked`. Ihre Methoden werden komplett im Anwendermodus implementiert, womit Sie um den Übergang in den Kernelmodus herumkommen.

Wenn Sie Synchronisierungsobjekte in einer Multithreading-Umgebung benutzen, sollten Sie den Lock nur für eine möglichst kurze Zeit belegen. Es kann zum Beispiel sein, dass Sie einen Synchronisierungs-Lock belegen, um die Instanz einer gemeinsam genutzten Strukturinstanz zu lesen, und der Code innerhalb der Methode, die den Lock belegt, diese Instanz der Struktur für einen bestimmten Zweck benutzt. Dann ist es am besten, eine lokale Kopie der Struktur auf dem Stack abzulegen und dann den Lock sofort freizugeben, sofern es logisch möglich ist. Auf diese Weise legen Sie keine Threads im System lahm, die auf die belegte Variable zugreifen müssen.

Wenn Sie die Threadausführung synchronisieren müssen, verlassen Sie sich nie auf Methoden wie `Thread.Suspend()` oder `Thread.Resume()`, um die Synchronisierung zu steuern. Erinnern Sie sich: `Thread.Suspend()` suspendiert den Thread ja nicht sofort. Stattdessen muss ein sicherer Punkt im verwalteten Code erreicht werden, bevor die Ausführung suspendiert werden kann. Und benutzen Sie nie `Thread.Sleep()`, um

Threads zu synchronisieren. `Thread.Sleep()` ist in Ordnung, wenn Sie so etwas wie eine Polling-Schleife bei einer Entität ausführen, etwa wenn ein Gerät gerade zurückgesetzt worden ist und keine Möglichkeit hat, irgendjemanden zu benachrichtigen, dass es wieder online ist. In diesem Fall müssen Sie den Status in einer Schleife nicht wiederholt prüfen. Stattdessen ist es besser, den Thread zwischen dem Polling etwas Schlafen zu schicken, damit der Scheduler andere Threads laufen lassen kann. Wenn Sie versuchen, einen Synchronisierungsfehler zu beseitigen, indem Sie einen Aufruf von `Thread.Sleep()` an einem beliebigen Punkt im Code einbauen, verstecken Sie das Problem eher, als dass Sie es lösen.

13.2.1 Leichtgewichtige Synchronisierung mit der Interlocked-Klasse

Die `Interlocked`-Funktionsfamilie wird den VB-Entwicklern über gemeinsam genutzte Methoden der `Interlocked`-Klasse im Namensraum `System.Threading` zugänglich gemacht. Wenn Sie mehrere Threads am Laufen haben, ist es manchmal notwendig, eine einfache Variable zwischen den Ausführungssträngen zu unterhalten – typischerweise ein Werttyp, aber möglicherweise auch ein Objekt. Stellen Sie sich zum Beispiel vor, dass Sie einen Grund haben, die Anzahl der laufenden Threads irgendwo in einem gemeinsam genutzten `Integer`-Wert festzuhalten. Wenn ein Thread startet, wird dieser Wert vergrößert, wenn er endet, wird er wieder reduziert. Sie müssen also ganz offensichtlich den Zugriff auf diesen Wert synchronisieren, da der Scheduler einem Thread die Kontrolle entziehen und an einen anderen übergeben kann, wenn der erste gerade dabei ist, den Wert zu aktualisieren. Schlimmer noch, der exakt gleiche Code könnte parallel auf einer Multiprozessormaschine ausgeführt werden. Für diese Aufgabe können Sie `Interlocked.Increment()` und `Interlocked.Decrement()` benutzen. Diese Methoden modifizieren den Wert garantiert über alle Prozessoren im System. Werfen Sie einen Blick auf das folgende Beispiel:

```
Imports System
Imports System.Threading

Public Class EntryPoint
    Private Shared numberThreads As Integer = 0
    Private Shared rnd As Random = New Random()

    Private Shared Sub RndThreadFunc()
        'Verwalte die Thread-Zählung und warte eine zufällige
        'Zeitspanne zwischen 1 und 12) Sekunden.
        Interlocked.Increment(numberThreads)

        Try
            Dim time As Integer = rnd.Next(1000, 12000)
            Thread.Sleep(time)
        Finally
            Interlocked.Decrement(numberThreads)
```

```
        End Try
    End Sub

    Private Shared Sub RptThreadFunc()
        Do While True
            Dim threadCount As Integer = 0
            threadCount = _
                Interlocked.Exchange(numberThreads, numberThreads)
            Console.WriteLine("{0} thread(s) alive", threadCount)
            Thread.Sleep(1000)
        Loop
    End Sub

    Shared Sub Main()
        'Die Reporting-Threads starten.
        Dim reporter As Thread = _
            New Thread(AddressOf EntryPoint.RptThreadFunc)

        reporter.IsBackground = True
        reporter.Start()

        'Die Threads starten, die zufallsgesteuert
        'unterschiedlich lange warten.
        Dim rndthreads As Thread() = New Thread(49) {}

        For i As UInteger = 0 To 49
            rndthreads(i) = _
                New Thread(AddressOf EntryPoint.RndThreadFunc)
            rndthreads(i).Start()
        Next i
    End Sub
End Class
```

Dieses kleine Programm erzeugt 50 Threads im Vordergrund, die nichts anderes tun, als eine zufällige Zeitspanne zwischen 1 und 12 Sekunden zu warten. Es erzeugt zudem einen Thread im Hintergrund, der berichtet, wie viele Threads gerade aktiv sind. Wenn Sie die Methode RndThreadFunc anschauen, also die Thread-Funktion, die von den 50 Strängen benutzt wird, können Sie sehen, wie sie den Integer-Wert über die Interlocked-Methoden erhöht und verringert. Beachten Sie, dass Sie einen Finally-Block benutzen, um sicherzustellen, dass der Wert verringert wird – egal, wie der Strang beendet wird. Sie könnten dass Schlüsselwort Using benutzen, indem Sie den Inkrementer und Dekrementer in eine separate Klasse verpacken, die das Interface IDisposable implementiert. Das würde den Finally-Block eliminieren, aber in diesem Fall würde Ihnen das nicht helfen, weil Sie zusätzlich noch einen Referenztyp erstellen müssten, der die Zählvariable enthält.

Sie haben `Interlocked.Increment()` und `Interlocked.Decrement()` in Aktion gesehen. Aber was ist mit der Methode `Interlocked.Exchange()`, die der Berichtsthread benutzt? Erinnern Sie sich: Da mehrere Threads versuchen, in die `ThreadCount`-Variable zu schreiben, muss der Berichterstatter den Wert ebenfalls auf eine synchronisierte Weise lesen. Hier kommt `Interlocked.Exchange()` ins Spiel. Wie der Name bereits impliziert, erlaubt Ihnen `Interlocked.Exchange()` den Wert einer Variable gegen den einer anderen stückweise auszutauschen, und die gibt den Wert zurück, der zuvor an dieser Stelle gespeichert war. Die Klasse `Interlocked` bietet keine Methode, die einen `Integer`-Wert einfach in einer atomaren Operation liest. Alles, was Sie tun, ist deshalb, den Wert der Variable `numberThreads` mit ihrem eigenen Wert zu vertauschen. Als Nebeneffekt gibt due Methode `Interlocked.Exchange()` den Wert zurück, der sich an der Speicherstelle befunden hat.

Die letzte Methode, die es bei der Klasse `Interlocked` zu beschreiben gilt, ist `CompareExchange()`. Sie ist `Interlocked.Exchange()` insofern ähnlich, als sie Ihnen erlaubt, den Wert einer Speicherstelle oder eines Slots stückweise auszutauschen. Sie führt den Austausch jedoch nur aus, wenn der ursprüngliche Wert sich als gleich zu einem Vergleichswert erweist. In jedem Fall gibt die Methode immer den ursprünglichen Wert zurück. Eine extrem nützliche Verwendung der Methode `CompareExchange` liegt darin, sie als leichtgewichtigen Spin Lock zu benutzen. Ein Spin Lock erhält seinen Namen von der Tatsache, dass er, sofern er einen Lock nicht belegen kann, diesen quasi in einer engen Schleife umkreist, bis er es kann. Wenn Sie einen Spin Lock implementieren, legen Sie Ihren Thread typischerweise bei jedem vergeblichen Versuch, den Lock zu belegen, für eine sehr kurze Zeitspanne schlafen. Auf diese Weise kann der Scheduler Prozessorzeit an einen anderen Thread vergeben, während Sie warten. Wenn Sie nicht wollen, dass der Thread schlafen geht, sondern er nur seine Zeitscheibe freigeben soll, können Sie den Wert 0 an `Thread.Sleep()` übergeben. Sehen wir uns ein Beispiel an:

```vb
Imports System
Imports System.IO
Imports System.Threading

Public Class SpinLock
    Private theLock As Integer = 0
    Private spinWait As Integer

    Public Sub New(ByVal spinWait As Integer)
        Me.spinWait = spinWait
    End Sub

    Public Sub Enter()
        Do While Interlocked.CompareExchange(theLock, 1, 0) = 1
            'The lock is taken, spin.
            Thread.Sleep(spinWait)
        Loop
    End Sub
```

```
    Public Sub [Exit]()
        'Das Lock zurücksetzen.
        Interlocked.Exchange(theLock, 0)
    End Sub
End Class

Public Class SpinLockManager
    Implements IDisposable

    Private spinLock As SpinLock

    Public Sub New(ByVal spinLock As SpinLock)
        Me.spinLock = spinLock
        spinLock.Enter()
    End Sub

    Public Sub Dispose() Implements IDisposable.Dispose
        spinLock.Exit()
    End Sub
End Class

Public Class EntryPoint
    Private Shared rnd As Random = New Random()
    Private Shared logLock As SpinLock = New SpinLock(10)

    Private Shared fsLog As StreamWriter = _
        New StreamWriter(File.Open("log.txt", FileMode.Append, _
        FileAccess.Write, FileShare.None))

    Private Shared Sub RndThreadFunc()
        Using TempSpinLockManager As SpinLockManager = _
            New SpinLockManager(logLock)
            fsLog.WriteLine("Thread Starting")
            fsLog.Flush()
        End Using

        Dim time As Integer = rnd.Next(10, 200)
        Thread.Sleep(time)

        Using TempSpinLockManager As SpinLockManager = _
            New SpinLockManager(logLock)
            fsLog.WriteLine("Thread Exiting")
            fsLog.Flush()
        End Using
    End Sub
```

```
Shared Sub Main()
    'Threads starten, die eine zufällige Zeitspanne
    'warten.
    Dim rndthreads As Thread() = New Thread(49) {}

    For i As UInteger = 0 To 49
        rndthreads(i) = _
            New Thread(AddressOf EntryPoint.RndThreadFunc)
        rndthreads(i).Start()
    Next i
End Sub
End Class
```

Dieses Beispiel ähnelt dem vorigen insofern, als es 50 Threads erzeugt, die eine zufällig lange Zeitspanne warten. Anstatt jedoch einen Threadzähler zu verwalten, gibt es eine Zeile an ein Logfile aus. Da zahlreiche Threads in die Datei schreiben und Instanzenmethoden von StreamWriter nicht threadsicher sind, müssen Sie das Schreiben auf eine sichere Weise im Kontext eines Locks ausführen. Hier kommt die Klasse SpinLock ins Spiel. Intern unterhält sie eine Lockvariable in Form eines Integer-Werts und sie benutzt Interlocked.CompareExchange(), um den Zugriff auf das Lock abzuschirmen. Der Aufruf an Interlocked.CompareExchange() in SpinLock.Enter() besagt:

- Wenn der Lock-Wert gleich 0 ist, ersetze den Wert durch 1 und gib einen Hinweis aus, dass der Lock belegt ist. Ansonsten tue nichts.

- Wenn der Wert des Slots schon 1 enthält, ist er belegt und du musst schlafen und deine Runden drehen.

Beide Ereignisse verlaufen auf eine atomare Art über die Klasse Interlocked. Daher gibt es keine Möglichkeit, dass mehr als ein Thread den Lock zu einer gegebenen Zeit belegt. Wird die Methode SpinLock.Exit() aufgerufen, muss sie den Lock lediglich zurücksetzen. Dies muss jedoch ebenfalls stückweise erfolgen – daher der Aufruf an Interlocked.Exchange().

Dieses Beispiel illustriert den Gebrauch des in Kapitel 3 dargelegten Disposable/Using-Idioms, um deterministische Zerstörung zu implementieren. Dabei führen Sie eine andere Klasse – in diesem Fall SpinLockManager – ein, um das Modell RAII (Resource Acquisition Is Initialization, Ressourcenbelegung ist Initialisierung) zu implementieren. Dies bewahrt Sie davor, immer daran denken zu müssen, Finally-Blöcke zu schreiben. Natürlich müssen Sie immer noch daran denken, das Schlüsselwort Using zu verwenden, aber wenn Sie dem Modell strenger folgen als dieses Beispiel, würden Sie einen Finalisierer implementieren, der im Debugging-Build eine Zusicherung abgeben würde, ob er durchgelaufen ist und das Objekt dabei noch nicht beseitigt wurde.

Spin Locks, die auf diese Weise implementiert werden, sind nicht ablaufinvariant. Jede Funktion, die den Lock belegt hat, kann nicht mehr aufgerufen werden, bis sie den

Lock wieder freigegeben hat. Sie können Spin Locks zwar mit rekursiven Programmiertechniken benutzen, aber Sie müssen den Lock vor der Rekursion wieder freigeben, oder Sie erleben einen Deadlock.

> **Tipp:** Wenn Sie einen ablaufinvarianten Wartemechanismus benötigen, können Sie Warteobjekte benutzen, die strukturierter sind, wie die Klasse `Monitor`, die wir als Nächstes behandeln, oder kernelbasierte Warteobjekte.

13.2.2 Die Klasse Monitor

Der vorige Abschnitt zeigte Ihnen, wie Sie einen Spin Lock implementieren, indem Sie die Methoden der Klasse `Interlocked` benutzen. Ein Spin Lock ist nicht immer der effizienteste Synchronisierungsmechanismus, vor allem, wenn Sie ihn in einer Umgebung einsetzen, in der Warten fast garantiert ist. Der Thread-Scheduler muss den Thread kontinuierlich aufwecken und ihm erlauben, die Lock-Variable erneut zu prüfen. Wie bereits erwähnt, ist ein Spin Lock ideal, wenn Sie einen leichtgewichtigen, nicht ablaufinvarianten Synchronisierungsmechanismus brauchen und die Wahrscheinlichkeit gering ist, dass ein Thread warten muss.

Wenn Sie wissen, dass die Wahrscheinlichkeit, warten zu müssen, hoch ist, sollten Sie einen Mechanismus benutzen, der dem Scheduler erlaubt, das Aufwecken eines Threads zu vermeiden, bis der Lock verfügbar ist. .NET bietet die Klasse `System.Threading.Monitor`, um die Synchronisierung zwischen Threads im selben Prozess zu erlauben. Sie können diese Klasse benutzen, um den Zugriff auf bestimmte Variablen zu überwachen oder den Zugang zu Code abzuschirmen, der nur in einem Thread laufen sollte.

Sie können keine Instanz der Klasse `Monitor` erzeugen. Wie schon die Klasse `Interlocked` ist die Klasse `Monitor` nur ein Namensraum für eine Sammlung gemeinsam genutzter Methoden, die die Arbeit erledigen. Zwei dieser gemeinsam genutzten Methoden sind `Monitor.Enter()` und `Monitor.Exit()`. Diese Methoden verhindern, dass zahlreiche Threads den Codeabschnitt betreten, der von `Enter()` und `Exit()` abgegrenzt wird.

> **Tipp:** `Monitor`e bieten einen Weg, die Synchronisierung sicherzustellen, bei dem nur eine Methode oder ein Block mit geschütztem Code zu einem bestimmten Zeitpunkt ausgeführt wird. Ein `Mutex` wird normalerweise für die gleiche Aufgabe genutzt. Der `Monitor` ist jedoch leichter und schneller. Monitor ist dann das Richtige, wenn Sie den Zugriff auf den Code innerhalb eines einzigen Prozesses überwachen müssen. `Mutex` ist das Richtige, wenn Sie den Zugriff von vielen Prozessen auf eine Ressource sichern müssen.

Die CLR verwaltet einen Synchronisationsblock für jede Objektinstanz im Prozess. Im Grunde genommen ist das ein Flag, ganz ähnlich dem Integer, der im vorigen Abschnitt genutzt wurde. Wenn Sie den Lock auf ein Objekt belegen, wird das Flag gesetzt. Wird der Lock freigegeben, dann wird das Flag zurückgesetzt. Die Klasse `Monitor` ist die Tür, um auf dieses Flag zugreifen zu können. Die Vielseitigkeit dieses Schemas zeigt sich darin, dass jede Objektinstanz in der CLR potenziell eines dieser Locks enthält. Wir sagen hier potenziell, da die CLR sie auf eine nachlässige Weise zuordnet, da nicht jeder Lock einer Objektinstanz auch gebraucht wird. Schauen wir uns ein Beispiel an, das die `Monitor`-Klasse benutzt, indem wir das Beispiel des vorherigen Abschnitts modifizieren:

```
Imports System
Imports System.Threading

Public Class EntryPoint
    Private Shared theLock As Object = New Object()
    Private Shared numberThreads As Integer = 0
    Private Shared rnd As Random = New Random()

    Private Shared Sub RndThreadFunc()
        'Verwalte die Thread-Zählung und warte eine zufällige
        'Zeitspanne zwischen 1 und 12) Sekunden.

        Try
            Monitor.Enter(theLock)
            numberThreads += 1
        Finally
            Monitor.Exit(theLock)
        End Try

        Dim time As Integer = rnd.Next(1000, 12000)

        Thread.Sleep(time)

        Try
            Monitor.Enter(theLock)
            numberThreads -= 1
        Finally
            Monitor.Exit(theLock)
        End Try
    End Sub

    Private Shared Sub RptThreadFunc()
        Do While True
            Dim threadCount As Integer = 0

            Try
                Monitor.Enter(theLock)
                threadCount = numberThreads
            Finally
```

```
                Monitor.Exit(theLock)
            End Try

            Console.WriteLine("{0} thread(s) alive", threadCount)

            Thread.Sleep(1000)
        Loop
    End Sub

    Shared Sub Main()
        'Die Berichtsthreads starten.
        Dim reporter As Thread = _
            New Thread(AddressOf EntryPoint.RptThreadFunc)

        reporter.IsBackground = True
        reporter.Start()

        'Threads starten, die eine zufällige Zeitspanne
        'warten.
        Dim rndthreads As Thread() = New Thread(49) {}

        For i As UInteger = 0 To 49
            rndthreads(i) = _
                New Thread(AddressOf EntryPoint.RndThreadFunc)
            rndthreads(i).Start()
        Next i
    End Sub
End Class
```

Beachten Sie, dass Sie alle Zugriffe auf die Variable `numberThreads` in Form eines Objekt-Locks ausführen. Vor jedem Zugriff muss der Accessor den Lock auf der Objektinstanz `theLock` belegen. Das Feld `theLock` ist einfach vom Typ `Object`, weil sein eigentlicher Typ bedeutungslos ist. Als einziges ist von Bedeutung, dass es ein Referenztyp ist, das heißt, eine Instanz von `Object` anstelle eines Werttyps. Da Sie nur die Instanz von `Object` benötigen, um ihren internen Synchronisationsblock zu verwenden, können Sie einfach ein Objekt des Typs `System.Object` instanzieren.

Sie haben wahrscheinlich auch bemerkt, dass der Code weniger elegant ist als die Version, die die `Interlocked`-Methoden benutzt hat. Immer, wenn Sie `Monitor.Enter()` aufrufen, möchten Sie garantieren, dass das Pendant `Monitor.Exit()` unter allen Umständen ausgeführt wird. Die Beispiele mildern das Problem ab, indem die Klasse `Interlocked` benutzt wird, wobei die benutzten Methoden der Klasse in eine Klasse namens `SpinLockManager` gepackt werden. Können Sie sich das Chaos vorstellen, das entstünde, wenn ein Aufruf von `Monitor.Exit()` aufgrund einer Ausnahme ausgelassen würde? Daher sollten Sie in solchen Situationen immer einen `Try/Finally`-Block einsetzen. Die Schöpfer der Sprache VB erkannten, dass Entwickler große Anstrengungen unternehmen würden, um sicherzugehen, dass diese `Finally`-Blöcke vorhanden sind, auch wenn es nur um den Aufruf von `Monitor.Exit()` geht. Daher haben Sie unser aller Leben einfacher gemacht, indem sie das Schlüsselwort `SyncLock` eingeführt haben. Schauen Sie sich das Beispiel noch mal an, diesmal unter Verwendung des Schlüsselworts `SyncLock`:

```
Imports System
Imports System.Threading

Public Class EntryPoint
    Private Shared theLock As Object = New Object()
    Private Shared numberThreads As Integer = 0
    Private Shared rnd As Random = New Random()

    Private Shared Sub RndThreadFunc()
        'Verwalte die Thread-Zählung und warte eine zufällige
        'Zeitspanne zwischen 1 und 12) Sekunden.

        SyncLock theLock
            numberThreads += 1
        End SyncLock

        Dim time As Integer = rnd.Next(1000, 12000)

        Thread.Sleep(time)

        SyncLock theLock
            numberThreads -= 1
        End SyncLock
    End Sub

    Private Shared Sub RptThreadFunc()
        Do While True
            Dim threadCount As Integer = 0

            SyncLock theLock
                threadCount = numberThreads
            End SyncLock

            Console.WriteLine("{0} thread(s) alive", threadCount)

            Thread.Sleep(1000)
        Loop
    End Sub

    Shared Sub Main()
        'Die Berichts-Threads starten.
        Dim reporter As Thread = _
```

```
            New Thread(AddressOf EntryPoint.RptThreadFunc)

        reporter.IsBackground = True
        reporter.Start()

        'Threads starten, die eine zufällige Zeitspanne
        'warten.

        Dim rndthreads As Thread() = New Thread(49) {}

        For i As UInteger = 0 To 49
            rndthreads(i) = _
                New Thread(AddressOf EntryPoint.RndThreadFunc)
            rndthreads(i).Start()
        Next i
    End Sub
End Class
```

Sie bemerken, dass der Code sehr viel stringenter geworden ist. Und es gibt in der Tat keine expliziten Aufrufe von Methoden von `Monitor`. Der VB-Compiler dehnt nämlich das Schlüsselwort `SyncLock` zu dem vertrauten `Try/Finally`-Block mit den Aufrufen von `Monitor.Enter()` und `Monitor.Exit()` aus. Sie können das überprüfen, indem Sie den generierten Code in der Intermediate Language (IL) mit dem IL Disassembler überprüfen (IL DASM).

In vielen Fällen ist die Synchronisierung, die intern in einer Klasse implementiert ist, so einfach, als ob sie auf die vorher vorgestellte Weise implementiert wird. Aber wenn nur ein Lock-Objekt über alle Methoden in der Klasse hinweg gebraucht wird, können Sie das Modell noch stärker vereinfachen. Sie eliminieren die Alibi-Instanz von `System.Object`, indem Sie das Schlüsselwort `Me` verwenden, wenn Sie den Lock durch die Klase `Monitor` belegen. Obwohl Sie sich damit ersparen, ein Objekt des Typs `System.Object` zu instanzieren – was ziemlich leichtgewichtig ist –, bringt dies seine eigenen Risiken mit sich. Ein externer Benutzer Ihres Objekts könnte in der Tat versuchen, den Synchronisationsblock innerhalb Ihres Objekts durch einen Aufruf von `Monitor.Enter()` zu verwenden – noch bevor eine Ihrer Methoden aufgerufen wird, die versuchen, denselben Lock zu belegen. Technisch ist das eigentlich in Ordnung, da derselbe Ausführungsstrang `Monitor.Enter()` mehrfach aufrufen kann. Anders gesagt, `Monitor`-Locks sind ablaufinvariant, anders als die Spin-Locks des vorherigen Abschnitts. Wenn jedoch ein Lock freigegeben wird, muss er dadurch freigegeben werden, dass `Monitor.Exit()` entsprechend oft aufgerufen wird. Daher müssen Sie sich darauf verlassen, dass der Benutzercode Ihres Objekts entweder das Schlüsselwort `SyncLock` benutzt oder einen `Try/Finally`-Block, um sicherzugehen, dass ihr Aufruf von `Monitor.Enter()` auch eine entsprechende Zuordnung zu `Monitor.Exit()` findet. Wir empfehlen, vom Anlegen von Locks mit dem Schlüsselwort `Me` abzusehen und raten, stattdessen eine private Instanz von `System.Object()` als Lock zu verwenden. Dadurch müssen Sie es nicht dem Benutzercode Ihres Objekts überlassen, das Locking zu verwalten.

Hüten Sie sich vor dem Boxing

Wenn Sie die `Monitor`-Methoden benutzen, um Locking zu implementieren, benutzt `Monitor` intern den Synchronisationsblock von Objektinstanzen, um den Lock zu verwalten. Da jede Objektinstanz potenziell einen Synchronisierungsblock haben kann, können Sie jede Referenz auf ein Objekt benutzen, sogar eine Objektreferenz auf einen durch Boxing verpackten Wert. Auch wenn es technisch geht, sollten Sie nie eine Instanz eines Werttyps an `Monitor.Enter()` übergeben, wie in dem folgenden Codebeispiel gezeigt:

```
Imports System
Imports System.Threading

Public Class EntryPoint
    Private Shared counter As Integer = 0

    'TUN SIE DIES NIE!!!
    Private Shared theLock As Integer = 0

    Private Shared Sub ThreadFunc()
        For i As Integer = 0 To 49
            Monitor.Enter(theLock)
            Try
                Console.WriteLine(counter)

                counter += 1
            Finally
                Monitor.Exit(theLock)
            End Try
        Next i
    End Sub

    Shared Sub Main()
        Dim thread1 As Thread = _
            New Thread(AddressOf EntryPoint.ThreadFunc)
        Dim thread2 As Thread = _
            New Thread(AddressOf EntryPoint.ThreadFunc)

        thread1.Start()
        thread2.Start()
    End Sub
End Class
```

Wenn Sie versuchen, diesen Code auszuführen, werden Sie eine `SynchronizationLockException` erhalten, die angibt, dass eine Methode für die Objektsynchronisierung von einem unsynchronisierten Codeblock aus aufgerufen wurde. Warum passiert das? Erinnern Sie sich, dass implizites Boxing auftritt, wenn Sie einen Werttyp an eine Methode übergeben, die einen Referenztyp akzeptiert. Denselben Werttyp an dieselbe Methode mehrfach zu übergeben führt jedes Mal zu einer anderen Boxing-Referenz. Daher ist das Referenzobjekt, das im Rumpf von `Monitor.Exit()` verwendet wird, ein anderes als das, welches in `Monitor.Enter()` benutzt wird. Das ist ein weiteres Beispiel dafür, welchen Ärger Ihnen implizites Boxing bereiten kann. Sie haben vielleicht bemerkt, dass das Beispiel den `Try/Finally`-Ansatz verwendet hat. Das ist so, weil die Designer von Visual Basic das `SyncLock`-Statement so gestaltet haben, dass es keine Wertetypen akzeptiert. Wenn Sie mit `SyncLock` arbeiten, müssen Sie sich keine Sorgen darüber machen, dass Sie unabsichtlich einen geboxten Werttyp an die `Monitor`-Methoden übergeben könnten.

Pulse und Wait

Zusätzlich zu den bisher erwähnten Verwendungsmöglichkeiten, können Sie die `Monitor`-Methoden auch dazu benutzen, einen Handshake zwischen den Threads zu implementieren sowie für eine Zugriffswarteschlange auf eine gemeinsam genutzte Ressource.

Wenn ein Thread eine gelockte Region erfolgreich betreten hat, kann er das Lock aufgeben und in eine Warteschlange eintreten, indem er `Monitor.Wait()` aufruft. Der erste Parameter für `Monitor.Wait()` ist die Objektreferenz, deren Synchronisierungsblock den gerade benutzten Lock repräsentiert. Der zweite Parameter ist ein Auszeitwert. `Monitor.Wait()` gibt einen `Boolean`-Typ zurück, der andeutet, ob das Warten erfolgreich war oder ob der Time-Out erreicht wurde. Wenn das Warten erfolgreich war, ist das Ergebnis `True`; ansonsten ist es `False`. Wenn ein Thread, der `Monitor.Wait()` aufruft, das Warten erfolgreich beendet, verlässt er den Wartestatus wieder als Besitzer des Locks.

Wenn Threads den Lock aufgeben und in einen Wartestatus eintreten können, muss es einen Mechanismus geben, der Monitor sagt, dass es den Lock so bald wie möglich an einen der wartenden Threads weitergeben kann. Dieser Mechanismus ist die Methode `Monitor.Pulse()`. Nur der Thread, der gerade den Lock in Besitz hält, darf `Monitor.Pulse()` aufrufen. Wenn sie aufgerufen wird, wird der Thread, der an der Spitze der Warteschlange steht, in eine Bereit-Schlange versetzt. Sobald der Thread, der den Lock belegt, dieses freigibt, entweder durch Aufruf von `Monitor.Exit()` oder `Monitor.Wait()`, darf der erste Thread in der Bereit-Schlange laufen. Unter den Threads in der Bereit-Schlange sind jene, die gepulst sind und die, die nach einem Aufruf von `Monitor.Enter()` blockiert wurden. Zusätzlich kann der Thread, der den Lock belegt, alle wartenden Threads in die Bereit-Schlange verlegen, indem er `Monitor.PulseAll()` aufruft.

Es gibt viele interessante Synchronisierungsaufgaben, die Sie mit den Methoden `Monitor.Pulse()` und `Monitor.Wait()` erledigen können. Betrachten Sie etwa das folgende Beispiel, das einen Handshake-Mechanismus zwischen zwei Threads implementiert. Das Ziel lautet, dass beide Threads einen Zähler in abwechselnder Reihenfolge um eins erhöhen:

```vb
Imports System
Imports System.Threading

Public Class EntryPoint
    Private Shared counter As Integer = 0
    Private Shared theLock As Object = New Object()


    Private Shared Sub ThreadFunc1()
        SyncLock theLock
            For i As Integer = 0 To 5
                Monitor.Wait(theLock, Timeout.Infinite)

                Console.WriteLine("{0} from Thread {1}", counter, _
                    Thread.CurrentThread.GetHashCode())

                Monitor.Pulse(theLock)

                counter += 1
            Next i
        End SyncLock
    End Sub

    Private Shared Sub ThreadFunc2()
        SyncLock theLock
            For i As Integer = 0 To 5
                Monitor.Pulse(theLock)
                Monitor.Wait(theLock, Timeout.Infinite)

                Console.WriteLine("{0} from Thread {1}", counter, _
                    Thread.CurrentThread.GetHashCode())

                counter += 1
            Next i
        End SyncLock
    End Sub

    Shared Sub Main()
        Dim thread1 As Thread = _
            New Thread(AddressOf EntryPoint.ThreadFunc1)
        Dim thread2 As Thread = _
            New Thread(AddressOf EntryPoint.ThreadFunc2)

        thread1.Start()
        thread2.Start()
    End Sub
End Class
```

Das Ergebnis zeigt, dass die Threads den Zähler alternierend erhöhen:

```
0 from Thread 3
1 from Thread 4
2 from Thread 3
3 from Thread 4
4 from Thread 3
5 from Thread 4
6 from Thread 3
7 from Thread 4
8 from Thread 3
9 from Thread 4
10 from Thread 3
11 from Thread 4
```

Als weiteres Beispiel könnten Sie einen groben Thread-Pool implementieren, indem Sie Monitor.Wait() und Monitor.Pulse()verwenden. Es kann unnötig sein, so etwas zu tun, da das .NET-Framework das Objekt ThreadPool anbietet. Dieses ist robust und benutzt optimierte Ports für die Ein- und Ausgabebearbeitung des darunter liegenden Betriebssystems. Um des Beispiels willen könnten Sie aber einen Pool von Arbeitsthreads implementieren, die darauf warten, dass Arbeitsaufträge in eine Warteschlange eingereiht werden:

```
Imports System
Imports System.Threading
Imports System.Collections

Public Class CrudeThreadPool
    Private workQueue As Queue
    Private workLock As Object
    Private threads As Thread()
    Private mStop As Integer

    Private Shared ReadOnly MAX_WORK_THREADS As Integer = 4
    Private Shared ReadOnly WAIT_TIMEOUT As Integer = 2000

    Public Delegate Sub WorkDelegate()

    Public Sub New()
        mStop = 0
        workLock = New Object()
        workQueue = New Queue()
        threads = New Thread(MAX_WORK_THREADS - 1) {}

        Dim i As Integer = 0
        Do While i < MAX_WORK_THREADS
            threads(i) = New Thread(AddressOf Me.ThreadFunc)
```

```vbnet
                threads(i).Start()

                i += 1
        Loop
    End Sub


    Private Sub ThreadFunc()
        SyncLock workLock
            Dim shouldStop As Integer = 0
            Do
                shouldStop = Interlocked.Exchange(mStop, mStop)
                If shouldStop = 0 Then
                    Dim workItem As WorkDelegate = Nothing

                    If Monitor.Wait(workLock, WAIT_TIMEOUT) Then
                        'Den Auftrag am Beginn bearbeiten
                        SyncLock workQueue
                            workItem = CType(workQueue.Dequeue(), _
                                WorkDelegate)
                        End SyncLock
                        workItem()
                    End If
                End If
            Loop While shouldStop = 0
        End SyncLock
    End Sub


    Public Sub SubmitWorkItem(ByVal item As WorkDelegate)
        SyncLock workLock
            SyncLock workQueue
                workQueue.Enqueue(item)
            End SyncLock

            Monitor.Pulse(workLock)
        End SyncLock
    End Sub


    Public Sub Shutdown()
        Interlocked.Exchange(mStop, 1)
    End Sub
End Class

Public Class EntryPoint
    Private Shared Sub WorkFunction()
        Console.WriteLine("WorkFunction() called on Thread {0}", _
            Thread.CurrentThread.GetHashCode())
    End Sub
```

```
    Shared Sub Main()
        Dim pool As CrudeThreadPool = New CrudeThreadPool()
        For i As Integer = 0 To 11
            pool.SubmitWorkItem(New CrudeThreadPool.WorkDelegate _
                (AddressOf EntryPoint.WorkFunction))
        Next i

        pool.Shutdown()
    End Sub
End Class
```

Der Code führt zu folgender Ausgabe:

```
WorkFunction() called on Thread 3
WorkFunction() called on Thread 4
WorkFunction() called on Thread 5
WorkFunction() called on Thread 6
WorkFunction() called on Thread 3
WorkFunction() called on Thread 4
WorkFunction() called on Thread 5
WorkFunction() called on Thread 6
```

In diesem Fall wird der Arbeitsauftrag durch einen Delegaten repräsentiert, der weder einen Wert annimmt noch einen zurückgibt. Wenn das Objekt `CrudeThreadPool` erzeugt wird, erstellt es einen Pool von Threads und startet sie, damit sie die Hauptmethode für die Bearbeitung der Aufträge ausführen. Diese Methode ruft einfach `Monitor.Wait()` auf, um auf ein Element zu warten, das eingereiht wird. Wenn die Methode `SubmitWorkItem()` aufgerufen wird, wird ein Element in die Schlange gedrückt und sie ruft `Monitor.Pulse()` auf, um einen der Arbeitsthreads freizugeben. Natürlich muss der Zugang zur Warteschlange synchronisiert werden. In diesem Fall ist die Warteschlange der Referenztyp, der benutzt wird, um den Zugriff zu synchronisieren. Zusätzlich müssen die Arbeitsthreads nicht ewig warten, da sie periodisch aufwachen und ein Flag prüfen, um nachzusehen, ob sie elegant stillgelegt werden sollen. Sie könnten aber auch die Arbeitsthreads in Hintergrund-Threads verwandeln, indem Sie das Property `IsBackground` innerhalb der Methode `Shutdown` setzen. In diesem Fall können jedoch die Arbeitsthreads stillgelegt werden, bevor sie mit ihrer Arbeit zu Ende gekommen sind. Abhängig von der Situation kann das von Vorteil sein oder nicht. Beachten Sie, dass wir die `Interlocked`-Methoden gewählt haben, um das Stop-Flag zu verwalten, das anzeigt, ob die Arbeits-Threads stillgelegt werden sollen.

Tipp: Eine weitere nützliche Technik ist es, einen speziellen Typ eines Arbeitsauftrags zu kreieren, der einem Thread sagt, dass er stillgelegt werden soll. Der Trick daran ist, dass Sie sicherstellen müssen, so viele dieser speziellen Aufträge in die Schlange zu schieben, wie Threads im Pool vorhanden sind.

13.2.3 Locking von Objekten

Das .NET-Framework stellt verschiedene Locking-Objekte auf hoher Ebene zur Verfügung, die Sie benutzen können, um den Zugriff auf Daten von mehreren Threads synchronisieren zu können. Der bisherige Abschnitt widmete sich ausschließlich einem Lock-Typen, dem `Monitor`. Die `Monitor`-Klasse implementiert jedoch kein Kernel-Lock-Objekt. Stattdessen gewährt sie den Zugang zum Synchronisations-Lock von jeder Objektinstanz von .NET. Weiter oben in diesem Kapitel haben wir die primitiven Methoden der Klasse `Interlocked` gezeigt, die Sie benutzen können, um Spin-Locks zu implementieren. Ein Grund, warum Spin-Locks so primitiv sind, ist, dass sie es Ihnen nicht erlauben, denselben Lock wiederholt zu belegen. Andere Locking-Objekte höherer Ebene erlauben dies typischerweise, so lange Sie genauso viele Lock-Operationen wie Freigaben vornehmen. In diesem Abschnitt werden wir einige nützliche Locking-Objekte vorstellen, die das .NET-Framework zu bieten hat.

Aber egal, welchen Typ eines Locking-Objekts Sie benutzen, Sie sollten immer danach streben, Code zu schreiben, der den Lock für die kürzestmögliche Zeit belegt. Es kann zum Beispiel sein, dass Sie einen Lock belegen, um auf Daten innerhalb einer Methode zuzugreifen, die ein wenig Zeit in Anspruch nimmt, um die Daten zu verarbeiten. Dann sollten Sie den Lock nur so lange genug belegen, dass Sie eine Kopie der Daten auf dem lokalen Stack anfertigen können. Dann sollten Sie den Lock sobald wie möglich freigeben. Durch diese Technik stellen Sie sicher, dass andere Threads in Ihrem System, die auf dieselben Daten zugreifen wollen, nicht übermäßig lange blockiert werden.

ReaderWriterLock

Wenn der Zugriff auf gemeinsam genutzte Daten zwischen Threads synchronisiert wird, finden Sie sich immer wieder in einer Position wieder, bei der Sie verschiedene Threads haben, die die Daten lesen oder konsumieren, während ein Thread Daten schreibt oder produziert. Offenbar müssen alle Threads einen Lock belegen, bevor sie Hand an die Daten legen können, um die Race Condition zu vermeiden, wenn ein Thread Daten schreibt, während der andere gerade dabei ist, sie zu lesen und dadurch für den lesenden Thread möglicherweise unbrauchbares Zeug entsteht. Es ist jedoch ebenfalls wenig effizient, wenn mehrere Threads, die die Daten nur lesen wollen, gegeneinander abgeschottet werden. Es gibt keinen Grund, warum sie die Daten nicht parallel lesen sollten.

`ReaderWriterLock` löst diese Ineffizienz auf elegante Weise. Im Wesentlichen erlaubt er mehreren Lesern, parallel auf die Daten zuzugreifen. Aber sobald ein Thread die Daten schreiben muss, hat jeder außer dem schreibenden Thread die Hände wegzunehmen. `ReaderWriterLock` schafft dieses Kunststück, indem er zwei interne Warteschlangen verwendet. Eine Schlange ist für wartende Leser, die andere für wartende Schreiber. Abbildung 13-2 zeigt ein Blockdiagramm, das anschaulich macht, wie das Innenleben des `ReaderWriterLock` aussieht. In diesem Szenario laufen vier Threads in dem System und momentan versucht keiner der Threads, auf die Daten in dem Lock zuzugreifen.

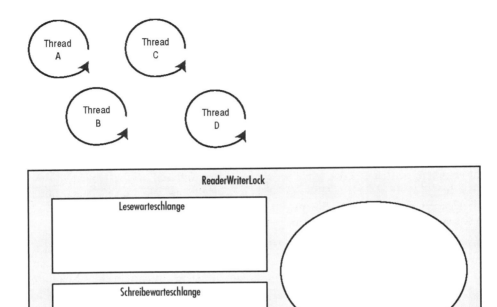

Abbildung 13-2: Ein nicht verwendeter ReaderWriterLock

Um auf die Daten zuzugreifen, ruft ein Leser `AcquireReaderWriterLock()` auf. Angesichts des Zustands des Locks in Abbildung 13-2 wird der Leser sofort in die Kategorie der Lock-Besitzer eingestuft. Beachten Sie den Plural, denn mehrfache Lock-Besitzer kann es geben. Die Sache wird interessant, sobald einer der Threads versucht, den Schreib-Lock zu belegen, indem er `AcquireWriterLock()` aufruft. In diesem Fall wird der Schreiber in die Schreibeschlange platziert, weil die Leser gerade den Lock belegen, wie in der Abbildung 13-3 gezeigt wird.

Sobald alle Leser ihren Lock freigeben, indem sie `ReleaseReaderLock()` aufrufen, wird es dem Leser – in diesem Fall Thread B – erlaubt, die Region der Lockbesitzer zu betreten. Aber was passiert, wenn Thread A seinen Lese-Lock freigibt und dann versucht, es wieder zu belegen, bevor der Leser die Chance dazu hatte? Wenn es Thread A erlaubt wäre, den Lock wieder zu belegen, dann könnte jeder Thread in der Schreibe-Schlange potenziell davon ferngehalten werden, den Lock irgendwann zu belegen. Um dies zu verhindern, wird jeder Thread, der versucht, den Lese-Lock zu requirieren, während ein Schreiber in der Warteschlange ist, in die Leseschlange platziert, wie Abbildung 13-4 zeigt.

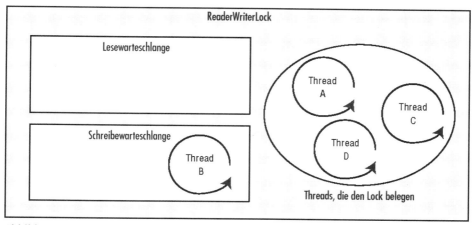

Abbildung 13-3: Der Schreib-Thread wartet auf ReaderWriterLock.

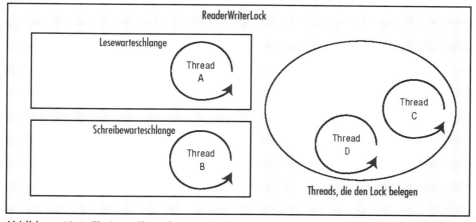

Abbildung 13-4: Ein Lese-Thread versucht, den Lock von neuem zu belegen.

Natürlich räumt dieses Schema der Schreibe-Schlange den Vorrang ein. Das ist auch sinnvoll, denn Sie wollen ja den Lesern die aktuellste Information geben. Hätte der Thread, der den Schreib-Lock benötigt, AcquireQriterLock() aufgerufen, während der ReaderWriterLock im Zustand der Abbildung 13-2 gewesen war, dann wäre es sofort in die Kategorie der Lockbesitzer platziert worden, ohne durch die Schreibe-schlange gehen zu müssen.

ReaderWriterLock ist ablaufinvariant. Daher kann ein Thread jede der Methoden für die Lockbelegung mehrfach ausführen, solange er die passende Freigabemethode ebenso oft aufruft. Jedes Mal wenn der Lock neu belegt wird, wird ein interner Lock-Zähler erhöht. Es sollte offensichtlich sein, dass ein einfacher Thread nicht gleichzeitig den Lese- und den Schreib-Lock belegen kann, zudem kann er nicht gleichzeitig in beiden Warteschlangen des ReaderWriterLock stehen. Es ist jedoch möglich, dass ein Thread den Typ des Locks, das er belegt, auf- oder abwertet. Wenn zum Beispiel ein

Thread gerade einen Lese-Lock belegt und die Methode `UpgradeToWriterLock()` auf-
ruft, wird sein Lese-Lock ohne Rücksicht auf den Zählerstand freigegeben und der
Thread in die Warteschlange für das Schreiben aufgenommen. Die Methode
`UpgradeToWriterLock()` gibt ein Objekt des Typs `LockCookie` zurück. Sie sollten dieses
Objekt aufgreifen und an `DowngradeFromWriterLock()` weitergeben, wenn Sie mit dem
Schreibvorgang fertig sind. Das `ReaderWriterLock` benutzt das Cookie, um die Lock-
Zählung für das Objekt wieder herzustellen. Obwohl Sie die Zählung des Schreib-Locks
erhöhen können, sobald Sie es per `UpgradeToWriterLock()` belegt haben, gibt Ihr Aufruf von `DowngradeFromWriterLock()` den Schreib-Lock wieder frei, unabhängig von
der Zählung. Daher ist es am besten, sich nicht auf die Zählung des Schreib-Locks zu
verlassen, wenn ein Thread für den Schreib-Lock aufgewertet wird.

Wie mit jedem anderen Synchronisierungsobjekt im .NET-Framework können Sie ein
Time-Out für fast jede Methode der Lockbelegung festlegen. Dieses Time-Out wird in
Millisekunden vorgegeben. Anders als die Methoden, die einen `Boolean`-Wert ausgeben, wenn das Lock erfolgreich belegt wurde, werfen diese Methoden eine Ausnahme
des Typs `ApplicationException` aus, wenn das Time-Out verstreicht. Wenn Sie also
irgendeine andere Timeout-Variable als `Timeout.Infinite` an eine dieser Funktionen
übergeben, sollten Sie den Aufruf in einen `Try/Catch/Finally`-Block einwickeln, um
die potenzielle Ausnahme abzufangen.

ReaderWriterLockSlim

Ein Neuzugang in VB und .NET ist die Klasse `System.Threading.ReaderWriterLockSlim`.
Diese Klasse erzielt im Vergleich zur aktuellen Klasse `ReaderWriterLock` eine um den
Faktor zwei bis fünf verbesserte Leistung und skaliert besser auf Multiprozessor- und
Mehrkernrechnern. `ReaderWriterLockSlim` unterstützt die Aufwertung der Lese-Locks
mittels der Methode `TryEnterUpgradeableReadLock`. Nur ein Thread kann sich dabei
gleichzeitig im Modus `UpgradeableRead` befinden.

Rekursionen sind standardmäßig deaktiviert, können aber bei der Instanzierung über
`LockRecursionPolicy.SupportsRecursion` ermöglicht werden. Unter den Properties
gibt es `IsReadLockHeld`, `IsUpgradeableReadLockHeld`, `IsWriteLockHeld`,
`WaitingReadCount`, `WaitingWriteCount` und `WaitingUpgradeCount`. Das folgende
Beispiel benutzt `ReaderWriterLockSlim`, um zwei Threads zu erzeugen, die `threadData`
lesen und anzeigen:

```
Imports System
Imports System.Threading

Public Class EntryPoint
    Private Shared threadData As Long = 1
    Private Shared rwl As New ReaderWriterLockSlim

    Shared Sub Main()
        Dim Thread1 As Thread
```

```
        Dim Thread2 As Thread

        Thread1 = New Thread(New ThreadStart(AddressOf Thread1Read))
        Thread2 = New Thread(New ThreadStart(AddressOf Thread2Read))
        Thread1.Start()
        Thread2.Start()
    End Sub

    Shared Sub Thread1Read()
        Dim iCounter As Integer

        For iCounter = 1 To 10
            rwl.EnterReadLock()
            Console.WriteLine("Thread 1 reads: " & threadData)
            Thread.Sleep(10)
            rwl.ExitReadLock()
        Next
    End Sub

    Shared Sub Thread2Read()
        Dim iCounter As Integer

        For iCounter = 1 To 10
            rwl.EnterReadLock()
            Console.WriteLine("Thread 2 reads: " & threadData)
            rwl.ExitReadLock()
        Next
    End Sub
End Class
```

Der Code führt zu folgenden Ergebnissen:

```
Thread 1 reads: 1
Thread 1 reads: 1
Thread 2 reads: 1
Thread 2 reads: 1
Thread 2 reads: 1
Thread 2 reads: 1
Thread 2 reads: 1
Thread 1 reads: 1
Thread 1 reads: 1
Thread 1 reads: 1
```

Mutex

Das Objekt `Mutex`, das das .NET-Framework bietet, ist einer der schwersten Typen von Lock-Objekten, da es den meisten Overhead mit sich herumschleppt, wenn es benutzt wird, um eine geschützte Ressource vor einer Vielzahl von Threads zu schützen. Das liegt daran, weil Sie das Mutex-Objekt dazu benutzen können, die Threadausführung über eine Vielzahl von Prozessen hinweg zu synchronisieren.

Wie andere Synchronisierungsobjekte höherer Ebene ist `Mutex` ablaufinvariant. Wenn Ihr Thread den exklusiven Lock belegen muss, rufen Sie die Methode `WaitOne` auf. Wie üblich, können Sie eine Time-Out-Variable übergeben, die nach Millisekunden misst, wenn auf das Mutex-Objekt gewartet werden muss. Die Methode gibt einen `Boolean`-Wert zurück, der `True` ist, wenn das Warten erfolgreich war, oder `False`, wenn der Time-Out erfolglos verstreicht. Ein Thread kann die `WaitOne`-Methode aufrufen, so oft er will, solange den Aufrufen eine gleich große Zahl von `ReleaseMutex()`-Aufrufen gegenübersteht.

Da Sie `Mutex`-Objekte über mehrere Prozesse hinweg verwenden können, benötigt jeder Prozess eine Möglichkeit, das `Mutex` identifizieren zu können. Daher können Sie einen optionalen Namen vergeben, wenn Sie eine Instanz von `Mutex` erzeugen. Einen Namen zu vergeben ist der einfachste Weg, damit ein anderer Prozess das `Mutex` identifizieren und öffnen kann. Da alle `Mutex`-Namen im globalen Namensraum des ganzen Betriebssystems existieren, ist es wichtig, dem `Mutex` einen einzigartigen Namen zu verleihen, damit es nicht mit `Mutex`-Namen kollidiert, die von anderen Applikationen vergeben wurden. Wir empfehlen einen Namen, der auf der Stringform eines Global Unique Identifiers (GUID) basiert, der wiederum auf `GUIDGEN.exe` basiert.

> **Tipp:** Wir haben bereits erwähnt, dass die Namen von Kernelobjekten global für die komplette Maschine zur Verfügung stehen. Diese Aussage stimmt nicht hundertprozentig, wenn Sie den schnellen Benutzerwechsel bei Windows XP und Terminal Services bedenken. In diesen Fällen ist der Namensraum, der den Namen dieser Kernelobjekte enthält, für jeden eingeloggten Benutzer instanziert. Wenn Sie wirklich wollen, dass Ihr Name im globalen Namensraum existiert, können Sie ihm den String `"\Global"` als Präfix voranstellen.

Wenn das, was wir über das `Mutex`-Objekt gesagt haben, denen vertraut vorkommt, die native Win32-Anwendungen entwickeln, dann liegt das daran, dass der darunter liegende Mechanismus das Win32-`Mutex`-Objekt ist. Sie können in der Tat das echte Betriebssystem-Handle über das Property `SafeWaitHandle` anfassen, das von der Basisklasse `WaitHandle` vererbt wurde. Der Abschnitt »Objekte für die Win32-Synchronisierung und WaitHandle« legt die Vor-und Nachteile der Klasse `WaitHandle` dar. Da Sie `Mutex` über das Kernelobjekt `Mutex` implementieren, durchlaufen Sie eine Überleitung in den Kernelmodus – und zwar jedes Mal, wenn Sie das `Mutex` implementieren oder darauf warten. Solche Übergänge sind extrem langsam und sollten minimiert werden, wenn Sie zeitkritischen Code abarbeiten.

Tipp: Vermeiden Sie Objekte aus dem Kernelmodus zur Synchronisierung zwischen Threads im selben Prozess, wenn es möglich ist. Bevorzugen Sie leichtgewichtigere Mechanismen, etwa die `Monitor`-Klasse oder die `Interlocked`-Klasse. Wenn Sie Threads effizient zwischen zahlreichen Prozessen synchronisieren, haben Sie keine andere Wahl, als Kernelobjekte zu benutzen. Auf einem aktuellen Testrechner zeigte ein einfacher Test, dass die Benutzung von `Mutex` bis zu 44mal länger dauerte als die Verwendung der `Interlocked`-Klasse und 34mal länger als die `Monitor`-Klasse.

13.2.4 Ereignisse

In .NET können Sie zwei Typen benutzen, um Ereignisse zu signalisieren: `ManualResetEvent` und `AutoResetEvent`. Wie beim `Mutex`-Objekt, sind diese Event-Objekte direkt auf Win32-Kernelobjekte abgebildet. Ähnlich wie bei `Mutex`-Objekten bringt die Arbeit mit Ereignisobjekten einen langsamen Übergang in den Kernelmodus mit sich. Beide Ereignistypen werden signalisiert, wenn jemand die Set-Methode bei einer Ereignisinstanz aufruft. An diesem Punkt wird ein Thread freigegeben, der auf den Event wartet. Threads warten auf einen Event, indem sie die geerbte Methode `WaitHandle.WaitOne` aufrufen. Das ist dieselbe Methode, die Sie aufrufen, um darauf zu warten, dass ein `Mutex` signalisiert wird.

Wir haben vorsichtigerweise gesagt, dass ein wartender Thread freigegeben wird, wenn der Event signalisiert wird. Es ist möglich, dass eine Vielzahl von Threads freigegeben werden, wenn ein Event signalisiert wird. Das ist in der Tat der Unterschied zwischen `ManualResetEvent` und `AutoResetEvent`. Wenn ein `ManualResetEvent` signalisiert wird, werden alle Threads freigegeben, die auf ihn warten. Das Ereignis bleibt signalisiert, bis jemand die Methode `Reset` aufruft. Wenn ein Thread `WaitOne()` aufruft, während der `ManualResetEvent` bereits signalisiert ist, dann wird das Warten unverzüglich erfolgreich beendet. Auf der anderen Seite geben `AutoResetEvent`-Objekte nur einen wartenden Thread frei und werden dann sofort auf den unsignalisierten Zustand zurückgesetzt. Sie können sich vorstellen, dass alle Threads, die auf den `AutoResetEvent` warten, sich in einer Warteschlange befinden, bei der nur der erste Thread freigegeben wird, wenn der Event signalisiert wird. Obwohl es nützlich ist anzunehmen, dass die wartenden Threads sich in einer Schlange befinden, können Sie keine Annahmen darüber treffen, welcher wartende Thread als erster freigegeben wird. Auf der Grundlage dieses Verhaltens sind `AutoResetEvents` auch als Synchronisierungs-Events bekannt.

Mit Hilfe des `AutoResetEvent`-Typs könnten Sie einen rohen Threadpool einrichten, in dem diverse Threads auf ein `AutoResetEvent`-Signal warten und gesagt bekommen, dass Arbeit auf sie wartet. Wenn der Arbeitswarteschlange eine neue Aufgabe hinzugefügt wird, dann wird der Event signalisiert, einen der wartenden Threads von der Kette zu lassen. Einen Threadpool auf diese Weise einzurichten ist nicht effizient und bringt einige Probleme mit sich. Zum Beispiel werden die Dinge sehr knifflig, wenn alle Threads beschäftigt sind und Aufgaben auf die Warteliste gedrückt werden, vor allem, wenn es nur einem Thread erlaubt ist, eine Aufgabe zu erledigen, bevor er in die Warteschlange zurückkehren kann. Wenn alle Threads beschäftigt sind und, sagen wir, fünf Aufgaben in der Zwischenzeit aufgelaufen sind, wird der Event signalisiert, aber es warten keine Threads darauf. Der erste Thread, der wieder in die Warteschlange zurückkommt, wird freigegeben, sobald er WaitOne() aufruft – die anderen aber nicht, obwohl vier weitere Aufgaben auf der Liste stehen. Eine Lösung für das Problem ist es, nicht zu erlauben, dass Aufgaben auflaufen, während alle Threads beschäftigt sind. Das ist aber keine gute Lösung. Denn ein Teil der Synchronisierungslogik wird auf den Thread abgeschoben, der die Aufgabenliste erstellt. Dieser wird gezwungen, etwas Angemessenes als Reaktion auf den gescheiterten Versuch, eine weitere Aufgabe in die Liste aufzunehmen. In der Realität ist es sehr knifflig, einen effizienten Threadpool zu erstellen. Daher sollten Sie die ThreadPool-Klasse benutzen, bevor Sie selbst solch ein Husarenstück versuchen. Der Abschnitt »Den Threadpool benutzen« behandelt die Klasse ThreadPool im Detail.

Da .NET-Ereignisobjekte auf Win32-Ereignisobjekten basieren, können Sie sie benutzen, um die Ausführung zwischen einer Vielzahl von Prozessen zu synchronisieren. Zusammen mit dem Mutex sind auch sie aufgrund des Übergangs in den Kernelmodus weniger effizient als eine Alternative wie die Monitor-Klasse. Allerdings haben die Schöpfer von ManualResetEvent und AutoResetEvent nicht die Fähigkeit offengelegt, die Ereignisobjekte in ihren Konstruktoren zu benennen, wie sie es beim Mutex-Objekt gemacht haben. Daher müssen Sie, wenn Sie einen benannten Event erstellen wollen, direkt auf die Win32-Ebene durchrufen, indem Sie die P/Invoke-Schicht benutzen. Dann können Sie ein WaitHandle-Objekt erzeugen, um das Win32-Ereignisobjekt behandeln zu können.

13.2.5 Objekte für die Win32-Synchronisierung und WaitHandle

Die letzten beiden Abschnitte behandelten Mutex und die Ereignisobjekte ManualResetEvent sowie AutoResetEvent. Jeder dieser Typen leitet sich von WaitHandle ab. WaitHandle ist ein allgemeiner Mechanismus, den Sie in .NET benutzen können, um jede Art von Win32-Synchonisierungsobjekten verwalten zu können, auf die Sie warten können. Das schließt mehr als Ereignisse und Mutex ein. Egal wie Sie das Win32-Objekthandle bekommen, Sie können ein WaitHandle-Objekt benutzen, um es zu verwalten. Wir ziehen die Bezeichnung verwalten (to manage) dem Wort kapseln (encapsulate) vor, weil die Klasse WaitHandle nicht sehr gut als Kapselung funktioniert; dafür war es auch gar nicht gedacht. Es ist einfach als Umhüllung gedacht, die Ihnen hilft, eine Menge direkter Aufrufe auf Win32 über die P/Invoke-Schicht zu vermeiden, wenn Sie mit Betriebssystem-Handles umgehen.

Wir haben die WaitOne-Methode bereits dargelegt, die dazu verwendet wird, darauf zu warten, dass ein Objekt signalisiert wird. Die WaitHandle-Klasse hat jedoch zwei geschickte gemeinsam genutzte Methoden, die Sie benutzen können, um auf mehrere Objekte zu warten. Die erste ist WaitHandle.WaitAny(). Sie übergeben ihr einen Array von WaitHandle-Objekten. Und wenn eines der Objekte signalisiert wird, gibt die Methode WaitAny einen Integer-Wert zurück, der das Objekt im Array anzeigt, das signalisiert wurde. Die andere Methode ist WaitHandle.WaitAll, die nicht antwortet, bevor alle Objekte signalisiert wurden. Beide Methoden haben definierte Überladungen, die einen Timeout-Wert akzeptieren. Sollte ein Aufruf von `WaitAny()` die Zeit überschreiten, ist der Rückgabewert gleich der Konstante `WaitHandle.WaitTimeOut`. Im Falle eines Aufrufs von `WaitAll()` wird ein `Boolean` zurückgegeben, der entweder `True` lautet, um anzuzeigen, dass alle Objekte signalisiert wurden, oder `False`, um zu zeigen, dass das Zeitlimit für das Warten überschritten wurde.

Im vorigen Abschnitt erwähnten wir, dass Sie keine bezeichneten Objekte von `AutoResetEvent` oder `ManualResetEvent` erzeugen können, obwohl Sie Namen an die darunter liegenden Win32-Objekte vergeben können. Sie können dieses Ziel aber erreichen, indem Sie die P/Invoke-Schicht benutzen, wie das folgende Beispiel zeigt:

```vbnet
Imports System
Imports System.Threading
Imports System.Runtime.InteropServices
Imports System.ComponentModel
Imports Microsoft.Win32.SafeHandles


Public Class NamedEventCreator
    <DllImport("KERNEL32.DLL", EntryPoint:="CreateEventW",
SetLastError:=True)> _
    Private Shared Function CreateEvent(ByVal lpEventAttributes As IntPtr,
_
        ByVal bManualReset As Boolean, ByVal bInitialState As Boolean, _
        ByVal lpName As String) As SafeWaitHandle
    End Function

    Public Const INVALID_HANDLE_VALUE As Integer = -1

    Public Shared Function CreateAutoResetEvent( _
        ByVal initialState As Boolean, _
        ByVal name As String) As AutoResetEvent

        'Benannten Event erzeugen.
        Dim rawEvent As SafeWaitHandle = _
            CreateEvent(IntPtr.Zero, False, False, name)

        If rawEvent.IsInvalid Then
            Throw New Win32Exception(Marshal.GetLastWin32Error())
        End If

        'Einen verwalteten Eventtyp erzeugen, der auf diesem
        'Handle basiert.
        Dim autoEvent As AutoResetEvent = New AutoResetEvent(False)
```

```
        'Handle in autoEvent muss entsorgt warden, bevor
        'es mit dem benannten Handle vertauscht wird.
        autoEvent.SafeWaitHandle = rawEvent

        Return autoEvent
    End Function
End Class
```

Hier ruft die P/Invoke-Schicht durch zur `CreateEventW`-Funktion in Win32, um ein benanntes Ereignis zu erzeugen. Einige Dinge in diesem Beispiel sind es wert, erwähnt zu werden. Zum Beispiel haben wir es vermieden, die Sicherheit zu behandeln, wozu auch der Rest der Klassen der Standardbibliothek im .NET-Framework tendiert. Daher ist `IntPtr.Zero` der erste Parameter für `Create.Event()`. Das ist der beste Weg, einen `Nothing`-Zeiger auf den Win32-Fehler zu übergeben. Beachten Sie, dass Sie den Erfolg oder das Scheitern der Eventerzeugung feststellen, indem Sie das Property `IsInvalid` des Handles `SafeWaitHandle` prüfen. Wenn Sie diesen Wert entdecken, geben Sie einen `Win32Exception`-Typ aus. Dann kreieren Sie einen neuen `AutoResetEvent`, um das Handle, das Sie gerade erstellt haben, zu verpacken. `WaitHandle` stellt ein Property namens `SafeWaitHandle` zur Verfügung, wobei Sie das darunterliegende Win32-Handle von jedem Typ, der von `WaitHandle` abgeleitet ist, modifizieren können.

> **Hinweis:** Vielleicht haben Sie das Property `Handle` in der Dokumentation bemerkt. Sie sollten dieses Property meiden. Denn es einem neuen Kernel-Handle zuzuordnen schließt das vorherige Handle nicht. Dies führt zu einem Ressourcenleck, wenn Sie es nicht selbst verschließen. Sie sollten stattdessen Typen verwenden, die von `SafeHandle` abgeleitet sind. Der `SafeHandle`-Typ benutzt zudem beschränkte Ausführungsregionen, um sich im Falle einer asynchronen Ausnahme wie `ThreadAbortException` gegen Ressourcenlecks zu wappnen.
>
> Im vorigen Beispiel können Sie sehen, dass wir die Methode `CreateEvent` deklariert haben, um ein `SafeWaitHandle` zurückzugeben. Obwohl es aus der Dokumentation von `SafeWaitHandle` nicht ersichtlich ist, hat es einen privaten Standardkonstruktor. Die P/Invoke-Schicht ist in der Lage, diesen zu benutzen, um eine Instanz dieser Klasse zu schaffen und zu initialisieren.
>
> Prüfen Sie auf jeden Fall den Rest der Typen, die von `SafeHandle` abgeleitet sind, im Namensraum `Microsoft.Win32.SafeHandles`. Besonders das .NET 2.0-Framework bietet zu Ihrer Bequemlichkeit `SafeHandleMinusOneIsInvalid` und `SafeHandleZeroOrMinusOneIsInvalid`, wenn Sie Ihre eigenen Ableitungen von `SafeWaitHandles` definieren, die auf Win32 basieren.

Seien Sie sich bewusst, dass der Typ `WaitHandle` das Interface `IDisposable` implementiert. Daher sollten Sie weisen Gebrauch vom Schlüsselwort `Using` in Ihrem Code machen, wann immer Sie Instanzen von `WaitHandle` oder aller davon abgeleiteten Klassen benutzen, wie etwa `Mutex`, `AutoResetEvent` und `ManualResetEvent`.

Wenn Sie `WaitHandle`-Objekte und davon abgeleitete Objekte verwenden, können Sie verwaltete Threads nicht zeitnah ab- oder unterbrechen, wenn sie mit einer Methode von `WaitHandle` blockiert werden. Da der eigentliche Betriebssystemthread, der unterhalb dem verwalteten Thread läuft, innerhalb des Betriebssystems blockiert ist – und damit außerhalb der verwalteten Ausführungsumgebung –, kann er nur ab- oder unterbrochen werden, sobald er wieder die verwaltete Umgebung betritt. Wenn Sie also für einen dieser Threads `Abort()` oder `Interrupt()` aufrufen, wird die Operation solange aufgeschoben, bis der Thread das Warten auf der Betriebssystemebene beendet. Sie müssen sich dessen bewusst sein, wenn Sie unter Verwendung eines `WaitHandle`-Objekts in verwalteten Threads blockieren.

13.3 Den Threadpool verwenden

Ein Threadpool ist in einem System ideal, in dem kleine Arbeitseinheiten regelmäßig in asynchroner Weise ausgeführt werden. Ein gutes Beispiel ist ein Webserver, der an einem Port auf Anfragen lauscht. Der Server erreicht einen hohen Grad an Parallelität und optimaler Auslastung, indem er diese Anfragen in zahlreichen Threads bedient. Typischerweise ist die langsamste Operation in einem Computer eine Ein/Ausgabefunktion. Speichergeräte wie etwa Festplatten sind im Vergleich zum Prozessor und seiner Fähigkeit, auf Speicher zuzugreifen, langsam. Daher werden Sie mit anderen Arbeitseinheiten beginnen wollen, während das System in einem anderen Thread auf eine Ein/Ausgabeoperation wartet, um es optimal auszunutzen. Die .NET-Umgebung wartet mit einem vorgefertigten, schlüsselfertigen Threadpool auf, nämlich der Klasse `ThreadPool`.

Sie verwenden die gemeinsam genutzten Methoden der Klasse `ThreadPool`, um den Threadpool zu verwalten, den jeder Prozess standardmäßig von der CLR zur Verfügung gestellt bekommt. Sie müssen sich nicht einmal um die Erstellung des Threadpools bekümmern; er wird erzeugt, wenn er zum ersten Mal verwendet wird. Wenn Sie schon in der Win32-Welt mit Threadpools gearbeitet haben, werden Sie feststellen, dass der .NET-Threadpool dasselbe ist, allerdings mit einem verwalteten Interface darüber.

Um ein Element in den Threadpool einzustellen, müssen Sie einfach die Methode `ThreadPool.QueueUserWorkItem()` aufrufen. Dabei übergeben sie ihr eine Instanz des Delegaten `WaitCallback`. Die Rückrufmethode, die durch den Delegaten `WaitCallback` aufgerufen wird, akzeptiert eine Referenz auf `System.Object`. Die Objektreferenz ist ein optionales Kontextobjekt, das der Aufrufer einer Überladung von `QueueUserWorkItem()` übergeben kann. Sobald das Arbeitselement eingestellt wurde, führt ein Thread im Threadpool den Rückruf aus, sobald er möglich ist. Sobald eine Arbeitseinheit in die Arbeitsliste eingestellt worden ist, kann sie nicht mehr daraus entfernt werden, außer von einem Thread, der die Aufgabe erledigt. Wenn Sie also eine Aufgabe löschen wollen, müssen Sie sich einen Weg einfallen lassen, Ihren Rückruf wissen zu lassen, dass er nichts tun soll, sobald er aufgerufen wird.

Der Threadpool ist so eingestellt, dass er die Aufgabe des Rechners so effizient wie möglich ausführt. Er benutzt einen Algorithmus, der darauf basiert, wie viele Prozessoren im System vorhanden sind, um zu bestimmen, wie viele Ausführungsstränge im Pool zu erstellen sind. Allerdings kann es vorkommen, dass der Threadpool mehr Stränge enthält, als er ursprünglich berechnet hat. Stellen wir uns einmal vor, der Algorithmus entscheidet sich dafür, dass der Threadpool vier Stränge enthalten soll. Treiben wir das Beispiel weiter: Der Server erhält vier Anfragen, die auf eine Datenbank im Backend zugreifen, was etwas Zeit erfordert. Wenn eine fünfte Anfrage in der Zwischenzeit eintrifft, sind keine Threads verfügbar, denen man die Aufgabe übertragen kann. Schlimmer: Die vier beschäftigten Threads sitzen herum, bis die Ein/Ausgabeoperation beendet ist. Um das System weiterhin voll auszulasten, erzeugt der Threadpool einen weiteren Thread, wenn er weiß, dass die anderen blockiert sind. Nachdem die Aufgaben alle erledigt sind und das System sich wieder in einem ausbalancierten Zustand befindet, wird der Threadpool alle zusätzlichen Threads beenden, die auf diese Weise entstanden sind. Obwohl Sie nicht einfach kontrollieren können, wie viele Stränge sich im Threadpool befinden, können Sie sehr leicht die minimale Anzahl von Threads kontrollieren, die sich untätig im Pool befinden. Das geschieht über Aufrufe der Methoden `GetMinThreads()` und `SetMinThreads()`.

Wir empfehlen Ihnen, die Details der gemeinsam genutzten Methoden in `System.Threading.ThreadPool` in der MSDN-Dokumentation durchzulesen, wenn Sie direkt mit dem Threadpool in Verbindung treten wollen. Es ist wahrscheinlich sehr selten, dass Sie jemals direkt Aufgaben in den Threadpool einstellen müssen. Es gibt einen anderen eleganteren Einstiegspunkt in den Threadpool über Delegaten und asynchrone Methodenaufrufe, mit denen sich die nächsten Abschnitte befassen.

13.3.1 Das IOU-Muster

Wenn wir über asynchrone Ein- und Ausgabe und Threadpools reden, werden Sie sehen, dass `BeginProcessData()`/`EndProcessData()` ein verbreitetes Muster für asynchrone Prozesse ist, das im gesamten .NET-Framework verbreitet ist. Das »`BeginneMethode()`/`EndeMethode()`«-Muster ähnelt dem »I owe you«-Entwurfsmuster (wörtlich: »Ich schulde Dir was«, IOU). In diesem Muster wird eine Funktion aufgerufen, um die asynchrone Operation zu starten. Im Gegenzug erhält der Aufrufer ein IOU-Objekt. Später kann der Aufrufer dieses Objekt benutzen, um das Ergebnis der asynchronen Operation einzuholen. Die Schönheit dieses Musters liegt darin, dass es den Aufrufer, der die asynchrone Aufgabe erledigt haben will, von dem Mechanismus, der die Arbeit letztendlich tut, komplett entkoppelt.

Dieses Muster wird im .NET-Framework extensiv benutzt und wir schlagen Ihnen vor, dass Sie es auch für asynchrone Methodenaufrufe verwenden, da es Ihren Klienten ein vertrautes Erscheinungsbild gibt.

13.3.2 Asynchrone Methodenaufrufe

Obwohl Sie die Aufgaben, die in den Threadpool eingestellt werden, direkt über die Klasse `ThreadPool` verwalten können, gibt es einen populäreren Weg, den Threadpool zu verwenden: über asynchrone Delegatenaufrufe. Wenn Sie einen Delegaten deklarieren, definiert die CLR eine Klase für Sie, die von `System.Multicast.Delegate` abgeleitet ist. Eine der darin definierten Methoden ist `Invoke`, die exakt dieselbe Funktionssignatur der Delegatendefinition übernimmt. Da Sie die `Invoke`-Methode nicht explizit aufrufen können, eröffnet VB Ihnen eine syntaktische Abkürzung. Die CLR definiert zwei Methoden, `BeginInvoke()` und `EndInvoke()`, die im Kern des asynchronen Prozessmodells stehen, das in der ganzen CLR verwendet wird. Dieses Muster ähnelt dem IOU-Pattern.

Die Grundidee ist wahrscheinlich von den Namen der Methoden her offensichtlich. Wenn Sie die Methode `BeginInvoke` für den Delegaten aufrufen, wird die Operation verschoben, um in einem anderen Thread vollzogen zu werden. Rufen Sie die Methode `EndInvoke` auf, dann werden die Ergebnisse der Operation an Sie zurückgegeben. Wenn die Operation zu dem Zeitpunkt, an dem Sie `EndInvoke` aufrufen, noch nicht beendet ist, wird der aufrufende Thread blockiert, bis die Operation komplett ist. Schauen wir uns ein kurzes Beispiel an, das das allgemeine Konzept in der Praxis zeigt. Stellen wir uns vor, Sie haben eine Methode, die Ihre Steuern für das Jahr berechnet, und Sie wollen sie asynchron aufrufen, weil es eine einigermaßen lange Zeit dauern könnte, bis dies geschieht:

```
Imports System
Imports System.Threading

Public Class EntryPoint
    'Den Delegaten für den Aufruf deklarieren.
    Private Delegate Function ComputeTaxesDelegate( _
        ByVal year As Integer) _
        As Decimal

    'Die Methode, die die Steuern berechnet.
    Private Shared Function ComputeTaxes(ByVal year As Integer) _
        As Decimal
        Console.WriteLine("Computing taxes in thread {0}", _
            Thread.CurrentThread.GetHashCode())

        'Hier findet die lange Berechnung statt.
        Thread.Sleep(6000)
```

```
                'Den "geschuldeten Betrag" zurückgeben.
                Return 4356.98D
        End Function

        Shared Sub Main()
                'Der asynchrone Aufruf wird ausgeführt, indem der
                'Delegat erzeugt und aufgerufen wird.
                Dim work As ComputeTaxesDelegate = _
                    New ComputeTaxesDelegate( _
                        AddressOf EntryPoint.ComputeTaxes)


                Dim pendingOp As IAsyncResult = _
                    work.BeginInvoke(2004, Nothing, Nothing)


                'Erledige sonst etwas Nützliches.
                Thread.Sleep(3000)


                'Den asynchronen Aufruf beenden.
                Console.WriteLine("Waiting for operation to complete.")
                Dim result As Decimal = work.EndInvoke(pendingOp)
                Console.WriteLine("Taxes owed: {0}", result)
        End Sub
End Class
```

Der Code gibt die folgenden Ergebnisse aus:

```
Computing taxes in thread 3
Waiting for operation to complete.
Taxes owed: 4356.98
```

Das erste, was Sie bei diesem Muster bemerken werden, ist, dass die Signatur der Methode BeginInvoke nicht zu derjenigen der Methode Invoke passt. Das liegt daran, dass Sie zuerst die spezielle Arbeitseinheit identifizieren müssen, die Sie mit dem Aufruf von BeginInvoke() verschoben haben. Daher gibt BeginInvoke() eine Referenz auf ein Objekt zurück das das Interface IAsyncResult implementiert. Dieses Objekt ist wie ein Cookie, an das Sie sich klammern können, damit Sie die Arbeitseinheit identifizieren können, die sich gerade in Bearbeitung befindet. Durch die Methoden des Interfaces IAsyncResult können Sie den Status der Operation prüfen, zum Beispiel, ob sie vollendet wurde. Wir werden dieses Interface im Detail in Kürze besprechen, zusammen mit den beiden Parametern, die an das Ende der Methodendeklaration von BeginInvoke angehängt wurden, für die wir Nothing übergeben. Wenn der Thread, der die Operation erbeten hat, am Ende bereit für das Ergebnis ist, ruft er EndInvoke() bei dem Delegaten auf.

Da die Methode jedoch identifizieren können muss, für welche asynchrone Operation sie die Ergebnisse besorgen soll, müssen Sie das Objekt übergeben, das Sie von der Methode `BeginInvoke` zurückbekommen haben. Im vorigen Beispiel sehen Sie, dass der Aufruf von `EndInvoke()` eine Zeitlang blockiert, während die Operation weiter geht.

Hinweis: Wenn eine Ausnahme generiert wird, während der Zielcode eines Delegaten asynchron im Threadpool läuft, wird die Ausnahme wieder erzeugt, wenn der initiierende Thread `EndInvoke()` aufruft.

Das asynchrone IOU-Modell, das die Delegaten implementieren, ist zum Teil auch deswegen so attraktiv, weil der Code nicht einmal die Tatsache zu wissen braucht, dass er asynchron aufgerufen wird. Natürlich ist es selten praktisch, dass eine Methode asynchron aufgerufen werden kann, wenn sie dafür niemals entworfen wurde – besonders wenn sie Daten im System anfasst, die andere Methoden anfassen, ohne irgendwelche Synchronisierungsmechanismen zu benutzen. Trotzdem wurden die Kopfschmerzen, die bei der Erstellung einer Infrastruktur für asynchrone Aufrufe entstehen, durch den von der CLR generierten Delegaten abgemildert, zusammen mit dem prozessorientierten Threadpool. Mehr noch, der Initiator der asynchronen Aktion muss sich nicht einmal bewusst sein, auf welche Weise das asynchrone Verhalten implementiert wird.

Sehen wir uns nun das Interface `IAsyncResult` für das Objekt, das von der Methode `BeginInvoke` zurückgegeben wurde, etwas genauer an. Die Deklaration des Interfaces sieht wie folgt aus:

```
Public Interface IAsyncResult
  ReadOnly Property AsyncState() As Object
  ReadOnly Property AsyncWaitHandle() As WaitHandle
  ReadOnly Property CompletedSynchronously() As Boolean
  ReadOnly Property IsCompleted() As Boolean
End Interface
```

Im vorigen Beispiel warten Sie darauf, dass die Berechnung beendet wird, indem Sie `BeginInvoke()` aufrufen. Das Endergebnis wäre das gleiche gewesen. Die Tatsache, dass das Interface `IAsyncResult` das `WaitHandle` exponiert, erlaubt es, dass viele Threads im System auf die Beendigung dieser Aktion warten, wenn es für sie nötig ist.

Zwei weitere Properties erlauben Ihnen zu erfragen, ob die Operation vollendet wurde. Das Property `IsCompleted` gibt einfach einen `Boolean`-Wert zurück, der die Fakten übermittelt. Sie könnten eine Abfrageschleife konstruieren, der dieses Flag wiederholt prüft. Dies wäre aber viel weniger effizient als einfach auf das `WaitHandle` zu warten. Ein anderes Boolean-Property ist `CompletedSynchronously`. Das asynchrone Prozessmodell im .NET-Framework stellt die Option bereit, dass der Aufruf von `BeginInvoke()` in der Tat wählen könnte, ob die Arbeit synchron oder asynchron erledigt werden soll. Das Property `CompletedSynchronously` erlaubt Ihnen zu bestimmen, ob dies geschehen ist. So wie sie momentan implementiert ist, wird die CLR so etwas nie tun, wenn die Delegaten synchron aufgerufen werden. Da es jedoch empfehlenswert ist, dasselbe asynchrone Muster zu verwenden, wann immer Sie einen Typen entwerfen, der asynchron aufgerufen werden kann, wurde die Fähigkeit in das Muster eingebaut. Stellen Sie sich zum Beispiel vor, Sie hätten eine Klasse, die eine Methode unterstützt, allgemeine Operationen synchron zu verarbeiten. Wenn eine dieser Operationen einfach die Versionsnummer der Klasse zurückgibt, dann wissen Sie, dass diese Operation schnell erledigt werden kann, und Sie werden sich dafür entscheiden, sie synchron ausführen zu lassen.

Zuletzt erlaubt Ihnen das Property AsyncState von IAsyncResult, jede Art spezifischer Kontextdaten an einen asynchronen Aufruf zu heften. Dies ist der letzte der zusätzlichen zwei Parameter, die an das Ende der Signatur von BeginInvoke() geheftet werden. Im vorigen Beispiel haben Sie Nothing übergeben, weil Sie das Property nicht verwenden mussten. Obwohl Sie sich entschieden haben, das Ergebnis der Operation über einen Aufruf von EndInvoke() einzuholen, hätten Sie sich dafür entscheiden können, über einen Rückruf benachrichtigt zu werden. Betrachten Sie die folgenden Modifikationen des vorigen Beispiels:

```
Imports System
Imports System.Threading

Public Class EntryPoint
    'Den Delegaten für den asynchronen Aufruf deklarieren.
    Private Delegate Function ComputeTaxesDelegate( _
        ByVal year As Integer) _
        As Decimal


    'Die Methode, die die Steuern berechnet.
    Private Shared Function ComputeTaxes(ByVal year As Integer) _
        As Decimal
        Console.WriteLine("Computing taxes in thread {0}", _
            Thread.CurrentThread.GetHashCode())

        'Hier findet die lange Berechnung statt.
        Thread.Sleep(6000)

        'Gib den geschuldeten Betrag zurück.
        Return 4356.98D
    End Function

    Private Shared Sub TaxesComputed(ByVal ar As IAsyncResult)
        'Die Ergebnisse, bitte.
        Dim work As ComputeTaxesDelegate = _
            CType(ar.AsyncState, ComputeTaxesDelegate)
```

```
        Dim result As Decimal = work.EndInvoke(ar)
        Console.WriteLine("Taxes owed: {0}", result)
    End Sub

    Shared Sub Main()
        'Wir führen den asynchronen Aufruf aus, indem wir
        'den Delegaten erzeugen und ihn aufrufen.
        Dim work As ComputeTaxesDelegate = _
            New ComputeTaxesDelegate( _
                AddressOf EntryPoint.ComputeTaxes)

        work.BeginInvoke(2004, _
            New AsyncCallback(AddressOf EntryPoint.TaxesComputed), _
                work)

        'Andere nützliche Tätigkeiten.
        Thread.Sleep(3000)

        'Den asynchronen Aufruf beenden.
        Console.WriteLine("Waiting for operation to complete.")
        Thread.Sleep(4000)
    End Sub
End Class
```

Anstatt EndInvoke() von dem Thread aus aufzurufen, der BeginInvoke() gerufen hat, bitten Sie darum, dass der Threadpool die Methode TaxesComputed über eine Instanz des Delegaten AsyncCallback aufruft. Diesen haben Sie als vorletzten Parameter von BeginInvoke() übermittelt. Ein Rückruf, um das Ergebnis zu bearbeiten, vollendet das asynchrone Prozessmodell. Dabei wird dem Thread, der die Operation begonnen hat, erlaubt, mit der Arbeit fortzufahren, ohne jemals explizit auf den Arbeitsthread warten zu müssen. Beachten Sie, dass die Rückrufmethode TaxesComputed immer noch EndInvoke() aufrufen muss, um die Ergebnisse des asynchronen Aufrufs einzusammeln. Um dies zu tun, muss sie jedoch eine Instanz des Delegaten besitzen. Hier erweist sich das Kontextobjekt IAsyncResult.AsyncState als geschickt. In dem Beispiel initialisieren Sie es, um auf den Delegaten zu zeigen, indem Sie den Delegaten als letzten Parameter an BeginInvoke() übergeben. Der Hauptthread, der BeginInvoke() aufruft, hat keine Verwendung für das Objekt, das durch den Aufruf zurückgegeben wird, weil er den Status der Operation nie aktiv abfragt, und er wartet auch nicht explizit darauf, dass die Operation beendet wird. Die hinzugefügte Methode Sleep() am Ende der Methode Main dient hier nur als Beispiel. Erinnern Sie sich: Alle Threads im Threadpool laufen im Hintergrund. Wenn Sie also an diesem Punkt nicht warten, würde der Prozess lange Zeit bevor die Operation beendet wird, enden. Wenn Sie asynchrone Arbeit in einem Thread im Vordergrund benötigen, ist es am besten, eine neue Klasse zu kreieren, die das asynchrone Muster von BeginInvoke()/EndInvoke() implementiert und einen Vordergrundthread benutzt, um die Arbeit zu erledigen. Wenn Sie versuchen, den Hintergrundstatus eines Threads im Threadpool über das

Property `IsBackground` des aktuellen Stranges zu ändern, werden Sie sehen, dass dies keine Wirkung hat.

> **Hinweis:** Es ist wichtig zu bemerken, dass Sie, wenn Ihr asynchroner Code ausgeführt wird und der Callback abgearbeitet wird, in einem willkürlichen Thread-Kontext arbeiten. Sie können keine Annahmen darüber treffen, welcher Thread Ihren Code ausführt.

13.3.3 Timer

Ein weiterer Einsprungpunkt in den Threadpool sind die `Timer`-Objekte im Namensraum `System.Threading`. Wie der Name impliziert, können Sie damit arrangieren, dass der Threadpool einen Delegaten zu einem spezifischen Zeitpunkt und in regelmäßigen Intervallen aufruft. Schauen wir uns ein Beispiel an, wie man das `Timer`-Objekt verwendet:

```
Imports Microsoft.VisualBasic
Imports System
Imports System.Threading

Public Class EntryPoint
    Private Shared Sub TimerProc(ByVal state As Object)
        Console.WriteLine("The current time is {0} on thread {1}", _
            DateTime.Now, Thread.CurrentThread.GetHashCode())

        Thread.Sleep(3000)
    End Sub

    Shared Sub Main()
        Console.WriteLine("Press <enter> when finished" & _
            Constants.vbCrLf)

        Dim myTimer As Timer = _
            New Timer(New TimerCallback( _
                AddressOf EntryPoint.TimerProc), _
                Nothing, 0, 2000)

        Console.ReadLine()
        myTimer.Dispose()
    End Sub
End Class
```

Wenn der `Timer` erzeugt ist, müssen Sie ihm einen Delegaten geben, den er zum notwendigen Zeitpunkt rufen kann. Daher erzeugen Sie einen `Timer`-Delegaten, der auf die Methode `Shared TimerProc` verweist. Der zweite Parameter im `Timer`-Konstruktor ist ein beliebiges Zustandsobjekt, das Sie übergeben können. Wenn Ihr Timer-Rückruf aufgerufen wird, wird dieses Zustandsobjekt an den Timer-Rückruf übergeben. In dem Beispiel benötigen Sie kein Zustandsobjekt, weswegen Sie einfach `Nothing` übermitteln. Der vorletzte Parameter gibt an, wann der Timer zum ersten Mal abgefeuert werden soll. Im Beispiel übermitteln Sie 0, was bedeutet, dass er sofort abgeschossen wird. Der letzte Parameter ist die Periode, in welcher der Rückruf gerufen werden soll: zwei Sekunden. Wenn Sie nicht wollen, dass der Timer periodisch gerufen werden soll, geben Sie `Timeout.Infinite` als letzten Parameter an. Um den Timer zu beenden, rufen Sie letztlich einfach seine `Dispose`-Methode auf.

Jeder Code, der als Ergebnis Ihres `TimerCallback`-Delegaten ausgeführt wird, muss threadsicher sein. Im Beispiel schläft der erste Thread im Threadpool, der `TimerProc()` aufrufen soll, länger als bis zum nächsten Time-Out. Daher ruft der Threadpool die Methode `TimerProc` zwei Sekunden später für einen anderen Thread auf, wie Sie in der generierten Ausgabe sehen können.

13.4   Zusammenfassung

In diesem Kapitel haben wir die Details von verwalteten Threads in .NET dargestellt. Wir haben die verschiedenen Mechanismen behandelt, die die Synchronisierung zwischen den Ablaufsträngen verwalten, einschließlich der Objekte, die auf `Interlocked`, `Monitor`, `AutoResetEvent`, `ManualResetEvent` und `WaitHandle` basieren. Wir haben dann das IOU-Muster beschrieben und wie .NET es auf breiter Front einsetzt, um Arbeit auf asynchrone Weise zu erledigen. Diese Darlegung fokussierte sich auf die Verwendung von `ThreadPool` durch die CLR, die auf der Implementierung des Threadpools in Windows fußt.

Threading macht Anwendungen komplexer. Wenn es jedoch richtig angewandt wird, kann es dafür sorgen, dass Applikationen besser auf Benutzereingaben reagieren und effizienter sind. Obwohl die Multithreading-Entwicklung ihre Tücken hat, mildern .NET und die CLR viele dieser Risiken und stellen ein Modell zur Verfügung, das Sie gegen die Untiefen des Betriebssystems abschirmt – zumindest meistens. .NET bietet nicht nur einen hübschen Puffer zwischen Ihrem Code und den Unwegsamkeiten des Windows-Threadpools, es erlaubt Ihrem Code auch, auf anderen Plattformen zu laufen, die .NET implementieren. Wenn Sie die Details der Threading-Werkzeuge verstehen, die Ihnen die CLR zur Verfügung stellt – und mit den Synchronisierungstechniken, die wie in diesem Kapitel gezeigt haben –, dann sind Sie auf einem guten Weg, effektive Multithreading-Anwendungen zu produzieren.

Im nächsten Kapitel schauen wir uns nach den Formen für Datentypen um, die in VB zulässig sind, und erforschen die Checkliste, die Sie abarbeiten sollten, wenn Sie in VB einen Typ entwerfen.

14 Best Practices in VB 2008

Viele objektorientierte Sprachen – und das schließt VB ein – bieten praktisch nichts, was Entwickler dazu zwingt, wohldefinierte Software zu erstellen. Auf dieselbe Weise, in der die Entwurfsmuster entstanden, hat die Entwicklergemeinde Best Practices identifiziert, um Typen zu entwerfen, die einen bestimmten Zweck erfüllen sollen. Wir präsentieren diese Praktiken als eine Sammlung von Checklisten oder Rezepten, die Sie benutzen können, während Sie neue Klassen entwerfen. Bevor ein Pilot sein Flugzeug vom Gate wegbewegen kann, muss er auch eine strikte Checkliste abarbeiten. Das Ziel dieses Kapitels ist es, solche Checklisten zu identifizieren, um robuste Typen in Visual Basic zu erstellen.

Dieses Kapitel ist in zwei Hauptteile geteilt, Der erste beschäftigt sich mit Referenztypen, während der zweite Wertetypen behandelt. Wir handeln den längeren Teil über Referenztypen zuerst ab, da einiges Material sowohl auf Referenz- als auch auf Wertetypen zutrifft. Zuletzt endet jeder Teil mit einer Checkliste, die als Führer dienen kann, wenn Sie neue Typen designen.

14.1 Bewährte Praktiken bei Referenztypen

Wenn Sie Referenztypen entwerfen, sollten Sie überlegen, welches Verhalten von dem neuen Typ gefordert wird, den Sie erstellen. Sie sollten sich selbst mehrere Fragen stellen, bevor Sie einen neuen Typen erschaffen. Zum Beispiel: Wollen Sie, dass von Ihrer Klasse Ableitungen möglich sind? Wird Ihr neuer Typ klonbar sein? Braucht Ihr Objekt einen Finalisierer? Was bedeutet es, zwei Referenzen auf den Objekttyp auf Gleichheit zu überprüfen? Unterstützt der neue Typ die Bildung einer Reihenfolge, wenn Instanzen davon in einer Auflistung platziert werden?

14.1.1 Machen Sie Ihre Klassen standardmäßig nicht vererbbar

Wenn Sie eine neue Klasse kreieren, markieren Sie diese automatisch als `NotInheritable` und entfernen Sie dieses Schlüsselwort nur, wenn Ihr Design erfordert, dass aus der Klasse Ableitungen möglich sind. Warum aber nicht den umgekehrten Weg gehen und die Klasse standardmäßig als vererbbar klassifizieren und nur dann `NotInheritable` wählen, wenn Sie genau wissen, dass niemand davon Ableitungen erstellen können soll? Der Hauptgrund ist, dass man unmöglich voraussagen kann, wie Ihre Klasse benutzt werden wird, wenn Sie nicht spezifische Vorkehrungen im Design treffen, um die Vererbung zu unterstützen. Zum Beispiel sind Klassen, die keine `Overridable`-Methoden besitzen, normalerweise nicht für die Vererbung vorgesehen. Das Fehlen von `Overridable`-Methoden kann darauf hindeuten, dass der Autor nicht bedacht hat, ob jemand von diesem Typ erben will und die Klasse wahrscheinlich als

NotInheritable gekennzeichnet werden sollte. Wenn Ihre Klasse nicht NotInheritable ist und Sie anderen Leuten erlauben wollen, davon zu erben, stellen Sie bitte angemessene Dokumentation für die Person zur Verfügung, die Ableitungen von Ihrer Klasse erstellt.

Sogar Klassen, die Overridable-Methoden besitzen und für die Vererbung vorgesehen sind, können problematisch sein. Wenn Sie zum Beispiel eine Ableitung von einer Klasse erstellen, die eine Overridable-Methode namens DoSomething() zur Verfügung stellt, und Sie diese Methode durch Überschreiben erweitern möchten, rufen Sie dann in Ihrer Überschreibung die Version der Basisklasse auf? Wenn ja, rufen Sie sie auf, bevor Sie Ihre abgeleitete Arbeit erledigt haben oder danach? Ist die Reihenfolge von Bedeutung? Ohne gute Dokumentation für die Klasse, von der Sie eine Ableitung erstellen, kann es schwierig sein, diese Fragen zu beantworten. Dies ist ein Grund, warum die Erweiterung durch Einschluss zur Entwurfszeit generell flexibler und damit mächtiger ist als die Erweiterung durch Vererbung. Erweiterung durch Einschluss ist dynamisch und wird zur Laufzeit ausgeführt, während vererbungsbasierte Erweiterung sich restriktiver präsentiert. Noch besser, Sie können eine einschlussbasierte Erweiterung sogar dann vornehmen, wenn die Klasse, die Sie erweitern wollen, als NotInheritable markiert ist.

Wenn Sie nicht mit einem guten Grund aufwarten können, warum Ihre Klasse als Basisklasse dienen soll, dann kennzeichnen Sie sie als NotInheritable. Andernfalls müssen Sie darauf vorbereitet sein, eine detaillierte Dokumentation zu liefern, wie sich Ableitungen von Ihrer Klasse am besten erstellen lassen. Da Sie ein anderes Design, das denselben Job erledigt, anstelle der Klassenvererbung durch die Interface-Vererbung zusammen mit dem Einschluss erzielen können, gibt es fast keinen Grund dafür, Ihre Klassen nicht als NotInheritable zu kennzeichnen. Bitte verstehen Sie uns nicht falsch: Wir sagen überhaupt nicht, dass Vererbung schlecht sei. Im Gegenteil: Wenn sie richtig genutzt wird, ist sie nützlich. Wenn Sie jedoch einen tiefen Hierarchiebaum anstelle eines flachen implementieren, ist dies ein zuverlässiges Zeichen, dass Sie Ihr Design überdenken sollten.

14.1.2 Das NVI-Muster

Wenn Sie eine Klasse entwerfen, die die spezifische Fähigkeit haben soll, als Basisklasse in einer Hierarchie zu dienen, deklarieren Sie oft Methoden, die Overridable sind, so dass abgeleitete Klassen das Verhalten modifizieren können. Ein erster Versuch so einer Basisklasse kann wie folgt aussehen:

```
Imports System

Public Class Base
    Public Overridable Sub DoWork()
        Console.WriteLine("Base.DoWork()")
    End Sub
End Class
```

```
Public Class Derived
    Inherits Base

    Public Overrides Sub DoWork()
        Console.WriteLine("Derived.DoWork()")
    End Sub
End Class

Public Class EntryPoint
    Shared Sub Main()
        Dim b As Base = New Derived()

        b.DoWork()
    End Sub
End Class
```

Das Ergebnis des vorherigen Beispiels präsentiert sich wenig überraschend:

```
Derived.DoWork()
```

Das Design könnte jedoch etwas robuster sein. Stellen Sie sich vor, Sie schreiben die Klasse `Base` und haben `Base` an viele Nutzer verteilt. Die Leute benutzen `Base` auf der ganzen Welt und sind damit recht zufrieden. Dann entscheiden Sie, dass Sie innerhalb der Methode `DoWork()` noch etwas hinzufügen wollen. Stellen wir uns zum Beispiel vor, dass Sie eine Debugging-Version von `Base` bieten wollen, die mitschreibt, wie oft die Methode `DoWork` aufgerufen wird. Sie können das nicht tun, ohne den Benutzern von `Base` Änderungen aufzuerlegen, die die Anwendung auseinanderreißen. Zum Beispiel könnten Sie zwei Methoden hinzufügen, nämlich `PreDoWork()` und `PostDoWork()` und Ihre Anwender freundlich darum bitten, ihre Überschreibungen neu zu implementieren, damit sie diese Methoden zur richtigen Zeit aufrufen. Autsch! Überlegen wir uns vielmehr eine kleinere Änderung des ursprünglichen Entwurfs, die das öffentliche Interface von `Base` nicht verändert:

```
Imports System

Public Class Base
    Public Sub DoWork()
        CoreDoWork()
    End Sub

    Protected Overridable Sub CoreDoWork()
        Console.WriteLine("Base.DoWork()")
    End Sub
End Class

Public Class Derived
    Inherits Base
```

```
    Protected Overrides Sub CoreDoWork()
        Console.WriteLine("Derived.DoWork()")
    End Sub
End Class


Public Class EntryPoint
    Shared Sub Main()
        Dim b As Base = New Derived()

        b.DoWork()
    End Sub
End Class
```

Wie erwartet lautet der Output:

```
Derived.DoWork()
```

Dieses Muster wird Non-Virtual Interface (NVI-Pattern) genannt. Es macht das öffentliche Interface des Mitglieds der Basisklasse nicht überschreibbar, aber das überschreibbare Verhalten wird in eine andere geschützte Methode mit dem Namen `CoreDoWork()` verschoben. Die Bibliotheken des .NET-Frameworks benutzen das NVI-Pattern auf breiter Front, und es kursiert aus gutem Grund in den Richtlinien für das Design von Klassenbibliotheken bei Microsoft. Um der Methode `DoWork` eine Messfunktion hinzuzufügen, müssen Sie nur `Base` und die Assembly, die die Klasse enthält, modifizieren. Andere Klassen, die von `Base` abgeleitet sind, müssen sich nicht ändern.

14.1.3   Ist das Objekt klonbar?

Referenztypobjekte in VB und der CLR leben auf dem Heap und werden durch Referenzen adressiert. Sie machen also keine Kopie des Objekts, wenn Sie eine Objektvariable einer anderen zuweisen, wie es in dem folgenden Code geschieht:

```
Dim obj As Object = New Object()
Dim objCopy As Object = obj
```

Nachdem dieser Code ausgeführt wird, bezieht sich `objCopy` nicht auf eine Kopie von `obj`; stattdessen haben Sie nun zwei Referenzen auf dieselbe Objektinstanz.

Manchmal ist es aber durchaus sinnvoll, eine Kopie eines Objekts anzufertigen. Zu diesem Zweck definiert die .NET-Standardbibliothek das Interface `ICloneable`. Wenn Sie `ICloneable` implementieren, unterstützt Ihr Objekt die Fähigkeit, dass Kopien davon gefertigt werden können. In anderen Worten können Sie es als Prototyp verwenden, um neue Objektinstanzen zu erzeugen. Objekte dieses Typs können Teil eines Entwurfsmusters einer Prototypen-Factory sein.

Schauen wir uns das ICloneable-Interface an:

```
Public Interface ICloneable
    Function Clone() As Object
End Interface
```

Wie Sie sehen, definiert das Interface nur eine Methode, Clone. Diese gibt eine Objekt-referenz zurück. Diese Objektreferenz beabsichtigt, eine Kopie mit allen Gliedern zu sein. Alles, was Sie tun müssen, ist, eine Kopie des Objekts zurückzugeben, und wir sind fertig, nicht wahr? Nicht so voreilig.

Es gibt ein wenig subtiles Problem mit der Definition dieses Interfaces. Die Dokumentation für das Interface gibt keinen Hinweis darauf, ob die zurückgegebene Kopie eine »tiefe Kopie« oder eine »flache Kopie« sein soll. In der Tat stellt die Dokumentation dem Designer der Klasse die Entscheidung frei. Der Unterschied zwischen einer tiefen und einer flachen Kopie ist nur relevant, wenn das Objekt Referenzen zu anderen Objekten enthält. Eine flache Kopie eines Objekts erzeugt eine Kopie, dessen enthaltene Objektreferenzen sich auf dieselben Objekte beziehen wie die Referenzen des Prototyps. Eine tiefe Kopie erzeugt dagegen ein Abbild des Prototypen, bei dem auch alle enthaltenen Objekte kopiert sind. In einer tiefen Kopie wird der Baum der einge-schlossenen Objekte den ganzen Weg entlang bis zur Wurzel verfolgt und von jedem dieser Objekte werden Kopien angefertigt. Daher teilt das Ergebnis einer tiefen Kopie keine darunterliegenden Objekte mit dem Prototyp.

Damit ein Objekt einen Klon oder eine tiefe Kopie von sich selbst effektiv implemen-tieren kann, müssen auch alle enthaltenen Objekte einen Mechanismus für tiefe Kopien implementieren. Das Problem, das diese Bedingung mit sich bringt, ist, dass Sie keine tiefe Kopie garantieren können, wenn Ihr Objekt Referenzen auf Objekte enthält, die nicht tiefenkopierbar sind. Genau deshalb leidet die Dokumentation des ICloneable-Interfaces unter dem Mangel einer Spezifikation der Bedeutung des Begriffs Kopie. Noch wichtiger: Dieser Mangel einer Spezifikation zwingt Sie dazu, die Implementierung von ICloneable bei jedem Objekt, das das Interface umsetzt, glasklar zu dokumentieren. Nur so können die Benutzer des Objekts wissen, ob das Objekt eine flache oder tiefe Kopie unterstützt.

Lassen Sie uns Optionen für die Implementierung des Interfaces ICloneable bei Objekten überlegen. Wenn Ihr Objekt nur Werttypen enthält, wie etwa Integer, Long oder Werte, die auf Strukturdefinitionen basieren, bei denen die Strukturen keine Referenztypen enthalten, dann können Sie eine Abkürzung verwenden, um die Methode Clone zu implementieren. Dazu benutzen Sie Object.MemberwiseClone() wie in dem folgenden Beispiel:

```
Imports System

Public NotInheritable Class Dimensions
    Implements ICloneable
```

```
    Private width As Long
    Private height As Long

    Public Sub New(ByVal width As Long, ByVal height As Long)
        Me.width = width
        Me.height = height
    End Sub

    'Implementierung von ICloneable.
    Public Function Clone() As Object Implements ICloneable.Clone
        Return Me.MemberwiseClone()
    End Function
End Class
```

MemberwiseClone() ist eine geschützte Methode, die in System.Object implementiert ist, die ein Objekt benutzen kann, um eine flache Kopie von sich selbst zu erstellen. MemberwiseClone() kreiert jedoch eine Kopie des Objekts, ohne irgendeinen Konstruktor des neuen Objekts aufzurufen. Die Methode ist einfach eine Abkürzung für die Objekterzeugung. Wenn Ihr Objekt sich darauf verlässt, dass der Konstruktor während der Objekterstellung aufgerufen wird – zum Beispiel wenn Sie die Erstellung zu Debugging-Zwecken an der Konsole verfolgen –, dann ist MemberwiseClone() nichts für Sie. Wenn Sie MemberwiseClone() verwenden und Ihr Objekt verlangt, dass während des Konstruktoraufrufs Arbeit erledigt werden soll, dann müssen Sie diese Aufgabe in eine separate Methode auslagern. Sie können diese Methode vom Konstruktor aus aufrufen, und in der Clone-Methode können Sie diese Arbeitsmethode für das neue Objekt aufrufen, nachdem Sie die neue Instanz über den Aufruf von MemberwiseClone() erzeugt haben. Obwohl es machbar ist, ist das ein mühsamer Ansatz. Eine Alternative, den Klon zu implementieren, ist es, einen privaten Konstruktor für die Kopie zu verwenden, wie im folgenden Code:

```
Public NotInheritable Class Dimensions
    Implements ICloneable

    Private width As Long
    Private height As Long

    Public Sub New(ByVal width As Long, ByVal height As Long)
        Console.WriteLine("Dimensions(long, long) called")

        Me.width = width
        Me.height = height
    End Sub

    'Privater Konstruktor, der benutzt wird, wenn eine Kopie
    'des Objekts erstellt wird.
    Private Sub New(ByVal other As Dimensions)
        Console.WriteLine("Dimensions(Dimensions) called")
```

```
        Me.width = other.width
        Me.height = other.height
    End Sub


    'Implementierung von ICloneable.
    Public Function Clone() As Object Implements ICloneable.Clone
        Return New Dimensions(Me)
    End Function
End Class
```

Diese Methode, ein Objekt zu klonen, ist die sicherste in dem Sinne, als Sie nun die volle Kontrolle darüber haben, wie die Kopie erstellt wird. Alle Änderungen in Bezug auf die Art, wie das Objekt kopiert werden soll, können im Copy-Konstruktor ausgeführt werden. Jedesmal, wenn Sie einen Konstruktor in einer Klasse deklarieren, wird der Compiler nicht mehr den Standardkonstruktor ausgeben, was er normalerweise tut, wenn Sie keinen Konstruktor liefern. Wenn der private Copy-Konstruktor, der vorher aufgelistet wurde, der einzige Konstruktor wäre, der in der Klasse definiert ist, würden die Benutzer der Klasse niemals Instanzen davon erzeugen können. Das liegt daran, dass der Standardkonstruktor nun nicht mehr da ist, aber kein anderer offen zugänglicher Konstruktor existiert. In diesem Fall müssen Sie sich keine Sorgen machen, da Sie ja auch einen öffentlichen Konstruktor definiert haben, der zwei Parameter annimmt.

Lassen Sie uns jetzt auch über Objekte nachdenken, die selbst Referenzen zu anderen Objekten enthalten. Nehmen wir an, Sie haben eine Mitarbeiterdatenbank und Sie stellen jeden Mitarbeiter mit einem Objekt des Typs Employee dar. Dieser Typ enthält wichtige Informationen, wie den Namen des Mitarbeiters, seinen Titel und die Identifikationsnummer. Der Name und möglicherweise auch die formatierte Identifikationsnummer werden durch Strings repräsentiert, die selbst Referenztypobjekte sind. Um des Beispiels willen wollen wir den Titel des Mitarbeiters in einer separaten Klasse namens Title implementieren. Wenn Sie der Richtlinie folgen, die wir vorher aufgestellt haben, nach der Sie immer eine tiefe Kopie bei einem Klon machen, würden Sie die folgende Klonmethode implementieren:

```
Imports System

'Klasse Title.
Public NotInheritable Class Title
    Implements ICloneable

    Private mTitle As TitleNameEnum
    Private minPay As Double
    Private maxPay As Double

    Public Enum TitleNameEnum
        GreenHorn
```

```
            HotshotGuru
      End Enum

      Public Sub New(ByVal title As TitleNameEnum)
          Me.mTitle = title

          LookupPayScale()
      End Sub

      Private Sub New(ByVal other As Title)
          Me.mTitle = other.mTitle

          LookupPayScale()
      End Sub

      'Implementierung von ICloneable.
      Public Function Clone() As Object Implements ICloneable.Clone
          Return New Title(Me)
      End Function

      Private Sub LookupPayScale()
          'Fragt die Gehaltsskala in der Datenbank ab.
          'Die Gehaltsskala basiert auf dem Titel.
      End Sub
End Class

'Klasse Employee.
Public NotInheritable Class Employee
      Implements ICloneable

      Private name As String
      Private title As Title
      Private ssn As String

      Public Sub New(ByVal name As String, ByVal title As Title, ByVal ssn As
String)
          Me.name = name
          Me.title = title
          Me.ssn = ssn
      End Sub

      Private Sub New(ByVal other As Employee)
          Me.name = String.Copy(other.name)
          Me.title = CType(other.title.Clone(), Title)
          Me.ssn = String.Copy(other.ssn)
      End Sub
```

```
      'Implementierung von ICloneable.
      Public Function Clone() As Object Implements ICloneable.Clone
          Return New Employee(Me)
      End Function
  End Class
```

Sie können das `Title`-Objekt nicht mit `MemberwiseClone()` kopieren, weil der Konstruktor einen Nebeneffekt mit sich bringt: Er ruft `LookupPayScale()` für das neue Objekt auf, um die Gehaltsskala für den Titel in der Datenbank abzufragen. Nehmen wir einmal an, es sei möglich, dass sich die Gehaltsskala für die Position zwischen der Erstellung des Prototyps und dem Kopiervorgang ändern kann – dann möchten Sie dies immer in der Datenbank nachsehen. Beachten Sie auch, dass die Kopien der enthaltenen Objekte über ihre jeweiligen Methoden von `ICloneable` erstellt wurden. Für das Objekt `Title` rufen Sie einfach dessen Implementierung von `Clone()` auf. Es stellt sich heraus, dass `System.String` das Interface `ICloneable` implementiert. Sie können `Clone` jedoch nicht nutzen, um eine tiefe Kopie von `Employee` zu erzeugen. Wenn Sie das Kleingedruckte der Implementierung der Methode `String.Clone()` lesen, sehen Sie, dass sie einfach eine Referenz auf sich selbst zurückgibt. Das ist ein perfektes Beispiel der Inkonsistenzen, die Sie in Implementierungen von `Clone()` finden werden. Stattdessen müssen Sie die gemeinsam genutzte Methode `String.Copy` verwenden, um eine echte Kopie des Quellstrings zu erhalten.

Die Tatsache, dass `System.String` eine Referenz auf sich selbst zurückgibt, wenn seine Methode `ICloneable.Clone` aufgerufen wird, ist eine Optimierung, die seine Implementierer eingeführt haben. Obwohl die Implementierung Sie daran hindert, einen echten tiefen Klon von jedem Objekt anzufertigen, das Referenzen auf Stringobjekte enthält, ist die Optimierung aus zwei Gründen zulässig. Erstens spezifiziert die Dokumentation nicht, ob Sie einen tiefen oder flachen Klon implementieren müssen. Zweitens ist `System.String` ein unveränderliches Objekt. Unveränderlichkeit bei Objekten ist ein mächtiges Konzept, das wir in dem Abschnitt »Typsicherheit zu jeder Zeit« behandeln. Die allgemeine Idee ist, dass Sie, wenn Sie ein Stringobjekt kreieren, dieses nicht ändern können, solange es lebt. Daher ist es ineffizient, `String.Clone()` auf eine Weise zu implementieren, dass es immer eine tiefe Kopie erstellt. Client-Code von `System.String()` arbeitet immer auf dieselbe Weise, egal ob `String.Clone()` eine tiefe oder eine flache Kopie erstellt – wegen der Unveränderlichkeit der Strings.

Wenn Sie möchten, dass die Implementierung von `ICloneable` sich selbst dokumentiert, können Sie ein benutzerdefiniertes Attribut verwenden, um die Methode `Clone` zu markieren. Auf diese Weise können die Benutzer Ihres Objekts schon zur Entwurfszeit oder auch zur Laufzeit bestimmen, ob Ihr Objekt eine tiefe oder eine flache Kopie unterstützt. Betrachten Sie das folgende benutzerdefinierte Attribut:

```
Imports System

Namespace CloneHelpers
  Public Enum CloneStyle
    Deep
```

```
        Shallow
    End Enum

    <AttributeUsageAttribute(AttributeTargets.Method)> _
    Public NotInheritable Class CloneStyleAttribute
        Inherits Attribute

        Private mClonestyle As CloneStyle

        Public Sub New(ByVal aClonestyle As CloneStyle)
            Me.mClonestyle = aClonestyle
        End Sub


        Public ReadOnly Property Style() As CloneStyle
            Get
                Return mClonestyle
            End Get
        End Property
    End Class
End Namespace
```

Mit diesem Attribut können Sie Ihren Implementierungen des Klonvorgangs ein
Etikett anhängen, das genau sagt, welchen Typ des Klonens sie vornehmen. Das Attribut ist nur eine Markierung und erzwingt nichts zur Laufzeit, aber das bedeutet nicht,
dass Sie nicht einen anderen Objekttyp erstellen könnten, der zur Laufzeit Richtlinien
durchsetzt, die auf angehängten benutzerdefinierten Attributen fußen. Schauen wir
uns die `Dimensions`-Klasse noch einmal an und verwenden diesen Ansatz:

Hinweis: Um dieses Beispiel kompilieren zu können, müssen Sie in Ihrem Projekt
eine Referenz auf `CloneHelpers` hinzufügen.

```
Imports System

Namespace CloneHelpers
    Public Enum CloneStyle
        Deep
        Shallow
    End Enum

    <AttributeUsageAttribute(AttributeTargets.Method)> _
    Public NotInheritable Class CloneStyleAttribute
        Inherits Attribute

        Private mClonestyle As CloneStyle
```

```
        Public Sub New(ByVal aClonestyle As CloneStyle)
            Me.mClonestyle = aClonestyle
        End Sub


        Public ReadOnly Property Style() As CloneStyle
            Get
                Return mClonestyle
            End Get
        End Property
    End Class
End Namespace



Public NotInheritable Class Dimensions
    Implements ICloneable

    Private width As Long
    Private height As Long

    Public Sub New(ByVal width As Long, ByVal height As Long)
        Me.width = width
        Me.height = height
    End Sub

    'Implementierung von ICloneable.
    <CloneStyleAttribute(CloneStyle.Deep)> _
    Public Function Clone() As Object Implements ICloneable.Clone
        Return Me.MemberwiseClone()
    End Function
End Class
```

Im vorigen Beispiel bleibt die Frage nicht offen, wie die Methode `Clone` implementiert ist. Benutzer dieses Objekts sind daher gut informiert.

14.1.4 Ist das Objekt formatierbar?

Wenn Sie ein neues Objekt erstellen, erbt es von `System.Object` eine Methode namens `ToString()`. Diese Methode akzeptiert keine Parameter und gibt nur eine Zeichenkettendarstellung des Objekts zurück. In allen Fällen werden Sie diese Methode überschreiben müssen, sofern es sinnvoll ist, `ToString()` für Ihr Objekt aufzurufen. Die Standardimplementierung, die `System.Object` liefert, gibt lediglich eine Stringdarstellung des Typnamens des Objekts zurück. Das nützt nur wenig bei einem Objekt, das eine Stringdarstellung benötigt, die auf seinem internen Zustand beruht. Sie sollten erwägen, `Object.ToString()` bei all Ihren Typen zu überschreiben, auch dann, wenn es nur darum geht, den Objektstatus zu Debugging-Zwecken an eine Logging-Datei auszugeben.

`Object.ToString()` ist ganz nützlich, um eine schnelle Zeichenkettendarstellung eines Objekts zu bekommen. Manchmal reicht das aber nicht. Denken Sie an das `ComplexNumber`-Beispiel zurück. Nehmen wir an, Sie wollen eine `ToString`-Überschreibung für diese Klasse zur Verfügung stellen. Ein offensichtlicher Lösungsansatz wäre es, die komplexe Zahl als geordnetes Paar in Klammern auszugeben, etwa in der Art von (1, 2). Die realen und imaginären Komponenten einer komplexen Zahl sind jedoch vom Typ `Double`. Darüber hinaus erscheinen Gleitkommazahlen nicht in allen Kulturen gleich. Amerikaner benutzen einen Punkt, um das nicht ganzzahlige Element einer Fließkommazahl abzutrennen, während die meisten europäischen Länder dafür ein Komma verwenden. Das Problem lässt sich leicht lösen, wenn Sie die standardmäßige Kulturinformation benutzen, die dem Thread beigefügt ist. Indem Sie auf das Property `My.Application.Culture` zugreifen, können Sie Referenzen auf die standardmäßige kulturelle Information bekommen. Sie erklärt im Detail, wie numerische Werte einschließlich Geldbeträgen dargestellt werden. Ebenso finden Sie Informationen, wie Sie Uhrzeit und Datum korrekt wiedergeben[14].

Als Standard erlaubt Ihnen das Property `Culture` Zugang zu `System.Globalization.DateTimeFormatInfo` und `System.Globalization. NumberFormatInfo`. Indem Sie die Informationen nutzen, die diese Objekte zur Verfügung stellen, können Sie die `ComplexNumber` in einer Form ausgeben, die an die jeweilige Kultur der Maschine angepasst ist, auf der die Anwendung läuft. In Kapitel 9 finden Sie Beispiele, wie dies funktioniert.

Diese Lösung scheint einfach zu sein. Es gibt aber Zeiten, in denen es nicht ausreicht, die Standardkultur zu benutzen – ein Benutzer Ihrer Objekte könnte es als nötig erachten, zu spezifizieren, welche Kultur zu verwenden ist. Zum Beispiel könnte ein Anwender sagen, dass die realen und imaginären Komponenten einer komplexen Zahl mit nur fünf Nachkommastellen angezeigt werden sollten, wobei die deutschen Kulturinformationen genutzt werden. Eine Firma, die einen Server mit Finanzdiensten in den USA betreibt und Anfragen aus Japan beantwortet, wird die japanische Währung in dem Format anzeigen wollen, das in der japanischen Kultur üblich ist. Sie müssen also spezifizieren, wie ein Objekt formatiert werden soll, wenn es per `ToString()` in eine Zeichenkette umgewandelt werden soll, ohne vorab die `CurrentCulture` des Threads zu ändern.

Die Standardbibliothek bietet in der Tat ein Interface, das genau dies erledigt. Wenn eine Klasse oder Struktur die Fähigkeit benötigt, solche Anfragen zu beantworten, implementiert sie das Interface `IFormattable`. Dies sieht einfach aus, kann aber in Abhängigkeit von der Komplexität Ihrer Objekte knifflig zu realisieren sein:

```
Public Interface IFormattable
    Function ToString(ByVal format As String, _
        ByVal formatProvider As IFormatProvider) As String
End Interface
```

---

14 Das Kapitel 9 behandelt die Lokalisierung sowie kulturelle Informationen im Detail.

Schauen wir uns zuerst den zweiten Parameter an. Wenn der Client-Code `Nothing` für den Wert `formatProvider` übergibt, sollten Sie, wie vorhin beschrieben, standardmäßig die Kulturinformation, die an den aktuellen Thread angehängt ist, verwenden. Wenn aber `formatProvider` nicht `Nothing` ist, müssen Sie die Formatierungsinformationen vom Provider über die Methode `IFormatProvider.GetFormat` erwerben. Das Interface `IFormatProvider` sieht folgendermaßen aus:

```
Public Interface IFormatProvider
    Function GetFormat(ByVal formatType As Type) As Object
End Interface
```

Um so generisch wie möglich sein zu können, ist `GetFormat()` so ausgelegt, um ein Objekt des Typs `System.Type` akzeptieren zu können. Daher ist die Methode ausbaufähig, wenn es um die Typen geht, die das Objekt, das `IFormatProvider` implementiert, möglicherweise unterstützt. Diese Flexibilität ist hilfreich, wenn Sie beabsichtigen, benutzerdefinierte Formatprovider zu entwickeln, die bisher noch nicht definierte Formatierungsinformationen zurückgeben sollen.

Die Standardbibliothek stellt einen Typ `System.Globalization.CultureInfo` zur Verfügung, der wahrscheinlich all Ihren Ansprüchen genügen wird. Das Objekt `CultureInfo` implementiert das Interface `IFormatProvider` und Sie können Instanzen davon als Parameter an `IFormattable.ToString()` übermitteln. Bald werden Sie ein Beispiel von dessen Verwendung sehen, wenn Sie Modifikationen an dem Beispiel `ComplexNumber` vornehmen, aber zuerst sehen wir uns den ersten Parameter für `ToString()` an.

Der Formatparameter von `ToString()` erlaubt Ihnen, zu spezifizieren, wie eine bestimmte Zahl formatiert werden soll. Der Formatprovider kann beschreiben, wie ein Datum oder Geldbeträge basierend auf kulturellen Vorlieben angegeben werden sollen, aber Sie müssen vor allen anderen wissen, wie das Objekt formatiert werden soll. Im Wesentlichen besteht der Formatstring aus einem einzelnen Buchstaben, der das Format spezifiziert, und dann einer optionalen Zahl zwischen 0 und 99, die die Präzision deklariert. Zum Beispiel können Sie mit `F5` bestimmen, dass ein `Double` als Gleitkommazahl mit fünf Nachkommastellen ausgegeben werden soll. Nicht alle Typen müssen alle Formate unterstützen – bis auf eines, das Format `G`, das für »General« (allgemein) steht. In der Tat bekommen Sie das Format `G`, wenn Sie bei den meisten Objekten in der Standardbibliothek `Object.ToString()` parameterlos aufrufen. Manche Typen werden aber unter besonderen Umständen die Formatspezifikation ignorieren: Zum Beispiel kann ein `System.Double` spezielle Werte enthalten, die `NaN` (Not a Number) repräsentieren, `PositiveInfinity` oder `NegativeInfinity`. In solchen Fällen ignoriert `System.Double` die Formatspezifikation und zeigt ein zur Kultur passendes Symbol an, das von `NumberFormatInfo` bereitgestellt wird.

Der Formatspezifizierer kann auch aus einem benutzerdefinierten Formatierungsstring bestehen. Benutzerdefinierte Formatierungsstrings erlauben es dem Benutzer, das exakte Layout der Zahlen sowie eingestreuten Stringliterale zu spezifizieren. Der Client-Code kann ein Format für negative Zahlen festlegen, ein weiteres für positive

Zahlen und ein drittes für Nullwerte. Die Methode `IFormattable.ToString()` zu implementieren kann eine mühsame Erfahrung sein, vor allem auch, weil Ihr Formatierungsstring sehr benutzerspezifisch sein kann. In vielen Fällen können Sie sich jedoch – und ComplexNumber ist einer dieser Fälle – auf die Implementierung von `IFormattable` der Standardtypen verlassen. Da `ComplexNumber` Gebrauch von `System.Double` macht, um seine realen und imaginären Teile darzustellen, können Sie den Hauptteil Ihrer Arbeit auf die Implementierung von `IFormattable` bei `System.Double` abschieben. Nehmen wir an, dass der Typ `ComplexNumber` einen Formatstring exakt auf dieselbe Weise annimmt wie `System.Double`, und dass jede Komponente der komplexen Zahl unter Benutzung desselben Formats ausgegeben wird. Schauen wir uns eine Modifikation des Beispiels `ComplexNumber` an, das `IFormattable` unterstützt:

```
Imports System
Imports System.Globalization

Public NotInheritable Class ComplexNumber
    Implements IFormattable

    Private ReadOnly real As Double
    Private ReadOnly imaginary As Double

    'Andere Methoden wurden zur größeren Klarheit entfernt.

    Public Sub New(ByVal real As Double, ByVal imaginary As Double)
        Me.real = real
        Me.imaginary = imaginary
    End Sub

    Public Overrides Function ToString() As String
        Return ToString("G", Nothing)
    End Function

    'Implementierung von IFormattable.
    Public Overloads Function ToString(ByVal format As String, _
        ByVal formatProvider As IFormatProvider) As String _
        Implements IFormattable.ToString

        Dim result As String = "(" & real.ToString(format, formatProvider) & _
            " " & real.ToString(format, formatProvider) & ")"

        Return result
    End Function
End Class

Public NotInheritable Class EntryPoint
    Shared Sub Main()
        Dim num1 As ComplexNumber = New ComplexNumber(1.12345678,
2.12345678)

        Console.WriteLine("US format: {0}", num1.ToString("F5", _
```

```
        New CultureInfo("en-US")))
    Console.WriteLine("DE format: {0}", num1.ToString("F5", _
        New CultureInfo("de-DE")))
    Console.WriteLine("Object.ToString(): {0}", num1.ToString())
End Sub
End Class
```

Hier ist das Ergebnis nach Ausführung des Beispielcodes:

```
US format: (1.12346 1.12346)
DE format: (1,12346 1,12346)
Object.ToString(): (1.12345678 1.12345678)
```

Beachten Sie die Erstellung und den Gebrauch der zwei unterschiedlichen Instanzen von CultureInfo in der Methode Main(): Zunächst wird die ComplexNumber nach der amerikanischen Formatierung ausgegeben und beim zweiten Mal nach der deutschen Formatierung. In beiden Fällen geben Sie den String nur mit fünf Nachkommastellen aus; die Implementierung von IFormattable.ToString() in System.Double rundet das Ergebnis wie erwartet. Zuletzt wird die Überschreibung von Object.ToString() implementiert und an die Methode IFormattable.ToString verwiesen, die das G-Format (für »General«, also allgemein) verwendet.

IFormattable stattet die Benutzer Ihrer Objekte mit mächtigen Fähigkeiten aus, wenn Sie spezielle Bedürfnisse für die Formatierung der Objekte haben. Diese Macht hat jedoch ihren Preis: IFormattable.ToString() zu implementieren kann eine sehr knifflige Aufgabe sein, die viel Zeit und Aufmerksamkeit erfordert.

14.1.5   Ist das Objekt konvertierbar?

VB bietet Unterstützung, um Instanzen von einfachen eingebauten Typen wie Integer und Long von einem Typ in den anderen zu verwandeln. Aber was tun Sie, wenn Sie eine nichttriviale Konvertierung vornehmen wollen, die Sie nicht einfach per Typzuweisung erreichen können? Das .NET-Framework eröffnet mehrere Wege, die Aufgabe zu erledigen. Für diese Konvertierungstypen sollten Sie auf die Klasse System.Convert zurückgreifen. Die Liste der Funktionen, die Convert implementiert, ist ziemlich lang und kann in der Bibliothek des Microsoft Developer Network (MSDN) eingesehen werden. Die Klasse Convert enthält Methoden, um fast jeden eingebauten Typen in einen anderen umzuwandeln, so lange dies sinnvoll ist. Wenn Sie also eine Double-Zahl in einen String verwandeln wollen, würden Sie einfach die Methode ToString() aufrufen und ihr das Double wie folgt übergeben:

```
Shared Sub Main()
    Dim d As Double = 12.1
    Dim str As String = Convert.ToString(d)
End Sub
```

Ähnlich wie `IFormattable.ToString()` verfügt auch `Convert.ToString()` über verschiedene Überladungen, die Ihnen auch erlauben, ein `CultureInfo`-Objekt oder irgendein anderes Objekt, das `IFormatProvider` unterstützt, zu übergeben, um kulturspezifische Informationen zu spezifizieren, wenn Sie die Konvertierung vornehmen. Sie können auch andere Methoden verwenden, so etwa `ToBoolean()` und `ToUint32()`. Das allgemeine Muster, dem die Methodennamen folgen, ist ToXXX, wobei XXX der Typ ist, in den Sie einen Wert umwandeln. `System.Convert` besitzt zudem Methoden, um Byte-Arrays in base64-codierte Strings und wieder zurück zu konvertieren. Sie werden diese Methoden nützlich finden, wenn Sie binäre Daten in XML-Text oder ein anderes textbasiertes Medium verwandeln.

`Convert` bedient im Allgemeinen die meisten Ihrer Konvertierungsbedürfnisse zwischen den eingebauten Typen. Es ist ein One-Stop-Shop, wenn es um die Konvertierung eines Objekts in ein anderes geht. Sie können dies schon an der Menge der Methoden sehen, die die Klasse unterstützt. Was passiert aber, wenn Ihre Konvertierung einen benutzerdefinierten Typen betrifft, von dem `Convert` nichts weiß? Die Antwort liegt in der Methode `Convert.ChangeType`.

`ChangeType()` ist der Erweiterungsmechanismus für `System.Convert`. Sie hat verschiedene Überladungen, einschließlich solcher, die einen Formatprovider für kulturelle Informationen annehmen. Die Idee dahinter ist, dass die Methode eine Objektreferenz annimmt und sie in den Typ verwandelt, der vom übergebenen `System.Type`-Objekt repräsentiert wird. Betrachten Sie das folgende Beispiel, das die `ComplexNumber` aus vorangegangenen Beispielen verwendet und versucht, sie in einen String zu verwandeln, wobei es `System.Convert.ChangeType()` nutzt:

```vb
Imports System

Public NotInheritable Class ComplexNumber
    Public Sub New(ByVal real As Double, ByVal imaginary As Double)
        Me.real = real
        Me.imaginary = imaginary
    End Sub

    'Andere Methoden wurden zur größeren Klarheit entfernt.

    Private ReadOnly real As Double
    Private ReadOnly imaginary As Double
End Class

Public NotInheritable Class EntryPoint
    Shared Sub Main()
        Dim num1 As ComplexNumber = New ComplexNumber(1.12345678, _
2.12345678)

        Dim str As String = CStr(Convert.ChangeType(num1, GetType(String)))
    End Sub
End Class
```

Sie werden feststellen, dass der Code ohne Mucken kompiliert wird. Sie werden jedoch zur Laufzeit eine Überraschung erleben, wenn er eine `InvalidCastException` mit der Nachricht ausgibt: »Ein Objekt muss `IConvertible` implementieren.« Obwohl `ChangeType()` der Erweiterungsmechanismus von `System.Convert` ist, kommt die Ausbaufähigkeit nicht gratis. Sie müssen einige Anstrengungen aufwenden, damit `ChangeType()` mit `ComplexNumber` klarkommen kann. Wie Sie wahrscheinlich schon erraten haben, dreht es sich dabei vor allem darum, das Interface `IConvertible` zu implementieren. `IConvertible` besitzt eine Methode für die Konvertierung in jeden der eingebauten Typen und benutzt eine Methode, die alles abfängt, `IConvertible.ToType()`, um einen benutzerdefinierten Typen in einen anderen benutzerdefinierten Typen zu verwandeln. Zudem akzeptieren die Methoden von `IConvertible` einen Formatprovider, damit Sie kulturspezifische Informationen an die Konvertierungsmethode übermitteln können.

Wenn Sie ein Interface implementieren, müssen Sie alle Methoden des Interfaces umsetzen. Wenn aber eine spezielle Konvertierung für Ihr Objekt keinen Sinn ergibt, dann können Sie eine `InvalidCastException` ausgeben. Natürlich wird Ihre Implementierung innerhalb von `IConvertible.ToType()` fast zwingend eine Ausnahme bei jedem generischen Typ hervorrufen, für den sie keine Konvertierung unterstützt.

Um hier zusammenzufassen: Es kann so erscheinen, als gäbe es viele Wege, einen Typ in einen anderen in VB zu konvertieren. Es gibt auch viele, in der Tat. Als Faustregel sollten Sie jedoch auf `System.Convert` zurückgreifen, wenn Typzuweisungen nicht helfen. Mehr noch: Ihre benutzerdefinierten Objekte, wie die Klasse `ComplexNumber`, sollten das Interface `IConvertible` implementieren, damit sie im Einklang mit der Klasse `System.Convert` arbeiten können.

> **Tipp:** VB bietet Ihnen Umwandlungsoperatoren, die Ihnen erlauben, im Wesentlichen dasselbe zu tun, was Sie mit einer Implementierung von `IConvertible` erreichen können. Allerdings folgen die impliziten und expliziten Konvertierungsoperatoren in VB nicht der Common Language Specification (CLS). Daher kann nicht jede Sprache, die Ihren VB-Code verwendet, diesen aufrufen, um die Konvertierung vorzunehmen. Es ist zu empfehlen, dass Sie sich nicht ausschließlich darauf verlassen, um Typumwandlungen auszuführen. Natürlich können Sie nur diese benutzen, wenn Sie Ihr Projekt ausschließlich in .NET-Sprachen programmieren, die die Konvertierungsoperatoren unterstützen. Es ist aber zu empfehlen, dass Sie auch `IConvertible` **unterstützen.**

.NET bietet Ihnen noch einen Konvertierungsmechanismus, der über `System.ComponentModel.TypeConverter` arbeitet. Es ist ein weiterer Konverter, der sich außerhalb der Klasse der Objektinstanz befindet, die umgewandelt werden muss. Der Vorteil bei der Benutzung von `TypeConverter` ist, dass Sie ihn zur Entwurfszeit in der integrierten Entwicklungsumgebung (IDE) sowie zur Laufzeit nutzen können. Sie erzeugen Ihren speziellen `TypeConverter` für Ihre Klasse, der sich von `TypeConverter` ableitet. Dann ordnen Sie Ihren Typkonverter über das `TypeConverterAttribute` Ihrer Klasse zu. Zur Entwurfszeit kann die IDE die Metadaten für Ihren Typ überprüfen und aus diesen Informationen eine Instanz des Konverters für Ihren Typ erzeugen. Auf diese Weise kann diese Ihren Typ in Repräsentationen umwandeln, die sie als passend ansieht – und auch wieder zurück[15].

14.1.6   Unterstützt das Objekt Sortierungen?

Wenn Sie eine Klasse erzeugen, die Objekte in einer Auflistung (Collection) speichern soll, und diese Auflistung sortiert werden muss, brauchen Sie einen wohldefinierten Mechanismus, um zwei Objekte miteinander zu vergleichen. Das Modell, das die Designer der Standardbibliothek zur Verfügung stellten, dreht sich um die Implementierung des Interfaces `IComparable`[16]:

```
Public Interface IComparable
    Function CompareTo(ByVal obj As Object) As Integer
End Interface
```

`IComparable` enthält eine Methode, `CompareTo`. Diese ist recht geradlinig. Sie gibt einen Wert zurück, der entweder positiv, negativ oder gleich Null ist. Die Tabelle 14-1 listet die Bedeutungen der Rückgabewerte auf:

CompareTo()-Rückgabewert	Bedeutung
Positiv	`Me > Obj`
Null	`Me = Obj`
Negativ	`Me < Obj`

Tabelle 14-1: Bedeutung von Rückgabewerten bei IComparable.CompareTo()

Sie sollten sich ein paar Punkte klarmachen, wenn Sie `IComparable.CompareTo()` implementieren. Zuerst sagt die Spezifikation des Rückgabewerts nichts über den wirklichen Wert der zurückgegebenen `Integer`zahl aus; sie definiert nur das Vorzeichen der Rückgabewerte. Um eine Situation anzuzeigen, in der `Me` kleiner als `obj` ist, können Sie einfach -1 zurückgeben. Wenn Ihr Objekt einen Wert repräsentiert, der eine `Integer`bedeutung enthält, können Sie den Vergleichswert auf effiziente Weise berechnen, indem Sie das eine von dem anderen subtrahieren. Es mag zwar verlockend sein, den Rückgabewert als Gradmesser der Ungleichheit zu behandeln. Wir empfehlen dies aber nicht, da eine derartige Implementierung die Grenzen der Spezifikation von `IComparable` überschreitet. Nicht bei allen Objekten können Sie erwarten, dass sie sich hier normgerecht verhalten.

---

[15]   Lesen Sie das Thema »Generalized Type Conversion« im MSDN nach, um mehr über `TypeConverter` zu erfahren.

[16]   Für Werttypen sollten Sie erwägen, das generische Interface `IComparable(Of T)` zu verwenden, wie in Kapitel 12 gezeigt.

Zweitens stellt `CompareTo()` keine Definition eines Rückgabewerts für Objekte bereit, die nicht miteinander verglichen werden können. Da der Parametertyp in `CompareTo()` ja `System.Object` ist, könnten Sie sehr leicht versuchen, eine Instanz von `Apple` mit einer Instanz von `Orange` zu vergleichen. In einem solchen Fall gibt es keinen Vergleich und Sie sind dazu gezwungen, dies anzuzeigen, indem Sie ein Objekt vom Typ `ArgumentException` ausgeben.

Letztlich ist das Interface `IComparable` eine Obermenge von `Object.Equals()`. Wenn Sie etwas von einem Objekt ableiten, das `Equals()` überschreibt und `IComparable` implementiert, dann tun Sie gut daran, sowohl `Equals()` zu überschreiben als auch `IComparable` in Ihrer abgeleiteten Klasse zu implementieren oder alternativ nichts von beidem zu tun. Sie wollen ja sicherstellen, dass Ihre Implementierungen von `Equals()` und `CompareTo()` aufeinander abgestimmt sind.

Auf der Grundlage all dieser Informationen sollte ein normgerechtes `IComparable`-Interface diese Regeln befolgen:

- `x.CompareTo(x)` muss 0 zurückgeben; das ist das reflexive Property.

- Wenn `x.CompareTo(y)` = 0 ist, dann muss auch `y.CompareTo(x)` gleich 0 sein. Das ist das symmetrische Property.

- Wenn `x.CompareTo(y)` = 0 und `y.CompareTo(z)` = 0 ist, dann muss auch `x.CompareTo(z)` gleich 0 sein. Das ist das transitive Property.

- Wenn `x.CompareTo(y)` einen anderen Wert als 0 zurückgibt, muss `y.CompareTo(x)` auch einen Wert zurückgeben, der ungleich 0 ist, aber mit anderem Vorzeichen. Anders ausgedrückt, sagt dieses Statement, dass wenn x < y ist, dann muss y > x sein, oder wenn x > y ist, dann muss y < x sein.

- Wenn `x.CompareTo(y)` einen Wert ungleich 0 zurückgibt und `y.CompareTo(z)` einen Wert ungleich 0 mit demselben Vorzeichen zurückgibt, dann muss `x.CompareTo(z)` einen Wert ungleich 0 mit dem gleichen Vorzeichen wie in den ersten beiden Fällen zurückgeben. Mit anderen Worten sagt dieses Statement, dass wenn x < y und y < z gelten, dann ist x < z. Oder: Wenn x > y und y > z, dann ist x > z.

Der folgende Code zeigt eine modifizierte Form der Klasse `ComplexNumber`, die `IComparable` implementiert und Code an einigen Stellen in privaten Helfermethoden konsolidiert:

```
Imports System

Public NotInheritable Class ComplexNumber
    Implements IComparable

    Private ReadOnly real As Double
    Private ReadOnly imaginary As Double

    'Andere Methoden werden zur größeren Klarheit entfernt.
```

```vb
Public Sub New(ByVal real As Double, ByVal imaginary As Double)
    Me.real = real
    Me.imaginary = imaginary
End Sub

Public Overloads Overrides Function Equals(ByVal other As Object) As
Boolean
    Dim result As Boolean = False
    Dim that As ComplexNumber = TryCast(other, ComplexNumber)

    If Not that Is Nothing Then
        result = InternalEquals(that)
    End If

    Return result
End Function

Public Overrides Function GetHashCode() As Integer
    Return Fix(Me.Magnitude)
End Function

Public Shared Operator =(ByVal num1 As ComplexNumber, _
    ByVal num2 As ComplexNumber) As Boolean

    Return Object.Equals(num1, num2)
End Operator

Public Shared Operator <>(ByVal num1 As ComplexNumber, _
    ByVal num2 As ComplexNumber) As Boolean

    Return Not Object.Equals(num1, num2)
End Operator

Public Function CompareTo(ByVal other As Object) As Integer _
    Implements IComparable.CompareTo


    Dim that As ComplexNumber = TryCast(other, ComplexNumber)
    If that Is Nothing Then
        Throw New ArgumentException("Bad Comparison!")
    End If

    Dim result As Integer
    If InternalEquals(that) Then
        result = 0
    ElseIf Me.Magnitude > that.Magnitude Then
```

```
            result = 1
        Else
            result = -1
        End If


        Return result
    End Function


    Private Function InternalEquals(ByVal that As ComplexNumber) As Boolean
        Return (Me.real = that.real) AndAlso (Me.imaginary =
that.imaginary)
    End Function


    Public ReadOnly Property Magnitude() As Double
        Get
            Return Math.Sqrt(Math.Pow(Me.real, 2) + Math.Pow(Me.imaginary,
2))
        End Get
    End Property
End Class
```

14.1.7 Ist das Objekt entsorgbar?

Betrachten wir einige Effekte, die entsorgbare Objekte auf Ihr Design haben können. Zunächst sollten Sie ermitteln, warum Ihr Objekt überhaupt leicht entsorgbar sein soll. Ganz allgemein muss Ihr Objekt entsorgungsfreundlich sein, wenn es irgend eine Art von nicht verwalteten Ressourcen wie etwa ein Stück virtuellen Speichers verwaltet. Wenn Ihr Objekt andere Objekte enthält, die wiederum entsorgungsfreundlich sind, dann sollte Ihr Objekt das auch sein. Zum Beispiel sollte ein Objekt, das eine Referenz auf eine geöffnete Datei mit exklusiven Lese- und Schreibrechten enthält, leicht zu entsorgen sein. Denn der Benutzer des Objekts kann so kontrollieren, wann die darunter liegende Ressource geschlossen oder aufgeräumt wird. Ein Objekt wird als entsorgbar deklariert, wenn es das Interface IDisposable implementiert. Schauen wir uns das Interface selbst an:

```
Public Interface IDisposable
    Sub Dispose()
End Interface
```

Das sieht einfach genug aus. Implementieren Sie einfach die Methode Dispose, welche die Ressource letztendlich abräumt, und Sie sind fertig, nicht wahr? Nun, vielleicht.

Wenn Sie ein entsorgbares Objekt kreieren, das wiederum andere leicht entsorgbare Objekte enthält, dann sollten Sie in Ihrer Implementierung von Dispose() die Methode Dispose auch für die enthaltenen Objekte aufrufen. Es ist für Client-Code durchaus zulässig, Dispose() viele Male aufzurufen. Anstatt also eine Ausnahme bei folgenden Aufrufen auszugeben – die basierend auf der Dokumentation von

IDisposable ungültig wäre –, sollten Sie gar nichts tun. Daher sollten Sie eine Art interner Markierung unterhalten, damit der Code nicht explodiert, wenn Dispose() mehrfach aufgerufen wird. Sie können diese interne Markierung auch für andere Zwecke verwenden. Es ist normalerweise unzulässig, eine Methode eines entsorgten Objekts aufzurufen. In diesen Fällen können Sie die Markierung prüfen. Weist sie darauf hin, dass das Objekt schon entsorgt wurde, werfen Sie eine ObjectDisposedException aus. Sie können schon sehen, dass das, was ein einfaches Interface zu sein schien, richtig schwierig zu implementieren ist, wenn man es korrekt machen will. Schauen wir uns ein Beispiel für die Implementierung von IDisposable an. Der folgende Code besteht aus einem benutzerdefinierten Heap-Objekt, das Win32-Funktionen nutzt, um einen lokalen Heap zu verwalten:

```
Imports System
Imports System.Runtime.InteropServices

Public NotInheritable Class Win32Heap
    Implements IDisposable

    Private theHeap As IntPtr
    Private disposed As Boolean = False

    <DllImport("kernel32.dll")> _
    Shared Function HeapCreate(ByVal flOptions As UInteger, _
        ByVal dwInitialSize As UIntPtr, ByVal dwMaximumSize As UIntPtr) As
IntPtr
    End Function

    <DllImport("kernel32.dll")> _
    Shared Function HeapDestroy(ByVal hHeap As IntPtr) As Boolean
    End Function

    Public Sub New()
        theHeap = HeapCreate(0, CType(4096, UIntPtr), UIntPtr.Zero)
    End Sub

    'Implementierung von IDisposable.
    Public Sub Dispose() Implements IDisposable.Dispose
        If (Not disposed) Then
            HeapDestroy(theHeap)
            theHeap = IntPtr.Zero
            disposed = True
        End If
    End Sub
End Class
```

Dieses Objekt enthält keine Objekte, die IDisposable implementieren. Daher brauchen Sie nicht durch den Objektbaum iterieren und dabei wiederholt Dispose() aufrufen.

Im Disposable[17]-Muster ist es die Implementierung der enthaltenen Objekte, die das Container-Objekt formt, indem sie es dazu zwingt, IDisposable zu implementieren, wenn die enthaltenen Objekte dies ebenfalls implementieren. Es ist eine Von-innen-nach-außen-Beziehung (Inside-Out). Da das Disposable-Muster den Benutzer dazu zwingt, die Dispose-Methode explizit aufzurufen, liegt die Last auf dem Anwender, um sicherzustellen, dass die Methode aufgerufen wird, selbst angesichts möglicher Ausnahmen. Dies macht es mühsam, den Client-Code zu erstellen. Betrachten Sie zum Beispiel den folgenden Code, der eine Datei zu Schreibzwecken öffnet:

```
Imports System
Imports System.IO

Public NotInheritable Class WriteStuff
    Shared Sub Main()
        Dim sw As StreamWriter = New StreamWriter("Output.txt")

        Try
            sw.WriteLine("This is a test of the emergency dispose
mechanism")
        Finally
            If Not sw Is Nothing Then
                CType(sw, IDisposable).Dispose()
            End If
        End Try
    End Sub
End Class
```

Code auf diese Weise zu schreiben, kann mühsam werden. Deshalb wurde in VB 2005 das Using-Statement eingeführt, um uns hier zu helfen. In einem Using-Statement deklarieren Sie die entsorgungsfreundlichen Variablen, und wenn der Gültigkeitsbereich den Codeblock verlässt, werden die Objekte entsorgt. Das Using-Statement macht im Wesentlichen dasselbe wie das Try-Statement, und Sie können sich den generierten Code in der Intermediate Language (IL) ansehen, um dies zu beweisen. Das Using-Statement hilft hier definitiv: Aber der Benutzer des Codes muss sich immer noch daran erinnern, es auch zu benutzen. Modifizieren wir das vorige Beispiel mit dem Using-Statement:

```
Imports System
Imports System.IO
```

---

[17] Sehen Sie im Abschnitt »Löschbare Objekte« in Kapitel 3 nach, um mehr darüber zu erfahren.

```
Public NotInheritable Class WriteStuff
    Shared Sub Main()
        Using sw As StreamWriter = New StreamWriter("Output.txt")
            sw.WriteLine("This is a test of the emergency dispose
mechanism")
        End Using
    End Sub
End Class
```

Können Sie sich nun denken, was passiert, wenn der Client-Code Ihres Objekts vergisst, Dispose() aufzurufen oder wenn er das Using-Statement nicht benutzt? Ganz klar besteht hier die Chance, dass ein Ressourcenleck entsteht. Und deshalb müssen Sie auch einen Finalisierer einbauen, wie der nächste Abschnitt beschreibt.

14.1.8 Braucht das Objekt einen Finalisierer?

Ein Finalisierer ist eine Methode, die Sie für Ihre Klasse implementieren, die aufgerufen wird, bevor der Garbage Collector Ihr nicht mehr gebrauchtes Objekt vom Heap räumt. Lassen Sie uns ein wichtige Konzept gleich vorab darstellen: Finalisierer sind keine Destruktoren und Sie sollten sie auch nicht als solche ansehen.

Destruktoren haben mit der deterministischen Zerstörung von Objekten zu tun, während es bei Finalisierern um eine nichtdeterministische Zerstörung der Objekte geht[18]. Sie können Object.Finalize() in VB nicht explizit überladen, aber Sie müssen sich nie Sorgen darüber machen, den Finalisierer aus der Basisklasse aufzurufen, da der Compiler das für Sie erledigt.

Ein Beispiel: Wenn Sie ein Objekt haben, das eine Datei im Dateisystem referenziert, und Ihr Objekt nun Code zum Aufräumen benötigt, muss dieses Reinemachen deterministisch ablaufen. In anderen Worten muss es explizit stattfinden, wenn der Anwender mit dem Objekt fertig ist und nicht wenn der GC schließlich dazu kommt, es zu entsorgen. In diesen Fällen müssen Sie diese Funktionalität über das Disposable-Muster realisieren, indem Sie das Interface IDisposable implementieren.

> **Tipp:** In der Praxis ist es sehr selten nötig, einen Finalisierer schreiben zu müssen. In der Regel sollten Sie das Disposable-Muster implementieren, um in Ihrem Objekt Aufräumcode für jedwede Ressource zu haben. Finalisierer können jedoch nützlich sein, um nichtverwaltete Ressourcen garantiert zu entsorgen – etwa, wenn der Benutzer vergessen hat, IDisposable.Dispose() aufzurufen.

In einer perfekten Welt könnten Sie einfach Ihren typischen Destruktorcode in der Methode IDisposable.Dispose implementieren. Es gibt aber einen ernsten Nebeneffekt, da die Sprache VB die deterministische Zerstörung nicht unterstützt. Der VB-Compiler ruft nicht automatisch IDisposable.Dispose() bei Ihrem Objekt auf, wenn

---

[18] Das Kapitel 3 enthält weitere Informationen über Finalisierer.

es den Gültigkeitsbereich verlässt. Wie wir in früheren Kapiteln dargelegt haben, übergibt VB die Bürde an den Benutzer des Objekts, um `IDisposable.Dispose()` aufzurufen. VB macht es mit dem Schlüsselwort `Using` einfacher, dieses Verhalten auch angesichts von Ausnahmen zu garantieren, aber es erfordert in erster Linie von dem Client-Code Ihres Objekts, das Schlüsselwort `Using` zu benutzen.

Um direkt gehaltene Ressourcen zuverlässig zu entsorgen, ist es empfehlenswert, wenn Objekte, die das `IDisposable`-Interface implementieren, auch einen Finalisierer enthalten, der lediglich zur Methode `Dispose` weiterleitet[19]. Auf diese Weise können Sie die Instanzen abfangen, bei denen die Benutzer vergessen, vom Disposable-Muster Gebrauch zu machen und das Objekt nicht richtig entsorgen. Natürlich ist die Entsorgung der noch nicht weggeräumten Objekte nun dem GC überlassen, aber sie wird wenigstens stattfinden[20]. Beachten Sie: Der GC ruft den Finalisierer für die Objekte, die weggeräumt werden sollen, von einem separaten Thread aus auf. Das heißt, dass Sie sich unter Umständen Gedanken über Threadingprobleme bei Ihren wegzuräumenden Objekten machen müssen. Es ist zwar unwahrscheinlich, dass das Threading Ihnen während der Finalisierung Probleme bereiten wird, da zumindest theoretisch ein Objekt, das finalisiert wird, nirgendwo mehr referenziert wird. Es könnte jedoch in Abhängigkeit von dem, was Sie in der `Dispose`-Methode anstellen, zu einem Faktor werden. Wenn zum Beispiel Ihre `Dispose`-Methode ein externes, vielleicht auch nicht verwaltetes, Objekt benutzt, um Arbeit zu erledigen, auf die eine andere Entität eine Referenz halten kann, dann muss dieses Objekt thread-hot sein – es muss zuverlässig in Multithreading-Umgebungen funktionieren. Es ist besser, auf der sicheren Seite zu sein und Threadingprobleme einzukalkulieren, wenn Sie einen Finalisierer implementieren.

Wenn Sie Ihre `Dispose`-Methode über den Finalisierer aufrufen, sollten Sie keine Referenzobjekte verwenden, die in Feldern innerhalb dieses Objekts enthalten sind. Das hört sich jetzt nicht besonders einleuchtend an, aber es gibt keine garantierte Reihenfolge, in der Ihre Objekte finalisiert werden. Die Objekte in Ihren Feldern könnten finalisiert worden sein, bevor Ihr Finalisierer tatsächlich läuft. Daher würde dies zu undefiniertem Verhalten führen, wenn Sie die Objekte noch benutzen wollten, sie aber schon zerstört worden sind. Sie geben sicher zu, dass ein solcher Bug sehr schwierig zu finden sein würde und die Verwendung von Finalisierern ihre Tücken hat.

Vorsicht: Seien Sie misstrauisch gegenüber jedem Objekt, das während der Finalisierung verwendet wird. Auch wenn es kein Feld Ihres Objekts ist, das gerade finalisiert wird – denn es könnte auch schon für die Finalisierung gekennzeichnet sein und schon finalisiert sein oder auch nicht. Viele Denkschulen raten in der Tat von externen Objekten mit Finalisierern ab.

---

[19] Objekte, die `IDisposable` nur implementieren, weil sie dazu aufgrund von enthaltenen Typen gezwungen sind, die ihrerseits `IDisposable` implementieren, sollten keinen Finalisierer haben. Sie verwalten Ressourcen nicht direkt und der Finalisierer erzeugt nur unnötige Last für den Finalisierungsstrang des GC.

[20] Siehe die Kapitel 2 und 3, in denen die Garbage Collection und die CLR näher besprochen werden.

Aber es ist eine Tatsache, dass jedesmal, wenn ein Objekt, das einen Finalisierer unterstützt, in die Finalisierungsschlange des GC gestellt wird, alle Objekte im Objektraum bewegt werden, egal ob sie finalisierbar sind oder nicht. Wenn also Ihr finalisierbares Objekt ein privates, nicht finalisierbares Objekt enthält, dann können Sie das private enthaltene Objekt im Finalisierer berühren. Denn Sie wissen, dass es noch lebt, da es mit Ihrem Objekt in die Finalisierungsschlange geschoben wurde. Es kann nicht vor Ihrem Objekt finalisiert worden sein, da es keinen Finalisierer hat. Beachten Sie aber dazu den nächsten Hinweiskasten!

Schauen wir uns noch einmal das Beispiel Win32Heap aus dem vorigen Abschnitt an und modifizieren es mit einem Finalisierer. Befolgen Sie das empfohlene Disposable-Muster und sehen Sie, wie sich das Beispiel verändert:

```vb
Imports System
Imports System.Runtime.InteropServices

Public Class Win32Heap
    Implements IDisposable

    Private theHeap As IntPtr
    Private disposed As Boolean = False

    <DllImport("kernel32.dll")> _
    Shared Function HeapCreate(ByVal flOptions As UInteger, _
        ByVal dwInitialSize As UIntPtr, ByVal dwMaximumSize As UIntPtr) _
As IntPtr
    End Function

    <DllImport("kernel32.dll")> _
    Shared Function HeapDestroy(ByVal hHeap As IntPtr) As Boolean
    End Function

    Public Sub New()
        theHeap = HeapCreate(0, CType(4096, UIntPtr), UIntPtr.Zero)
    End Sub

    'Implementierung von IDisposable.
    Protected Overridable Sub Dispose(ByVal disposing As Boolean)
        If (Not disposed) Then
            If disposing Then
                'Hier können interne Objekte genutzt werden.
                'Diese Klasse hat allerdings keine.
            End If

            'Wenn Sie Objekte benutzen, von denen Sie wissen,
            'dass sie immer noch existieren, etwa Objekte,
```

```
            'die das Singleton-Muster unterstützen, ist es
            'wichtig, sicherzustellen, dass die Objekte
            'threadsicher sind.

            HeapDestroy(theHeap)
            theHeap = IntPtr.Zero
            disposed = True
        End If
    End Sub

    Public Sub Dispose() Implements IDisposable.Dispose
        Dispose(True)
        GC.SuppressFinalize(Me)
    End Sub

    Protected Overrides Sub Finalize()
        Dispose(False)
    End Sub
End Class
```

Analysieren wir die Änderungen, die wir gemacht haben, um einen Finalisierer zu unterstützen. Sie fügen eine Finalize-Methode hinzu und eine zweite indirekte Ebene in der Implementierung von Dispose. Das ist so, damit Sie wissen, ob Ihre private Methode Dispose von einem Aufruf an Dispose() oder durch den Finalisierer aufgerufen wurde. Zudem implementieren Sie in diesem Beispiel die Methode Dispose(Boolean) als Overridable. Jeder davon abgeleitete Typ muss deshalb lediglich diese Methode überschreiben, um das Entsorgungsverhalten zu modifizieren. Wenn die Klasse Win32Heap als NotInheritable gekennzeichnet wäre, könnten Sie diese Methode von Protected nach Private ändern und das Schlüsselwort Overridable entfernen. Erinnern Sie sich: Sie können Unterobjekte nicht verlässlich verwenden, wenn Ihre Dispose-Methode vom Finalisierer aufgerufen wurde.

> **Hinweis:** Manche Leute vertreten den Ansatz, dass alle Objektreferenzen in der Dispose-Methode, die vom Finalisierer aufgerufen wird, nicht mehr zugänglich sind. An sich gibt es keinen Grund, dass Sie Objekte nicht verwenden könnten, von denen Sie wissen, dass sie noch vorhanden sind. Vorsicht ist jedoch gebotem, wenn der Finalisierer aufgerufen wird, weil die Anwendungsdomäne beendet wird; Objekte, von denen Sie annehmen, dass sie noch vorhanden sind, könnten dann nicht mehr am Leben sein. In der Praxis ist es in fast 100 Prozent der Fälle unmöglich zu bestimmen, ob eine Objektreferenz noch gültig ist. Daher ist es wohl am besten, Referenztypen im Stadium der Finalisierung nicht mehr zu referenzieren, sofern es sich vermeiden lässt.

Die Methode Dispose erreicht einen Leistungsschub durch den Aufruf von GC.SuppressFinalize(). Der Finalisierer dieses Objekts ruft lediglich die private Methode Dispose auf. Und Sie wissen: Wenn Ihre öffentliche Methode Dispose aufgerufen wird, muss der Finalisierer das nicht mehr tun. Damit können Sie dem GC mitteilen, dass er die Objektinstanz nicht in die Finalisierungsschlange einreihen soll, wenn die Methode `IDisposable.Dispose` aufgerufen wird. Diese Optimierung ist mehr als trivial, wenn Sie bedenken, dass Objekte, die einen Finalisierer implementieren, länger leben, als solche, die es nicht tun. Wenn der GC durch den Heap geht und nach toten Objekten zum Aufsammeln Ausschau hält, komprimiert er normalerweise den Heap und gibt den zuvor belegten Speicher frei. Wenn aber ein Objekt einen Finalisierer besitzt, verschiebt der GC es auf eine Finalisierungsliste, die der Finalisierungsthread verwaltet, anstatt den Speicher sofort freizugeben. Sobald der Finalisierungsstrang seine Aufgabe erledigt hat, ist das Objekt bereit zur Zerstörung und der GC gibt den Platz bei einem späteren Durchgang frei. Darum leben Objekte, die einen Finalisierer implementieren, länger als solche, die keinen haben. Wenn Ihre Objekte viel Heap-Speicher verschlingen oder Ihr System eine Menge solcher Objekte erzeugt, wird die Finalisierung zu einem entscheidenden Faktor. Dadurch wird nicht nur der GC ineffizient, sondern es wird auch Prozessorzeit durch den Finalisierungsthread verbraucht.

> **Hinweis:** Wenn ein Objekt einen Finalisierer hat, wird es in eine interne CLR-Schlange eingereiht, die diese Tatsache verfolgt. `GC.SuppressFinalize()` hat definitiv einen Einfluss auf diesen Zustand. Während der normalen Codeausführung können Sie nicht garantieren, dass andere Objektreferenzen erreichbar sind. Wenn die Anwendung jedoch herunterfährt, finalisiert der Finalisierer die Objekte jedoch direkt aus dieser Warteschlange heraus. Daher sind diese Objekte erreichbar und können in Finalisierern referenziert werden. Sie können bestimmen, ob dies der Fall ist, indem Sie `Environment.HasShutdownStarted` oder `AppDomain.IsFinalizingForUnload` verwenden. Überlegen Sie sich das jedoch gut, bevor Sie es tun, und seien Sie nicht überrascht, falls sich dieses Verhalten in zukünftigen Versionen der CLR ändern sollte

Sehen wir uns den Einfluss des Finalisierers auf die Leistung des GC ein wenig näher an: Der GC der CLR ist als generationenbasierter GC realisiert worden. Das bedeutet, dass zugeordnete Objekte, die in höheren Generationen existieren, langlebiger sind als solche, die in niedrigeren leben, und weniger häufig aufgesammelt werden als die Generationen weiter unten. Die Details des Aufräumalgorithmus des GC würden den Rahmen dieses Buches sprengen, aber es ist nützlich, zumindest aus gewissem Abstand darauf einzugehen. Zum Beispiel versucht der GC normalerweise, alle neuen Objekte in der Generation 0 anzusiedeln. Zudem nimmt der GC an, dass Objekte der Generation 0 eine vergleichsweise geringe Lebensdauer haben. Wenn der GC also versucht, einem Objekt einen Platz zuzuweisen, und er sieht, dass der Heap komprimiert werden muss, gibt er den Speicher auf Kosten der toten Objekte der Generation 0 frei. Objekte, die noch nicht tot sind, werden während der Komprimierung zur Generation 1 befördert. Wenn dieser Durchgang beendet ist, wird der GC aufhören, den Heap zu komprimieren, wenn er in der Lage ist, genug Platz für erneute Zuweisungen zu finden. Er wird nicht versuchen, die Generation 1 zu komprimieren, es sei denn, er braucht noch mehr Raum, oder er sieht, dass der Heap der Generation 1 voll ist und wahrscheinlich komprimiert werden muss. Er wird so alle Generationen durchlaufen, solange es notwendig ist. Während des ganzen Durchgangs des Garbage Collectors kann ein Objekt allerdings nur um eine Stufe nach oben befördert werden. Wenn also ein Objekt während einer Aufräumaktion von der Generation 0 zu 1 befördert worden ist, und der GC im selben Durchgang mit der Komprimierung der Generation fortfahren muss, wird das eben beförderte Objekt auf der Stufe 1 bleiben. Derzeit besteht der CLR-Heap nur aus drei Generationen. Wenn also ein Objekt schon in der Generation 2 lebt, kann es nicht mehr weiter befördert werden. Die CLR enthält auch einen besonderen Heap für große Objektzuweisungen. In der derzeitigen Version der CLR sind diese Objekte größer als 80 KB. Diese Zahl könnte sich in künftigen Releases ändern. Verlassen Sie sich also nicht darauf, dass dieser Wert statisch bleibt.

Betrachten Sie einmal, was passiert, wenn ein Objekt während eines Komprimierungsvorgangs von der Generation 0 zu 1 befördert wird. Auch wenn alle Stammreferenzen zu einem Objekt in der Generation 1 außerhalb des Gültigkeitsbereichs liegen, dürfte der Raum zumindest für eine gewisse Weile nicht freigemacht werden, da der GC die Generation 1 nicht sehr oft zusammenpresst.

Objekte, die Finalisierer implementieren, werden zur Finalisierungs-Warteschlange geschoben. Diese Referenz auf die Warteschlange zählt als Stammreferenz. Daher wird das Objekt in die Generation 1 befördert, wenn es sich gerade in der Generation 0 befindet. Aber Sie wissen bereits, dass das Objekt im Sterben liegt. In der Tat ist das Objekt mit hoher Wahrscheinlichkeit tot, wenn die Finalisierungsschlange geleert wird, es sei denn, es wird während des Finalisierungsvorgangs wiederbelebt. Das Objekt mit dem Finalisierer liegt zwar im Sterben, aber da es in die Warteschlange der Finalisierung eingereiht und somit in eine höhere Generation befördert wurde, wird seine Hülle wahrscheinlich noch im GC herumliegen, bis die Komprimierung einer höheren Generation stattfindet.

Aus diesem Grund ist es wichtig, dass Sie keine Finalisierer implementieren, wenn es nicht nötig ist. Und es sollte nur nötig sein, wenn Ihr Objekt Ressourcen unterhält, die deterministisch aufgeräumt oder freigegeben werden müssen.

> **Tipp:** Ressourcen, die deterministisch weggeräumt werden müssen, können sowohl verwaltet oder nicht verwaltet sein. Ein Beispiel einer nicht verwalteten Ressource könnte so etwas wie eine Instanz von `System.IO.FileStream` sein, wobei `IDisposable.Dispose()` durchruft zu `FileStream.Close()`. Letztere Methode gibt die darunterliegenden nicht verwalteten Ressourcen frei. Es ist wahrscheinlich für Sie nicht wünschenswert, darauf zu warten, bis der GC Lust darauf hat, den Finalisierer von `FileStream` aufzurufen, bevor die Datei geöffnet ist.

Stellen wir uns vor, Sie erzeugen ein Objekt, das einen bedeutenden Brocken von nicht verwalteten Systemressourcen zuweist. Stellen wir uns außerdem vor, dass der Benutzer Ihres Codes eine Website kreiert hat, die viele Aufrufe pro Minute aufweist. Und mit jedem Aufruf erzeugt der Client eine neue Instanz Ihres Objekts. Die Leistung des Client-Systems wird deutlich abnehmen, wenn der Client es unterlässt, diese

Objekte zeitnah zu entsorgen, bevor alle Referenzen auf das Objekt verschwunden sind. Natürlich wird das Objekt letztlich entfernt werden, wenn Sie einen Finalisierer implementieren, wie wir es gezeigt haben. Aber die Entsorgung wird erst stattfinden, wenn der GC meint, dass sie notwendig ist. Daher werden die Ressourcen wahrscheinlich vorher austrocknen und das System lahmlegen. Mehr noch: Wird `Dispose()` nicht aufgerufen, dann führt dies zu noch mehr Finalisierungen, was den GC noch mehr behindern wird. Benutzercode kann den GC-Durchlauf durch die Methode `GC.Collect` erzwingen, aber wir empfehlen nachdrücklich, sie nie aufzurufen, da sie die Algorithmen des GC stört.

Es wäre schön, wenn Sie die Benutzer Ihrer Objekte in deren Debugging-Builds informieren könnten, wenn sie vergessen, `Dispose()` aufzurufen. In der Tat können Sie einen Fehler vermerken, wenn der Finalisierer für Ihr Objekt läuft und bemerkt, dass das Objekt nicht wirklich entfernt wurde. Sie können ihnen sogar den exakten Ort der Objekterzeugung zeigen, indem Sie eine Spur des Stacks zum Zeitpunkt der Erstellung speichern. Auf diese Weise wissen die Benutzer, welche Codezeile die problematische Instanz hervorgerufen hat. Modifizieren wir das Beispiel `Win32Heap` mit diesem Beispiel:

```
Imports System
Imports System.Runtime.InteropServices
Imports System.Diagnostics


Public NotInheritable Class Win32Heap
    Implements IDisposable

    Private theHeap As IntPtr
    Private disposed As Boolean = False
    Private creationStackTrace As StackTrace

    <DllImport("kernel32.dll")> _
    Shared Function HeapCreate(ByVal flOptions As UInteger, _
        ByVal dwInitialSize As UIntPtr, ByVal dwMaximumSize As UIntPtr) As
IntPtr
    End Function

    <DllImport("kernel32.dll")> _
    Shared Function HeapDestroy(ByVal hHeap As IntPtr) As Boolean
    End Function

    Public Sub New()
        creationStackTrace = New StackTrace(1, True)

        theHeap = HeapCreate(0, CType(4096, UIntPtr), UIntPtr.Zero)
    End Sub
```

```vbnet
    'Implementierung von IDisposable
    Private Sub Dispose(ByVal disposing As Boolean)
        If (Not disposed) Then
            If disposing Then
                'Es ist OK, interne Objekte zu verwenden.
                'Diese Klasse hat allerdings keine.
            Else
                'Sch…! Wir finalisieren das Objekt, aber es
                'ist nicht entsorgt worden. Wir teilen es dem
                'Anwender mit, falls die Anwendungsdomäne
                'nicht herunterfährt.
                Dim currentDomain As AppDomain = AppDomain.CurrentDomain
                If (Not currentDomain.IsFinalizingForUnload()) AndAlso _
                    (Not Environment.HasShutdownStarted) Then

                    Console.WriteLine("Failed to dispose of object!!!")
                    Console.WriteLine("Object allocated at:")

                    Dim i As Integer = 0
                    Do While i < creationStackTrace.FrameCount
                        Dim frame As StackFrame =
creationStackTrace.GetFrame(i)

                        Console.WriteLine("   {0}", frame.ToString())
                        i += 1
                    Loop
                End If
            End If

            'Wenn Sie Objekte benutzen, von denen Sie wissen,
            'dass sie noch existieren, wie Objekte, die das
            'Singleton-Muster implementieren, ist es wichtig,
            'sicherzustellen, dass sie threadsicher sind.

            HeapDestroy(theHeap)
            theHeap = IntPtr.Zero
            disposed = True
        End If
    End Sub

    Public Sub Dispose() Implements IDisposable.Dispose
        Dispose(True)
        GC.SuppressFinalize(Me)
    End Sub

    Protected Overrides Sub Finalize()
        Dispose(False)
```

```
    End Sub
End Class

Public NotInheritable Class EntryPoint
    Shared Sub Main()
        Dim heap As Win32Heap = New Win32Heap()

        heap = Nothing
        GC.Collect()
        GC.WaitForPendingFinalizers()
    End Sub
End Class
```

Das Beispiel gibt folgendes Ergebnis aus:

```
Failed to dispose of object!!!
Object allocated at:
    Main at offset 55 in file:line:column
C:\Apress\AVB\Projects\Class3.vb:77:13
```

In der Methode `Main` weisen Sie ein neues `Win32Heap`-Objekt zu und zwingen es unmittelbar danach dazu, finalisiert zu werden. Da das Objekt nicht entfernt wurde, führt dies dazu, dass der Stack Code innerhalb der privaten `Dispose`-Methode auswirft. Da Sie sich wahrscheinlich nicht um Objekte kümmern, die infolge der Beendigung der Anwendungsdomäne finalisiert werden, hüllen Sie den auswerfenden Code in einen Block, der vom Ergebnis von `AppDomain.IsFinalizingForUnload()` sowie von `Environment.HasShutdownStarted` abhängt. Hätten Sie `Dispose()` aufgerufen, bevor Sie die die Referenz in `Main()` auf `Nothing` setzten, dann wäre die Stackspur nicht an die Konsole geschickt worden. Benutzer Ihrer Bibliothek könnten Ihnen dankbar dafür sein, dass Sie auf nicht entfernte Objekte hinweisen.

Finalisierer sind potenzielle Ressourcenfresser, da sie Objekte länger am Leben erhalten, und doch verstecken sie sich hinter der unverdächtigen Syntax der Zerstörer. Eine Qualität der Finalisierer ist aber die Fähigkeit, darauf hinzuweisen, wenn Objekte nicht richtig entsorgt wurden. Wir raten aber, diese Technik nur in Builds für Debugging-Zwecke zu verwenden. Seien Sie sich der Implikationen für die Effizienz bewusst, die Sie Ihrem System auferlegen, wenn Sie einen Finalisierer bei einem Objekt implementieren. Zuletzt: Obwohl Sie Abhängigkeiten zwischen finalisierbaren Objekten einführen können, überlegt das CLR-Team, die Finalisierung in den Prozess-Threadpool zu verschieben, anstatt einen einzelnen Finalisierungsstrang zu verwenden. Wir empfehlen Ihnen, dass Sie es vermeiden, einen Finalisierer zu schreiben, sofern dies möglich ist.

14.1.9 Was bedeutet Gleichheit bei diesem Objekt?

`Object.Equals()` ist die überschreibbare Methode, die Sie aufrufen, um zu bestimmen, ob zwei Objekte gleichwertig sind. Es erscheint zwar trivial, die Methode zu überschreiben, aber hier handelt es sich wieder um eines jener einfach aussehenden Dinge, die komplex werden können. Der Schlüssel zu `Object.Equals()` ist es, zu verstehen, dass es in der CLR gleich zwei verschiedene Bedeutungen von Gleichheit gibt. Die standardmäßige Bedeutung für Gleichwertigkeit bei Referenztypen ist die Gleichwertigkeit der Identität. Das bedeutet, dass zwei separate Referenzen als gleich betrachtet werden, wenn sie beide exakt dieselbe Objektinstanz auf dem Heap referenzieren. Bei der Identitätsgleichheit wird `Object.Equals()` den Wert `False` zurückgeben, wenn Sie zwei Referenzen haben, die sich auf unterschiedliche Objekte beziehen, aber identische interne Zustände aufweisen.

Die andere Form der Gleichwertigkeit in der CLR ist die der Wertegleichheit. Wertgleichheit ist die standardmäßige Gleichwertigkeit für Wertetypen in VB. Die standardmäßige Version von `Equals()`, die durch die Überschreibung von `Equals()` innerhalb der Klasse `ValueType` zur Verfügung gestellt wird, von der sich alle Werttypen ableiten, benutzt Reflexion, um über die internen Felder zweier Werte zu iterieren, die auf ihre Gleichheit verglichen werden. Angesichts zweier möglicher Bedeutungen für `Equals()` in der CLR kann eine gewisse Verwirrung aufkommen, da sowohl Wertetypen als auch Referenztypen unterschiedliche standardmäßige Bedeutungen für `Equals()` haben. In diesem Abschnitt konzentrieren wir uns darauf, `Object.Equals()` für Referenztypen zu implementieren. Wir sparen uns Werttypen für den zweiten Hauptteil dieses Kapitels auf.

Referenztypen und Identitätsgleichheit

Was bedeutet es zu sagen, dass ein Typ ein Referenztyp ist? Im Grund bedeutet es, dass jede Variable dieses Typs, die Sie manipulieren, in Wirklichkeit ein Zeiger auf das eigentliche Objekt auf dem Heap ist. Wenn Sie eine Kopie dieser Referenz anfertigen, bekommen Sie eine weitere Referenz, die auf dasselbe Objekt zeigt. Betrachten wir den folgenden Code:

```
Public Class EntryPoint
    Shared Sub Main()
        Dim referenceA As Object = New System.Object()
        Dim referenceB As Object = referenceA
    End Sub
End Class
```

Unter `Main()` kreieren Sie eine neue Instanz des Typs `System.Object`, und dann erzeugen Sie sofort eine Kopie der Referenz. Sie haben an Ende etwas, das dem Diagramm in Abbildung 14-1 ähnelt.

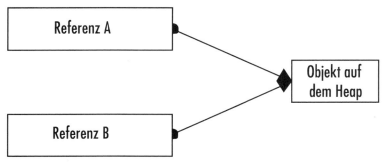

Abbildung 14-1: Referenzvariablen

In der CLR sind die Variablen, die die Referenzen repräsentieren, in Wirklichkeit Werttypen, die einen Speicherort (für den Zeiger auf das Objekt, das sie repräsentieren) und einen zugeordneten Typ verkörpern. Sobald eine Referenz kopiert wird, wird das eigentliche Objekt, auf das verwiesen wird, allerdings nicht kopiert. Stattdessen haben Sie zwei Referenzen auf dasselbe Objekt. Operationen am Objekt, die über eine der Referenzen vorgenommen werden, sind für den Client, der die andere Referenz benutzt, ebenfalls sichtbar.

Überlegen wir einmal, was es heißt, diese Referenzen miteinander zu vergleichen. Was bedeutet Gleichheit zwischen zwei Referenzvariablen? Die Antwort lautet: Das hängt davon ab, welche Bedürfnisse Sie haben und wie Sie Gleichheit definieren. Standardmäßig bedeutet die Gleichheit von Referenzvariablen einen Vergleich der Identität, wie in Abbildung 14-1. Nochmals – diese Referenzgleichheit oder Identität ist das Standardverhalten der Gleichheit zwischen zwei Referenzen auf ein Heap-basiertes Objekt.

Vom Standpunkt des Client-Codes aus gesehen müssen Sie vorsichtig sein, auf welche Weise Sie zwei Objektreferenzen miteinander vergleichen. Betrachten wir den folgenden Code:

```vb
Public Class EntryPoint
    Private Shared Function TestForEquality(ByVal obj1 As Object, _
        ByVal obj2 As Object) As Boolean

        Return obj1.Equals(obj2)
    End Function

    Shared Sub Main()
        Dim obj1 As Object = New System.Object()
        Dim obj2 As Object = Nothing

        System.Console.WriteLine("obj1 Equals obj2 is {0}", _
            TestForEquality(obj1, obj2))
    End Sub
End Class
```

Die Ausgabe lautet wie folgt:

```
obj1 Equals obj2 is False
```

Hier erzeugen Sie eine Instanz von System.Object und Sie wollen wissen, ob die Variablen obj1 und obj2 gleich sind. Da Sie Referenzen vergleichen, bestimmt die Gleichheitsprüfung, ob beide auf dieselbe Objektinstanz verweisen. Beim Blick auf den Code können Sie sehen, dass das Ergebnis ganz offensichtlich False ist. Das haben wir erwartet. Überlegen Sie aber, was geschehen würde, wenn Sie die Reihenfolge der Parameter beim Aufruf von TestForEquality() vertauschen würden: Sie würden sehr schnell herausfinden, dass Ihr Programm mit einer unbehandelten Exception abstürzt, da TestForEquality() versucht, Equals() mit einer Referenz auf Nothing aufzurufen. Daher sollten Sie den Code verändern, um dies zu berücksichtigen:

```
Public Class EntryPoint
    Private Shared Function TestForEquality(ByVal obj1 As Object, _
        ByVal obj2 As Object) As Boolean

        If obj1 Is Nothing AndAlso obj2 Is Nothing Then
            Return True
        End If

        If obj1 Is Nothing Then
            Return False
        End If

        Return obj1.Equals(obj2)
    End Function

    Shared Sub Main()
        Dim obj1 As Object = New System.Object()
        Dim obj2 As Object = Nothing

        System.Console.WriteLine("obj1 Equals obj2 is {0}", _
            TestForEquality(obj2, obj1))
        System.Console.WriteLine("Nothing Equals Nothing is {0}", _
            TestForEquality(Nothing, Nothing))
    End Sub
End Class
```

Die Ausgabe lautet dieses Mal:

```
obj1 Equals obj2 is False
Nothing Equals Nothing is True
```

Nun kann der Code die Reihenfolge der Argumente beim Aufruf von TestForEquality() vertauschen, und Sie erhalten das erwartete Resultat. Sie haben auch eine Prüfung eingebaut, die das korrekte Ergebnis ausgibt, wenn beide Argumente `Nothing` sind. Nun ist `TestForEquality()` komplett. Es scheint eine ganze Menge Arbeit zu sein, nur um zwei Referenzen auf Gleichheit testen zu können. Die Designer des .NET-Frameworks haben dieses Problem ebenfalls erkannt und führten die `Shared`-Version von `Object.Equals()` ein, welche exakt diesen Vergleich ausführt. Solange Sie die `Shared`-Variante von `Object.Equals()` aufrufen, müssen Sie sich keine Sorgen darüber machen, den Code für `TestForEquality()` wie im vorigen Beispiel zu erstellen.

Sie haben gesehen, wie Gleichheitsprüfungen bei Referenzen auf Objekte standardmäßig die Identität testen. Es kann jedoch Situationen geben, in denen diese Art eines Gleichheitstests keinen Sinn ergibt. Betrachten wir ein unveränderliches Objekt, das eine komplexe Zahl darstellt:

```
Public Class ComplexNumber
    Public Sub New(ByVal real As Integer, ByVal imaginary As Integer)
        Me.real = real
        Me.imaginary = imaginary
    End Sub

    Private real As Integer
    Private imaginary As Integer
End Class

Public Class EntryPoint
    Shared Sub Main()
        Dim referenceA As ComplexNumber = New ComplexNumber(1, 2)
        Dim referenceB As ComplexNumber = New ComplexNumber(1, 2)

        System.Console.WriteLine("Result of Equality is {0}", _
            referenceA Is referenceB)
    End Sub
End Class
```

Das Ergebnis lautet wie folgt:

```
Result of Equality is False
```

Abbildung 14-2 zeigt das Diagramm, welches das Layout der Referenzen im Speicher darstellt:

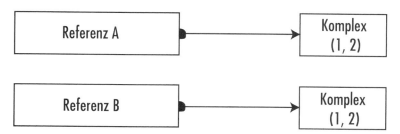

Abbildung 14-2: Referenzen auf ComplexNumber

Das ist das erwartete Ergebnis, das auf der Standardbedeutung der Gleichheit zwischen Referenzen fußt. Dies ist jedoch für die Benutzer dieser ComplexNumber-Objekte kaum einsichtig. Es wäre sinnvoll, wenn der Vergleich der beiden Referenzen im Diagramm True ergäbe, da die Werte der beiden Objekte die gleichen sind. Um so ein Ergebnis zu erzielen, müssen Sie eine benutzerdefinierte Implementierung der Gleichheit für diese Objekte liefern.

Object.Equals() bei Referenztypen überschreiben

Es dürfte sich für Sie oft ergeben, dass Sie die Bedeutung der Gleichwertigkeit für ein Objekt überschreiben müssen. Möglicherweise wollen Sie, dass die Gleichheit für Ihren Referenztyp die Wertegleichheit anstele der Gleichheit der Referenz ist. Oder – wie Sie im Abschnitt »Equals() zur besseren Systemleistung überschreiben« sehen werden – Sie könnten einen benutzerdefinierten Wertetyp haben, bei dem Sie die standardmäßige Methode Equals, die System.ValueType zur Verfügung stellt, überschreiben wollen, um die Operation effizienter zu gestalten. Egal, warum Sie Equals() überschreiben möchten – Sie müssen einige Regeln befolgen:

- x.Equals(x) = True: Dies ist die reflexive Eigenschaft der Gleichheit.

- x.Equals(y) = y.Equals(x): Das ist die symmetrische Eigenschaft der Gleichheit.

- x.Equals(y) AndAlso y.Equals(z) impliziert x.Equals(z) = True:

Das ist die transitive Eigenschaft der Gleichheit.

- x.Equals(y) muss dasselbe Resultat zurückgeben, solange der interne Zustand von x und y sich nicht geändert hat.

- x.Equals(Nothing) = False, für alle x, die nicht Nothing sind.

- Equals() darf keine Ausnahmen auswerfen.

Eine Implementierung von Equals() sollte diesen Regeln folgen. Die Standardversion von Object.Equals(), die von Klassen geerbt wird, prüft auf referenzielle Gleichheit. In Fällen wie dem Beispiel ComplexNumber ist solch ein Test allerdings nicht einleuchtend. Es wäre natürlich und erwartbar, dass Instanzen eines solchen Typs auf einer Feld-zu-Feld-Basis verglichen werden. Aus diesem Grund sollten Sie `Object.Equals()` bei solchen Klassentypen überschreiben, die das Verhalten von Werten an den Tag legen. Schauen wir uns das Beispiel `ComplexNumber` noch einmal an:

```
Public Class ComplexNumber
    Private real As Double
    Private imaginary As Double

    Public Sub New(ByVal real As Integer, ByVal imaginary As Integer)
        Me.real = real
        Me.imaginary = imaginary
    End Sub

    Public Overrides Function Equals(ByVal obj As Object) As Boolean
        Dim other As ComplexNumber = TryCast(obj, ComplexNumber)

        If other Is Nothing Then
            Return False
        End If

        Return (Me.real = other.real) AndAlso (Me.imaginary =
other.imaginary)
    End Function

    Public Overrides Function GetHashCode() As Integer
        'Diese Funktion wird später beschrieben.
        Return Fix(real) Xor Fix(imaginary)
    End Function

    Public Shared Operator =(ByVal CN As ComplexNumber, _
        ByVal other As ComplexNumber) As Boolean

        Return Equals(CN, other)
    End Operator

    Public Shared Operator <>(ByVal CN As ComplexNumber, _
        ByVal other As ComplexNumber) As Boolean

        Return Not Equals(CN, other)
    End Operator
End Class

Public Class EntryPoint
    Shared Sub Main()
        Dim referenceA As ComplexNumber = New ComplexNumber(1, 2)
        Dim referenceB As ComplexNumber = New ComplexNumber(1, 2)
```

```
    System.Console.WriteLine("Result of Equality is {0}", _
        referenceA = referenceB)

    'Wenn wir wirklich referenzielle Gleichheit wollen.
    System.Console.WriteLine("Identity of references is {0}", _
        ReferenceEquals(referenceA, referenceB))
  End Sub
End Class
```

Der Code gibt das folgende Ergebnis aus:

```
Result of Equality is True
Identity of references is False
```

In diesem Beispiel ist `Equals()` ziemlich geradlinig implementiert, außer dass Sie einige Bedingungen prüfen müssen. Stellen Sie sicher, dass die Objektreferenz, mit der Sie einen Vergleich anstellen, nicht `Nothing` ist und in der Tat eine Instanz von `ComplexNumber` referenziert. Als Nächstes prüfen Sie einfach die Felder der beiden Referenzen, um sicherzustellen, dass sie gleich sind. In der Mehrzahl der Fälle müssen Sie `Object.Equals()` für Ihre Referenztypen nicht überschreiben. Es ist empfehlenswert, dass Ihre Objekte die Gleichheit als Vergleich der Identität verstehen, was Sie ja ohne weiteres Zutun von `Object.Equals()` bekommen. Es gibt aber Fälle, in denen es sinnvoll ist, `Equals()` für ein Objekt zu überschreiben. Wenn zum Beispiel Ihr Objekt etwas repräsentiert, das sich ganz natürlich wie ein Wert anfühlt und unveränderlich ist, wie etwa eine komplexe Zahl oder die Klasse `System.String`, dann könnte es sinnvoll sein, `Equals()` zu überschreiben, um der Implementierung von `Equals()` bei diesem Objekt die Bedeutung der Wertegleichheit zu geben.

Manchmal möchten Sie auf die Gleichheit der Referenzen testen, wenn Sie es mit Referenztypen zu tun haben. Sie können sich nicht immer auf die Methode `Equals` verlassen, um die referenzielle Gleichheit für das Objekt zu ermitteln. Dann müssen Sie andere Mittel einsetzen, da die Methode wie im Beispiel `ComplexNumber` überschrieben werden kann. Glücklicherweise haben Sie eine Möglichkeit, diese Aufgabe zu erledigen. Sie können sie am Ende der Methode `Main()` in dem vorigen Codebeispiel sehen. `System.Object` liefert hier eine `Shared`-Methode namens `ReferenceEquals`, die zwei Referenzparameter benötigt und `True` ausgibt, wenn der Identitätstest gelingt.

Wenn Sie die semantische Bedeutung von `Equals()` für ein Objekt ändern, ist es am besten, diesen Umstand für die Anwender Ihres Objekts zu dokumentieren. Wenn Sie `Equals()` für eine Klasse überschreiben, empfehlen wir nachdrücklich, dass Sie die semantische Bedeutung mit einem benutzerdefinierten Attribut kennzeichnen, ganz ähnlich der Technik, die wir zuvor für Implementierungen von `Dispose()` eingeführt haben. Auf diese Weise können Leute, die Ableitungen von Ihrer Klasse erstellen und dabei die Bedeutung von `Equals()` ändern wollen, schnell bestimmen, ob sie Ihre Implementierung während dieses Prozesses aufrufen sollen. Für größtmögliche Effizienz sollte das benutzerdefinierte Attribut einen Dokumentationszweck erfüllen. Es ist zwar möglich, sich zur Laufzeit nach so einem Attribut umzusehen, aber das wäre ineffizient.

> **Tipp:** Von einer Implementierung von `Object.Equals()`sollten Sie nie Ausnahmen ausgeben. Geben Sie stattdessen `False` als Ergebnis aus.

Durch die ganze Darlegung hindurch haben wir es mit Absicht vermieden, über die Gleichheitsoperatoren zu sprechen, da es nützlich ist, sie als zusätzliche Schicht in Ergänzung zu `Object.Equals()` zu verstehen. Die Unterstützung der Überladung von Operatoren ist keine Voraussetzung dafür, wenn Sprachen mit der Common Language Specification (CLS) übereinstimmen sollen. Daher unterstützen nicht alle Sprachen, die auf die CLR zielen, Gleichheitsoperatoren mit der gleichen Gründlichkeit. VB ist eine Sprache, bei der es eine Zeitlang gedauert hat, bis das Überladen von Operatoren unterstützt wurde, und erst seit VB 2005 unterstützt sie Gleichheitsoperatoren vollständig. Der beste Ansatz ist es, `Object.Equals()` passend zu implementieren und alle Implementierungen von Operator = oder Operator <> auf `Equals()` zu begründen. Die Operatoren sollten nur zu Bequemlichkeitszwecken für Sprachen bereitgestellt werden, die sie auch unterstützen.

> **Tipp:** Erwägen Sie, `IEquatable(Of T)` bei Ihrem Typ zu implementieren, um eine typsichere Version von `Equals()` zu bekommen. Dies ist vor allem für Wertetypen sehr wichtig, da typspezifische Versionen von Methoden unnötiges Boxing vermeiden halfen.

14.1.10 Wenn Sie Equals() überschreiben, überschreiben Sie GetHashCode()

`GetHashCode()` wird aufgerufen, wenn Objekte als Schlüssel einer Hashtabelle genutzt werden. Wenn eine Hashtabelle nach einem Eintrag sucht, nachdem sie einen Schlüssel erhalten hat, nach dem sie suchen soll, fragt sie den Schlüssel nach seinem Hashcode und benutzt diesen, um herauszufinden, in welchem Hash-Bucket der Schlüssel lebt. Sobald sie den Bucket findet, kann sie nachsehen, ob sich der Schlüssel darin befindet. Theoretisch sollte die Suche nach dem Behälter schnell vonstatten gehen, da die Buckets nur sehr wenige Schlüssel enthalten. Das geschieht, wenn Ihre Methode `GetHashCode` einen vergleichsweise einzigartigen Wert für Instanzen Ihres Objekts zurückgibt, die die Bedeutung der Wertegleichheit unterstützen.

Aus der vorigen Darlegung können Sie ersehen, dass es schlecht wäre, wenn Ihr Hashcode-Algorithmus einen anderen Wert zwischen zwei Instanzen, die äquivalente Werte enthalten, zurückgeben könnte. In einem solchen Fall könnte die Hashtabelle daran scheitern, den Bucket zu finden, in dem sich Ihr Schlüssel befindet. Aus diesem Grunde ist es notwendig, dass Sie auch `GetHashCode()` überschreiben, wenn Sie `Equals()` bei einem Objekt überschreiben. In der Tat wird sich der VB-Compiler mit einer freundlichen Warnung bei Ihnen melden, wenn Sie zwar `Equals()`, aber nicht `GetHashCode()` überschreiben.

Implementierungen von `GetHashCode()` sollten folgende Regeln einhalten:

- Wenn in zwei Instanzen `x.Equals(y)` den Wert `True` ergibt, dann gilt: `x.GetHashCode() = y.GetHashCode()`.

- Hashcodes, die von `GetHashCode()` generiert werden, müssen nicht einzigartig sein.

- `GetHashCode()` ist es nicht erlaubt, Ausnahmen auszulösen.

Wenn zwei Instanzen denselben Hashcode-Wert zurückgeben, müssen sie weiter über `Equals()` verglichen werden, um zu bestimmen, ob sie gleichwertig sind. Zufällig können Sie, sofern Ihre Methode `GetHashCode` effizient ist, den Ungleichheits-Code-pfad Ihrer Implementierungen von Operator<> und Operator = darauf basieren lassen. Denn unterschiedliche Hashcodes bei Objekten desselben Typs implizieren Ungleichheit. Die Operatoren auf diese Weise zu implementieren kann in manchen Fällen effizienter sein, aber alles hängt von der Effizienz Ihrer Implementierung der Methode `GetHashCode()` und der Komplexität Ihrer Methode `Equals` ab. Wenn man diese Technik benutzt, können die Aufrufe der Operatoren in manchen Fällen weniger effizient sein als einfach nur `Equals()` aufzurufen, aber in anderen Fällen kann dies in bemerkenswerter Weise effizienter sein. Denken Sie zum Beispiel über ein Objekt nach, das einen multidimensionalen Punkt im Raum modelliert. Stellen wir uns vor, die Zahl der Dimensionen (der Grad) dieses Punktes könnte leicht in die Hunderte gehen. Intern könnten Sie die Dimensionen des Punktes durch einen Array von `Integer`-Werten darstellen. Sagen wir, Sie wollen die Methode `GetHashCode` implementieren, indem Sie eine zyklische Redundanzprüfung mit einer Tiefe von 32 Bit (CRC32) für die Dimensionspunkte des Arrays ausführen. Dies impliziert auch, dass dieser `Point`-Typ unveränderlich ist. Der Aufruf von `GetHashCode()` könnte potenziell sehr teuer sein, wenn Sie CRC32 jedesmal berechnen, sobald die Methode aufgerufen wird. Daher wäre es vielleicht klug, das Hash vorab zu berechnen und es im Objekt zu speichern. In einem solchen Fall schreiben Sie die Gleichheitsoperatoren, wie der folgende Code es zeigt:

```
Public NotInheritable Class Point
    Private coordinates As Single()
    Private precomputedHash As Integer

    'Andere Methoden wurden zum Zwecke der Klarheit entfernt.

    Public Overrides Function Equals(ByVal other As Object) As Boolean
        Dim result As Boolean = False
        Dim that As Point = TryCast(other, Point)

        If Not that Is Nothing Then
            result = (Me.coordinates Is that.coordinates)
        End If

        Return result
    End Function
```

```
    Public Overrides Function GetHashCode() As Integer
        Return precomputedHash
    End Function

    Public Shared Operator = (ByVal pt1 As Point, ByVal pt2 As Point) As
Boolean
        If pt1.GetHashCode() <> pt2.GetHashCode() Then
            Return False
        Else
            Return Object.Equals(pt1, pt2)
        End If
    End Operator

    Public Shared Operator <>(ByVal pt1 As Point, ByVal pt2 As Point) As
Boolean
        If pt1.GetHashCode() <> pt2.GetHashCode() Then
            Return True
        Else
            Return Not Object.Equals(pt1, pt2)
        End If
    End Operator
End Class
```

In diesem Beispiel werden die überladenen Operatoren ihre Arbeit in manchen Fällen schnell ausführen, solange das vorab berechnete Hash ausreichend eindeutig ist. Im schlimmsten Fall wird ein weiterer Vergleich zwischen zwei Integerzahlen – den Hashwerten – zusammen mit den Funktionsaufrufen ausgeführt, die diese beschaffen. Wenn der Aufruf von Equals() aufwendig ist, dann wird diese Optimierung dies bei einer großen Zahl der Vergleichsoperationen wettmachen. Ist der Aufruf von Equals() dagegen nicht so teuer, dann könnte diese Technik Overhead erzeugen und den Code weniger effizient machen. Es ist am besten, Optimierungen auszuführen, nachdem Ihnen ein Profiler den Weg in die richtige Richtung gewiesen hat. Das wird Ihnen sicher helfen.

Object.GetHashCode() existiert deshalb, weil die Entwickler der Standardbibliothek dachten, dass es komfortabel sein würde, jedes Objekt als Schlüssel zu einer Hashtable verwenden zu können. Die Tatsache ist aber: Nicht alle Objekte sind gute Kandidaten für Hash-Schlüssel. Normalerweise ist es am besten, unveränderliche Typen als Hash-Schlüssel zu verwenden. Ein gutes Beispiel für einen unveränderlichen Typ ist System.String. Einmal erzeugt, können Sie ihn nie wieder ändern. Daher garantiert GetHashCode() in Verbindung mit einer String-Instanz immer denselben Rückgabewert für dieselbe String-Instanz. Es wird schwieriger, Hashcodes für Objekte zu generieren, die veränderlich sind. In solchen Fällen ist es am besten, die Implementierung von GetHashCode() auf Berechnungen zu stützen, die mit unveränderlichen Feldern innerhalb des wandelbaren Objekts durchgeführt wurden.

Um ein Beispiel herzunehmen, stellen Sie sich bitte vor, dass Sie `GetHashCode()` für einen `ComplexNumber`-Typ implementieren wollen. Eine Lösung ist es, das Hash gestützt auf die Größenordnung der komplexen Zahl zu berechnen:

```
Imports System

Public NotInheritable Class ComplexNumber
    Private ReadOnly real As Double
    Private ReadOnly imaginary As Double

    'Andere Methoden wurden für größere Klarheit entfernt.

    Public Sub New(ByVal real As Double, ByVal imaginary As Double)
        Me.real = real
        Me.imaginary = imaginary
    End Sub

    Public Overrides Function Equals(ByVal other As Object) As Boolean
        Dim result As Boolean = False
        Dim that As ComplexNumber = TryCast(other, ComplexNumber)

        If Not that Is Nothing Then
            result = (Me.real = that.real) AndAlso (Me.imaginary =
that.imaginary)
        End If

        Return result
    End Function

    Public Overrides Function GetHashCode() As Integer
        Return Fix(Math.Sqrt(Math.Pow(Me.real, 2) * Math.Pow(Me.imaginary,
2)))
    End Function


    Public Shared Operator =(ByVal num1 As ComplexNumber, _
        ByVal num2 As ComplexNumber) As Boolean

        Return Object.Equals(num1, num2)
    End Operator

    Public Shared Operator <>(ByVal num1 As ComplexNumber, _
        ByVal num2 As ComplexNumber) As Boolean

        Return Not Object.Equals(num1, num2)
    End Operator
End Class
```

Der Algorithmus bei `GetHashCode()` soll hier nicht als Beispiel für möglichst hohe Effizienz verstanden werden. Bedingt durch die Rundung könnte er auch dafür sorgen, dass möglicherweise viele komplexe Zahlen in denselben Bucket fallen. In diesem Fall würde die Effizienz der Hashtable abnehmen. Wir überlassen es dem Leser, zu Übungszwecken einen effizienteren Algorithmus zu entwickeln. Beachten Sie, dass die Methode `GetHashCode()` nicht dazu verwendet wird, `Operator` `<>` zu implementieren, gerade wegen der Bedenken im Hinblick auf die Effizienz. Wichtiger ist, dass Sie sich auf die Methode `Shared Object.Equals()` verlassen, um sie auf die Gleichheit zu prüfen. Diese geschickte Methode prüft die Referenzen auf `Nothing`, bevor die Instanzenmethode `Equals()` aufgerufen wird. Das bewahrt Sie davor, dies selbst tun zu müssen. Hätten Sie `GetHashCode()`verwendet, um `Operator` `<>` zu implementieren, dann hätten Sie die Referenzen auf `Nothing` prüfen müssen, bevor Sie `GetHashCode()` aufrufen. Beide Felder, die zur Berechnung des Werts des Hashcodes berechnet werden, sind unveränderlich. Daher wird diese Instanz dieses Objekts immer denselben Hashcode-Wert zurückgeben, so lange es lebt. In der Tat könnten Sie sich überlegen, den Hashcode-Wert in einem Cache zu speichern, sobald Sie ihn das erste Mal berechnet haben. Dies vergrößert die Effizienz.

14.1.11 Typsicherheit zu jeder Zeit

Obwohl sich jedes Objekt in der verwalteten Welt von `System.Object` ableitet, ist es nicht klug, jedes Objekt generisch über eine Referenz auf `System.Object` zu behandeln. Ein Grund dafür ist die Effizienz; wenn Sie zum Beispiel eine Sammlung von `Employee`-Objekten durch Referenzen auf `System.Object` unterhalten müssten, müssten Sie ständig Instanzen davon in den Typ `Employee` umwandeln, bevor Sie irgendeine `Employee`-spezifische Methode aufrufen könnten. Obwohl dies nur eine leichte Ineffizienz darstellt, wenn es um Referenztypen geht, verstärkt sich das Problem bei Werttypen, da überflüssige Boxing-Operationen im IL-Code generiert werden. Wir werden die durch Boxing herbeigeführte Ineffizienz in den folgenden Abschnitten behandeln, die sich mit Werttypen beschäftigen. Ein Problem bei all diesen Umwandlungsoperationen mit Referenztypen entsteht dann, wenn die Konvertierung fehlschlägt und eine Ausnahme ausgeworfen wird. Durch strenge Typen können Sie diese Probleme abfangen und mit ihnen bereits zur Kompilierzeit fertig werden.

Ein weiterer prominenter Grund, bevorzugt starke Typisierungen zu verwenden, hängt mit dem Abfangen von Fehlern zusammen. Bedenken Sie den Fall, wenn Sie ein Interface wie `ICloneable` implementieren. Die Methode `Clone` des Interfaces gibt eine Instanz vom Typ `Object` zurück. Dies geschieht ganz klar deshalb, damit das Interface generisch über alle Typen hinweg funktioniert. Dies hat jedoch einen gewissen Preis.

VB ist eine streng typisierte Sprache, und jede Variable wird mit einem Typ deklariert. Mit diesen Typen kommt Typsicherheit, die Ihnen der Compiler liefert, um Fehler zu vermeiden. Zum Beispiel hält er Sie davon ab, eine Instanz der Klasse `Apple` einer Instanz der Klasse `MonkeyWrench` zuzuweisen. VB erlaubt Ihnen aber, auf eine weniger typensichere Weise zu arbeiten. Wenn Sie dies tun, werfen Sie die Typsicherheit über Bord – der Compiler wird Ihnen aber erlauben, eine Instanz des Typs `Apple` einem Typ

MonkeyWrench zuzuweisen, solange beide Referenzen vom Typ Object sind. Obwohl der Code sich kompilieren lässt, riskieren Sie leider einen Laufzeitfehler, sobald die CLR bemerkt, was Sie zu tun versuchen. Je mehr Sie die Typsicherheit des Compilers benutzen, umso mehr Fehler können Sie schon in der Kompilierphase entdecken, und Fehler zur Kompilierzeit abzufangen ist *immer* wünschenswerter als Fehler zur Laufzeit suchen zu müssen.

In manchen Situationen wird der VB-Compiler zudem viel effizienteren Code generieren, wenn Sie eine typsichere Implementierung einer wohldefinierten Methode zur Verfügung stellen. Bedenken Sie dieses typische For…Each-Statement:

```
For Each emp As Employee In Employees
    'Tu etwas
Next emp
```

Einfach ausgedrückt, durchläuft der Code alle Elemente in Employees. Innerhalb des Rumpfes des For…Each-Statements ist die Variable emp vom Typ Employee das aktuelle Element in der Auflistung während der Iteration. Eine der Regeln, die VB bei der Auflistung durchsetzt, ist, dass sie eine öffentliche Methode namens GetEnumerator implementieren muss. Diese Methode ist deshalb implementiert, weil der Auflistungstyp das Interface IEnumerable implementiert und typischerweise einen Vorwärts-Iterator an die Kollektion der enthaltenen Objekte zurückgibt. Eine der Regeln des Enumerator-Typs lautet, dass er ein öffentliches Property namens Current implementieren muss, das den Zugriff auf das aktuelle Element erlaubt. Dieses Property ist Teil des IEnumerator-Interfaces; jedoch ist IEnumerator.Current als System.Object typisiert. Dies führt zu einer anderen Regel die mit dem For…Each-Statement zu tun hat. Diese besagt, dass der Objekttyp von IEnumerator.Current, also der eigentliche Objekttyp, explizit in den Typ des Iterators im For…Each-Statement umwandelbar sein muss, welcher in diesem Beispiel der Typ Employee ist. Wenn der Enumerator Ihrer Kollektion sein Current-Property als System.Object typisiert, muss der Compiler immer die Umwandlung in den Typ Employee vornehmen. Sie können aber sehen, dass der Compiler in der Lage ist, viel effizienteren Code zu generieren, wenn Ihr Property Current Ihres Enumerators als Employee typisiert ist.

Was können Sie also tun, um die Situation abzumildern? Wann immer Sie ein Interface implementieren, das Methoden mit im Wesentlichen untypisierten Rückgabewerten enthält, sollten Sie sich überlegen, die Methode vom öffentlichen Interface der Klasse zu verbergen. Implementieren Sie lieber eine Version mit höherer Typsicherheit als Teil des öffentlichen Interfaces der Klasse. Sehen wir uns ein Beispiel an, das das Interface IEnumerator verwendet:

```
Imports System
Imports System.Collections

Public Class Employee
    Public Sub Evaluate()
        Console.WriteLine("Evaluating Employee . . .")
```

```vb
        End Sub
End Class

Public Class WorkForceEnumerator
    Implements IEnumerator

    Private enumerator As IEnumerator

    Public Sub New(ByVal employees As ArrayList)
        Me.enumerator = employees.GetEnumerator()
    End Sub

    Public ReadOnly Property Current() As Employee
        Get
            Return CType(enumerator.Current, Employee)
        End Get
    End Property

    Private ReadOnly Property IEnumerator_Current() As Object _
        Implements IEnumerator.Current

        Get
            Return enumerator.Current
        End Get
    End Property

    Public Function MoveNext() As Boolean Implements IEnumerator.MoveNext
        Return enumerator.MoveNext()
    End Function

    Public Sub Reset() Implements IEnumerator.Reset
        enumerator.Reset()
    End Sub
End Class

Public Class WorkForce
    Implements IEnumerable

    Private employees As ArrayList

    Public Sub New()
        employees = New ArrayList()

        'Ein Angestellter, zu Demonstrationszwecken:
        employees.Add(New Employee())
    End Sub
```

```
        Public Overloads Function GetEnumerator() As WorkForceEnumerator
            Return New WorkForceEnumerator(employees)
        End Function

        Private Overloads Function IEnumerable_GetEnumerator() As IEnumerator _
            Implements IEnumerable.GetEnumerator

            Return New WorkForceEnumerator(employees)
        End Function
    End Class


Public Class EntryPoint
    Shared Sub Main()
        Dim staff As WorkForce = New WorkForce()

        For Each emp As Employee In staff
            emp.Evaluate()
        Next emp
    End Sub
End Class
```

Das Beispiel gibt die folgende Ausgabe zurück:

```
Evaluating Employee . . .
```

Betrachten Sie sich das Beispiel gut und beachten Sie, wie die typlosen Versionen der Interface-Methoden implementiert werden. Denken Sie daran, dass Sie zuerst die Instanz in den Interface-Typ umwandeln müssen, um auf diese Methoden zugreifen zu können. Der Compiler tut dies jedoch nicht, wenn er die Schleife `For…Each` generiert. Stattdessen sucht er einfach nach den Methoden, die bereits zu den erwähnten Regeln passen. Wir ermutigen Sie, den Code mit Hilfe eines Debuggers durchzugehen. Sie können diesen Code zudem effizienter gestalten, indem Sie Generics verwenden, wie in Kapitel 12 beschrieben.

Betrachten wir die vom Compiler generierte Schleife `For…Each` etwas näher, um eine bessere Vorstellung davon zu bekommen, welche Effizienzgewinne Sie erhalten. Im folgenden Code entfernen Sie die stark typisierten Versionen der Interfacemethoden, und – wie erwartet – läuft das Beispiel von außen gesehen praktisch genauso wie vorher:

```
Imports System
Imports System.Collections

Public Class Employee
    Public Sub Evaluate()
        Console.WriteLine("Evaluating Employee . . .")
    End Sub
```

```vb
End Class

Public Class WorkForceEnumerator
    Implements IEnumerator

    Private enumerator As IEnumerator

    Public Sub New(ByVal employees As ArrayList)
        Me.enumerator = employees.GetEnumerator()
    End Sub

    Public ReadOnly Property Current() As Object Implements
IEnumerator.Current
        Get
            Return enumerator.Current
        End Get
    End Property

    Public Function MoveNext() As Boolean Implements IEnumerator.MoveNext
        Return enumerator.MoveNext()
    End Function

    Public Sub Reset() Implements IEnumerator.Reset
        enumerator.Reset()
    End Sub
End Class

Public Class WorkForce
    Implements IEnumerable

    Private employees As ArrayList

    Public Sub New()
        employees = New ArrayList()

        'Ein Angestellter, zu Demonstrationszwecken.
        employees.Add(New Employee())
    End Sub

    Public Function GetEnumerator() As IEnumerator _
        Implements IEnumerable.GetEnumerator

        Return New WorkForceEnumerator(employees)
    End Function
End Class

Public Class EntryPoint
```

```
    Shared Sub Main()
        Dim staff As WorkForce = New WorkForce()

        For Each emp As Employee In staff
            emp.Evaluate()
        Next emp
    End Sub
End Class
```

Dieses Beispiel gibt gleichermaßen Folgendes zurück:

```
Evaluating Employee . . .
```

Die generierte IL ist natürlich nicht so effizient. Um die Effizienzgewinne in der For…Each-Schleife zu sehen, müssen Sie die kompilierte Version jedes Beispiels in den IL Disassembler (IL DASM) laden und den IL-Code für die Methode Main öffnen. Sie werden sehen, dass das schwach typisierte Beispiel zusätzliche castclass-Instruktionen aufweist, die in der streng typisierten Variante nicht vorhanden sind. Auf unserem Entwicklungsrechner haben wir die For…Each-Schleife 20 Millionen Mal in enger Folge laufen lassen, um einen groben Benchmark zu erhalten. Die typisierte Version der Enumeration war 15 Prozent schneller als die untypisierte.

14.1.12 Unveränderliche Referenztypen

Wenn Sie einen wohldefinierten Kontrakt oder ein wohldefiniertes Interface kreieren, sollten Sie stets die Wandelbarkeit oder Unveränderlichkeit der Typen berücksichtigen, die im Kontrakt deklariert werden. Wenn Sie zum Beispiel eine Methode haben, die einen Parameter akzeptiert, sollten Sie sich überlegen, ob es zulässig ist, dass die Methode den Parameter verändert. Nehmen wir an, Sie wollen sicherstellen, dass der Methodenrumpf keinen Parameter modifizieren kann. Wenn der Parameter ein Werttyp ist, der über das Schlüsselwort ByVal übergeben wird, dann erhält die Methode eine Kopie des Parameters, und Sie haben die Garantie, dass der ursprüngliche Wert nicht verändert wird. Bei Referenztypen ist die Sachlage jedoch komplizierter, da nur die Referenz kopiert wird, nicht aber das Objekt, auf das die Referenz zeigt.

Ein großartiges Beispiel einer unveränderlichen Klasse innerhalb der Standardbibliothek ist System.String. Sobald Sie ein String-Objekt erstellen, können Sie es nicht mehr verändern. Die Klasse ist so angelegt, dass Sie Kopien erstellen können, und diese Kopien können modifizierte Formen des Originals sein, aber Sie können die ursprüngliche Instanz nicht verändern, solange sie existiert, ohne zu unsicherem Code greifen zu müssen. Wenn Sie das verstehen, beginnen Sie zu ahnen, wohin wir Sie führen wollen: Damit ein referenzbasiertes Objekt an eine Methode übergeben werden kann, und zwar so, dass dem Client-Code garantiert werden kann, dass es sich während des Methodenaufrufs nicht verändert, muss es selbst unveränderlich sein.

In der CLR wird dieser Gedanke der Unwandelbarkeit sehr wichtig. Nehmen wir einmal an, das `System.String` wäre veränderlich, und stellen wir uns vor, Sie könnten die folgende fiktive Methode schreiben:

```
Public Sub PrintString(ByVal theString As String)
    'Angenommen, diese Methode erzeugt keine neue Instanz von
    'String, modifiziert aber die Variable theString.
    theString &= ": there, I printed it!"
    Console.WriteLine(theString)
End Sub
```

Stellen Sie sich den Ärger der Anwender vor, wenn sie den Code, der diese Methode aufruft, weiter verfolgen – und nun hat der String diesen Schwanz ans Ende angehängt bekommen! Sie sehen, dass die Unwandelbarkeit von `String` ihren Grund hat. Und vielleicht sollten Sie Ihren Entwürfen diese Fähigkeit auch zukommen lassen.

Sehen wir uns als Beispiel die bekannte Klasse `ComplexNumber` an. Wenn sie als Objekt anstatt als Werttyp implementiert würde, wäre `ComplexNumber` ein perfekter Kandidat dafür, ein unwandelbarer Typ zu sein, ganz ähnlich wie `String`. In solchen Fällen würde eine Operation wie `ComplexNumber.Add()` eine neue Instanz von `ComplexNumber` erzeugen müssen, anstatt das Objekt zu modifizieren, das von `Me` referenziert wird. Aber um des Arguments willen wollen wir einmal betrachten, was Sie tun würden, wenn es `ComplexNumber` erlaubt wäre, wandelbar zu sein. Sie könnten den Zugriff auf die reellen und imaginären Felder über Lese- und Schreib-Properties gestatten. Aber wie könnten Sie das Objekt an eine Methode übergeben und die Garantie haben, dass die Methode sich nicht verändert, indem auf den Setter von einem der Properties zugegriffen wird? Eine Antwort darauf – wie in vielen anderen objektorientierten Designs – ist die Technik, eine weitere Klasse einzuführen. Betrachten wir den folgenden Code:

```
Imports System

Public NotInheritable Class ComplexNumber
    Private mReal As Double
    Private mImaginary As Double


    Public Sub New(ByVal real As Double, ByVal imaginary As Double)
        Me.mReal = real
        Me.mImaginary = imaginary
    End Sub

    Public Property Real() As Double
        Get
            Return mReal
        End Get

        Set(ByVal value As Double)
```

```
                mReal = value
            End Set
        End Property

        Public Property Imaginary() As Double
            Get
                Return mImaginary
            End Get

            Set(ByVal value As Double)
                mImaginary = value
            End Set
        End Property

        'Andere Methoden wurden zur größeren Klarheit entfernt.
End Class

Public NotInheritable Class ConstComplexNumber
    Private ReadOnly pimpl As ComplexNumber

    Public Sub New(ByVal pimpl As ComplexNumber)
        Me.pimpl = pimpl
    End Sub

    Public ReadOnly Property Real() As Double
        Get
            Return pimpl.Real
        End Get
    End Property

    Public ReadOnly Property Imaginary() As Double
        Get
            Return pimpl.Imaginary
        End Get
    End Property
End Class

Public NotInheritable Class EntryPoint
    Shared Sub Main()
        Dim someNumber As ComplexNumber = New ComplexNumber(1, 2)

        SomeMethod(New ConstComplexNumber(someNumber))

        'Der Kontrakt ConstComplexNumber garantiert, dass
        'someNumber bis zu diesem Punkt nicht geändert wurde.
    End Sub
```

```
    Private Shared Sub SomeMethod(ByVal number As ConstComplexNumber)
        Console.WriteLine("( {0}, {1} )", number.Real, number.Imaginary)
    End Sub
End Class
```

Dieser Code spuckt das folgende Ergebnis aus:[21]

```
( 1, 2 )
```

In diesem Beispiel haben wir eine Shim-Klasse namens `ConstComplexNumber` einge-führt. Shim-Klassen werden oft als Vorlagenklasse zwischen verwandten Klassen benutzt oder als spezialisierte Hülle, um ein Interface zu exponieren.

Wenn eine Methode ein `ComplexNumber`-Objekt akzeptiert, aber garantiert, dass sie diesen Parameter nicht ändert, dann akzeptiert sie `ConstComplexNumber` eher als `ComplexNumber`. Natürlich wäre es im Falle von `ComplexNumber` die beste Lösung gewesen, sie von vornherein als unveränderlichen Typ zu implementieren[22]. Aber Sie können sich sehr leicht eine viel komplexere Klasse vorstellen als `ComplexNumber` (das Wortspiel war keine Absicht – wirklich!), die eine ähnliche Technik voraussetzen könnte, um zu garantieren, dass eine Methode eine Instanz der Klasse nicht verändern wird.

Wie bei vielen Problemen im Softwaredesign können Sie dasselbe Ziel auf vielen Wegen erreichen. Diese Shim-Technik ist nicht die einzige Möglichkeit, das Problem zu lösen. Sie könnten dasselbe Ziel auch mit Interfaces erreichen. Sie könnten ein Interface definieren, das alle Methoden deklariert, die das Objekt verändern – sagen wir, `IModifyableComplexNumber` –, und ein anderes, das Methoden deklariert, die das Objekt nicht verändern – sagen wir, `IConstantComplexNumber`. Dann könnten Sie ein drittes Interface kreieren, `IComplexNumber`, welches sich von beiden ableitet, und zuletzt würde dann `ComplexNumber` das Interface `IComplexNumber` implementieren. Für Methoden, die den Parameter als unveränderlichen Wert annehmen, können Sie die Instanz einfach als `IConstantComplexNumber`-Typ übergeben.

Bevor Sie diese Techniken als rein akademische Übungen abschreiben, sollten Sie sich wirklich die Zeit nehmen, die Macht der Unwandelbarkeit in robusten Softwareent-würfen zu bedenken und zu verstehen, und warum Sie diese Techniken bei Ihren VB-Projekten anwenden sollten.

---

[21] Um mehr über den kuriosen Namen des Pimpl-Feldes zu erfahren, sollten Sie über das Pimpl-Idiom in Herb Sutters Buch »Exceptional C++: 47 Engineering Puzzles, Programming Problems and Solutions« nachlesen (Addison-Wesley Professional, 1999).

[22] Um dieses komplexe Garnknäuel zu vermeiden, sind viele der Werttypen, die im .NET-Framework definiert sind, unveränderlich.

Checkliste für Referenztypen:

Wenn Sie eine neue Klasse oder Struktur entwerfen, ist es gute Übung, diese Check-liste für jeden Typ abzuarbeiten, ähnlich wie es ein Pilot macht, kurz bevor das Flugzeug das Gate verlässt. Wenn Sie diesem Ansatz folgen, können Sie Ihren Designs immer vertrauen. Diese Checkliste wurde schon über einen langen Zeit-raum erarbeitet und hat nicht den Anspruch, vollständig zu sein. Sie werden es not-wendig finden, sie zu erweitern und neue Einträge für neue Szenarios zu erstellen. Diese Checkliste soll die häufigsten Szenarios adressieren, denen Sie im Designpro-zess mit VB wahrscheinlich begegnen werden.

- *Sollte die Klasse unversiegelt sein?*

  Klassen sollten standardmäßig als `NotInheritable` deklariert werden – es sei denn, sie sind ganz klar dafür vorgesehen, als Basisklasse verwendet zu werden. Sogar dann sollten Sie gut dokumentieren, wie sie als Basisklasse zu verwenden sind. Bevorzugen Sie versiegelte statt unversiegelte Klassen.

- *Ist das Objekt klonbar?*

  Implementieren Sie `ICloneable`, während Sie standardmäßig eine tiefe Kopie erstellen. Wenn ein Objekt veränderlich ist, wenden Sie standardmäßig eine tiefe Kopie an. Ist das Objekt unveränderlich, sollten Sie eine flache Kopie als Opti-mierung in Erwägung ziehen.

  Vermeiden Sie den Gebrauch von `MemberwiseClone()`. `MemberwiseClone()` aufzurufen erzeugt ein neues Objekt, ohne Konstruktoren aufzurufen. Diese Praxis kann gefährlich sein.

- *Ist das Objekt entsorgungsfreundlich?*

  Implementieren Sie `IDisposable`. Wenn Sie es für notwendig halten, einen konventionellen Destruktor zu implementieren, benutzen Sie stattdessen das `IDispose`-Muster.

  Implementieren Sie einen Finalisierer. Entsorgbare Objekte sollten einen Finalisierer implementieren, um entweder Objekte abzufangen, die zu entsorgen der Client-Code vergessen hat, oder um Clients zu warnen, dass sie dies verges-sen haben. Erledigen Sie keine deterministische Destruktion im VB-Destruktor, der ja der Finalisierer ist. Tun Sie dies nur mit der Methode `Dispose`.

  Unterdrücken Sie die Finalisierung während eines Aufrufs von `Dispose()`. Dies verleiht dem GC mehr Effizienz. Andernfalls existieren Objekte auf dem Heap viel länger, als sie es müssten.

- *Sollten Gleichheitsprüfungen bei Objekten eine Wertesemantik haben?*

  Überschreiben von `Object.Equals()`: Bevor Sie die semantische Bedeutung von `Equals()` ändern, sollten Sie einen guten Grund haben, um dies zu tun. Ansonsten belassen Sie die standardmäßige Gleichheitsprüfung für Objekte so, wie sie ist. Es ist ein Fehler, innerhalb Ihrer Überschreibung von `Equals()` Ausnahmen auszulösen.

  Wissen Sie, wann die Implementierung von `Equals()` der Basisklasse aufzurufen ist: Wenn sich Ihr Objekt von einem Typ ableitet, dessen Version von `Equals()` sich in der Bedeutung von Ihrer Implementierung unterscheidet, rufen Sie beim Überschreiben nicht die Basisklasse auf. Andernfalls tun Sie es und integrieren Sie das Ergebnis in Ihre Lösung.

  Überschreiben Sie auch `GetHashCode()`: Dies ist ein notwendiger Schritt, um sicherzustellen, dass Sie Objekte dieses Typs als Hashcode-Schlüssel verwenden können. Wenn Sie `Equals()` überschreiben, tun Sie dies stets auch mit `GetHashCode()`.

- *Sind Objekte dieses Typs vergleichbar?*

  Implementieren Sie `IComparable` und überschreiben Sie `Equals()` und `GetHashCode()`: Sie sollten diese als Gruppe überschreiben, da ihre Implementierungen miteinander verzahnt sind.

- *Ist ein Objekt in* `System.String` *konvertierbar?*

  Überschreiben Sie `Object.ToString()`: Die Implementierung, die von `Object.ToString()` vererbt wird, gibt nur einen Stringnamen des Objekttyps zurück.

  Implementieren Sie `IFormattable`, wenn die Anwender eine feinere Steuerung der Stringformatierung benötigen. Implementieren Sie die Überschreibung für `Object.ToString()`, indem Sie `IFormattable.ToString()` mit dem Formatierungsstring `G` und dem Formatprovider `Nothing` aufrufen.

- *Ist ein Objekt konvertierbar?*

  Überschreiben Sie `IConvertible`, so dass die Klasse mit `System.Convert` funktioniert: In VB müssen Sie alle Methoden des Interfaces implementieren. Bei Konvertierungsmethoden, die für Ihre Klasse nicht sinnvoll sind, geben Sie allerdings nur ein `InvalidCastException`-Objekt aus.

- *Sollte ein Objekt unveränderlich sein?*

  Erwägen Sie, Felder schreibgeschützt zu realisieren, und stellen Sie nur schreibgeschützte Properties zur Verfügung. Objekte, die im Grunde einen simplen Wert darstellen, wie ein String oder eine komplexe Zahl, sind exzellente Kandidaten dafür, unveränderliche Objekte zu sein.

- *Müssen Sie ein Objekt als konstanten unveränderlichen Methodenparameter übergeben?*

  Erwägen Sie, eine unveränderliche Shim-Klasse zu implementieren, die eine Referenz auf ein veränderliches Objekt enthält, das als Methodenparameter übergeben werden kann. Überlegen Sie zuerst, ob es für Ihre Klasse sinnvoll ist, unveränderlich zu sein. Ist dies der Fall, gibt es keine Notwendigkeit für diese Aktion. Wenn Sie in der Lage sein müssen, Ihre wandelbaren Objekte als unveränderliche Objekte an Methoden zu übergeben, können Sie denselben Effekt erhalten, indem Sie Interfaces benutzen.

14.2 Bewährte Praktiken bei Werttypen

Während wir kanonische Formen für Werttypen diskutieren, werden Sie herausfinden, dass manche Konzepte, die auf Referenztypen zutreffen, auch hier angewandt werden können. Es gibt jedoch merkliche Unterschiede. Zum Beispiel ist es sinnlos, `ICloneable` bei einem Werttyp zu implementieren. Technisch könnte man es tun, aber da `ICloneable` eine Instanz des Typs `Object` zurückgibt, würde die Implementierung von `ICloneable.Clone()` bei Ihrem Werttyp mit hoher Wahrscheinlichkeit nur eine durch Boxing verpackte Kopie seiner selbst ergeben. Sie können das exakt gleiche Verhalten bekommen, indem Sie einfach eine Instanz eines Werttyps explizit in eine Referenz auf `System.Object` verwandeln, solange Ihr Werttyp keine Referenztypen enthält. Sie könnten sogar argumentieren, dass Werttypen, die wandelbare Referenztypen enthalten, an schlechtes Design grenzen. Werttypen sind am besten für leichtgewichtige, unveränderliche Datenhappen zu gebrauchen. Solange die Referenztypen, die Ihr Werttyp enthält, unveränderlich sind – ähnlich wie zum Beispiel `System.String` –, müssen Sie sich keine Gedanken über die Implementierung von `ICloneable` für Ihren Werttyp machen. Wenn Sie sich gezwungen sehen, `ICloneable` für Ihren Werttyp zu implementieren, sollten Sie sich Ihr Design genauer betrachten. Es ist möglich, dass Ihr Werttyp eigentlich ein Referenztyp sein sollte.

Werttypen brauchen keinen Finalisierer, und VB würde Sie auch bei einer Struktur keinen Finalisierer erstellen lassen. In ähnlicher Weise haben Werttypen keinen Bedarf, `IDisposable` zu implementieren, außer wenn sie Objekte per Referenz enthalten, die `IDisposable` implementieren, oder wenn sie rare Systemressourcen belegen. In solchen Fällen ist es wichtig, dass auch Werttypen `IDisposable` implementieren. Sie können das `Using`-Statement mit Werttypen verwenden, die `IDisposable` implementieren.

> **Tipp:** Da Werttypen keine Finalisierer implementieren können, sind sie auch nicht in der Lage zu garantieren, dass der Aufräumcode in `Dispose()` ausgeführt wird, auch wenn der Anwender vergisst, die Methode explizit aufzurufen. Daher ist davon abzuraten, Felder des Referenztyps innerhalb von Werttypen zu deklarieren. Wenn ein Feld ein Werttyp ist, das entsorgt werden muss, können Sie nicht garantieren, dass diese Entsorgung auch geschieht.

Werttypen und Referenztypen haben viele Eigenschaften der Implementierung gemeinsam. Es ist zum Beispiel bei beiden sinnvoll, die Interfaces `IComparable`, `IFormattable` und möglicherweise `IConvertible` zu implementieren.

Im Rest dieses Abschnitts beschreiben wir die unterschiedlichen kanonischen Konzepte, die Sie anwenden sollten, wenn Sie Werttypen entwerfen. Insbesondere sollten Sie `Equals()` zum Zwecke größerer Effizienz zur Laufzeit überschreiben, und Sie sollten auch verfolgen, was es für einen Werttyp bedeutet, ein Interface zu implementieren.

14.2.1 Equals() für bessere Leistung überschreiben

Sie haben bereits die Hauptunterschiede der beiden Arten der Gleichwertigkeit in der CLR und in VB gesehen. Zum Beispiel wissen Sie jetzt, dass Referenztypen (Klasseninstanzen) Gleichheit standardmäßig als Identitätstest definieren und Werttypen (Strukturinstanzen) die Wertegleichheit als Gleichheitstest verstehen. Referenztypen erhalten ihre standardmäßige Implementierung durch die Überschreibung von `Equals()` durch `System.ValueType`. Alle Strukturtypen leiten sich implizit von `System.ValueType` ab.

Sie sollten Ihre eigene Überschreibung von `Equals()` bei Strukturen implementieren, die Sie definieren. Sie können die Felder Ihres Objekts effizienter vergleichen, da Sie ihre Typen kennen und wissen, was sie zur Kompilierzeit sind. Aktualisieren wir das Beispiel `ComplexNumber` aus den vorigen Abschnitten, konvertieren wir es zu einer Struktur und implementieren wir eine benutzerdefinierte Überschreibung für `Equals()`:

```
Imports System

Public Structure ComplexNumber
    Implements IComparable

    Private ReadOnly real As Double
    Private ReadOnly imaginary As Double

    Public Sub New(ByVal real As Double, ByVal imaginary As Double)
        Me.real = real
        Me.imaginary = imaginary
    End Sub
```

```vb
    Public Overloads Overrides Function Equals(ByVal other As Object) As
Boolean
        Dim result As Boolean = False

        If TypeOf other Is ComplexNumber Then
            Dim that As ComplexNumber = CType(other, ComplexNumber)

            result = InternalEquals(that)
        End If

        Return result
    End Function

    Public Overrides Function GetHashCode() As Integer
        Return CInt(Fix(Me.Magnitude))
    End Function

    Public Shared Operator =(ByVal num1 As ComplexNumber, _
        ByVal num2 As ComplexNumber) As Boolean

        Return num1.Equals(num2)
    End Operator

    Public Shared Operator <>(ByVal num1 As ComplexNumber, _
        ByVal num2 As ComplexNumber) As Boolean

        Return Not num1.Equals(num2)
    End Operator

    Public Function CompareTo(ByVal other As Object) As Integer _
        Implements IComparable.CompareTo

        If Not (TypeOf other Is ComplexNumber) Then
            Throw New ArgumentException("Bad Comparison!")
        End If

        Dim that As ComplexNumber = CType(other, ComplexNumber)

        Dim result As Integer
        If InternalEquals(that) Then
            result = 0
        ElseIf Me.Magnitude > that.Magnitude Then
            result = 1
        Else
            result = -1
        End If
```

```
        Return result
    End Function

    Private Function InternalEquals(ByVal that As ComplexNumber) As Boolean
        Return (Me.real = that.real) AndAlso (Me.imaginary =
that.imaginary)
    End Function

    Public ReadOnly Property Magnitude() As Double
        Get
            Return Math.Sqrt(Math.Pow(Me.real, 2) + Math.Pow(Me.imaginary,
2))
        End Get
    End Property

    'Andere Methoden wurden zur größeren Klarheit entfernt.
End Structure

Public NotInheritable Class EntryPoint
    Shared Sub Main()
        Dim num1 As ComplexNumber = New ComplexNumber(1, 2)
        Dim num2 As ComplexNumber = New ComplexNumber(1, 2)

        Dim result As Boolean = num1.Equals(num2)
    End Sub
End Class
```

Der Blick auf den Beispielcode zeigt Ihnen, dass die Unterschiede zu der Referenztyp-Version minimal sind. Der Typ ist nun als Struktur anstatt als Klasse deklariert, und beachten Sie, dass er immer noch IComparable unterstützt. Sie bemerken vielleicht, dass die Effizienz noch deutlich gesteigert werden kann. Der Trick liegt im Konzept des Boxing und Unboxing. Erinnern Sie sich: Jedesmal wenn eine Instanz eines Werttyps als Objekt in einer Methodenparameterliste übergeben wird, muss sie implizit geboxt werden, wenn das noch nicht geschehen ist. Das bedeutet: Wenn die Methode Main die Methode Equals aufruft, muss zuerst der Wert num2 geboxt werden. Schlimmer ist es, dass die Methode den Wert typischerweise unboxen wird, um ihn zu verwenden. Um also zwei Werte auf Gleichheit zu prüfen, haben Sie von einem der beiden zwei zusätzliche Kopien hergestellt.

Um dieses Problem zu lösen, können Sie zwei Überladungen von Equals() definieren. Sie wollen eine typsichere Version, die eine ComplexNumber als Parametertyp verwendet, und Sie müssen nach wie vor die Methode Object.Equals überschreiben.

> **Hinweis:** .NET 2.0 hat dieses Konzept mit dem generischen Interface IEquatable(Of T) **formalisiert. Dies deklariert eine Methode, die eine typsichere Version von** Equals() **ist.**

Sehen wir uns an, wie sich der Code ändert:

```
Imports System

Public Structure ComplexNumber
    Implements IComparable
    Implements IComparable(Of ComplexNumber)
    Implements IEquatable(Of ComplexNumber)

    Private ReadOnly real As Double
    Private ReadOnly imaginary As Double

    Public Sub New(ByVal real As Double, ByVal imaginary As Double)
        Me.real = real
        Me.imaginary = imaginary
    End Sub

    Public Overloads Function Equals(ByVal other As ComplexNumber) As
Boolean
        Return (Me.real = other.real) AndAlso (Me.imaginary =
other.imaginary)
    End Function

    Public Overloads Overrides Function Equals(ByVal other As Object) As
Boolean
        Dim result As Boolean = False

        If TypeOf other Is ComplexNumber Then
            Dim that As ComplexNumber = CType(other, ComplexNumber)

            result = Equals(that)
        End If

        Return result
    End Function

    Public Function IEquatableOfT_Equals(ByVal other As ComplexNumber) _
        As Boolean Implements System.IEquatable(Of ComplexNumber).Equals
    End Function

    Public Overrides Function GetHashCode() As Integer
        Return CInt(Fix(Me.Magnitude))
    End Function

    Public Shared Operator =(ByVal num1 As ComplexNumber, _
        ByVal num2 As ComplexNumber) As Boolean
```

```vb
        Return num1.Equals(num2)
    End Operator

    Public Shared Operator <>(ByVal num1 As ComplexNumber, _
        ByVal num2 As ComplexNumber) As Boolean

        Return Not num1.Equals(num2)
    End Operator

    Public Function CompareTo(ByVal other As Object) As Integer _
        Implements IComparable.CompareTo

        If Not (TypeOf other Is ComplexNumber) Then
            Throw New ArgumentException("Bad Comparison!")
        End If

        Return CompareTo(CType(other, ComplexNumber))
    End Function

    Public Function CompareTo(ByVal that As ComplexNumber) As Integer
        Dim result As Integer

        If Equals(that) Then
            result = 0
        ElseIf Me.Magnitude > that.Magnitude Then
            result = 1
        Else
            result = -1
        End If

        Return result
    End Function

    Public Function IComparableOfT_CompareTo(ByVal other As ComplexNumber) _
        As Integer Implements System.IComparable(Of ComplexNumber).CompareTo
    End Function

    Public ReadOnly Property Magnitude() As Double
        Get
            Return Math.Sqrt(Math.Pow(Me.real, 2) + Math.Pow(Me.imaginary, 2))
        End Get
    End Property

    'Andere Methoden wurden für mehr Klarheit entfernt.
```

```
End Structure

Public NotInheritable Class EntryPoint
    Shared Sub Main()
        Dim num1 As ComplexNumber = New ComplexNumber(1, 2)
        Dim num2 As ComplexNumber = New ComplexNumber(1, 2)

        Dim result As Boolean = num1.Equals(num2)
    End Sub
End Class
```

Jetzt ist der Vergleich innerhalb von `Main()` viel effizienter, da der Wert nicht per Boxing verpackt werden muss. Der Compiler wählt diejenige der beiden Überladungen aus, die am besten passt; dies ist die streng typisierte Überladung von `Equals()`, die eine `ComplexNumber` anstelle eines generischen Objekttyps akzeptiert. Intern delegiert die Überschreibung der Methode `Object.Equals()` an die typsichere Version von `Equals()`, nachdem sie den Typ des Objekts prüft und unbox. Die Überschreibung von `Object.Equals()` prüft zuerst den Typ, um zu sehen, ob es sich um eine `ComplexNumber` handelt, oder spezifischer, eine geboxte `ComplexNumber`, bevor sie sie entpackt, um die Ausgabe einer Exception zu vermeiden. Die Dokumentation der Standardbibliothek für `Object.Equals()` besagt ganz klar, dass Überschreibungen von `Object.Equals()` keine Ausnahmen auslösen dürfen. Beachten Sie zuletzt noch, dass dieselbe Faustregel für `GetHashCode()` bei Strukturen genauso existiert wie bei Klassen. Wenn Sie `Object.Equals()` überschreiben, sollten Sie auch `GetHashCode()` überschreiben und umgekehrt.

Beachten Sie, dass Sie auch `IComparable(Of ComplexNumber)` implementieren, was dieselbe Technik wie `IEquatable(Of ComplexNumber)` nutzt, um eine typsichere Version von `IComparable` bereitzustellen. Sie sollten erwägen, diese generischen Interfaces zu implementieren, damit der Compiler größeren Spielraum hat, um die Typsicherheit durchzusetzen.

14.2.2 Typsichere Formen von Interface-Mitgliedern und abgeleiteten Methoden

In Bezug auf Referenztypen haben wir dieses Thema schon im Abschnitt »Typsicherheit zu jeder Zeit« abgehandelt. Die meisten dieser Punkte sind zusammen mit einigen Gedanken zum Thema Effizienz auch auf Werttypen anwendbar. Die Effizienzprobleme stammen von Operationen zur expliziten Konvertierung zwischen Wert- und Referenztypen. Diese Umwandlungen erzeugen versteckte Boxing- und Unboxing-Vorgänge im generierten IL-Code. Boxing-Vorgänge können Ihre Effizienz in vielen Situationen auffressen. Die Bemerkungen, die wir vorher darüber gemacht haben, wie typsichere Versionen der Enumerationsmethoden dem VB-Compiler helfen, in einer `For…Each`-Schleife viel effizienteren Code zu erzeugen, zahlen sich bei Werttypen zehnfach aus. Das hängt damit zusammen, dass Boxingvorgänge bei Konvertierungen von und zu Wertetypen viel mehr Rechenzeit kosten als eine Typumwandlung bei einem Referenztyp, die recht schnell vonstatten geht.

Sie haben gesehen, wie der Werttyp `ComplexNumber` ein Interface – in diesem Fall `IComparable` – implementiert. Das liegt daran, dass Sie natürlich wollen, dass Werttypen sortierbar sind, wenn sie in einem Container gespeichert werden. Sie werden feststellen, dass Kerntypen in der CLR, wie `System.Int32`, ebenfalls Interfaces wie `IComparable` unterstützen. Vom Standpunkt der Effizienz aus gesehen wollen Sie allerdings einen Werttyp nicht jedesmal boxen, wenn Sie ihn mit einem anderen vergleichen. So wie der folgende Code geschrieben ist, boxt er beide Werte:

```
Public Sub Main()
    Dim num1 As ComplexNumber = New ComplexNumber(1, 3)
    Dim num2 As ComplexNumber = New ComplexNumber(1, 2)

    Dim result As Integer = (CType(num1, IComparable)).CompareTo(num2)
End Sub
```

Können Sie die beiden Boxingvorgänge erkennen? Die Instanz `num1` muss geboxt werden, um eine Referenz auf das Interface `IComparable` zu erhalten. Da zweitens `CompareTo()` eine Referenz des Typs `System.Object` akzeptiert, muss die Instanz `num2` ebenfalls geboxt werden. Das hat schreckliche Folgen für die Effizienz. Rein technisch müssen Sie `num1` zwar nicht boxen, um `IComparable` aufrufen zu können. Wenn aber das vorige `ComplexNumber`-Beispiel das Interface `IComparable` explizit implementiert hätte, dann hätten Sie keine Wahl gehabt.

Um dieses Problem zu lösen, sollten Sie eine typsichere Variante der Methode `CompareTo` implementieren, während Sie gleichzeitig die Methode `IComparable.CompareTo` implementieren. Mit dieser Technik wird der Vergleichsaufruf im vorigen Code absolut keinen Boxingvorgang hervorrufen. Schauen wir uns einmal an, wie die Struktur `ComplexNumber` modifiziert werden muss, um dies zu erreichen:

```
Imports System

Public Structure ComplexNumber
    Implements IComparable
    Implements IComparable(Of ComplexNumber)
    Implements IEquatable(Of ComplexNumber)

    Private ReadOnly real As Double
    Private ReadOnly imaginary As Double


    Public Sub New(ByVal real As Double, ByVal imaginary As Double)
        Me.real = real
        Me.imaginary = imaginary
    End Sub
```

```
    Public Overloads Function Equals(ByVal other As ComplexNumber) As
Boolean
        Return (Me.real = other.real) AndAlso (Me.imaginary =
other.imaginary)
    End Function

    Public Overloads Overrides Function Equals(ByVal other As Object) As
Boolean
        Dim result As Boolean = False

        If TypeOf other Is ComplexNumber Then
            Dim that As ComplexNumber = CType(other, ComplexNumber)

            result = Equals(that)
        End If

        Return result
    End Function

    Public Function IEquatableOfT_Equals(ByVal other As ComplexNumber) As
Boolean _
        Implements System.IEquatable(Of ComplexNumber).Equals
    End Function

    Public Overrides Function GetHashCode() As Integer
        Return CInt(Fix(Me.Magnitude))
    End Function

    Public Shared Operator =(ByVal num1 As ComplexNumber, _
        ByVal num2 As ComplexNumber) As Boolean

        Return num1.Equals(num2)
    End Operator

    Public Shared Operator <>(ByVal num1 As ComplexNumber, _
        ByVal num2 As ComplexNumber) As Boolean

        Return Not num1.Equals(num2)
    End Operator

    Public Function CompareTo(ByVal that As ComplexNumber) As Integer
        Dim result As Integer

        If Equals(that) Then
            result = 0
        ElseIf Me.Magnitude > that.Magnitude Then
```

```vbnet
            result = 1
        Else
            result = -1
        End If

        Return result
    End Function

    Private Function CompareTo(ByVal other As Object) As Integer _
        Implements IComparable.CompareTo

        If Not (TypeOf other Is ComplexNumber) Then
            Throw New ArgumentException("Bad Comparison!")
        End If

        Return CompareTo(CType(other, ComplexNumber))
    End Function

    Public Function IComparableOfT_CompareTo(ByVal other As ComplexNumber)
_
        As Integer Implements System.IComparable(Of
ComplexNumber).CompareTo
    End Function

    Public ReadOnly Property Magnitude() As Double
        Get
            Return Math.Sqrt(Math.Pow(Me.real, 2) + Math.Pow(Me.imaginary,
2))
        End Get
    End Property

    'Andere Methoden wurden zur größeren Klarheit entfernt.
End Structure

Public NotInheritable Class EntryPoint
    Shared Sub Main()
        Dim num1 As ComplexNumber = New ComplexNumber(1, 3)
        Dim num2 As ComplexNumber = New ComplexNumber(1, 2)

        Dim result As Integer = num1.CompareTo(num2)

        'Probieren Sie jetzt die typgenerische Variante aus.
        result = (CType(num1, IComparable)).CompareTo(num2)
    End Sub
End Class
```

Nach den Modifikationen beschwört der erste Aufruf von `CompareTo()` in `Main()` keine Boxingvorgänge herauf. Sie werden bemerken, dass wir noch einen Schritt weitergegangen sind und die Methode `IComparable.CompareTo` explizit implementiert haben, um es zu erschweren, die typlose Version von `CompareTo()` unabsichtlich aufzurufen, ohne zuerst die Werteinstanz in eine Referenz auf den Typ `IComparable` zu verwandeln. Die `Main`-Methode zeigt zudem, wie die typlose Variante von `CompareTo()` aufgerufen wird. Der Hintergedanke ist, dass Benutzer, die den Wert `ComplexNumber` verwenden, ihren Code auf eine Weise schreiben können, die natürlich aussieht, und dabei eine bessere Performance erhalten. Clients, die durch das Interface hindurchgehen müssen, zum Beispiel einige Containertypen, können das Interface `IComparable` nutzen, wobei es aber nicht ganz ohne Boxing abgeht. Wenn Sie neugierig sind, öffnen Sie die kompilierte ausführbare Datei des vorherigen Beispiels im IL-Disassembler und prüfen die Methode `Main`. Sie werden sehen, dass der erste Aufruf von `CompareTo()` nicht zum Boxing führt, während der zweite Aufruf von `CompareTo()` wie erwartet in zwei Boxingvorgängen resultiert.

Als generelle Faustregel können Sie dieses Idiom auf die Methoden von fast jedem Werttyp anwenden, die eine geboxte Instanz des Wettyps annehmen oder zurückgeben. Bisher haben Sie zwei Beispiele für den Gebrauch des Idioms gesehen. Das erste war während der Implementierung von `Equals()` für den Typ `ComplexNumber` und das zweite begegnete Ihnen bei der Implementierung von `IComparable.CompareTo()`.

Checkliste für Werttypen:

Diese Checkliste ähnelt derjenigen, die wir für Referenztypen vorgestellt haben. Sie soll Ihnen helfen, wenn Sie Werttypen in VB kreieren. Je mehr Sie in VB Erfahrung bei der Erstellung von Werttypen sammeln, desto mehr werden Sie die Notwendigkeit verspüren, die Liste zu erweitern und neue Einträge zu ergänzen.

- *Streben Sie nach größerer Effizienz für Ihre Werttypen?*

  Überschreiben Sie `Equals()` und `GetHashCode()`: Die generische Version von `ValueType.Equals()` ist nicht effizient, weil sie auf Reflexion zurückgreift. Im Allgemeinen ist es am Besten, eine typsichere Variante von `Equals()` zur Verfügung zu stellen, indem Sie `IEquatable(Of T)` implementieren und diese dann von der typlosen Version aufrufen lassen. Vergessen Sie auch nicht, `GetHashCode()` zu überschreiben.

  Stellen Sie typsichere Überladungen von geerbten typlosen Methoden und Interface-Methoden zur Verfügung: Für jede Methode, die einen Parameter des Typs `System.Object` akzeptiert oder zurückgibt, sollten Sie eine Überladung liefern, die stattdessen den konkreten Werttyp verwendet. Auf diese Weise können Klienten des Werttyps überflüssiges Boxing vermeiden. Erwägen Sie bei Interfaces das Verbergen der typlosen Implementierung hinter der expliziten Interface-Implementierung, sofern Sie das wünschen.

- *Müssen Sie geboxte Werteinstanzen modifizieren?*

  Implementieren Sie ein Interface, um dies zu tun: Ein Aufruf durch ein Mitglied eines Interfaces, das über einen Werttyp implementiert wird, ist die einige Möglichkeit, einen Werttyp in einer geboxten Instanz zu ändern.

- *Sind Werte dieses Typs vergleichbar?*

  Implementieren Sie `IComparable` und überschreiben Sie `Equals()` und `GetHashCode()`: Sie sollten diese zusammen überschreiben, da ihre Implementierungen miteinander verzahnt sind. Wenn Sie `Equals()` überschreiben, sollten Sie den vorigen Tipp beherzigen und ebenso eine typsichere Version erstellen.

- *Ist der Wert in* `System.String()` *konvertierbar oder umgekehrt?*

  Überschreiben Sie `ValueType.ToString()`: Die Implementierung, die von `ValueType` geerbt wird, gibt nur einen Stringnamen des Werttyps wieder.

  Implementieren Sie `IFormattable`, wenn Anwender eine feinere Kontrolle über Stringformatierungen haben wollen: Implementieren Sie eine Überschreibung von `ValueType.ToString()`, die `IFormattable.ToString()` mit `G` als Formatstring und `Nothing` als Formatprovider aufruft.

- *Ist der Wert konvertierbar?*

  Überschreiben Sie `IConvertible`, damit Strukturen mit `System.Convert` arbeiten können: In VB müssen alle Methoden des Interfaces implementiert werden. Bei Konvertierungsmethoden, die für Ihre Struktur nicht sinnvoll sind, sollten Sie aber einfach ein `InvalidCastException`-Objekt ausgeben.

- *Soll die Struktur unveränderlich sein?*

  Überlegen Sie sich, die Felder schreibgeschützt zu gestalten, und stellen Sie nur schreibgeschützte Properties zur Verfügung: Werte sind exzellente Kandidaten für unveränderliche Typen.

14.3 Zusammenfassung

Dieses Kapitel führte eine Vielfalt von bewährten Praktiken für die Entwicklung neuer Typen in VB ein. Wir boten außerdem zwei Checklisten, die Sie als Leitlinien nutzen können, wenn Sie Ihre Typen entwickeln.

Im nächsten Kapitel werden wir die neue LINQ-Technologie erforschen und wie sie dazu benutzt werden kann, um Ihre Bedürfnisse für Datenmanipulationen über verschiedene Datenquellen hinweg zu standardisieren.

15 LINQ in VB 2008

Die Language Integrated Query (sprachintegrierte Datenabfrage, LINQ) ist ein Satz neuer Technologien, der in das .NET-Framework 3.5 eingebaut wurde. Wenn Sie zur Zeit ADO.NET verwenden, um Daten von Microsoft Access dem SQL Server, dem XML TextReader for XML oder FileSystemObject für andere Dateien zu konsumieren, wird LINQ die Art, wie Sie arbeiten, verändern. LINQ vereinfacht Ihren Gebrauch unterschiedlicher Datenquellen, indem es ein gemeinsames Objektmodell und eine gemeinsame Syntax liefert, um Daten innerhalb Ihrer VB 2008-Anwendungen zu benutzen.

In diesem Kapitel werden wir LINQ to Objects, LINQ to XML und LINQ to SQL besprechen. LINQ to Objects erlaubt Ihnen, Abfragen gegen jedes Objekt auszuführen, welches das Interface `IEnumerable(Of T)` implementiert, während Sie mit LINQ to XML XML-Quellen abfragen können. LINQ to SQL erlaubt Abfragen von vielen relationalen Datenbank-Managementsystemen (RDBMS) und daneben jeder Datenquelle, die das Interface `IQueryable(Of T)` implementiert.

LINQ-Abfragen sehen den Statements in Standard-SQL ähnlich und fühlen sich auch so an. Darüber hinaus werden wir auch verschiedene Technologien kennenlernen, die LINQ unterstützen, darunter die Typinferenz, anonyme Typen, Erweiterungsmethoden und Lambda-Ausdrücke.

15.1 LINQ im Überblick

LINQ erlaubt Ihnen, Datenbankabfragen direkt aus Ihrem VB-Code heraus zu erstellen, und bietet unabhängig von Ihrer Datenquelle eine gemeinsame Syntax. Wenn Sie LINQ verwenden, werden Sie produktiver bei Ihrer Arbeit mit Daten, da Sie ein einziges syntaktisches Modell auf Ihre Bedürfnisse für die Datenmanipulation anwenden können. Zum Beispiel erlaubt Ihnen die LINQ-Syntax, XML, Objekte im Speicher und sogar das Dateisystem abzufragen.

Indem Sie Ausdrücke, die SQL ähneln, verwenden, können Sie Datensätze auffinden, filtern, sortieren, gruppieren und zusammenstellen. LINQ-Operatoren wie `Min`, `Max` und `Count` können die Menge von Schleifencode, die normalerweise nötig ist, um diese Funktionsarten auszuführen, deutlich reduzieren.

Mit LINQ werden die Abfragesyntax und die Prüfung des Schemas zur Kompilierzeit erledigt, was Sie vor einschlägigen Laufzeitfehlern bewahrt. Zuletzt kürzt VB Ihre Lernkurve ab, indem es Ihnen IntelliSense für Ihre LINQ-Abfragen zur Verfügung stellt.

15.1.1 Abfragebegriffe

Abfragebegriffe bilden die Grundlage für LINQ-Abfragen und bestehen aus den vertrauten Klauseln `Select`, `From` und `Where`, die auch Abfrageoperatoren genannt werden. Sie kombinieren Klauseln von Abfrageoperatoren, um Abfrageausdrücke zu bilden. Diese Ausdrücke können dann dazu benutzt werden, einen Datensatz aus verschiedenen Quellen zurückzugeben, so etwa aus XML und Collections. Ein Beispielsstatement würde wie folgt aussehen:

```
Dim SmallCapStocks = From Stock In AllStocks _
    Where Stock.Price < 10.0 _
    Select Stock.Ticker, Stock.Price
```

Dieser Codeschnipsel wird `SmallCapStocks` erzeugen und es mit Aktien bevölkern, die weniger als 10 Dollar kosten und von `AllStocks` stammen. `SmallCapStocks` ist ein Beispiel eines anonymen Typs, der detailliert im Abschnitt »Anonyme Typen und Typinferenz« beschrieben wird.

15.1.2 LINQ-Syntax

Die Reihenfolge des vorherigen Statements erscheint denen, die mit SQL-Statements vertraut sind, etwas merkwürdig. Die Standard-SQL-Syntax definiert eine Abfrage, indem sie die Wendungen `Select/From/Where/Order By` wie im folgenden Schnipsel benutzt:

```
Select Stock From AllStocks Where Price < 10 Order By Price
```

Im Vergleich dazu definiert die LINQ-Syntax Abfragen wie `From/Where/Order By/Select`. Diese Änderung der Reihenfolge erlaubt IntelliSense, Ihnen eine Liste mit möglichen Optionen anzubieten, mit denen Sie Ihr Statement komplettieren können.

From

Jede LINQ-Abfrage beginnt mit einem vorgeschriebenen `From`-Operator. `From` spezifiziert die Datenquelle, die Sie befragen wollen. Die folgende `From`-Klausel setzt eine Abfrage an die Datenquelle `Employees` auf und benutzt `E`, um jedes Element zu repräsentieren. Der folgende Codeschnipsel demonstriert das:

```
From E in Employees
```

Select

Eine `Select`-Klausel funktioniert auf dieselbe Weise wie in SQL. Mit `Select` können Sie nur die Vor- und Nachnamen der Angestellten im folgenden Codeschnipsel herausfischen:

```
From E In Employees
Select E.FirstName, E.LastName
```

Anders als im Standard-SQL ist die `Select`-Klausel in LINQ optional. Das Auslassen von `Select` führt dazu, dass alle Datenpunkte oder Felder in Ihrem Datensatz zurückgegeben werden. Das entspricht `Select *` in SQL.

Distinct

`Distinct` eliminiert Duplikate aus Ihren Resultaten und gibt nur einzigartige Elemente zurück. Um zum Beispiel nach Abteilungen zu fragen, in denen tatsächlich Angestellte arbeiten, können Sie den folgenden Code verwenden:

```
From E In Employees
Select E.Department
Distinct
```

Where

Die `Where`-Wendung erlaubt Ihnen, Ihre Resultate auf ein spezifisches Kriterium hin zu filtern. Wenn Sie zum Beispiel nur Angestellte ermitteln wollen, die im Lagerhaus arbeiten, können Sie die folgende Abfrage nutzen:

```
From E In Employees
Where E.Department = "Warehouse"
Select E.FirstName, E.LastName
```

Order By

Mit einer `Order By`-Wendung können Sie Ihre Daten nach einem spezifischen Kriterium sortieren. `Order By` unterstützt sowohl die aufsteigende als auch die abfallende Reihenfolge. Mit `Order By` können Sie Ihre Abfrage weiter verfeinern, um Ihre Lagerarbeiter in der Reihenfolge zu sortieren, in der sie eingestellt wurden, wobei die neuesten Angestellten als erste genannt werden. Hier ein Beispiel:

```
From E In Employees
Where E.Department = "Warehouse"
Order By E.HireDate Descending
Select E.FirstName, E.LastName
```

Join

Die Wendung `Join` wird benutzt, um ein einzelnen Ergebnisse aus zwei oder mehr Datensätzen zu erstellen, die über einen Schlüssel in Beziehung stehen. Wenn Sie `Join` benutzen, können Sie ein aus `Employees/Warehouses` kombiniertes Ergebnisset abfragen und den Arbeitsort jedes Lagerhausarbeiters wiedergeben.

Diese Abfrage kann so geschrieben werden:

```
From E In Employees
Join L In Locations On E.LocationID Equals L.ID
Where L.DepartmentType = "Warehouse"
Select E.FirstName, E.LastName, L.City, L.State
```

15.1.3 Anonyme Typen und Typinferenz

Die Typinferenz hilft dem VB-Compiler dabei, implizit einen Typ zum Zeitpunkt der Deklaration einzusetzen. Diese Fähigkeit wurde in VB 2008 aktualisiert, um LINQ zu unterstützen. Frühere VB-Versionen griffen standardmäßig auf einen Typ von Object zurück, wenn im Code ein Mitglied ohne deklarierten Typ erzeugt wurde. Nun wird Ihr Mitglied eingestellt, indem die rechte Seite Ihres Deklarationsstatements ausgewertet wird. Alle Typen, die Sie auf diese Weise definieren, werden als anonyme Typen bezeichnet.

Zum Beispiel können Sie in VB 2008 den folgenden Code schreiben, der drei Variablen vom Typ Int32, DateTime und String erzeugen wird:

```
Public Class EntryPoint
    Shared Sub Main()
        Dim x = 300
        Dim CurrentTime = DateTime.Now
        Dim Publisher = "Franzis"

        Console.WriteLine(x.GetType)
        Console.WriteLine(CurrentTime.GetType)
        Console.WriteLine(Publisher.GetType)
    End Sub
End Class
```

Das Beispiel gibt folgendes Ergebnis an die Konsole aus:

```
System.Int32
System.DateTime
System.String
```

In diesem Beispiel werden drei Variablen kreiert: x, CurrentTime und Publisher. Diese werden deklariert und initialisiert, ohne As oder New() zu benutzen. Letztlich werden ihre Typen an der Konsole ausgegeben, indem die Methode GetType benutzt wird.

Typinferenz bewahrt Sie davor, Typen für LINQ-Abfragen deklarieren zu müssen. Im folgenden Statement wird zum Beispiel WarehouseEmployees als IEnumerable(Of <anonymous type>) eingeführt, während Department, FirstName und LastName als String eingeführt werden:

```
Dim WarehouseEmployees =
From E In Employees
Where E.Department = "Warehouse"
Select E.FirstName, E.LastName
```

15.1.4 Erweiterungsmethoden

Erweiterungsmethoden erlauben Ihnen, Methoden zu einem existierenden CLR-Typ hinzuzufügen. Dies gestattet Ihnen, die Funktionalität eines Typs zu erweitern, ohne eine Unterklasse kreieren zu müssen. Das folgende Beispiel zeigt die Syntax für eine Erweiterungsmethode für String:

```
<Extension()> _
Public Function IsTickerValid(ByVal aTicker As String) As Boolean
    Dim ValidTicker As Boolean = True

    If aTicker.Length > 4 Then
        ValidTicker = False
    End If


    Return ValidTicker
End Function
```

Erweiterungsmethoden vermeiden die Notwendigkeit, eine separate Klasse mit einer gemeinsam genutzten Methode zu erstellen, um das Tickersymbol zu validieren. LINQ benutzt Erweiterungsmethoden über das gesamte .NET-Framework hinweg. Die Abfrageoperatoren, einschließlich From, Where und Select, werden mit Hilfe von Erweiterungsmethoden implementiert.

Lassen Sie uns eine Erweiterungsmethode für den Typ Integer bauen und benutzen. Der erste Parameter der Methode IsPrime wird einen Integer-Wert akzeptieren, der auch den Typ anzeigt, der erweitert wird. IsPrime gibt ein Boolean zurück, um anzuzeigen, ob der übergebene Integer-Wert in der Tat eine Primzahl ist. Hier ist ein Beispiel:

```
Imports System.Runtime.CompilerServices

Public Module Extensions
  <Extension()> _
  Public Function IsPrime(ByVal i As Integer) As Boolean
    Dim PrimeNumbers As Integer() = {2, 3, 5, 7}

    For Each item In PrimeNumbers
      If i Mod item = 0 Then
        Return False
      End If
    Next
```

```
        Return True
    End Function
End Module

Public Class EntryPoint
    Shared Sub Main()
        Dim x As Integer = 11
        Dim y As Integer = 6

        If x.IsPrime Then
            Console.WriteLine("x is a prime number.")
        Else
            Console.WriteLine("x is not a prime number.")
        End If

        If y.IsPrime Then
            Console.WriteLine("y is a prime number.")
        Else
            Console.WriteLine("y is not a prime number.")
        End If
    End Sub
End Class
```

Das vorige Beispiel gibt die folgenden Ergebnisse an die Konsole zurück:

```
x is a prime number.
y is not a prime number.
```

Um eine Erweiterungsmethode zu erstellen, ist es notwendig, `System.Runtime.`
`CompilerServices` zu importieren. Erweiterungsmethoden müssen in einem `Module`
definiert werden und werden mit `<Extension()>` gekennzeichnet. In `Main()`
deklarieren wir zwei `Integer`zahlen, x und y, und weisen ihnen jeweils die Werte 11
und 6 zu. Die folgende Weiche `If…Then` illustriert, dass Sie in der Tat `IsPrime()` auf
dieselbe Weise aufrufen können wie alle anderen Methoden, die zu `Integer` gehören.
In der Tat wird `IsPrime()` auch in IntelliSense erscheinen und damit für Sie leicht zu
finden sein, während Sie entwickeln.

15.1.5 Lambda-Ausdrücke

Lambda-Ausdrücke sind neu in VB 2008 und wurden hinzugefügt, um LINQ-Abfragen zu unterstützen. `Where`-Wendungen wurden zum Beispiel als Lambda-Ausdrücke
kompiliert und bei den dazu passenden Elementen in Ihrem Datensatz aufgerufen.
Lambda-Ausdrücke sind eine Form von Delegaten, die einer anderen Funktion übergeben oder von ihr zurückgegeben werden können.

Func-Typ

Der Delegatentyp `Func` ist im Namensraum `System` definiert. An ihn können bis zu vier Parameter und ein Rückgabetyp übergeben werden. `Func(Of T, TResult)` ist ein Delegat, der einen `Integer`-Parameter akzeptiert und einen `Boolean` zurückgibt. Hier ist ein Beispiel für die Verwendung von `Func`:

```
Public Class EntryPoint
    Shared Sub Main()
        Dim IsEven As Func(Of Integer, Boolean) = _
            Function(n) n Mod 2 = 0

        Console.WriteLine(IsEven(20))
    End Sub
End Class
```

Das Beispiel gibt folgendes Ergebnis an die Konsole aus:

```
True
```

Der Delegat, der in der Codezeile `Dim IsEven As Func` definiert wird, ist darauf ausgelegt, einen `Boolean`-Typ zurückzugeben, der angibt, ob die übergebene `Integer`zahl eine gerade Zahl ist. Die nächste Codezeile zeigt die Verwendung von `IsEven()`, indem ein Wert von 20 daran übergeben und `True` an die Konsole ausgegeben wird.

Inline-Funktion

Lambda-Ausdrücke können auch direkt in einem Statement als Inline-Funktion verwendet werden. VB 2008 kann den Typ jeder Variable einsetzen. Dies erlaubt Ihnen, viele Code-Statements zu vereinfachen. Hier ein Beispiel für eine Inline-Funktion:

```
Public Class EntryPoint
    Shared Sub Main()
        Dim Cube = Function(x) x ^ 3

        Console.WriteLine(Cube(5))
    End Sub
End Class
```

Die Ausgabe an die Konsole lautet:

```
125
```

Hier wird eine neue Variable erzeugt, nämlich `Cube`. Ihr wird eine Inline-Funktion zugeordnet. Die Funktion, definiert durch `Function(x) x^3`, wird ausgeführt, wenn ein Wert an `Cube` übergeben wird. In diesem Beispiel wird der Wert 5 an `Cube` übergeben, was 125 an die Konsole ausgibt.

15.2 LINQ für Objekte (LINQ to Objects)

LINQ für Objekte erlaubt Ihnen, SQL-artige Abfragen an Ihre Arrays und Collections zu kreieren und auszuführen. LINQ to Objects verringert die Notwendigkeit, den Array, die Collection oder einer anderen Typ, der IEnumerable(Of T) implementiert, in einer Schleife zu durchlaufen, um die Elemente zu finden, mit denen Sie arbeiten wollen. Indem Sie eine Anfrage mit LINQ to Objects ausführen, sind Sie in der Lage, Ihre Sammlung mit einem einzigen Statement für eine spezifischere Bearbeitung zu filtern.

15.2.1 LINQ-to-Objects-Abfragen

Versuchen wir uns einmal an einigen LINQ-to-Objects-Abfragen, indem wir die vorab beschriebenen Abfragewendungen benutzen, die im Abschnitt »LINQ-Syntax« beschrieben wurden. Diese schließen From, Where und Order By ein. Als Nächstes werden wir dann die Operatoren Min, Max und Count betrachten. Zusätzlich erzeugen wir ein Beispiel mit der Erweiterungsmethode Contains, die neu in VB 2008 ist.

From

Dieses Beispiel demonstriert die einfachste aller LINQ-Abfragen. Sie spezifiziert eine From-Wendung, die alle Numbers zurückgeben soll.

```
Imports System
Imports System.Linq

Public Class EntryPoint
   Shared Sub Main()
      Dim Numbers() = {1, 2, 3, 4, 5, 6, 7, 8, 9, 10, 11, 12, 13, 14, _
         15, 16, 17, 18, 19, 20, 21, 22, 23, 24, 25, 26, 27, 28, 29, 30, _
31, 32, _
         33, 34, 35, 36, 37, 38, 39, 40, 41, 42, 43, 44, 45, 46, 47, 48, _
49, 50}

      Dim Query = From x In Numbers

      For Each Item In Query
         Console.WriteLine(Item.ToString)
      Next
   End Sub
End Class
```

Das Beispiel gibt Integerzahlen von 1 bis 50 an die Konsole aus. Imports.System.Linq ist ein notwendiger Import, um die LINQ-Funktionalität freizuschalten. Die Codezeile Dim Numbers() = nützt das neue Feature implizit typisierter lokaler Variablen von VB aus: VB leitet den Integer-Datentyp von Numbers() aus den zugewiesenen Werten ab. Letztlich lädt From x in Numbers ganz einfach alle Numbers in Query.

Where

Dieses Beispiel zeigt den Gebrauch von `Where` in LINQ. Sie benutzen denselben `Numbers`-Array und geben nur Zahlen zurück, deren erste Ziffer die 3 ist.

```
Imports System
Imports System.Linq

Public Class EntryPoint
    Shared Sub Main()
        Dim Numbers() = {1, 2, 3, 4, 5, 6, 7, 8, 9, 10, 11, 12, 13, 14, _
            15, 16, 17, 18, 19, 20, 21, 22, 23, 24, 25, 26, 27, 28, 29, 30,
31, 32, _
            33, 34, 35, 36, 37, 38, 39, 40, 41, 42, 43, 44, 45, 46, 47, 48,
49, 50}

        Dim Query = From x In Numbers _
                    Where x.ToString.Chars(0) = "3" _
                    Select x

        For Each Item In Query
            Console.WriteLine(Item.ToString)
        Next
    End Sub
End Class
```

Das vorstehende Beispiel gibt folgendes Ergebnis an die Konsole aus:

```
3
30
31
32
33
34
35
36
37
38
39
```

In diesem Codebeispiel filtert die Zeile `x.ToString.Chars(0)` den `Numbers`-Array. Danach wird jedes qualifizierte Element in die Konsole geschrieben.

Order By

Der Gebrauch von `Order By` in LINQ ordnet die Daten entweder in aufsteigender oder absteigender Reihenfolge. Benutzen wir den Array `Numbers`, um die durch 5 teilbaren Zahlen in absteigender Reihenfolge zu ordnen.

```
Imports System
Imports System.Linq

Public Class EntryPoint
   Shared Sub Main()
      Dim Numbers() = {1, 2, 3, 4, 5, 6, 7, 8, 9, 10, 11, 12, 13, 14, _
         15, 16, 17, 18, 19, 20, 21, 22, 23, 24, 25, 26, 27, 28, 29, 30,
31, 32, _
         33, 34, 35, 36, 37, 38, 39, 40, 41, 42, 43, 44, 45, 46, 47, 48,
49, 50}

      Dim Query = From x In Numbers _
                  Where x Mod 5 = 0 _
                  Order By x Descending _
                  Select x

      For Each Item In Query
         Console.WriteLine(Item.ToString)
      Next
   End Sub
End Class
```

Der vorstehende Code gibt folgendes Ergebnis aus:

```
50
45
40
35
30
25
20
15
10
5
```

In diesem Beispiel filtert die Codezeile x Mod 5 = 0 den Numbers-Array. Dann ordnet die Zeile Order By x Descending die Ergebnisse. Zuletzt werden die Ergebnisse in die Konsole geschrieben.

Min, Max und Count

Die Erweiterungsmethoden Min, Max und Count geben jeweils den kleinsten und den größten Wert sowie die Anzahl der Werte in einem Datensatz zurück. Benutzen wir den Array Numbers, um seine Min-, Max- und Count-Werte herauszufinden.

```
Imports System
Imports System.Linq
```

```
Public Class EntryPoint
    Shared Sub Main()
        Dim Numbers() = {1, 2, 3, 4, 5, 6, 7, 8, 9, 10, 11, 12, 13, 14, _
            15, 16, 17, 18, 19, 20, 21, 22, 23, 24, 25, 26, 27, 28, 29, 30,
31, 32, _
            33, 34, 35, 36, 37, 38, 39, 40, 41, 42, 43, 44, 45, 46, 47, 48,
49, 50}

        Dim Query = From x In Numbers _
                    Select x

        Console.WriteLine(Query.Min())
        Console.WriteLine(Query.Max())
        Console.WriteLine(Query.Count())
    End Sub
End Class
```

In der Konsole finden wir folgende Ergebnisse:

```
1
50
50
```

Im Beispiel gibt `Query.Min()` die Zahl `1` zurück, während `Query.Max()` und `Query.Count()` jeweils 50 an die Konsole zurückgeben.

Count mit Lambda-Ausdruck

In diesem Beispiel wird `Count` ein Lambda-Ausdruck übergeben, der die Elemente in `Numbers`, die Sie zählen wollen, definiert. Mit dem Array `Numbers` wollen wir nun die Zahlen finden, die durch 10 teilbar sind.

```
Imports System
Imports System.Linq

Public Class EntryPoint
    Shared Sub Main()
        Dim Numbers() = {1, 2, 3, 4, 5, 6, 7, 8, 9, 10, 11, 12, 13, 14, _
            15, 16, 17, 18, 19, 20, 21, 22, 23, 24, 25, 26, 27, 28, 29, 30,
31, 32, _
            33, 34, 35, 36, 37, 38, 39, 40, 41, 42, 43, 44, 45, 46, 47, 48,
49, 50}

        Dim DivisibleBy10 = Numbers.Count(Function(n) n Mod 10 = 0)

        Console.WriteLine(DivisibleBy10)
    End Sub
End Class
```

Das Beispiel gibt folgendes Ergebnis an die Konsole aus:

```
5
```

In diesem Beispiel gibt `Numbers.Count(Function(n) n Mod 10 = 0)` die Zahl 5 zurück, die die Anzahl der Werte wiedergibt, die durch 10 teilbar sind.

Let

Der Gebrauch von `Let` in einer LINQ-Abfrage erzeugt eine Variable innerhalb Ihrer Abfrage, der Sie etwas zuweisen können. Diese Variablen können solche Dinge wie Testausdrücke oder Berechnungen auswerten. `Let` funktioniert auf dieselbe Weise, wie `Select @LocalVariable =` oder `Set @LocalVariable =` es in SQL tun. Benutzen wir den `Numbers`-Array und schreiben wir etwas Code, der `Let` benutzt:

```
Imports System
Imports System.Linq

Public Class EntryPoint
    Shared Sub Main()
        Dim Numbers() = {1, 2, 3, 4, 5, 6, 7, 8, 9, 10, 11, 12, 13, 14, _
            15, 16, 17, 18, 19, 20, 21, 22, 23, 24, 25, 26, 27, 28, 29, 30,
31, 32, _
            33, 34, 35, 36, 37, 38, 39, 40, 41, 42, 43, 44, 45, 46, 47, 48,
49, 50}

        Dim Query = From n In Numbers _
                    Let MultipliedBy10 = n ^ 2 _
                    Let ConstantString = "Squared" _
                    Where n >= 25 And n <= 35 _
                    Select n, ConstantString, MultipliedBy10

        For Each Item In Query
            Console.WriteLine(Item.n.ToString & " " & Item.ConstantString & _
                    " Equals " & Item.MultipliedBy10 & ".")
        Next
    End Sub
End Class
```

Der Code gibt folgendes Ergebnis aus:

```
25 Squared Equals 625.
26 Squared Equals 676.
27 Squared Equals 729.
28 Squared Equals 784.
29 Squared Equals 841.
30 Squared Equals 900.
31 Squared Equals 961.
```

```
32 Squared Equals 1024.
33 Squared Equals 1089.
34 Squared Equals 1156.
35 Squared Equals 1225.
```

In diesem Beispiel hält `Let MultipliedBy10 =` die Ergebnisse der Berechnung n^2, während `LetConstantString =` den String `"Squared"` hält. In der `Where`-Wendung filtern Sie das zurückgegebene Set auf die Numbers-Zahlen zwischen 25 und 35. Beachten Sie, dass in der `Select`-Wendung die Variablen, die durch `Let` erzeugt wurden, verfügbar sind. Zuletzt bietet IntelliSense die neugeschaffenen Variablen als eine mögliche Auswahl bei `Console.WriteLine(Item` in `For…Each`.

Contains

In diesem Beispiel benutzen wir die neue Erweiterungsmethode `Contains`, die mit VB 2008 eingeführt wurde:

```
Imports System
Imports System.Linq

Public Class EntryPoint
    Shared Sub Main()
        Dim Numbers() = {1, 2, 3, 4, 5, 6, 7, 8, 9, 10, 11, 12, 13, 14, _
            15, 16, 17, 18, 19, 20, 21, 22, 23, 24, 25, 26, 27, 28, 29, 30, 31, 32, _
            33, 34, 35, 36, 37, 38, 39, 40, 41, 42, 43, 44, 45, 46, 47, 48, 49, 50}

        Dim Subset() = {3, 11, 42}

        Dim Query = From x In Numbers _
                    Where Subset.Contains(x) _
                    Select x

        For Each Item In Query
            Console.WriteLine(Item.ToString)
        Next
    End Sub
End Class
```

Der Code gibt Folgendes an die Konsole aus:

```
3
11
42
```

In diesem Beispiel werden zwei Integer-Arrays, Numbers und Subset, erzeugt. Subset. Contains(x) wird benutzt, um 3, 11 und 42 an die Where-Wendung zurückzugeben, die sie filtert. Dies funktioniert auf dieselbe Weise, in der SQL In benutzt.

Eine LINQ-Unterabfrage

Unterabfragen (Subqueries) sind ein Abfrageausdruck, der in anderen Abfragen enthalten ist – im Grunde eine verschachtelte Abfrage. In SQL kann eine Unterabfrage für solche Dinge benutzt werden wie etwa die Filterung Ihres Datensatzes oder die Rückgabe eines Werts aus einer Lookup-Tabelle. Erstellen wir eine LINQ-Abfrage, die eine Unterabfrage benutzt, um einen Datensatz zu filtern:

```
Imports System
Imports System.Linq

Public Class EntryPoint
    Shared Sub Main()
        Dim Names() = {"Jodi", "Charlotte", "James", "Kay"}

        Dim Query = From n In Names _
                    Let FirstName = _
                        (From a In Names _
                        Where (Left(a, 1) = "J") _
                        Select a) _
                    Where FirstName.Contains(n) _
                    Select n

        For Each Item In Query
            Console.WriteLine(Item)
        Next
    End Sub
End Class
```

Der vorige Code gibt folgende Ergebnisse an die Konsole aus:

```
Jodi
James
```

In diesem Beispiel fragen Sie den Array Names ab, um nur die Namen zurückzugeben, die mit »J« anfangen. Eine LINQ-Abfrage, die als Unterabfrage agiert, gibt die qualifizierten Namen an die Let-Wendung weiter. Dann benutzen Sie Where und Contains, um den Datensatz basiert auf den Ergebnissen der Unterabfrage zu filtern. Zuletzt werden die Ergebnisse an die Konsole ausgegeben.

15.2.2 LINQ benutzen, um Dokumente aufzufinden

Die Dokumente der Benutzer werden in einem Ordner auf dem Windows-Desktop mit dem Namen My Documents gehalten[23]. My Documents ist einer von mehreren Ordnern in Windows, die als Spezialverzeichnisse bekannt sind. Wir wollen mit LINQ den Speicherort von My Documents finden sowie alle Word-Dokumente, die er enthält:

```
Imports System
Imports System.IO
Imports System.Linq

Public Class EntryPoint
   Shared Sub Main()
      Dim MyDocsDir = My.Computer.FileSystem.SpecialDirectories.MyDocuments

      Dim MyDocs = From d In New DirectoryInfo(MyDocsDir).GetFiles() _
         Where d.Extension = ".doc" _
         Order By d.Name _
         Select d.Name, d.Extension

      Console.WriteLine("My Documents is located at: " & MyDocsDir)
      Console.WriteLine()


      For Each Item In MyDocs
         Console.WriteLine("Document Name: " & Item.Name & ".")
      Next
   End Sub
End Class
```

Die Ausführung dieses Beispiels gibt das folgende Ergebnis auf die Konsole aus:

```
My Documents is located at: C:\GJJNF - My Documents

Document Name: Mortgage.doc.
Document Name: Fax Cover Page.doc.
Document Name: First-Class Mail rates.doc.
Document Name: E-mail settings.doc.
Document Name: Letter Head.doc.
Document Name: Media Mail rates.doc.
```

In diesem Beispiel importieren Sie System.IO, um DirectoryInfo zu verwenden. Beachten Sie die Verwendung von MyDocsDir, das direkt über My.Computer. FileSystem.SpecialDirectories.MyDocuments in der Abfrage geholt wird. Als Nächstes gibt DirectoryInfo(MyDocsDir).GetFiles() über die Wendung From einen

---

[23] Die deutsche Entsprechung ist der Ordner Eigene Dateien.

Array von `FileInfo` zurück. Mit der Wendung `Where d.Extension = ".doc"` werden die Ergebnisse gefiltert, um nur die Word-Dokumente wiederzugeben. Zuletzt gibt `WriteLine` das spezielle Verzeichnis `My Documents` zusammen mit den Dokumentennamen an die Konsole aus.

15.2.3 Auswertung der Abfrage

LINQ implementiert eine hinausgezögerte Auswertung (deferred evaluation) für Abfragen, die über ein `For…Each`-Statement enumeriert werden. Das bedeutet, dass die Definition der Abfrage und ihre Ausführung voneinander getrennt werden. Dies erlaubt Ihrer LINQ-Abfrage, in einem anderen `For…Each`-Komplex verwendet zu werden, unabhängig von Änderungen der darunterliegenden Daten. Verwenden wir den bekannten Numbers-Array, um ein Beispiel für die verzögerte Auswertung zu erstellen:

```
Imports System
Imports System.Linq

Public Class EntryPoint
   Shared Sub Main()
      Dim Numbers() = {1, 2, 3, 4, 5, 6, 7, 8, 9, 10, 11, 12, 13, 14, _
         15, 16, 17, 18, 19, 20, 21, 22, 23, 24, 25, 26, 27, 28, 29, 30,
31, 32, _
         33, 34, 35, 36, 37, 38, 39, 40, 41, 42, 43, 44, 45, 46, 47, 48,
49, 50}

      Dim Query = From x In Numbers _
                  Where x.ToString.Chars(0) = "3" _
                  Select x


      Console.WriteLine("Display original Numbers() that match Where
filter.")
      For Each Item In Query
         Console.WriteLine(Item.ToString)
      Next

      For i As Integer = 0 To Numbers.Length - 1
         Numbers(i) += 35
      Next

      Console.WriteLine()
      Console.WriteLine("Display updated Numbers() that match Where
filter.")

      For Each Item In Query
         Console.WriteLine(Item.ToString)
```

```
        Next
    End Sub
End Class
```

Der vorstehende Code gibt folgendes Resultat an die Konsole aus:

```
Display original Numbers() that match Where filter.
3
30
31
32
33
34
35
36
37
38
39


Display updated Numbers() that match Where filter.
36
37
38
39
```

Im vorstehenden Code erzeugen Sie einen `Integer`-Array namens `Numbers` und Sie geben jene zurück, die mit der Ziffer 3 beginnen. Als Nächstes wird der Array aktualisiert, wodurch alle bis auf vier Zahlen gestrichen werden. Zuletzt wird die Abfrage wiederverwendet, indem die vier qualifizierenden Zahlen an die Konsole ausgegeben werden.

Die unmittelbare Auswertung (*immediate evaluation*) findet statt, wenn Sie `ToList()` und `ToArray()` verwenden. Ihre Abfrage wird ausgeführt, indem sie diese Methoden verwendet und das Ergebnis zwischenspeichert. Der folgende Code demonstriert die unmittelbare Auswertung über den Array `Names`:

```
Imports System
Imports System.Linq

Public Class EntryPoint
    Shared Sub Main()
        Dim Names() = {"Jodi", "Charlotte", "James", "Kay"}

        Dim NameArray = (From n In Names _
                    Order By n _
                    Select n).ToArray()

        Console.WriteLine("The names sorted to list.")
```

```
      For Each Item In NameArray
         Console.WriteLine(Item)
      Next
      Console.WriteLine()


      Names(1) = "Fabio"


      Console.WriteLine("This uses the cached result, without regard to new
name.")
      For Each Item In NameArray
         Console.WriteLine(Item)
      Next
   End Sub
End Class
```

Der vorstehende Code gibt folgendes Ergebnis an die Konsole aus:

```
The names sorted to list.
Charlotte
James
Jodi
Kay

This uses the cached result, without regard to new name.
Charlotte
James
Jodi
Kay
```

Im vorigen Beispiel erzeugen Sie den String-Array `Names`, der vier Namen enthalten soll. Dann führt die Funktion `ToArray` die LINQ-Abfrage aus und platziert die geordneten Ergebnisse in `NameArray`. Nachdem der geordnete Datensatz an die Konsole ausgegeben wurde, ändern wir einen der Namen in `Fabio`. Zuletzt wird `NameArray` nochmals an die Konsole ausgegeben. Das zeigt, dass die Abfrage nicht nochmals ausgeführt, sondern das zwischengespeicherte Ergebnis benutzt wird.

15.3 LINQ und XML (LINQ to XML)

Die speicherresidente Programmierschnittstelle LINQ to XML erlaubt Ihnen, XML zu lesen, zu schreiben und zu erzeugen. Ihr XML kann wie ein eingebauter Datentyp behandelt werden, und VB bietet Ihnen zwei Möglichkeiten, XML zu erzeugen. Die erste Möglichkeit, mit XML zu arbeiten, führt über XML-Literale, die in VB 2008 neu eingeführt wurden. Die zweite Möglichkeit nutzt die Klassen `XDocument`, `XDeclaration` und `XElement`.

Im folgenden Abschnitt werden wir zwei XML-Datensätze erzeugen: Einer enthält berühmte Trompeter, während der andere die Musikrichtungen enthält, für die sie bekannt waren.

15.3.1 Genredaten

Die Genredaten enthalten den Namen und einen einzigartigen Bezeichner für jedes Genre, das die Musiker spielen. In den folgenden Beispielen werden wir die Daten kreieren, indem wie einen Genre-Array, XML-Literale und eingebettete XML-Ausdrücke benutzen.

Ein XML-Dokument erzeugen

Wenn Sie XML-Literale benutzen, können Sie XML direkt in Ihrem VB-Code platzieren. Sie werden auch eingebettete XML-Ausdrücke verwenden, um die Genres in dem XML-Dokument zu platzieren. Eingebettete Ausdrücke funktionieren ähnlich wie <%= %> in ASP.NET. Erzeugen wir die Genres:

```
Imports System.Linq

Public Class EntryPoint
   Shared Sub Main()
      Dim Genres() = {"Cool", "Screamin'", "Bebop", "Dixieland",
"Classical"}

      Dim Genre_XElements = From Genre In Genres _
                      Select <Genre>
                                <Name>
                                   <%= Genre %>
                                </Name>
                             </Genre>

      Dim Genre_XML = <?xml version="1.0" encoding="utf-8"
standalone="yes"?>
                      <Genres>
                         <%= Genre_XElements %>
                      </Genres>

      Console.WriteLine(Genre_XML)
   End Sub
End Class
```

Der Code gibt folgendes Ergebnis an die Konsole aus:

```
<Genres>
  <Genre>
    <Name>Cool</Name>
```

```
      </Genre>
      <Genre>
        <Name>Screamin'</Name>
      </Genre>
      <Genre>
        <Name>Bebop</Name>
      </Genre>
      <Genre>
        <Name>Dixieland</Name>
      </Genre>
      <Genre>
        <Name>Classical</Name>
      </Genre>
    </Genres>
```

In diesem Beispiel erzeugen Sie einen Array von Genres, der die fünf Musikrichtungen enthalten soll. Das folgende LINQ-Statement benutzt die Typinferenz, um ein XElement zu erzeugen, während der eingebettete Ausdruck <%= Genre %> individuelle Genres an die Abfrage übergibt, während sie ausgeführt wird. Nun wird wieder die Typinferenz verwendet, allerdings dieses Mal, um ein XDocument zu erzeugen. Zudem wird in dieser Codezeile <%= Genre_XElements %> dazu benutzt, die <Genre>-Knoten in dem Dokument zu platzieren. Sich auf Elemente mit den spitzen Klammern < > zu beziehen ist ein Beispiel für ein XML-Axis Property. Zuletzt werden die Genres an die Konsole ausgegeben.

Einem XML-Dokument Elemente hinzufügen

Da Sie nun die Musikrichtungen haben, fügen wir die eindeutigen Bezeichner hinzu, die gebraucht werden, um die Beziehung zwischen einem Musiker zu einer Musikrichtung aufrechtzuerhalten. In diesem Beispiel werden wir dem Genre-XML fünf Bezeichner hinzufügen:

```
Imports System.Linq

Public Class EntryPoint
   Shared Sub Main()
      Dim Genres() = {"Cool", "Screamin'", "Bebop", "Dixieland",
"Classical"}
      Dim iCounter = 1

      Dim Genre_XElements = From Genre In Genres _
                        Select <Genre>
                                 <Name>
                                   <%= Genre %>
                                 </Name>
                               </Genre>
```

```
        Dim Genre_XML = <?xml version="1.0" encoding="utf-8"
standalone="yes"?>
                        <Genres>
                            <%= Genre_XElements %>
                        </Genres>

        Dim GenreNames As IEnumerable(Of XElement) = _
            Genre_XML.<Genres>.<Genre>.<Name>

        For Each Item In GenreNames
            Item.AddBeforeSelf(<ID><%= iCounter %></ID>)
            iCounter += 1
        Next

        Console.WriteLine(Genre_XML)
    End Sub
End Class
```

Dieser Code gibt an die Konsole Folgendes aus:

```
<Genres>
  <Genre>
    <ID>1</ID>
    <Name>Cool</Name>
  </Genre>
  <Genre>
    <ID>2</ID>
    <Name>Screamin'</Name>
  </Genre>
  <Genre>
    <ID>3</ID>
    <Name>Bebop</Name>
  </Genre>
  <Genre>
    <ID>4</ID>
    <Name>Dixieland</Name>
  </Genre>
  <Genre>
    <ID>5</ID>
    <Name>Classical</Name>
  </Genre>
</Genres>
```

Hier fügen Sie ein paar Zeilen an das vorigen Beispiel an: Die Zeile `Dim GenreNames` erzeugt das Interface `IEnumerable(Of XElement)` aus dem XML an dem Knoten `Name`. Indem er `GenreNames` wiederholt durchläuft, fügt der Code `ID` vor `Name` hinzu, indem er die Methode `AddBeforeSelf` benutzt. Die eindeutige `ID` wird durch einen erhöhten `iCounter` erzeugt und an `AddBeforeSelf()` weitergegeben, indem ein eingebetteter Ausdruck benutzt wird. Zuletzt wird das XML an die Konsole ausgegeben.

Ein XML-Dokument sichern

Zuletzt sichern wir das XML-Dokument in dem Projektverzeichnis, das wir auch für den Rest des Kapitels verwenden werden.

```
Imports System.Linq

Public Class EntryPoint
   Shared Sub Main()
      Dim Genres() = {"Cool", "Screamin'", "Bebop", "Dixieland",
"Classical"}
      Dim iCounter = 1

      Dim Genre_XElements = From Genre In Genres _
                          Select <Genre>
                                    <Name>
                                       <%= Genre %>
                                    </Name>
                                 </Genre>

      Dim Genre_XML = <?xml version="1.0" encoding="utf-8"
standalone="yes"?>
                      <Genres>
                         <%= Genre_XElements %>
                      </Genres>

      Dim GenreNames As IEnumerable(Of XElement) = _
         Genre_XML.<Genres>.<Genre>.<Name>

      For Each Item In GenreNames
         Item.AddBeforeSelf(<ID><%= iCounter %></ID>)
         iCounter += 1
      Next

      Genre_XML.Save("..\..\Genres.xml")
      Console.WriteLine("Genres.xml saved to project directory.")
   End Sub
End Class
```

Dieser Code gibt folgendes Resultat an die Konsole aus:

```
Genres.xml saved to project directory.
```

Das Beispiel erzeugt die Musikrichtungen und sichert sie über die Methode `Save` als `Genres.xml` in dem Projektverzeichnis. Nachdem das Beispiel ausgeführt wurde, fügen

Sie Ihrem Projekt Genres.xml hinzu. Nun haben Sie die Daten der Musikrichtungen. Erforschen wir nun die Musikerdaten und stoßen wir etwas tiefer in die Klassenbibliothek von LINQ to XML vor.

15.3.2 Die Musikerdaten

Der Musiker-Datensatz enthält die Daten und einen Genrebezeichner für jeden Musiker. In den folgenden Beispielen erzeugen Sie die Daten direkt mit LINQ-to-XML, um ein XML-Dokument zu kreieren und zu modifizieren.

Ein XML-Dokument erzeugen

LINQ-to-XML stellt verschiedene Klassen für diese Aufgabe zur Verfügung, etwa XDeclaration, XElement und XComment. Beginnen wir, indem wir ein XML-Dokument erzeugen, das nur eine XML-Deklaration und ein Wurzelelement enthält:

```
Imports System.Xml.Linq

Public Class EntryPoint
    Shared Sub Main()
        Dim Musicians_XML As New XDocument(New XDeclaration("1.0", "UTF-8",
"yes"), _
            New XElement("Musicians", _
            New XComment("This level will hold all the musicians.")))

        Dim SW As New System.IO.StringWriter()
        Musicians_XML.Save(SW)
        Console.WriteLine(SW)
    End Sub
End Class
```

Das vorige Beispiel gibt folgendes Ergebnis an die Konsole aus:

```
<?xml version="1.0" encoding="utf-16" standalone="yes"?>
<Musicians>
  <!--This level will hold all the musicians.-->
</Musicians>
```

In diesem Beispiel erzeugen Sie Musicians_XML, indem Sie XDocument verwenden. Dabei übermitteln Sie drei Parameter an dessen Konstruktor: XDeclaration, XElement und XComment. XDeclaration akzeptiert die Standardattribute version, encoding und standalone. Der Parameter XElement erzeugt das Wurzelelement, nämlich Musicians, während XElement ganz einfach einen Kommentar an das Dokument anfügt. Die nächsten beiden Codezeilen erzeugen einen StringWriter und benutzen Save(), um das XML-Dokument an SW zu schreiben. Zuletzt wird das XML-Dokument an die Konsole ausgegeben.

Tipp: Wenn Sie `Console.WriteLine(Musicians_XML)` benutzen, dann wird das XML-Dokument ohne seine XML-Deklaration ausgegeben, während `StringWriter()` das XML-Dokument wie im vorigen Beispiel ausgibt. Zusätzlich werden die Encoding-Parameter als UTF-16 ausgegeben. Das ist ein Bug, der momentan noch in der Implementierung von `XDeclaration` enthalten ist.

Einem XML-Dokument Elemente hinzufügen

LINQ to XML stellt die Methode Add zur Verfügung, mit der Sie Ihren XML-Dokumenten Elemente hinzufügen können. Fügen wir dem XML ein Musiker-Element und fünf Musiker hinzu:

```
Imports System.Xml.Linq

Public Class EntryPoint
   Shared Sub Main()
      Dim Musicians_XML As New XDocument(New XDeclaration("1.0", "UTF-8",
"yes"), _
         New XElement("Musicians", _
         New XComment("This level will hold all the musicians.")))

      Dim Musician As XElement = Musicians_XML.<Musicians>.First
      Musician.Add(New XElement("Musician", _
         New XComment("This is the level for individual musicians.")))

      Dim Player As XElement = Musicians_XML.<Musicians>.<Musician>.First
      Player.Add(New XElement("Name", "Miles Davis"), New XElement("Genre",
1))

      Musician.Add(New XElement("Musician", _
         New XElement("Name", "Maynard Ferguson"), _
         New XElement("Genre", 2)))

      Musician.Add(New XElement("Musician", _
         New XElement("Name", "Dizzy Gillespie"), _
         New XElement("Genre", 3)))

      Musician.Add(New XElement("Musician", _
         New XElement("Name", "Bix Beiderbecke"), _
         New XElement("Genre", 4)))

      Musician.Add(New XElement("Musician", _
         New XElement("Name", "Maurice Andre"), _
         New XElement("Genre", 5)))

      Dim SW As New System.IO.StringWriter()
```

```
        Musicians_XML.Save(SW)
        Console.WriteLine(SW)
    End Sub
End Class
```

Das Beispiel gibt folgenden Output an die Konsole aus:

```
<?xml version="1.0" encoding="utf-16" standalone="yes"?>
<Musicians>
  <!--This level will hold all the musicians.-->
  <Musician>
    <!--This is the level for individual musicians.-->
    <Name>Miles Davis</Name>
    <Genre>1</Genre>
  </Musician>
  <Musician>
    <Name>Maynard Ferguson</Name>
    <Genre>2</Genre>
  </Musician>
  <Musician>
    <Name>Dizzy Gillespie</Name>
    <Genre>3</Genre>
  </Musician>
  <Musician>
    <Name>Bix Beiderbecke</Name>
    <Genre>4</Genre>
  </Musician>
  <Musician>
    <Name>Maurice Andre</Name>
    <Genre>5</Genre>
  </Musician>
</Musicians>
```

In diesem Beispiel erzeugen Sie ein `XElement` namens `Musician`, indem Sie die Methode `First` benutzen, um den ersten XML-Tag `<Musicians>` zu finden. Als Nächstes fügen Sie `Add` hinzu, um ein neues `Musician`-Element und einen Kommentar in `<Musicians>` zu erstellen. In ähnlicher Weise, wie Sie das vorige Element `<Musician>` hinzugefügt haben, benutzen Sie `First`, um das erste `<Musicians>` `<Musician>`-Tag zu finden, gefolgt von `Miles Davis` als dem ersten Musiker.

Die nächsten vier `Add`-Statements fügen dem XML Musiker hinzu. In jedem Fall wird ein neuer Musiker ans Ende hinzugefügt. Zuletzt benutzen Sie `StringWriter()`, `Save()` und `WriteLine()` wie im vorangegangenen Beispiel, um das XML-Dokument an die Konsole auszugeben.

Elemente an einem bestimmten Ort im XML-Dokument hinzufügen

Im letzten Beispiel haben wir dem XML-Dokument fünf Musiker hinzugefügt, indem wir die Add-Methode benutzt haben. Geben wir noch einmal zwei Musiker drauf, nur werden Sie diesmal einen Musiker im XML platzieren und die Methode AddAfterSelf verwenden, um neue Musician-Knoten direkt nach demjenigen, den Sie finden, zu platzieren. Fügen wir also zwei neue Musiker dem XML nach Bix Beiderbecke hinzu:

```
Imports System.Xml.Linq

Public Class EntryPoint
   Shared Sub Main()
      Dim Musicians_XML As New XDocument(New XDeclaration("1.0", "UTF-8",
"yes"), _
         New XElement("Musicians", _
         New XComment("This level will hold all the musicians.")))


      Dim Musician As XElement = Musicians_XML.<Musicians>.First
      Musician.Add(New XElement("Musician", _
         New XComment("This is the level for individual musicians.")))

      Dim Player As XElement = Musicians_XML.<Musicians>.<Musician>.First
      Player.Add(New XElement("Name", "Miles Davis"), New XElement("Genre",
1))

      Musician.Add(New XElement("Musician", _
         New XElement("Name", "Maynard Ferguson"), _
         New XElement("Genre", 2)))

      Musician.Add(New XElement("Musician", _
         New XElement("Name", "Dizzy Gillespie"), _
         New XElement("Genre", 3)))

      Musician.Add(New XElement("Musician", _
         New XElement("Name", "Bix Beiderbecke"), _
         New XElement("Genre", 4)))

      Musician.Add(New XElement("Musician", _
         New XElement("Name", "Maurice Andre"), _
         New XElement("Genre", 5)))

      Dim Players As IEnumerable(Of XElement) = _
         Musicians_XML.<Musicians>.<Musician>.<Name>

      For Each Item In Players
         If Item.Value.Equals("Bix Beiderbecke") Then
            Dim GS As New XElement("Musician", _
```

```
              New XElement("Name", "Gerard Schwarz"), _
              New XElement("Genre", 5))

          Item.Parent.AddAfterSelf(GS)

          Item.Parent.AddAfterSelf(New XElement("Musician", _
              New XElement("Name", "Louis Armstrong"), _
              New XElement("Genre", 4)))
        End If
    Next

    Dim SW As New System.IO.StringWriter()
    Musicians_XML.Save(SW)
    Console.WriteLine(SW)
  End Sub
End Class
```

Das vorige Beispiel gibt bei der Ausführung Folgendes an die Konsole aus:

```
<?xml version="1.0" encoding="utf-16" standalone="yes"?>
<Musicians>
  <!--This level will hold all the musicians.-->
  <Musician>
    <!--This is the level for individual musicians.-->
    <Name>Miles Davis</Name>
    <Genre>1</Genre>
  </Musician>
  <Musician>
    <Name>Maynard Ferguson</Name>
    <Genre>2</Genre>
  </Musician>
  <Musician>
    <Name>Dizzy Gillespie</Name>
    <Genre>3</Genre>
  </Musician>
  <Musician>
    <Name>Bix Beiderbecke</Name>
    <Genre>4</Genre>
  </Musician>
  <Musician>
    <Name>Louis Armstrong</Name>
    <Genre>4</Genre>
  </Musician>
  <Musician>
    <Name>Gerard Schwarz</Name>
    <Genre>5</Genre>
  </Musician>
```

```
  <Musician>
    <Name>Maurice Andre</Name>
    <Genre>5</Genre>
  </Musician>
</Musicians>
```

In diesem Beispiel erstellen Sie `Players As Enumerable(Of XElement)` aus dem Knoten `<Name>` von `Musicians_XML`. Im folgenden `For…Each`-Ausdruck suchen Sie nach `Bix Beiderbecke` in `Players`. Wenn Sie Bix finden, fügen Sie `Gerard Schwarz` hinzu, indem Sie ein neues `XElement` erzeugen und dieses an `Item.Parent.AddAfterSelf()` weitergeben. Die Methode `Parent.AddAfterSelf` platziert das neue `XElement` direkt hinter Bix, indem sie einen Schritt im XML-Dokument nach oben geht und Gerard's Knoten gleich hinter dem von Bix anbringt. Dann geben Sie `Louis Armstrong` hinzu, indem Sie drei neue `XElement`-Parameter direkt zu `AddAfterSelf()` hinzufügen. Zuletzt geben Sie das XML-Dokument genauso wie im letzten Beispiel an die Konsole aus.

Ein XML-Dokument sichern

Lassen Sie uns zuletzt das XML-Dokument in das Projektverzeichnis speichern, das wir über das ganze Kapitel hinweg verwenden – zusammen mit der Datei `Genres.xml`, die Sie vorher gespeichert haben:

```
Imports System.Xml.Linq

Public Class EntryPoint
   Shared Sub Main()
      Dim Musicians_XML As New XDocument(New XDeclaration("1.0", "UTF-8",
"yes"), _
         New XElement("Musicians", _
         New XComment("This level will hold all the musicians.")))

      Dim Musician As XElement = Musicians_XML.<Musicians>.First
      Musician.Add(New XElement("Musician", _
         New XComment("This is the level for individual musicians.")))

      Dim Player As XElement = Musicians_XML.<Musicians>.<Musician>.First
      Player.Add(New XElement("Name", "Miles Davis"), New XElement("Genre",
1))

      Musician.Add(New XElement("Musician", _
         New XElement("Name", "Maynard Ferguson"), _
         New XElement("Genre", 2)))

      Musician.Add(New XElement("Musician", _
         New XElement("Name", "Dizzy Gillespie"), _
         New XElement("Genre", 3)))
```

```
        Musician.Add(New XElement("Musician", _
            New XElement("Name", "Bix Beiderbecke"), _
            New XElement("Genre", 4)))

        Musician.Add(New XElement("Musician", _
            New XElement("Name", "Maurice Andre"), _
            New XElement("Genre", 5)))

        Dim Players As IEnumerable(Of XElement) = _
            Musicians_XML.<Musicians>.<Musician>.<Name>

        For Each Item In Players
            If Item.Value.Equals("Bix Beiderbecke") Then
                Dim GS As New XElement("Musician", _
                    New XElement("Name", "Gerard Schwarz"), _
                    New XElement("Genre", 5))


                Item.Parent.AddAfterSelf(GS)


                Item.Parent.AddAfterSelf(New XElement("Musician", _
                    New XElement("Name", "Louis Armstrong"), _
                    New XElement("Genre", 4)))
            End If
        Next

        Musicians_XML.Save("..\..\Musicians.xml")
        Console.WriteLine("Musicians.xml saved to project directory.")
    End Sub
End Class
```

Dieser Code gibt Folgendes an die Konsole aus:

```
Musicians.xml saved to project directory.
```

Das Beispiel erzeugt die Musiker auf dieselbe Weise wie das letzte Beispiel und speichert sie als `Musicians.xml` im Projektverzeichnis über die Methode `Save`. Nach der Ausführung dieses Beispiels fügen Sie `Musicians.xml` Ihrem Projekt hinzu. Mit `Genres.xml` und `Musicians.xml` können Sie nun XML mit LINQ to XML erforschen.

15.3.3 LINQ-to-XML-Abfragen

Erstellen wir einige LINQ-to-XML-Abfragen und sehen wir uns dabei noch einmal die Abfragewendungen an, die im Abschnitt »LINQ-Syntax« in diesem Kapitel beschrieben wurden. Diese schließen `From`, `Select`, `Distinct`, `Where` und `Join` ein.

From

Dieses Beispiel benutzt die From-Wendung von LINQ, um Musicians zurückzugeben:

```
Imports System.Linq

Public Class EntryPoint
    Shared Sub Main()
        Dim xml As XDocument = XDocument.Load("..\..\Musicians.xml")

        Dim query = From m In xml.Elements("Musicians").Elements("Musician")

        For Each item In query
            Console.WriteLine(item.Element("Name").Value)
        Next
    End Sub
End Class
```

Dieser Code gibt die Namen der Musiker auf die Konsole aus:

```
Miles Davis
Maynard Ferguson
Dizzy Gillespie
Bix Beiderbecke
Louis Armstrong
Gerard Schwarz
Maurice Andre
```

In diesem Beispiel lädt die Codezeile Dim xml As XDocument die Musikerdaten in den Speicher. Die From-Wendung hat sich im Vergleich zum vorigen Beispiel ein wenig verändert. In LINQ to XML benutzen Sie Elements(), um Daten aus den Knoten-und Blattebenen Ihres XML herauszuziehen. Im Beispiel bohren Sie bis zum Musician-Knoten über den Wurzelknoten Musicians. Zuletzt benutzen Sie Element("Name"). Value, um den Namen jedes Musikers zu holen.

Select

Dieses Beispiel demonstriert den Gebrauch von Select in LINQ. Hier benutzen Sie eine Select-Wendung, um die Namen der Musiker zurückzugeben.

```
Imports System.Linq

Public Class EntryPoint
    Shared Sub Main()
        Dim xml As XDocument = XDocument.Load("..\..\Musicians.xml")

        Dim query = From m In xml.Elements("Musicians").Elements("Musician")
```

```
                    Select m.Element("Name").Value


        For Each item In query
            Console.WriteLine(item)
        Next
    End Sub
End Class
```

Dieser Code gibt Folgendes auf die Konsole aus:

```
Miles Davis
Maynard Ferguson
Dizzy Gillespie
Bix Beiderbecke
Louis Armstrong
Gerard Schwarz
Maurice Andre
```

In diesem Beispiel enthält die Wendung `Select` die Referenz zu `m.Element("Name")`. `Value` und die Zeile `Console.WriteLine` muss sich nur auf `item` beziehen.

Distinct

`Distinct` eliminiert doppelte Werte aus dem zurückgegebenen Datensatz. In diesem Beispiel wenden Sie `Distinct` auf die Genrebezeichner in den Musikerdaten an.

```
Imports System.Linq

Public Class EntryPoint
    Shared Sub Main()
        Dim xml As XDocument = XDocument.Load("..\..\Musicians.xml")

        Dim query = From m In xml.Elements("Musicians").Elements("Musician")

                        Select m.Element("Genre").Value Distinct

        For Each item In query
            Console.WriteLine(item)
        Next
    End Sub
End Class
```

Der Code gibt Folgendes auf der Konsole aus:

```
1
2
3
4
5
```

In diesem Beispiel haben Sie Distinct der Wendung Select hinzugefügt. Obwohl Sie sieben Musiker im Datensatz haben, gehören zwei von ihnen zum Genre 4 und zwei zum Genre 5. Da dies der Fall ist, gibt Distinct die Genres 4 und 5 nur einmal aus.

Where

Die Wendung Where erlaubt Ihnen, Ihren Datensatz basierend auf einem oder mehreren Kriterien zu filtern. In diesem Beispiel werden Sie die Dixieland-Musiker ausfiltern.

```
Imports System.Linq

Public Class EntryPoint
    Shared Sub Main()
        Dim xml As XDocument = XDocument.Load("..\..\Musicians.xml")


        Dim query = From m In xml.Elements("Musicians").Elements("Musician")

                    Where m.Element("Genre").Value = 4 _
                    Select m.Element("Name").Value

        For Each item In query
            Console.WriteLine(item)
        Next
    End Sub
End Class
```

Dieser Code gibt Folgendes an die Konsole aus:

```
Bix Beiderbecke
Louis Armstrong
```

In diesem Beispiel hat Where m.Element("Genre").Value = 4 die Resultate gefiltert, um nur Musiker im Genre 4 auszugeben.

Join

Die Musiker- und Genredaten stehen miteinander durch einen Schlüssel in Beziehung. Im Datenbankjargon gesprochen, besitzen die Genredaten eine ID, die als ihr primärer Schlüssel agiert. Das bedeutet, dass ID über die ganzen Genredaten hinweg eindeutig ist. Musician hat auf der anderen Seite einen fremden Schlüssel (foreign key), nämlich Genre, der auf die Genredaten der Musiker verweist. Benutzen wir Join, um die beiden Datensätze zu vereinigen:

```
Imports System.Linq

Public Class EntryPoint
    Shared Sub Main()
        Dim Musicians As XDocument = XDocument.Load("..\..\Musicians.xml")
        Dim Genres As XDocument = XDocument.Load("..\..\Genres.xml")

        Dim MQuery = From M In
Musicians.Elements("Musicians").Elements("Musician")
        Dim GQuery = From G In Genres.Elements("Genres").Elements("Genre")

        Dim Query = From M In MQuery _
                    Join G In GQuery On M.Element("Genre").Value _
                    Equals G.Element("ID").Value _
                    Select Musician = M.Element("Name").Value, _
                        Genre = G.Element("Name").Value

        For Each Item In Query
            Console.WriteLine(Item.Musician & " plays " & Item.Genre & "
jazz.")
        Next
    End Sub
End Class
```

Der Code gibt folgendes Ergebnis an die Konsole aus:

```
Miles Davis plays Cool.
Maynard Ferguson plays Screamin'.
Dizzy Gillespie plays Bebop.
Bix Beiderbecke plays Dixieland.
Louis Armstrong plays Dixieland.
Gerard Schwarz plays Classical.
Maurice Andre plays Classical.
```

In diesem Beispiel benutzen Sie beide XML-Datensätze. Sie haben MQuery erstellt, um die Musikerdaten zu halten, und GQuery für die Genres. In beiden Fällen geben Sie alle anwendbaren Elemente zurück. Die Query-Codezeile benutzt Join, um jeden Musiker mit dem Genre, das er spielt, zu vereinen.

Die `Join`-Wendung in diesem Beispiel vereint `MQuery` und `GQuery` über den Wert von `Genre` für jeden Musiker und die `ID` des Genres. Diese Methode, Datensätze zu vereinigen, wird in Anwendungen mit relationalen Datenbanken oft verwendet, da sie die Beziehung zwischen Musiker und Genre betont und auch die leichtere Wartung der Genredaten ermöglicht.

15.3.4 Benutzen Sie LINQ für eine Excel-Kalkulationstabelle

Als letzten Teil unserer Beschreibung von LINQ-to-XML benutzen wir LINQ, um eine Excel-Kalkulationstabelle der Musikerdaten zu erzeugen. Dieses Beispiel erfordert Excel 2003 oder höher, um das fertige Spreadsheet anschauen zu können. Wenn Sie Excel 2003 oder höher nicht zur Verfügung haben, kommentieren Sie einfach die Codezeile `Process.Start` am Ende des Beispielcodes aus. Egal, welche Version von Excel Sie verwenden – das gesicherte XML können Sie in jedem Fall in Visual Studio betrachten. Auf geht's:

```
Imports <xmlns:o="urn:schemas-microsoft-com:office:office">
Imports <xmlns:x="urn:schemas-microsoft-com:office:excel">
Imports <xmlns="urn:schemas-microsoft-com:office:spreadsheet">
Imports <xmlns:ss="urn:schemas-microsoft-com:office:spreadsheet">
Imports System.Linq
Imports System.Xml

Public Class EntryPoint
    Shared Sub Main()
        Dim Musicians As XDocument = XDocument.Load("..\..\Musicians.xml")
        Dim Genres As XDocument = XDocument.Load("..\..\Genres.xml")

        Dim MQuery = From M In
Musicians.Elements("Musicians").Elements("Musician")
        Dim GQuery = From G In Genres.Elements("Genres").Elements("Genre")

        Dim Query = From M In MQuery _
                    Join G In GQuery On M.Element("Genre").Value _
                    Equals G.Element("ID").Value _
                    Select _

                    <Row>
                      <Cell>
                        <Data ss:Type="String">
                          <%= M.Element("Name").Value %>
                        </Data>
                      </Cell>
                      <Cell>
                        <Data ss:Type="String">
                          <%= G.Element("Name").Value %>
                        </Data>
```

```vbnet
                    </Cell>
                </Row>

    Dim MusiciansExcel = _
    <?xml version="1.0"?>
    <?mso-application progid="Excel.Sheet"?>
    <Workbook xmlns="urn:schemas-microsoft-com:office:spreadsheet"
        xmlns:o="urn:schemas-microsoft-com:office:office"
        xmlns:x="urn:schemas-microsoft-com:office:excel"
        xmlns:ss="urn:schemas-microsoft-com:office:spreadsheet"
        xmlns:html="http://www.w3.org/TR/REC-html40">
        <Styles>
            <Style ss:ID="Default" ss:Name="Normal">
                <Font ss:FontName="Calibri"
                    x:Family="Swiss"
                    ss:Size="12"/>
            </Style>
            <Style ss:ID="Header">
                <Font ss:FontName="Calibri"
                    x:Family="Swiss"
                    ss:Size="14"
                    ss:Bold="1"/>
            </Style>
        </Styles>
        <Worksheet ss:Name="Sheet1">
            <Table ss:ExpandedColumnCount="2"
                ss:ExpandedRowCount=<%= Query.Count + 1 %>
                x:FullColumns="1"
                x:FullRows="1"
                ss:DefaultRowHeight="15">
                <Row ss:StyleID="Header">
                    <Cell><Data ss:Type="String">Musician</Data></Cell>
                    <Cell><Data ss:Type="String">Genre</Data></Cell>
                </Row>
                <%= Query %>
            </Table>
        </Worksheet>
    </Workbook>

    MusiciansExcel.Save("MusiciansExcel.xml")
    Process.Start("Excel.exe", "MusiciansExcel.xml")
  End Sub
End Class
```

Die Ausführung des Codes sichert MusiciansExcel.xml und lädt die Datei in Excel, wie die Abbildung 15-1 zeigt:

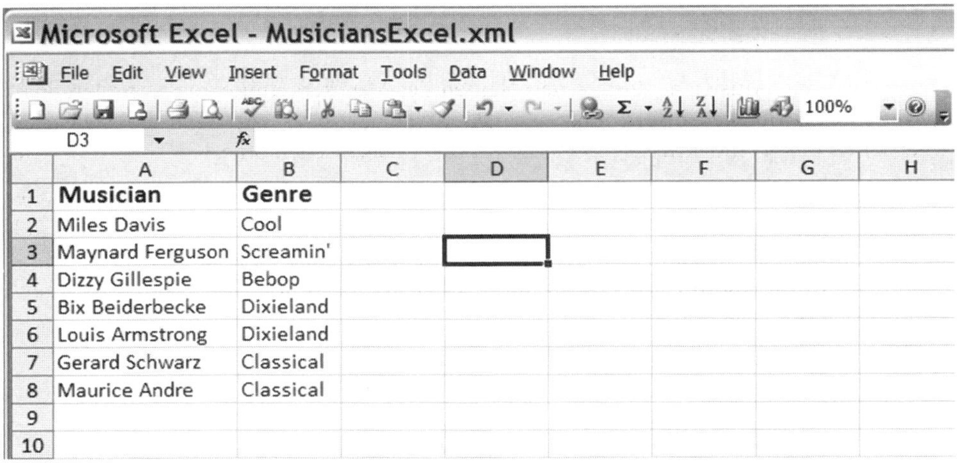

Abbildung 15-1: MusiciansExcel.xml als Excel-Tabelle

In diesem Beispiel hatten Sie zahlreiche `Imports` für Office und Excel. `Query` ist aktualisiert worden und enthält nun die Rohdaten für den Export. Die `Select`-Wendung wurde komplett umgeschrieben und enthält nun Platzhalter im XML- und ASP.NET-Stil für die individuellen Elemente. `MusiciansExcel` hält das XML-Dokument, das diverse Abschnitte enthält. Diese definieren, wie Excel die Tabelle erzeugen soll, einschließlich `<Workbook>`, `<Styles>` und `<Worksheet>`. In dem `Table`-Tag benutzen Sie `Query.Count + 1`, um die Zahl der Datenreihen zu definieren, die Excel benötigt. Der erste `Row`-Tag bildet den Header, während `<%= Query %>` die Reihen und Zellen anhängt, die `Query` erzeugt hat. Zuletzt sichern Sie `MusiciansExcel.xml` auf der Platte und laden die Datei in Excel durch den Befehl `Process.Start`.

15.4 LINQ und SQL (LINQ-to-SQL)

LINQ-to-SQL erlaubt es Ihnen, Ihre relationalen Datenbankspeicher über Ihre ganze Applikation hinweg als Objekte zu behandeln. Ihre RDBMS-Tabellenstrukturen (relationales Datenbank-Managementsystem) können nun als Standardklassen abgebildet werden. Allerdings werden diese Klassen eigene Attribute besitzen, die sie gegenüber LINQ identifizieren. Jede Klasse, die Sie erzeugen, wird ebenfalls Properties enthalten, die den Spalten in einer Tabelle entsprechen.

In diesem Abschnitt erstellen Sie eine Microsoft-SQL-Server-Datenbank und zwei Tabellen namens `Musician` und `Genre`, die identische Daten enthalten werden, wie Sie sie schon im Abschnitt über »LINQ und XML« benutzt haben. Als Nächstes werden Sie zwei Klassen erzeugen, auf die Sie die Tabellen abbilden werden. Zuletzt werden wir demonstrieren, wie Sie über LINQ Abfragen mit Create, Read, Update und Delete (CRUD) gegen die beiden Tabellen ausführen können.

15.4.1 Musiker-Daten

Der Datensatz »Musician« enthält den Namen des Musikers und einen Genrebezeichner für jeden Musiker, mit dem Sie arbeiten. Die Genredaten enthalten den Genrenamen sowie einen eindeutigen Bezeichner für die musikalischen Stile.

Das folgende Datenbankskript, das im SQL-Server 2000 beziehungsweise 2005 laufen wird, erstellt die Datenbank (AVB2008) und zwei Tabellen (Musician und Genre) und lädt dann die Tabellen mit den benötigten Daten. Zudem legt dieses Skript die notwendige Bedingung für die Datenintegrität (Data Integrity Constraint) zwischen Musician und Genre fest:

```
Use master
GO


If DB_ID (N'AVB2008') IS NOT NULL
    Drop Database AVB2008
GO


Create Database AVB2008
GO


Use AVB2008
Go

Create Table [dbo].[Genre]
(
    [ID]            [int]                       Identity(1, 1),
    [Name]      [Varchar](10)      Not Null
)
Go

Alter Table [dbo].[Genre]        Add Constraint [PK_Genre]
Primary Key Clustered            ([ID] Asc)
Go

Create Table [dbo].[Musician]
(
    [ID]            [int]                       Identity(1, 1),
    [Musician] [varchar](50)      NOT NULL,
    [Genre]       [int]                       NOT NULL
)
Go

Alter Table [dbo].[Musician]     Add Constraint [PK_Musician]
```

```
Primary Key Clustered              ([ID] Asc)
Go


Alter Table [dbo].[Musician]       Add Constraint [UX_Musician] Unique
NonClustered
(
    [Musician] Asc
)
Go

Alter Table [dbo].[Musician]       With Check Add Constraint
[FK_Musician_Genre]
Foreign Key ([Genre])                References [dbo].[Genre] ([ID])
Go

Set Nocount On
Go

Insert [dbo].[Genre] ([Name]) Values ('Cool')
Insert [dbo].[Genre] ([Name]) Values ('Screamin''')
Insert [dbo].[Genre] ([Name]) Values ('Bebop')
Insert [dbo].[Genre] ([Name]) Values ('Dixieland')
Insert [dbo].[Genre] ([Name]) Values ('Classical')
Go

Insert [dbo].[Musician] Select 'Miles Davis', 1
Insert [dbo].[Musician] Select 'Maynard Ferguson', 2
Insert [dbo].[Musician] Select 'Dizzy Gillespie', 3
Insert [dbo].[Musician] Select 'Bix Beiderbecke', 4
Insert [dbo].[Musician] Select 'Louis Armstrong', 4
Insert [dbo].[Musician] Select 'Gerard Schwarz', 5
Insert [dbo].[Musician] Select 'Maurice Andre', 5
Go

Select * From [dbo].[Genre]
Select * From [dbo].[Musician]
Go
```

Wenn dieses Skript im Query Analyzer des SQL-Servers 2000 oder dem Server Management Studio in SQL Server 2005 ausgeführt wird, gibt es folgendes Resultat im Ergebnisbereich aus:

```
ID          Name
----------- -----------
1           Cool
2           Screamin'
3           Bebop
4           Dixieland
5           Classical
```

```
ID Musician                                        Genre
--- ---------------------------------------------  ----------
1   Miles Davis                                    1
2   Maynard Ferguson                               2
3   Dizzy Gillespie                                3
4   Bix Beiderbecke                                4
5   Louis Armstrong                                4
6   Gerard Schwarz                                 5
7   Maurice Andre                                  5
```

In diesem Code machen Sie das Skript wieder lauffähig, indem Sie zur `master`-Datenbank wechseln und mit dem Statement `IF DB_ID` auf die Existenz der Datenbank AVB2008 prüfen. Wenn die Datenbank existiert, führen Sie `Drop` aus. In jedem Fall erzeugt das Statement `Create Database` unsere AVB2008.

Als Nächstes erstellen Sie die Tabellen. Das Statement `Create Table [dbo].[Genre]` erzeugt die Tabelle `Genre` mit zwei Feldern, `ID` und `Name`. Das Feld `ID` wird als `Identity`-Feld erzeugt, welches garantiert, dass jede Eintragung einen eindeutigen von der Datenbank angewiesenen Wert hat. Das Feld `Name` ist ganz einfach ein String, der bis zu zehn Zeichen enthalten kann. Zuletzt erzeugt das Statement `Alter Table` einen primären Schlüssel für die Tabelle `Genre`, basierend auf dem ID-Feld in aufsteigender Reihenfolge. Dieser Primärschlüssel wird auch verwendet, um sicherzustellen, dass jedem Musiker ein gültiges Genre zugeordnet wird.

Die Tabelle `Musician` wird mit drei Feldern erzeugt, `ID`, `Musician` und `Genre`. Das ID-Feld ist das `Identity`-Feld für diese Tabelle. Das `Musician`-Feld ist ein String, der bis zu 50 Zeichen enthalten kann, während `Genre` ein `Integer`-Wert ist. Das erste `Alter Table`-Statement erzeugt einen Primärschlüssel für die Musiker und stellt sicher, dass in der Tabelle eindeutige Namen in der Tabelle existieren. Das zweite `Alter Table`-Statement generiert eine eindeutige Beschränkung (unique constraint) für die Tabelle `Musician` auf dem Feld `Musician`, um zu verhindern, dass Musikernamen doppelt in der Tabelle `Musician` gespeichert werden.

Das dritte `Alter Table`-Statement erzeugt einen fremden Schlüssel für die Tabelle `Musician`, der das ID-Feld von `Genre` referenziert. Auf diese Weise erzwingen Sie die nötige Referenzintegrität (referential integrity).

Die nächsten beiden Gruppen von `Insert`-Statements setzen Daten in die Tabellen ein. Die erste Gruppe schiebt fünf Genres in die Tabelle `Genre`. Beachten Sie, dass Sie nur das Feld `Name` direkt bestücken, da die `ID` direkt von der Datenbank zugewiesen wird. Die Tabelle `Musician` wird sieben Einträge von der nächsten Gruppe von `Insert`-Statements erhalten. Während jeder Eintrag aktualisiert wird, erzwingt die Datenbank die Referenzintegrität, indem sie feststellt, dass der Wert, der als Genre übergeben wird, auch als `ID` in der Tabelle `Genre` existiert.

Zuletzt zeigen die beiden `Select`-Statements einfach die Einträge der beiden Tabellen im Ergebnisbereich an, um festzustellen, dass das Skript erfolgreich ausgeführt wurde.

15.4.2 Mapping-Klassen

Der nächste Schritt, den wir bei LINQ to SQL unternehmen, ist, jede der Tabellen auf eine Mapping-Klasse oder Entity-Klasse abzubilden. Diese Klassen vermitteln LINQ to SQL die Struktur Ihrer Tabellen. Für die Tabellen brauchen Sie zwei Klassen, eine für `Genre` und eine für `Musician`.

Die Klasse Genre

Erstellen Sie eine neue Klasse über das Menü *Projekt > Klasse hinzufügen*, und nennen Sie sie `Genre`. Schauen wir uns zunächst die Definition von `Genre` an:

```
Imports System.Linq
Imports System.Data.Linq
Imports System.Data.Linq.Mapping


<Table(Name:="Genre")> _
Public Class Genre
    Private mID As Integer
    Private mName As String

    <Column(DbType:="Int Not Null Identity", Storage:="mID",
IsPrimaryKey:=True, _
            Name:="ID", IsDBGenerated:=True)> _
    Public Property ID() As Integer
        Get
            Return Me.mID
        End Get
        Set(ByVal value As Integer)
            Me.mID = value
        End Set
    End Property

    <Column(DbType:="Varchar(10)", Storage:="mName", Name:="Name")> _
    Public Property Name() As String
        Get
            Return Me.mName
        End Get
        Set(ByVal value As String)
            Me.mName = value
        End Set
    End Property
End Class
```

In dieser Klasse beginnen Sie damit, die nötigen LINQ-Namensräume zu importieren. Das `Table`-Attribut deklariert den `Name` der Tabelle, den diese Klasse repräsentiert, und die beiden `Private`-Felder werden für die Datensicherung genutzt. Das Attribut `Column` definiert einen Datenpunkt sowie die benötigten Metadaten für LINQ. In der

Klasse Genre haben Sie zwei definierte Datenpunkte, ID und Name. Für ID müssen Sie die Metadaten der Spalte übergeben, indem Sie fünf Properties benutzen: DbType, Storage, IsPrimaryKey, Name und IsDBGenerated. DbType repräsentiert die volle Definition des Datentyps, die Ihr RDBMS braucht. Im Fall von SQL Server ist ID definiert als ein Int Not Null Identity-Feld, der ein eindeutiger Integer-Wert ist und nicht Null sein kann. Das Property IsDBGenerated informiert LINQ, dass der darunterliegende Wert für jeden erstellten Eintrag automatisch vom RDBMS generiert wird. Der Wert True von IsPrimaryKey zeigt an, dass dieses Feld von der Datenbank-Engine als Primärschlüssel genutzt wird. Zuletzt beziehen sich die Properties Name und Storage auf den Datenpunkt, der gespeichert wird. Name ist der Feldname in der Tabelle, während mID auf das Feld in der Klasse abbildet.

Das zweite Feld, Name, ist per DbType als Varchar(10) definiert. Varchar ist ein Datentyp, der die maximale Länge der Zeichenkette festlegt, die für jeden Eintrag gespeichert werden kann. SQL Server speichert die wirkliche Stringlänge intern jeweils Eintrag für Eintrag.

Die Klasse Musician

Da Sie nun die Tabelle Genre auf die gleichnamige Klasse abgebildet haben, wollen wir die Tabelle Musician ebenfalls auf eine gleichnamige Klasse abbilden. Erstellen Sie zuerst eine neue Klasse in Ihrem Projekt mit der folgenden Definition:

```
Imports System.Linq
Imports System.Data.Linq
Imports System.Data.Linq.Mapping

<Table(Name:="Musician")> _
Public Class Musician
    Private mID As Integer
    Private mMusician As String
    Private mGenre As Integer

    <Column(DbType:="Int Not Null Identity", Storage:="mID",
IsPrimaryKey:=True, _
        Name:="ID", IsDBGenerated:=True)> _
    Public Property ID() As Integer
        Get
            Return Me.mID
        End Get
        Set(ByVal value As Integer)
            Me.mID = value
        End Set
    End Property

    <Column(DbType:="Varchar(50)", Storage:="mMusician", Name:="Musician")>
_
```

```
   Public Property Musician() As String
      Get
         Return Me.mMusician
      End Get
      Set(ByVal value As String)
         Me.mMusician = value
      End Set
   End Property

   <Column(DbType:="Int", Storage:="mGenre", Name:="Genre")> _
   Public Property Genre() As Integer
      Get
         Return Me.mGenre
      End Get
      Set(ByVal value As Integer)
         Me.mGenre = value
      End Set
   End Property
End Class
```

Die Klasse `Musician` hat drei `Private`-Felder für die Datenspeicherfung: `mID`, `mMusician` und `mGenre`. Wenn Sie das erste Attribut `Column` betrachten, können Sie sehen, dass die Spalte `ID` identisch wie die Spalte `ID` in der Tabelle `Genre` beschrieben ist. Die Spalte `Musician` ist ein `Varchar(50)`, der Feldname in der Tabelle lautet `Musician`, und das Klassenmitglied ist `mMusician`. Die Spalte Genre ist als `Int` definiert, während das Tabellenfeld `Genre` ist und das Klassenmitglied `mGenre`.

15.4.3 Datenkontext

Ein Datenkontext verwaltet die Verbindung zwischen den vorher erstellten Klassen und Ihrem RDBMS. Datenkontexte generieren das eigentliche SQL aus einer LINQ-Abfrage, führen es mit Ihrem RDBMS aus und verwalten die zurückgegebenen und eingereichten Daten. Um einen Datenkontext für die Daten zu erzeugen, benötigen Sie die folgenden beiden VB-Statements:

```
   Dim DB_Connection As New String("Data Source=.\SQLEXPRESS;" & _
         "Initial Catalog=AVB2008;Integrated Security=True")
   Dim AVB_DataContext As New DataContext(DB_Connection)
```

Die Codezeile `DB_Connection` erzeugt einen Verbindungsstring für den Datenkontext. Ein Verbindungsstring besteht aus drei Abschnitten: der `Data Source`, dem `Initial Catalog` und der `Integrated Security`. Data Source enthält die Instanz des SQL-Servers, an der Sie hängen, während `Initial Catalog` den Datenbanknamen spezifiziert. `Integrated Security = True` zeigt an, dass Sie die Beglaubigung für die Domäne besitzen, die gebraucht wird, um sich am SQL Server einzuloggen. Die nächste Codezeile erzeugt den `AVB_DataContext`, der den Verbindungsstring als Parameter verwendet.

Jede Tabelle, mit der Sie arbeiten, kann als `Table(Of T)` deklariert werden, indem die Methode `GetTable` Ihres `DataContext` verwendet wird. Wenn wir den vorher erzeugten `DataContext` verwenden, können Sie die nötigen `Table`-Collections mit den folgenden Anweisungen erstellen:

```
    Dim Musicians As Table(Of Musician) = AVB_DataContext.GetTable(Of
Musician)()
    Dim Genres As Table(Of Genre) = AVB_DataContext.GetTable(Of Genre)()
```

Zuletzt verfolgt `DataContext` die Änderungen an Ihren Objekten, bis Sie explizit fragen, dass diese in Ihren Tabellen mit der Methode `SubmitChanges` festgehalten werden. Wenn Sie einen Schritt zurückgehen müssen oder die Tabellen mit den Daten ablehnen, können Sie das mit der Methode `RejectChanges` tun.

15.4.4 Datenbankoperationen mit LINQ to SQL

Implementieren wir CRUD für die Tabelle Musician. Bevor wir diesen Abschnitt durcharbeiten, müssen Sie die Datenbank AVB2008 erstellt haben sowie die Tabellen `Musician` und `Genre`. Die beiden Tabellen müssen mit Daten befüllt und die beiden Klassen `Genre` und `Musician` Ihrem Projekt hinzugefügt worden sein.

Musiker erzeugen

Einen neuen `Musician` hinzuzufügen kann auf zweierlei Weise geschehen. Das folgende Beispiel ergänzt zwei Musiker in der Tabelle `Musicians`:

```
Imports System

Public Class EntryPoint
    Shared Sub Main()
        Dim DB_Connection As New String("Data Source=.\SQLEXPRESS;" & _
            "Initial Catalog=AVB2008;Integrated Security=True")
        Dim AVB_DataContext As New DataContext(DB_Connection)

        Dim Musicians As Table(Of Musician) = AVB_DataContext.GetTable(Of
Musician)()
        Dim Genres As Table(Of Genre) = AVB_DataContext.GetTable(Of Genre)()

        Dim NewMusician = New Musician With {.Musician = "Jon Faddis", .Genre
= 2}
        Musicians.Add(NewMusician)

        Musicians.Add(New Musician With {.Musician = "William Chase", .Genre
= 2})

        AVB_DataContext.SubmitChanges()
```

```
    Dim Query = From m In Musicians _
              Select m.Musician, m.Genre

    For Each Item In Query
        Console.WriteLine("Musicians Name: " & Item.Musician & _
                        " | Musicians Genre: " & Item.Genre)

    Next
  End Sub
End Class
```

Dieses Beispiel gibt folgendes Ergebnis an die Konsole aus:

```
Musicians Name: Bix Beiderbecke | Musicians Genre: 4
Musicians Name: Dizzy Gillespie | Musicians Genre: 3
Musicians Name: Gerard Schwarz | Musicians Genre: 5
Musicians Name: Jon Faddis | Musicians Genre: 2
Musicians Name: Louis Armstrong | Musicians Genre: 4
Musicians Name: Maurice Andre | Musicians Genre: 5
Musicians Name: Maynard Ferguson | Musicians Genre: 2
Musicians Name: Miles Davis | Musicians Genre: 1
Musicians Name: William Chase | Musicians Genre: 2
```

Im vorigen Code haben Sie Musicians auf zwei verschiedene Arten hinzugefügt. Sie ergänzten Jon Faddis, indem Sie zuerst einen NewMusician erstellt haben, und dann haben Sie ihn an die Add-Methode weitergegeben. William Chase kann in die Gruppe, indem ein neues Musician-Objekt direkt in Aufruf von Add() erzeugt wurde.

Musiker lesen

Um das Lesen zu implementieren, benutzen wir einfach eine LINQ-to-SQL-Abfrage. Sie bestätigt die Existenz der beiden Musiker, die wir im letzten Beispiel hinzugefügt hatten:

```
Imports System

Public Class EntryPoint
   Shared Sub Main()
      Dim DB_Connection As New String("Data Source=.\SQLEXPRESS;" & _
          "Initial Catalog=AVB2008;Integrated Security=True")
      Dim AVB_DataContext As New DataContext(DB_Connection)

      Dim Musicians As Table(Of Musician) = AVB_DataContext.GetTable(Of
Musician)()
      Dim Genres As Table(Of Genre) = AVB_DataContext.GetTable(Of Genre)()

      Dim Query = From m In Musicians _
                  Where m.Musician = "Jon Faddis" Or m.Musician = "William
Chase" _
```

```
                Select m.Musician, m.Genre

        For Each Item In Query
            Console.WriteLine("Musicians Name: " & Item.Musician & _
                            " | Musicians Genre: " & Item.Genre)
        Next
    End Sub
End Class
```

Bei der Ausführung gibt das Beispiel folgende Ausgabe an die Konsole:

```
Musicians Name: Jon Faddis | Musicians Genre: 2
Musicians Name: William Chase | Musicians Genre: 2
```

Hier benutzten Sie die Wendung Where, um die beiden Musiker zu finden, die zur Tabelle Musician im vorigen Beispiel hinzugefügt wurden. Nachdem Sie sie gefunden haben, geben Sie ihre Musician-Daten an die Konsole aus.

Musiker aktualisieren

Nun müssen Sie einen Eintrag in der Tabelle Musician aktualisieren, da William Chase eigentlich unter dem Namen Bill Chase bekannt ist. Das folgende Beispiel verwendet LINQ, um Bills Eintrag auf den neuesten Stand zu bringen:

```
Imports System

Public Class EntryPoint
    Shared Sub Main()
        Dim DB_Connection As New String("Data Source=.\SQLEXPRESS;" & _
                "Initial Catalog=AVB2008;Integrated Security=True")
        Dim AVB_DataContext As New DataContext(DB_Connection)

        Dim Musicians As Table(Of Musician) = AVB_DataContext.GetTable(Of
Musician)()
        Dim Genres As Table(Of Genre) = AVB_DataContext.GetTable(Of Genre)()

        Dim BC As Musician = (From j In Musicians _
                            Where j.Musician.Contains("Chase")).Single

        BC.Musician = "Bill Chase"

        AVB_DataContext.SubmitChanges()

        Dim Query = From j In Musicians

        For Each Item In Query
            Console.WriteLine("Musicians Name: " & Item.Musician & _
                            " | Musicians Genre: " & Item.Genre)
```

```
      Next
    End Sub
End Class
```

Dieses Beispiel gibt Folgendes an die Konsole aus:

```
Musicians Name: Miles Davis | Musicians Genre: 1
Musicians Name: Maynard Ferguson | Musicians Genre: 2
Musicians Name: Dizzy Gillespie | Musicians Genre: 3
Musicians Name: Bix Beiderbecke | Musicians Genre: 4
Musicians Name: Louis Armstrong | Musicians Genre: 4
Musicians Name: Gerard Schwarz | Musicians Genre: 5
Musicians Name: Maurice Andre | Musicians Genre: 5
Musicians Name: Jon Faddis | Musicians Genre: 2
Musicians Name: Bill Chase | Musicians Genre: 2
```

Im vorigen Beispiel erzeugten Sie `BC As Musician` und benutzten die Methode `Single`, um den Eintrag von William Chase zurückzugeben. Die Aktualisierung des Datenkontexts wird durch eine einfache Zuweisung im Statement `BC.Musician = "Bill Chase"` erreicht. Nach der Aktualisierung von `BC` senden Sie die Änderungen an das RDBMS. Zuletzt holen Sie die Musiker und listen sie auf der Konsole auf, wobei William Chase nun zu Bill Chase geworden ist.

Einen Musiker löschen

In den vorigen Beispielen hatten Sie zwei Musiker zu der `Musician`-Tabelle hinzugefügt und den Namen eines Musikers aktualisiert. Führen wir nun die Tabelle `Musician` in ihren ursprünglichen Zustand zurück, indem wir die zwei Musiker löschen, die wir zuvor ergänzt hatten:

```
Imports System

Public Class EntryPoint
  Shared Sub Main()
    Dim DB_Connection As New String("Data Source=.\SQLEXPRESS;" & _
          "Initial Catalog=AVB2008;Integrated Security=True")
    Dim AVB_DataContext As New DataContext(DB_Connection)

    Dim Musicians As Table(Of Musician) = AVB_DataContext.GetTable(Of
Musician)()
    Dim Genres As Table(Of Genre) = AVB_DataContext.GetTable(Of Genre)()

    Dim JF As Musician = (From j In Musicians _
                          Where j.Musician.Contains("Faddis")).Single

    Musicians.Remove(JF)

    AVB_DataContext.SubmitChanges()
```

```
      Dim Query = From j In Musicians

      For Each Item In Query
         Console.WriteLine("Musicians Name: " & Item.Musician & _
                          " | Musicians Genre: " & Item.Genre)
      Next
   End Sub
End Class
```

Das Beispiel gibt folgendes Ergebnis auf die Konsole aus:

```
Musicians Name: Miles Davis | Musicians Genre: 1
Musicians Name: Maynard Ferguson | Musicians Genre: 2
Musicians Name: Dizzy Gillespie | Musicians Genre: 3
Musicians Name: Bix Beiderbecke | Musicians Genre: 4
Musicians Name: Louis Armstrong | Musicians Genre: 4
Musicians Name: Gerard Schwarz | Musicians Genre: 5
Musicians Name: Maurice Andre | Musicians Genre: 5
Musicians Name: Bill Chase | Musicians Genre: 2
```

Im vorigen Beispiel haben Sie `JF As Musician` erstellt und den Eintrag von Jon Faddis zurückgegeben. Sobald Sie den Musiker geholt haben, löschten Sie ihn durch die Methode `Remove`. Jon Faddis ist nicht mehr darunter.

Das generierte SQL prüfen

LINQ-to-SQL gibt Ihnen auch die Möglichkeit, das SQL-Statement, das es generiert, zu betrachten. Dieses Debugging-Werkzeug ist über die Methode `Log` verfügbar. Hier ein Beispiel, wie `Log` benutzt wird:

```
Imports System

Public Class EntryPoint
   Shared Sub Main()
      Dim DB_Connection As New String("Data Source=.\SQLEXPRESS;" & _
            "Initial Catalog=AVB2008;Integrated Security=True")
      Dim AVB_DataContext As New DataContext(DB_Connection)

      Dim Musicians As Table(Of Musician) = AVB_DataContext.GetTable(Of
Musician)()

      Dim Query = From m In Musicians _
                Where m.Musician = "Jon Faddis" Or m.Musician = "William
Chase" _
                Select m.Musician, m.Genre

      AVB_DataContext.Log = Console.Out
```

```
    For Each Item In Query
        Console.WriteLine(Item.Musician & " plays " & Item.Genre & ".")
    Next
  End Sub
End Class
```

Das vorige Beispiel gibt Folgendes an die Konsole aus:

```
SELECT [t0].[Musician], [t0].[Genre]
FROM [Musician] AS [t0]
WHERE ([t0].[Musician] = @p0) OR ([t0].[Musician] = @p1)
-- @p0: Input String (Size = 10; Prec = 0; Scale = 0) [Jon Faddis]
-- @p1: Input String (Size = 13; Prec = 0; Scale = 0) [William Chase]
-- Context: SqlProvider(Sql2005) Model: AttributedMetaModel Build:
3.5.20706.1
```

Im vorigen Beispiel haben Sie eine LINQ-Abfrage erstellt, um zwei Musiker auszuwählen. Mit der `Log`-Methode sind Sie in der Lage, genau das `Select`-Statement zu betrachten, das LINQ auf dem SQL Server ausführen wird.

Jede Zeile im Output, die mit -- beginnt, ist ein Kommentar und wird zur Dokumentation ausgegeben. Die ersten beiden Kommentare beschreiben den Datentyp, die Größe und den Wert, der in der `Where`-Wendung verwendet wird, während der letzte Ihnen allgemeine Informationen über Ihre LINQ-to-SQL-Umgebung gibt.

15.5   Zusammenfassung

In diesem Kapitel haben wir Sie mit LINQ vertraut gemacht, einer neuen Gruppe von Technologien, die mit VB 2008 implementiert wird. Wir haben LINQ allgemein besprochen, die Erweiterungsmethoden und Lambda-Ausdrücke. Dann haben wir LINQ für Objekte erforscht und die Erzeugung von XML-Dokumenten. Wir haben uns auch LINQ für XML anhand einiger Beispiele, die auf häufigen Abfrageoperatoren basieren, angesehen. Zuletzt haben wir uns in LINQ für SQL vertieft, indem wir die Musiker- und Genredaten benutzt haben, um CRUD-Funktionalität (Create, Read, Update, Delete) mit Datenklassen zu implementieren.

Sie haben es geschafft! Dieses Kapitel beschließt Ihre Erforschung von VB 2008. Wir hoffen ehrlich, dass Sie wertvolle Erfahrungen und Einsichten in VB 2008 gewonnen haben, indem Sie Ihre Zeit mit uns geteilt haben. Vielen Dank!

A   Weiterführende Literatur

A.1   Bücher

Abrams, Brad. .NET Framework Standard Library Annotated Reference, Volumes 1 and 2. Boston, MA: Addison-Wesley Professional, 2004, 2005.

Allison, Damon, Andy Olson, James Speer. Visual Basic .NET Class Design Handbook: Coding Effective Classes. Berkeley, CA: Apress, 2003.

Boehm, Anne. Murach's Visual Basic 2005. Fresno, CA: Mike Murach & Associates, 2006.

Booch, Grady. Object-Oriented Analysis and Design with Applications, Second Edition. Boston, MA: Addison-Wesley Professional, 1993.

Box, Don, with Chris Sells. Essential .NET, Volume 1: The Common Language Runtime. Boston, MA: Addison-Wesley Professional, 2002.

Cwalina, Krzysztof, and Brad Abrams. Framework Design Guidelines: Conventions, Idioms, and Patterns for Reusable .NET Libraries. Boston, MA: Addison-Wesley Professional, 2005.

Ecma International. Standard ECMA-335: Common Language Infrastructure (CLI), Fourth Edition. Geneva, Switzerland: Ecma International, 2006.

Evjen, Bill, Rockford Lhotka, Billy Hollis, Bill Sheldon, Kent Sharkey, Tim McCarthy, Rama Ramachandran. Professional VB 2005. Indianapolis, IN: Wiley Publishing, 2006.

Ferracchiati, Fabio Claudio. LINQ for VB 2005. Berkeley, CA: Apress, 2007.

Fischer, Tom, John Slater, Pete Stromquist, Chaur G. Wu. Professional Design Patterns in VB .NET: Building Adaptable Applications. Berkeley, CA: Apress, 2002.

Fowler, Martin. UML Distilled: A Brief Guide to the Standard Object Modeling Language, Third Edition. Boston, MA: Addison-Wesley Professional, 2003.

Freeman, Elisabeth, and Eric Freeman, with Kathy Sierra and Bert Bates. Head First Design Patterns. Sebastopol, CA: O'Reilly Media, 2004.

Gamma, Erich, Richard Helm, Ralph Johnson, and John Vlissides. Design Patterns: Elements of Reusable Object-Oriented Software. Boston, MA: Addison-Wesley Professional, 1995.

Griver, Yair Alan, Matthew Arnheiter, Michael Gellis. Visual Basic Developer's Guide to UML and Design Patterns. Hoboken, NJ: Sybex, 2000.

Larman, Craig. Applying UML and Patterns: An Introduction to Object-Oriented Analysis and Design and Iterative Development. Upper Saddle River, NJ: Prentice Hall PTR, 2004.

Lau, Yun-Tung. The Art of Objects: Object-Oriented Design and Architecture. Boston, MA: Addison-Wesley Professional, 2001.

Lhotka, Rockford. Expert VB 2005 Business Objects, Second Edition. Berkeley, CA: Apress, 2006.

Liberty, Jesse. Programming Visual Basic 2005. Sebastopol, CA: O'Reilly Media, 2005.

Moore, Karl. Karl Moore's Visual Basic .NET: The Tutorials. Berkeley, CA: Apress, 2002.

Patrick, Tim, and John Clark Craig. Visual Basic 2005 Cookbook: Solutions for VB 2005 Programmers. Sebastopol, CA: O'Reilly Media, 2006.

Richter, Jeffrey. Applied Microsoft .NET Framework Programming. Redmond, WA: Microsoft Press, 2002.

Stephens, Rod. Visual Basic 2005 Programmer's Reference. Indianapolis, IN: Wiley Publishing, 2005.

Stoecker, Matthew, with Microsoft Corporation. MCAD/MCSD Self-Paced Training Kit: Developing Windows-Based Applications with Microsoft Visual Basic .NET and Visual C# .NET, Second Edition. Redmond, CA: Microsoft Press, 2003.

Sutter, Herb. Exceptional C++: 47 Engineering Puzzles, Programming Problems, and Exception-Safety Solutions. Boston, MA: Addison-Wesley Professional, 1999.

Troelsen, Andrew. Pro VB 2005 and the .NET 2.0 Platform. Berkeley, CA: Apress, 2006.

Yourdon, Edward, and Larry L. Constantine. Structured Design: Fundamentals of a Discipline of Computer Program and Systems Design. Upper Saddle River, NJ: Prentice Hall, 1979.

A.2   Zeitschriftenartikel

Kaplan, Michael, and Cathy Wissink. »Custom Cultures: Extend Your Code's Global Reach With New Features In The .NET Framework 2.0.« MSDN Magazine, October 2005.

Robbins, John. »Unhandled Exceptions and Tracing in the .NET Framework 2.0.« MSDN Magazine, July 2005.

Schmidt, Douglas C. »Monitor Object: An Object Behavioral Pattern for Concurrent Programming.« Department of Computer Science and Engineering, Washington University, St. Louis, MO, April 2005.

Toub, Stephen. »High Availability: Keep Your Code Running with the Reliability Features of the .NET Framework.« MSDN Magazine, October 2005.

Vermeulen, Allan. »An Asynchronous Design Pattern.« Dr. Dobb's Journal, June 1996.

Ng, Timothy. »Basic Instincts: Lambda Expressions.« MSDN Magazine, September, 2007.

Horst, Bill. »Basic Instincts: Type Inference in Visual Basic 2008.« MSDN Magazine, October 2007.

A.3 Internet

101 LINQ Samples. http://msdn2.microsoft.com/en-us/vbasic/bb688088.aspx

101 Samples for Visual Basic 2005. http://msdn2.microsoft.com/en-us/vbasic/ms789075.aspx

The Code Project. www.codeproject.com/

Developer.com. www.developer.com/net/vb/

Free Book – Introducing Microsoft Visual Basic 2005 for Developers. http://msdn2.microsoft.com/en-us/vbrun/ms788235.aspx

Visual Basic 2008 Express Edition. http://www.microsoft.com/express/product/

VB.Net Heaven. www.vbdotnetheaven.com/

Visual Basic Developer Center. http://msdn2.microsoft.com/en-us/vbasic/default.aspx

Consuming Unmanaged DLL Functions. http://msdn2.microsoft.com/en-us/library/26thfadc(vs.90).aspx

A Closer Look at Platform Invoke. http://msdn2.microsoft.com/en-us/library/0h9e9t7d(vs.90).aspx

Code Access Security: When Role-Based Security Isn't Enough. http://www.devx.com/security/Article/31259/0/page/1

How to Create an Indexer Property in Visual Basic .NET or in Visual Basic 2005. http://support.microsoft.com/kb/311323

How to Demand Permissions by Using Code Access Security. http://support.microsoft.com/kb/315529

Code Access Security. http://msdn2.microsoft.com/en-us/library/930b76w0(VS.90).aspx

Code Access Permissions. http://msdn2.microsoft.com/en-us/library/h846e9b3(vs.90).aspx

Unicode Frequently Asked Questions. http://unicode.org/faq/utf_bom.html

Wikipedia, »Regular Expression,« http://en.wikipedia.org/wiki/Regular_expression, 2007.

Regular Expression Tutorial. http://www.regular-expressions.info/tutorial.html

Array Covariance Rules. http://msdn2.microsoft.com/en-us/library/aa664572(VS.71).aspx

The LINQ Project. http://msdn2.microsoft.com/en-us/netframework/aa904594.aspx

Hooked on LINQ. http://www.hookedonlinq.com/MainPage.ashx

Beth Massi, »Sharing the Goodness that is VB: Quickly Import and Export Excel Data with LINQ to XML,« http://blogs.msdn.com/bethmassi/archive/2007/10/30/quickly-import-and-export-excel-data-with-linq-to-xml.aspx

Douglas Reichard, »Shim Classes,« http://www.ddj.com/cpp/184401200?pgno=5

Deployment of Managed COM Add-Ins in Office XP. http://msdn2.microsoft.com/en-us/library/aa164016(office.10).aspx

B   Anhang

Dieser Anhang beschreibt die verschiedenen Typen der Codebeispiele im Buch und wie man sie zum Laufen bringt. Er ist als Hilfe gedacht, wenn die VB 2008-Umgebung für Sie neu ist.

B.1   Beispieltypen

Dieses Buch enthält drei Typen von Codebeispielen: Codeschnipsel, Klassen, Strukturen und Interfaces sowie Konsolenanwendungen.

B.1.1   Codeschnipsel

Ein Codeschnipsel ist ein kleines Codebeispiel, das dazu dient, die Syntax einer Methode oder eines Funktionsaufrufs zu demonstrieren. Diese Schnipsel sind nicht dazu gedacht, kompiliert und ausgeführt zu werden.

B.1.2   Klassen, Strukturen und Interfaces

Diese Beispiele enthalten Definitionen von Klassen, Strukturen und Interfaces. Sie kompilieren Sie, indem Sie den Projekttyp »Klassenbibliothek« verwenden. Das Kapitel 6 enthält einige Beispiele, die in diese Kategorie fallen.

B.1.3   Konsolenanwendungen

Diese Beispiele werden kompiliert, indem Sie den Projekttyp »Konsolenanwendung« benutzen. Sie sind der häufigste Typ von Codebeispielen in diesem Buch. Standardmäßig erzeugt VB eine Datei namens `Module1.vb` mit dem folgenden Programmstummel:

```
Module Module1
    Sub Main()
    End Sub
End Module
```

Wir empfehlen Ihnen, den kompletten `Module`-Stummel durch den Beispieltext zu ersetzen, der eine `PublicEntryPoint`-Klasse und eine `Shared Main`-Methode enthält. Als Nächstes setzen Sie auf der *Eigenschaften*-Seite Ihres Projekts auf der Registerkarte *Anwendung* das *Startobjekt* auf `Sub Main`. Für Beispiele, die Kommandozeilenargumente benötigen, können Sie diese eingeben, und zwar auf der Registerkarte *Debuggen*

Ihrer Projekteigenschaften-Seite im Bereich *Befehlszeilenargumente*. Zuletzt benötigen die paar Beispiele, die die Globalisierung behandeln, eine Message-Box, die die Resultate anzeigt. Sie sollten diese Beispiele auf dieselbe Weise bauen und zum Laufen bringen wie andere Konsolenanwendungen. Aber Sie brauchen eine Referenz auf `System.Windows.Forms` auf der Registerkarte *Verweise* Ihrer Seite mit den *Projekteigenschaften*.

Eine Konsolenanwendung kann über das Menü *Debuggen > Starten ohne Debuggen* oder über die Tastenkombination *Strg + F5* gestartet werden. Dabei wird die erforderliche Ausgabe angezeigt, dann pausiert die Anwendung mit der Mitteilung »Drücken Sie eine beliebige Taste...« wenn die Ausführung fertig ist.

Um ein Beispiel gründlicher zu verstehen, platzieren Sie einen Haltepunkt bei der ersten ausführbaren Zeile innerhalb von `Shared Sub Main()`. Dann können Sie in jede Codezeile springen oder sie überspringen, während Sie den Aufrufsstack, die Variablen oder die Ausgabe an die Konsole betrachten.

B.2 Anmerkungen zu Modulen

Wenn Sie ein erfahrener Entwickler und firm in objektorientierten Techniken sind, dürfte Ihnen das Konzept eines Moduls eventuell fremd sein. Das Konstrukt `Module`, das nicht instanziert werden kann, ist ein Feature, das aus Visual Basic 6.0 (VB 6) stammt und übernommen wurde, um diese Anwendungen zu .NET migrieren zu können.

Wenn ein `Module` kompiliert wird, wird es in eine `NotInheritable`-Klasse mit `Shared`-Mitgliedern umgewandelt. Diese `Shared`-Mitglieder sind in Ihrer gesamten Anwendung verfügbar und agieren wie eine globale Variable. Es kann sein, dass Sie dies nicht wünschen. Auf der anderen Seite sind Klassen nicht automatisch `Shared`.

Wir denken, dass es eine viel bessere Übung ist, um objektorientierte Systeme in VB zu programmieren, eine Klasse `EntryPoint` zu erstellen, die eine `Shared Sub Main`-Methode enthält.

Stichwortverzeichnis